OS DIÁRIOS SECRETOS DE AGATHA CHRISTIE

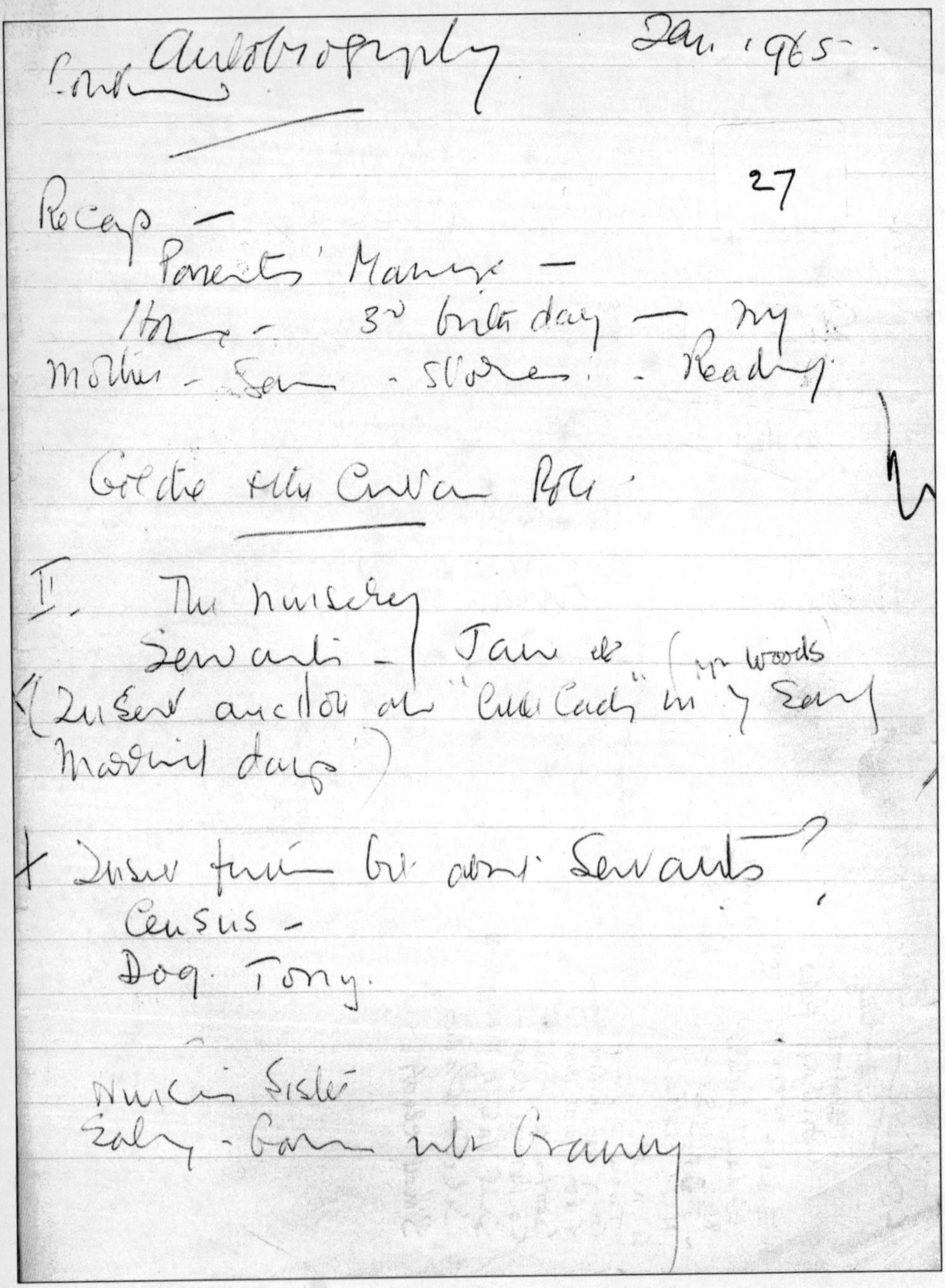

Notas datadas de 1965 no Caderno 27 resumindo os primeiros capítulos de Uma autobiografia, *posteriormente publicada em 1977.*

LeYa

Os Diários Secretos de AGATHA CHRISTIE

John Curran

2ª reimpressão

Tradução:
Thereza Christina Rocque da Motta

Título original: *Agatha Christie's secret notebooks: fifty years of mysteries in the making*

Direção: Pascoal Soto
Editora: Mariana Rolier
Produção editorial: Suria Scapin
Tradução: Thereza Christina Rocque da Motta
Preparação de texto: Luiz Carlos Cardoso
Revisão: Tulio Kawata
Diagramação: S4 Editorial
Capa: Retina 78

DADOS INTERNACIONAIS DE CATALOGAÇÃO NA PUBLICAÇÃO (CIP-BRASIL)
Ficha catalográfica elaborada por Oficina Miríade, RJ, Brasil.

C555 Curran, John, 1954-
Os diários secretos de Agatha Christie : 50 anos de mistérios na criação / John Curran ; tradução: Thereza Christina Rocque da Motta. – São Paulo : Leya, 2010.
480 p.: il.

Tradução de: *Agatha Christie's secret notebooks: fifty years of mysteries in the making.*
"Inclui dois romances inéditos de Poirot" : A captura de Cérbero ; O incidente da bola de cachorro.
Inclui fac-símiles dos diários de Agatha Christie.
ISBN 978-85-62936-27-2.

1. Christie, Agatha, 1890-1976 – diários. 2. Escritores ingleses – biografia. 3. Literatura inglesa. I. A captura de Cérbero. II. O incidente da bola de cachorro. III. Título.

10-0017 CDD 928.2

TEXTO EDITORES LTDA.
[Uma editora do grupo Leya]
Av. Angélica, 2163 – Conj. 175/178
01227-200 – Santa Cecília – São Paulo – SP
www.leya.com

Para Joseph, Conor, Francis, Oisin e Lorcan

Sumário

Agradecimentos

Este livro recebeu imenso auxílio por meio do apoio e da ajuda de muitas pessoas, cujos nomes não aparecem no frontispício.

Antes de tudo e de mais nada, agradeço a Mathew Prichard e sua mulher Lucy. A existência deste livro se deve à grande generosidade de Mathew. Ele, sem titubear, concordou que eu escrevesse sobre os Cadernos quando o procurei pela primeira vez. Não só me deu completo e irrestrito acesso a toda a documentação de sua avó, mas ele e Lucy também me estenderam sua ilimitada hospitalidade nas inúmeras vezes em que tive de estudar os documentos.

Sou grato a David Brawn, da HarperCollins, por sua fé no projeto, e a Steve Gove, por sua edição com olhos de águia.

Meu irmão Brendan leu um primeiro rascunho do livro e sua aprovação me encorajou a seguir em frente; e com sua mulher, Virginia, recebeu-me como se fosse em minha casa (mas com uma qualidade técnica muito superior!).

Meu amigo e companheiro na devoção a Agatha Christie, Tony Medawar, fez sugestões que muito me ajudaram, bem como ao compartilhar sua pesquisa comigo.

Felicity Windmill, arquivista da HarperCollins; Dra. Christine Faunch e sua equipe da Biblioteca da Universidade de Exeter; Tamsen Harward e Jemma Jones, da Agatha Christie Ltda.

David Headley, da Goldsboro Books, por sua valiosa ajuda e conselhos.

Meus vários colegas e amigos do Conselho da Cidade de Dublin, por seu apoio, especialmente Michael Sands, assessor de imprensa, e Jane Alger, bibliotecária divisional, dos Serviços para os Leitores.

E, por inúmeras razões, meu agradecimento também a Eurion Brown, Pete Coleman, Julius Green, John Perry, John Ryan, John Timon, Andy Trott e Nigel Wollen.

Notas

"Limpei" as anotações de Agatha Christie o mínimo possível. Todas as páginas de cada Caderno estão cheias de riscos, parênteses e pontos de interrogação; raramente se encontra uma frase inteira: elas são a exceção e não a regra. Retirei algumas letras maiúsculas, parênteses e traços, apenas para conferir maior legibilidade. Em alguns casos, editei um parágrafo com palavras, separadas apenas por travessões, em frases isoladas. Todos os demais pontos de interrogação, sublinhados, exclamações e travessões, assim como alguns erros gramaticais, estão como aparecem nos Cadernos. Se omiti alguma parte dos trechos, indico com reticências.

A ortografia não foi corrigida, porém assinalada como [sic].

Os colchetes são usados para esclarecimento editorial ou algumas indicações.

As datas de publicação referem-se às edições inglesas. Elas foram retiradas, em grande parte, dos catálogos contemporâneos existentes nos arquivos da Collins. Tradicionalmente, títulos do Clube do Crime foram publicados na primeira segunda-feira de cada mês e, em alguns casos, onde não haja indicação de data, utilizei essa regra.

Utilizei o título original *O Caso dos Dez Negrinhos,* em vez do título mais politicamente correto *E Não Sobrou Nenhum* ao longo do livro todo. Isso corresponde exatamente ao que está citado nos Cadernos e ao que foi concebido no livro por Agatha Christie em novembro de 1939.

No início de cada capítulo incluí uma lista de títulos, cujas soluções estão ali reveladas. Foi impossível discutir alguns livros de forma clara ou compará-los aos Cadernos, a menos que eu decifrasse os finais, e em muitos casos as notas mencionam a referência essencial ou o argumento da trama. O destemor criativo de Agatha Christie para decidir quanto a seu assassino é a parte vital de sua genialidade e tentar circunscrevê-lo com exercícios verbais ambíguos não lhe faz justiça.

Ao decidir quais títulos deveria incluir ou omitir, evitei de propósito criar uma ordem alfabética ou cronológica. A primeira é inócua no contexto deste livro e a segunda fez com que todos os livros clássicos ficassem juntos nos anos intermediários da carreira da autora. Decidi arrumá-los por tema, incorporando uma variedade e, simultaneamente, ilustrando a busca de Agatha Christie por algum motivo. O agrupamento de títulos por categorias é arbitrário. Alguns podem se encaixar sob cabeçalhos, i.e., *Mistério no Caribe* poderia aparecer tanto em "A Morte Tira Férias" quanto em "Morte no Exterior"; *Os Cinco Porquinhos* poderia encaixar-se perfeitamente em "Os Crimes dos Poemas Infantis" e em "Morte em Retrospecto". Selecionei-os e organizei-os tendo em vista a sua diversidade e o seu equilíbrio.

Poucos contos têm anotações detalhadas. Escolhi os que tinham anotações suficientes para fazer com que a sua inclusão valesse a pena.

Não é possível num livro destas proporções mencionar todos os títulos e, se a sua história favorita não foi incluída, leitor, peço que me desculpe; espero retificá-lo numa próxima edição aumentada.

É importante para os leitores assinalar que os Cadernos não estão disponíveis para consulta. Espera-se que em alguns anos eles possam ser consultados de forma limitada, mas no momento isso não é possível.

Apresentação

MATHEW PRICHARD

Há muitos anos, fiz com minha primeira mulher Angela uma viagem a Calgary, região oeste do Canadá, para assistir à estreia mundial de uma peça teatral de Agatha Christie do início de sua carreira, chamada *Chimneys*. Na primeira recepção, conhecemos um irlandês comedido, de óculos, chamado John Curran. Com seu costumeiro bom humor, ele observou sobre si mesmo que deveria ser louco para viajar de Dublin a Calgary somente para assistir a uma peça de Agatha Christie, e nos tornamos amigos desde então.

Depois que meus pais morreram em Greenway, Devon, que recentemente foi assumido pelo Fundo Nacional (e acabou de ser reaberto), John tornou-se um visitante assíduo. A maioria das pessoas que visitam Greenway fica maravilhada com os jardins e o caminho junto ao rio. John, não. Ele passou todo o tempo na "sala de fax", um quarto no primeiro andar, de cerca de 3 m x 1,20 m, em que os arquivos de Agatha Christie ficavam guardados. Tinha de ser arrancado de lá para comer alguma coisa, passando, por vezes, doze horas por dia imerso na obra dela.

Foi ali que surgiu sua paixão pelos Cadernos de Agatha Christie, e nem ele nem eu podíamos acreditar em nossa (e sua) sorte quando a HarperCollins concordou em publicar o livro que escreveu sobre esses Cadernos. Com certeza os leitores perceberão nitidamente o fascínio e entusiasmo de John pelos Cadernos, e, como presente, ele incluiu dois contos inéditos de Agatha Christie.

Sempre me surpreende constatar que, mais de trinta anos após a morte de Agatha Christie, ainda exista um interesse crescente por sua vida e sua obra. John concentra-se no estudo da obra, deixando para os outros a fascinação mórbida pela pessoa por trás dos livros – e aqui está um livro que trata da matéria-prima dessa grande obra. É uma notável história pessoal e literária. John ofereceu-nos um presente – espero que o apreciem.

Prefácio

SOMBRAS À LUZ DO SOL – INTERLÚDIO EM GREENWAY, VERÃO DE 1954

Enquanto ela observa o rio mais abaixo, um vapor cheio de turistas abre caminho em direção a Dartmouth, o sol refletido nas águas cortadas pela embarcação. O riso dos passageiros chega a seus ouvidos no terraço e o cão aos seus pés ergue a cabeça olhando inquisitivo para o rio. Uma abelha sonolenta é o único outro som que perturba sua tranquilidade. Em outra parte deste refúgio, o jardineiro Frank está ocupado, preparando-se para a exposição de flores, e Mathew anda atrás do tesouro que ela escondeu para que ele o encontrasse; aqui, neste semicírculo formado pelo piso no extremo do jardim acima do rio, ela está em paz. Mas é uma solidão temporária, para pensar em seu próximo projeto, após um maravilhoso período de descanso – saboreando a excelente colheita de sua horta, nadando no mar, fazendo piqueniques à beira dos charcos vizinhos, deitada na grama e desfrutando da companhia da família e dos amigos.

Ela sabe que, se deixar a mente vagar, a inspiração entrará em ação; afinal, por mais de 35 anos, sua inspiração nunca a decepcionou, e não há razão para supor que a abandone neste ambiente tranquilo. Ela olha vagamente em volta. À esquerda pode ver o telhado da casa de barcos e atrás, à direita do jardim, a subida para a imponente mansão em estilo georgiano. Agora pode ouvir um farfalhar de folhas logo abaixo, enquanto Mathew segue as pistas que ela lhe deu.

Se ele as seguiu corretamente, agora deve estar indo em direção à quadra de tênis... Imagino se conseguirá ver a bola de tênis... ela contém a próxima pista. Muito parecido com uma história policial, realmente... porém, mais divertida e menos planejada... sem edição ou leitura de prova de impressão... e ninguém lhe escreve depois para apontar erros... Mas, se houvesse alguns participantes, seria ainda melhor – mais divertido e mais parecido com uma competição. Talvez da próxima vez eu peça que alguns sobrinhos de Max venham com ele e isso tornaria tudo mais interessante. Ou da próxima vez eu posso fazer uma festa no jardim para a escola local... talvez possa trabalhar no terraço e na casa de barcos... embora a casa de barcos pareça um pouco sinistra... especialmente se alguém ficar ali sozinho...

Agora ela está com o olhar perdido acima do rio, imaginando-se num lugar mais iluminado...

Se o gramado foi uma cena de diversão... uma reunião familiar... não, precisaria de mais pessoas do que isso... uma festa ao ar livre... uma festa beneficente? Para os escoteiros – eles sempre estão precisando de dinheiro... sim, há uma possibilidade aí... Poderia haver mesas no gramado e chá sob uma tenda, talvez junto à magnólia... pessoas entrando e saindo da casa... uma cartomante e uma mesa de bebidas... e um zunzunzum por toda a parte... E em outra parte do gramado emergiria uma força obscura... irreconhecível... insuspeita... Que tal aqui no terraço? Não – é aberto demais e... muito... muito... pouco ameaçador, e não se poderia esconder um corpo aqui; mas na Casa de Barcos... agora, isso é possível – longe o suficiente para ficar isolado, logo abaixo desses degraus irregulares e, apesar disso, perfeitamente acessível a qualquer pessoa. E pode-se trancar a porta... e pode-se chegar até ali subindo do rio...

E Mrs. Oliver?... perfeita para criar uma caça ao tesouro... e poderia não dar certo por algum motivo e alguém poderia morrer. Vamos ver... que tal uma caça ao assassino em vez de uma caça ao tesouro?... como pista, porém próximo a uma casa de verdade e um terreno, em vez de uma tábua. Agora, Poirot ou Marple... Marple ou Poirot... não vejo Miss M andando por Greenway, muito ruim para Poirot, mas não muito factível que ela pudesse... e ela não conhece Mrs. Oliver, de qualquer forma, e eu preciso usá-la... Então... Mrs. O teria de trazer Poirot por alguma razão... talvez ela pudesse chamá-lo para vir até a casa alegando algum pretexto... ela precisa que ele a ajude em relação a uma pista?... ou ele conheceria o Delegado... mas eu já usei essa estratégia algumas vezes antes... que tal entregar um prêmio para quem vencesse a caça...

Ela abre a bolsa e tira um grande caderno de anotações de capa vermelha...

Não muito adequado para se levar por aí, mas lembrando o lema dos escoteiros – sempre alerta. Agora, tenho certeza de ter uma caneta por aqui em algum lugar... Melhor anotar isso enquanto está fresco na cabeça – posso mudá-lo depois, mas creio que a ideia básica tenha várias possibilidades.

Ela abre o caderno numa página em branco e começa a escrever.

> Ideias básicas para ser usadas
>
> Mrs. Oliver chama Poirot
>
> Ela está em Greenway – assunto profissional – preparando uma Caça ao Tesouro ou uma Caça ao Assassino para a Festa do Conservatório, que deve acontecer nesse lugar –

Ela está totalmente absorta, enchendo as páginas com sua caligrafia larga e espaçada, anotando ideias, mesmo que venha a descartá-las depois. A verdadeira Greenway desapareceu à medida que ela a preenche com as crianças que estão em sua imaginação: alunos estrangeiros, meninas e meninos escoteiros, detetives, policiais – e Hercule Poirot.

Algumas ideias

Caronista (moça?) de um albergue vizinho – na verdade, Lady Bennerman

Sim, o albergue da juventude vizinho poderia ser usado... estudantes estrangeiros... possibilidade de disfarçar um deles como... quem? Eles estão sempre indo e vindo, e ninguém sabe quem eles são – poderia ser qualquer pessoa, realmente. Uma moça é mais fácil de disfarçar do que um homem... talvez ela se faça passar pela dona da casa. Mmmm, isso significaria que ninguém a conhecia muito bem... talvez ela fosse doente... uma inválida... sempre no quarto... ou abobada e ninguém lhe dá atenção... ou casada há pouco tempo e desconhecida por todos. Mas então chega alguém que ela conhece... seu verdadeiro marido, talvez... ou um amante... ou um parente... e ela tem que se livrar deles...

Jovem esposa reconhecida por alguém que a conhece

Talvez já casada – chantagem?

Posso adaptar uma das caças ao tesouro que fiz para Mathew e trabalhar na Casa de Barcos de algum modo... e inventar a caça de Mrs. Oliver... Eu poderia usar as pistas das armas e suspeitos... mas com um corpo verdadeiro em vez de um falso...

Plano de Mrs. Oliver

As Armas

Revólver – Faca – Varal

Quem irei matar? A aluna estrangeira... não, ela faz parte do plano... alguém inesperado, então... que tal o lorde da casa?... não, muito clichê... precisa haver impacto... que tal um estrangeiro?... mas quem... e isso traz um monte de problemas... deixarei isso para o ano que vem, talvez... Que tal uma criança?... precisa ser tratada com cuidado, mas poderia criar uma criança não muito boazinha... talvez o falso corpo, que poderia ser um dos escoteiros, aparece realmente morto... ou, melhor ainda, uma escoteira... ela poderia ser muito intrometida e ter visto algo que não devia... Não creio ter tido uma vítima que fosse criança antes...

Pontos a decidir – Quem será a primeira vítima?
(?a) "Corpo" a ser o Escoteiro na Casa de Barcos – chave deve ser encontrada através das pistas

Seus olhos se perdem na distância, sem observar a visão panorâmica sobre o rio e o monte coberto pela floresta na outra margem. Ela é Poirot, tomando seu chá da tarde na sala de estar, passando com cuidado pelas portas da varanda e vagando até o jardim embaixo. Ela é Hattie, querendo preservar sua posição e dinheiro a todo custo. Ela é Mrs. Oliver, distraidamente arquitetando, descartando, trocando, mudando...

Próximas dicas – P na casa – vagando até O Pateta – Encontra?

Hattie entra como ela mesma – ela muda de roupa e surge (da casa de barcos? O Pateta? Da tenda da cartomante?) como estudante do albergue

Agora, tenho que providenciar alguns familiares... que tal uma mãe idosa... ela poderia viver em Gate Lodge. Se eu a fizer misteriosa, os leitores pensarão que é "ela"... senhoras idosas são sempre boas suspeitas. Ela poderia saber algo que aconteceu no passado?... talvez ela conhecesse Hattie de algum lugar... ou pense que conheça... ou faça Poirot pensar que ela a conhece, o que também serve... Vamos ver...

Mrs. Folliat? Personagem suspeita – realmente escondendo algo que ela viu. Ou um antigo crime – uma esposa que "fugiu"

Ela para de escrever e fica atenta ao ouvir uma voz se aproximar do terraço, chamando:

– Nima, Nima!

– Aqui, Mathew – ela responde e um meninote de doze anos desce as escadas correndo.

– Encontrei o tesouro, encontrei o tesouro! – ele cantarola, ansioso, agarrando uma meia coroa.

– Muito bem. Espero que não tenha sido difícil.

– Na verdade, não. A pista da quadra de tênis tomou-me algum tempo, mas então eu vi a bola debaixo da rede.

– Pensei que esta pudesse intrigá-lo – ela disse, sorrindo.

Ela fecha o caderno de anotações e guarda-o na sacola. O questionamento de Hercule Poirot a Mrs. Folliat e a identidade de uma possível segunda vítima terão de esperar.

– Vamos – ela disse. – Vamos ver se há algo interessante para comer em casa.

Agatha Christie, a Rainha do Crime, encerrou seu dia e Agatha Christie, a avó, sobe os degraus da escada do terraço para pegar sorvete para seu neto.

E o livro de Agatha Christie, lançado no Natal de 1956, chamou-se *A Extravagância do Morto.*

Introdução

Julia aproximou-se e engoliu em seco. Ela ficou olhando, olhando, olhando...

Um Gato entre os Pombos, Capítulo 17 (1959)

Vi os Cadernos de Agatha Christie pela primeira vez numa sexta-feira, 11 de novembro de 2005.

Mathew Prichard me convidou para passar o fim de semana em Greenway e conhecer o lugar antes que o Fundo Nacional iniciasse as longas restaurações necessárias para devolvê-lo à sua antiga glória. Ele foi me buscar na estação de trem de Newton Abbot, cena da peça teatral *Personal Call* [*Ligação Pessoal*], e percorremos de carro sob o lusco-fusco até o vilarejo de Galmpton, passando diante da escola onde Dama Agatha foi diretora e o chalé onde viveu seu amigo Robert Graves, a quem dedicou o livro *Hora Zero*. Subimos a estrada escura depois do vilarejo, mas a visão panorâmica do Rio Dart e do mar, vislumbrado tantos anos antes por Hercule Poirot a caminho da caça aos assassinos na Mansão Nasse, estava oculta para mim. Agora chovia bastante e a frase "uma noite escura e tempestuosa" era uma realidade e não mera figura de linguagem. Passamos pela entrada do albergue da juventude, refúgio dos estudantes estrangeiros em *A Extravagância do Morto*, e, finalmente, cruzamos os imponentes portões da Mansão Greenway, subindo a rampa de acesso até chegar à casa propriamente dita. As luzes estavam ligadas e havia uma lareira acesa na biblioteca, onde bebemos chá. Sentei-me na poltrona favorita de Agatha

Christie e olhei, ávido, sem a menor cerimônia, para as estantes em volta – a coleção da Edição Greenway de seus romances, as versões traduzidas, as primeiras edições usadas e sem capa, os romances policiais de seus contemporâneos e os livros muito lidos durante a infância feliz em Ashfield, tão amorosamente lembrada em *Portal do Destino*.

Mathew me levou, então, em uma visita guiada pela casa – o ostensivo saguão de entrada com o gongo chinês ("O Espelho do Morto"), o baú com fecho de bronze ("O Mistério do Baú Espanhol") e os impressionantes retratos da família (*O Natal de Poirot*); uma despretensiosa coleção de equipamento de esporte no canto sob a escada tinha, imagino, um taco de golfe para canhotos ("Assassinato no Beco"), algumas raquetes de tênis (*Hora Zero* ou, menos morbidamente, *Um Gato entre os Pombos*) e um inocente bastão de críquete. Na sala de estar havia um grande piano (*Um Passe de Mágica*) e uma porta que se recusava a ficar aberta se não estivesse presa por um calço (*Convite para um Homicídio*); na mesinha de porcelana repousava o conjunto de imagens de Arlequim que inspiraram *O Misterioso Mr. Quin*. A janela por trás do piano foi de onde Hercule Poirot desceu lentamente após o chá da tarde em *A Extravagância do Morto*.

No andar de cima, depois de subir por uma tortuosa escada de madeira, estavam os banheiros ainda com os nomes das crianças refugiadas (*Punição para a Inocência*) da Segunda Guerra Mundial, escritos em etiquetas coladas nas prateleiras, enquanto a estante tinha os exemplares autografados de alguns amigos e autores da época ("Para Agatha, com emoção – Ngaio Marsh"). Na manhã seguinte, deparei-me com a visão deslumbrante do rio e das montanhas de Devon, vendo parte da Casa de Barcos (*A Extravagância do Morto*) e do Terraço (*Os Cinco Porquinhos*).

No primeiro andar havia uma estante giratória (*Cai o Pano*) com várias edições em brochura e, seguindo pelo corredor, estava o quarto de dormir de Dama Agatha, recrutado pela sua criação para ambientar *A Extravagância do Morto*. Junto ao canto da parede estava pendurado o roupão que a mãe de Dama Agatha usara na fotografia em *Uma Autobiografia* e, seguindo em frente pelo corredor, viam-se as escadas traseiras, semelhantes às usadas por Miss Marple no clímax de *Um Crime Adormecido*.

No topo das escadas havia dois quartos trancados, guardiões silenciosos de um tesouro literário inimaginável e o objeto de desejo de todo fã de Agatha Christie (mas, na realidade, acessível apenas a poucos). O quarto maior tinha uma coleção completa das primeiras edições de capa dura, inglesas e americanas, todas autografadas, muitas com dedicatórias pessoais, bem como os livros publicados sobre a Rainha do Crime e a sua obra. O segundo quarto era longo e estreito, cheio de prateleiras e estantes com mais livros – brochuras e exemplares de capa dura, primeiras edições e publicações do Clube do Livro, muitos deles autografados; originais datilografados e manuscritos, cartas e contratos, pôsteres e programas de teatro, fotos e coberturas de livros, cadernos de rascunho e diários. Numa prateleira de baixo estava uma caixa de papelão comum com uma coleção de velhos cadernos de exercícios...

Puxei a caixa para o chão, ajoelhei-me e tirei o primeiro caderno de exercícios. Tinha capa vermelha e uma pequena etiqueta branca com o número 31. Abri o caderno e as primeiras palavras que li foram "Um Corpo na Biblioteca – Pessoas – Mavis Carr – Laurette King". Folheei as páginas ao acaso... "Morte no Nilo – Pontos a ser trazidos... 8 de outubro – Sequência de Helen do ponto de vista da menina... O Refúgio – Inspetor vem conversar com Sir Henry – pergunta sobre revólver... Mistério de Bagdá 24 de maio... 1951 Peça Primeiro Ato – Estranho entra num quarto escuro – acha o interruptor – acende-o – corpo de um homem... Um Assassinato foi encomendado – Letitia Bailey no café da manhã".

Todas essas frases incríveis estavam em apenas um dos Cadernos e havia ainda mais de setenta deles empilhados dentro da caixa. Esqueci que estava ajoelhado sem o menor conforto no chão de um quarto mal-arrumado e cheio de poeira; que, no andar de baixo, Mathew me esperava para mandar servir o jantar; que, do lado de fora, numa noite escura de novembro, a chuva batia nas venezianas fechadas da janela. Eu sabia agora como iria passar o restante da noite e grande parte do fim de semana. E, como de fato aconteceu, os quatro anos seguintes...

Era muito tarde quando, por fim, de modo relutante, fui dormir naquela noite. Olhei sistematicamente cada página de todos os Cadernos e, enquanto subia as escadas tortuosas da casa silenciosa, tentei guardar o máximo possível das informações inebriantes a partir de minhas rápidas leituras. O fato de que *Morte no Nilo* deveria ter sido uma história de Miss Marple... de que havia mais de dez personagens na preparação inicial de *O Caso dos Dez Negrinhos*... de que agora eu conhecia suas intenções para o final de *E no Final, a Morte*... de que ela alternou diversas soluções para *A Casa Torta*...

Na manhã seguinte, Mathew me levou para caminhar pelos jardins de Greenway. Começamos pelo lugar onde havia sido o estábulo (e depois o escritório do Fundo Nacional e uma loja de presentes), passamos pela quadra de tênis (*A Extravagância do Morto*) e pelo jardim murado com vista para as grandes estufas; passamos pela quadra de *croquet* e subimos por trás da casa e ao longo da passagem até o Jardim Alto, de onde se tinha uma vista magnífica do Rio Dart. Então, descemos novamente até a Casa de Barcos, o lugar da morte de Marlene Tucker em *A Extravagância do Morto*, e terminamos no Terraço, olhando o rio, vendo o muro baixo onde a vibrante Elsa Greer (*Os Cinco Porquinhos*) posou para o quase morto Amyas Crale muitos anos antes (veja a página 123). Andamos de volta até a mansão ao longo da passagem usada pela fatídica Caroline Crale no mesmo romance. Próximo da frente da mansão, lembrei-me de que esta era a casa de verão de Agatha Christie, onde ela vinha descansar com a numerosa família. Posso imaginar esses verões há cinquenta anos, quando se tomava chá neste mesmo gramado, o som da bola de tênis batendo na raquete, vindo da quadra, o estalido da bola chocando no taco de *croquet*; os cães se espreguiçando demoradamente ao sol da tarde e os pássaros planando, pousando no alto das árvores; o sol refletindo no Rio Dart e as músicas de Cole Porter tocando em uma vitrola, enquanto o mordomo preparava a mesa de jantar; e podia-se ouvir a batida abafada das teclas de uma máquina de escrever pela janela no segundo andar...

Passei quase 24 horas daquele fim de semana no fascinante quarto no alto da escada, emergindo de lá apenas para comer (graças a muita insistência de Mathew) e dormir. Recusei os almoços em Dartmouth e o chá na biblioteca com amigos da família; deixava de estar presente nas agradáveis conversas após o jantar e de demorar à mesa no café da manhã, e Mathew foi condescendente encorajando tacitamente meu mau comportamento. Com tanto cuidado quanto Hercule Poirot no estúdio de Roger Ackroyd, escrutinei os originais datilografados de *Cai o Pano* e *Um Crime Adormecido*; o original e as cenas cortadas do primeiro rascunho de *A Ratoeira*; o manuscrito totalmente anotado de *Noite sem Fim*; a publicação original em revista de "O Desaparecimento de Mr. Davenby" [sic]; os programas de estreia autografados de *Morte no Nilo* e *Encontro com a Morte*; o caderno de rascunho oficial para as comemorações do lançamento do seu 50º livro, *Convite para um Homicídio*; a *memorabilia* da Première Real de *Assassinato no Expresso do Oriente*; e todo o tempo, como Miss Lemon com seu arquivo, eu continuava retornando aos fascinantes Cadernos de Anotações.

Entre os papéis de Agatha Christie ainda há muitos textos do início de sua carreira como escritora – algumas ficções, alguns romances, alguns livros de suspense leve e seu romance precursor, pré-Styles, *Neve no Deserto*. Entre os originais datilografados de seus contos (alguns com muitas diferenças das versões impressas) havia também "O Incidente da Bola de Cachorro". A existência desse conto era conhecida pelos estudiosos da obra de Agatha Christie, incluindo meu amigo e companheiro de devoção a Agatha, Tony Medawar, editor de *Enquanto Houver Luz*, mas a semelhança com um trabalho já publicado sempre afastou a inclusão em todas as coletâneas póstumas. Eu estava convencido de que era essa semelhança, aliada a uma diferença maior, que o tornava mais interessante. Agora os leitores poderão julgar por si mesmos.

Numa visita posterior, no ano seguinte, fiz o que agora chamo de A Descoberta. Gastei o mês de agosto de 2006 em Greenway separando e organizando os papéis de Dama Agatha, preparando-os para ser removidos antes do começo dos trabalhos de restauração da casa. Os dias da semana eram muito ativos, enquanto pesquisadores e arquitetos, operários e voluntários se espalhavam por todos os cantos da mansão, mas os fins de semana eram normalmente tranquilos e, embora os jardins fossem abertos ao público aos sábados, dentro da casa propriamente dita era mais silencioso; realmente, tão silencioso que se poderia imaginar que não havia mais ninguém na propriedade. Na tarde de sábado, 19 de agosto, eu conferia a coleção de manuscritos e originais datilografados, preparando-os para fazer uma lista antes de arquivá-los. O único original datilografado encadernado de uma reunião de contos, distinto dos romances, era *Os Trabalhos de Hércules*, e imaginei se, por acaso, seriam diferentes da versão publicada, ciente de que contos primeiro publicados em revistas costumam ser ligeiramente editados antes de reunidos numa coletânea em capa dura. A apresentação e os primeiros contos batiam com as versões conhecidas, mas, ao chegar ao décimo segundo, "A Captura de Cérbero", a primeira linha ("Hercule Poirot bebericou seu *apéritif* e lançou o olhar sobre o Lago de Genebra...") não me pareceu familiar. Enquanto eu lia, percebi que era algo totalmente único – um conto inédito de Poirot, que ficou silente na encadernação por mais de sessenta anos, apanhado, carregado e transferido de prateleira inúmeras vezes ao longo desse tempo, manuseado por diversas pessoas e, ainda assim, conseguindo passar despercebido até aquela tarde de verão, quase setenta anos depois de ter sido escrito. Abandonei minha tarefa autoimposta de listar e separar os originais e me sentei para ler, pela primeira vez desde outubro de 1975 e depois de suas últimas e eletrizantes palavras em *Cai o Pano* ("Sim, foram bons aqueles dias..."), essa desconhecida e esquecida aventura de Hercule Poirot.

Quando, no início de 2006, falei com Mathew sobre a possibilidade de publicar um livro sobre os Cadernos de sua avó, ele, com sua costumeira generosidade, concordou imediatamente. E, logo depois, a HarperCollins foi igualmente entusiástica. A questão de como tratar os dois contos inéditos permanecia. Consultei os Cadernos minuciosamente e constatei que havia anotações para os dois contos. Mathew aceitou que fossem publicados e me senti muito honrado de que a primeira aparição dos dois novos contos da Rainha do Crime me tivesse sido confiada.

No final de *O Misterioso Caso de Styles*, Poirot diz a Hastings:

– Não se importe. Console-se, meu amigo. Podemos caçar juntos novamente, quem sabe? E depois...

Quem realmente poderia dizer que, quase um século depois de escritas essas palavras, iríamos nos juntar a Hercule Poirot em mais uma caçada... e, então, de forma quase inacreditável, estávamos juntos mais uma vez...

1

Convite para um Homicídio: o Começo de uma Carreira

Aquele foi o começo de tudo. De repente, vi meu caminho claramente. E me determinei, não a cometer um assassinato, mas um assassinato em grande dimensão.

O Caso dos Dez Negrinhos, Epílogo

SOLUÇÕES REVELADAS

Morte no Nilo • *Morte na Praia* • *A Mansão Hollow* • *Treze à Mesa* • *Assassinato na Casa do Pastor* • *O Misterioso Caso de Styles* • *Punição para a Inocência* • *Testemunha de Acusação*

Em geral, considera-se que a era de ouro dos romances policiais ingleses abarca, aproximadamente, o período seguinte ao término da Primeira Guerra Mundial até o final da Segunda Guerra, ou seja, de 1920 a 1945. Essa foi a época dos fins de semana passados na casa de campo pontilhada com a presença de um assassino, o testemunho de uma criada, a grama coberta pela neve sem pegadas e um policial intrigado procurando o auxílio de um talentoso amador. A ingenuidade alcançava novos píncaros com a embolia fatal de ar injetado por meio de uma agulha hipodérmica com uma seringa vazia, o selo de carta colado com veneno e a adaga de gelo que derrete depois de ser usada.

Durante esses anos, todos os nomes que hoje associamos ao romance policial clássico começaram sua carreira literária. O período foi iniciado com o brilhantismo de John Dickson Carr, que inventou mais formas de entrar e sair de uma sala trancada do qualquer outro antes ou depois dele; teve a engenhosidade de Freeman Wills Crofts, mestre do álibi perfeito, e de Anthony Berkeley, pioneiro das múltiplas soluções. Viu o nascimento de Lorde Peter Wimsey, criado por Dorothy L. Sayers, cuja ficção e crítica em muito colaboraram para desenvolver o nível literário e a aceitação do gênero; o surgimento de Margery Allingham, que provou, com a criação de Albert Campion, que uma boa história policial também poderia ser um bom romance; e a aparição de Ngaio Marsh, cujo herói, Roderick Alleyn, conseguiu ser, ao mesmo tempo, um policial e um cavalheiro. Do outro lado do Atlântico, recebeu Ellery Queen e seu penúltimo capítulo "Desafio a um Leitor", que instigava o detetive de poltrona a resolver um quebra-cabeça; S. S. Van Dine e sua pomposa criação Philo Vance, quebrando os recordes de vendas; e a criação de peso de Rex Stout, Nero Wolfe, solucionando crimes enquanto cuidava de um jardim de orquídeas.

Ministros de gabinete e arcebispos elogiavam as virtudes das histórias policiais; poetas (Nicholas Blake, ou seja, Cecil Day Lewis), reitores de universidades (Michael Innes, ou seja, o professor J. I. M. Stewart), padres (Ronald Knox), compositores (Edmund Crispin, ou seja, Bruce Montgomery) e juízes (Cyril Hare, ou seja, o juiz Gordon Clark) contribuíram e expandiram a fórmula. R. Austin Freeman e seu científico Dr. John Thorndyke lançaram as sementes do romance policial da medicina legal moderna; Gladys Mitchell introduziu uma psicóloga-detetive em sua ousada criação de Mrs. Bradley; e Henry Wade preparou o terreno para a investigação policial com seu inspetor Poole. Os livros eram apresentados na forma epistolar em *Os Documentos do Caso*, de Dorothy L. Sayers, como depoimento testemunhal na forma de pergunta e resposta em *O Labirinto*, de Philip McDonald, e, finalmente, como processos policiais reais completos, com pistas físicas em forma de telegramas e passagens de trem em *Assassinato em Miami,* de Dennis Wheatley. Plantas baixas, localização de pistas, cronogramas e notas de rodapé proliferavam; os leitores se tornaram intimamente familiarizados com as qualidades do arsênico, a interpretação de horários de trens e os aspectos intricados da Lei de Legitimidade de 1926, lei inglesa que regulou o reconhecimento de filhos nascidos fora do casamento. Foram fundados o Clube do Crime Collins e o Clube de Investigação; Ronald Knox lançou um Decálogo da História Policial e S. S.Van Dine escreveu suas Regras.

E Agatha Christie publicou *O Misterioso Caso de Styles.*

Poirot investiga...

Em sua *Autobiografia,* Agatha Christie faz um relato detalhado da gênese de *O Misterioso Caso de Styles.* Hoje os fatos são conhecidos: o desafio imortal – "Aposto que você não consegue escrever uma boa história policial" – feito por sua irmã Madge, as refugiadas belgas da Primeira Guerra Mundial em Torquay, que inspiraram a nacionalidade de Poirot, o conhecimento de Agatha Christie dos venenos a partir de seu trabalho no almoxarifado do hospital, seu empenho intermitente para escrever o livro e a conclusão após um período de reclusão de duas semanas no Moorland Hotel, com o incentivo de sua mãe. Esse não era o seu primeiro esforço para escrever um livro, nem ela era a primeira na família a ter aspirações literárias. Tanto sua mãe quanto a irmã Madge escreviam, e Madge também havia escrito uma peça teatral, *O Pretendente,* produzida no West End, antes de Agatha. Agatha já escrevera um longo romance sombrio (em suas próprias palavras), além de alguns contos e diálogos. Ela chegou a publicar um poema no jornal local. Ao mesmo tempo que a história da aposta é plausível, fica claro que esse fato isolado não teria sido inspiração suficiente para engendrar e escrever a trama de um livro de sucesso. Havia, certamente, um dom inato e uma facilidade de lidar com a palavra escrita.

Embora tenha iniciado o romance em 1916 (*O Misterioso Caso de Styles* se passa em 1917), ele somente foi publicado quatro anos depois.

E sua publicação exigiu uma firme determinação por parte da autora, pois mais de um editor rejeitou o manuscrito. Até que, em 1919, John Lane, o presidente da The Bodley, pediu para encontrá-la com uma proposta de publicação. Mas, mesmo assim, a batalha estava longe de ser ganha.

O contrato, datado de 1º de janeiro de 1920, que John Lane ofereceu a Agatha Christie se aproveitou de sua ingenuidade editorial. (Note-se, o contrato, de fato, é de *O Misterioso Caso de Styles*.) Ela deveria receber dez por cento somente depois que 2 mil cópias tivessem sido vendidas na Inglaterra e ainda deveria produzir mais cinco livros. Essa cláusula suscitou muita troca de correspondência nos anos que se seguiram. Possivelmente porque estivesse tão satisfeita de ser publicada ou por ainda não ter a intenção de seguir uma carreira literária, é inteiramente plausível que ela não tenha lido as letras diminutas com cuidado.

Quando descobriu o que havia assinado, ela insistiu que, se *entregasse* um livro, estaria cumprindo a sua parte no contrato, mesmo que John Lane não o aceitasse. Quando John Lane demonstrou dúvida em relação a *Poirot Investiga,* se um volume de contos em vez de um romance deveria ser considerado parte do contrato de seis livros, a agora confiante escritora ressaltou que havia entregue um romance não policial, *Visão*, como seu terceiro livro. O fato de os editores o terem recusado foi, para ela, uma opção deles. É bem possível que, se John Lane não tivesse tentado levar vantagem com sua descoberta literária, Agatha Christie teria permanecido mais tempo nessa casa editorial. Mas a correspondência que sobreviveu dessa época demonstra que os primeiros anos de carreira foram um rápido aprendizado em relação às práticas editoriais – e que Agatha Christie foi uma aluna aplicada. Em muito pouco tempo, ela se transformou de neófita deslumbrada e inexperiente em uma escritora profissional e confiante, com um interesse determinado em todos os aspectos de seus livros – o *design* da capa, o plano de *marketing*, os direitos autorais, a serialização de capítulos, a tradução e os direitos cinematográficos, até mesmo a ortografia das palavras.

Apesar dos relatórios favoráveis dos pareceristas um ano antes, em outubro de 1920 Agatha Christie escreveu para o Sr. Willett, da John Lane, perguntando se seu livro "iria sair algum dia" e avisando que o segundo romance estava quase terminado. Como resposta, ela recebeu o *layout* da capa do livro, que aprovou. Por fim, depois da serialização dos capítulos, em 1920, no *The Weekly Times*, *O Misterioso Caso de Styles* foi publicado no final do mesmo ano nos Estados Unidos. E, quase cinco anos depois de começar a escrevê-lo, o primeiro livro de Agatha Christie foi lançado na Inglaterra, em 21 de janeiro de 1921. Mesmo depois do lançamento, houve muita troca de correspondência sobre balancetes e erros de cálculo de direitos autorais, bem como sobre os *designs* de capa. Fazendo justiça em relação a John Lane, deve-se dizer que *designs* de capa e material de divulgação também foram assuntos recorrentes na correspondência com a editora Collins em toda a carreira de Agatha Christie.

O veredicto...

Os relatórios dos pareceristas sobre o manuscrito de *Styles* eram promissores, apesar de mostrarem alguma hesitação. Um deles vai direto ao ponto comercial: "Apesar de suas aparentes imperfeições, a Lane poderia conseguir boa venda com este romance... Há um tom novo em todo o texto". Um segundo parecer é mais entusiasta: "É, ao mesmo tempo, bem narrado e bem escrito". E outro parecerista especula sobre o potencial literário, "se ela continuar a escrever romances policiais e, evidentemente, ela tem bastante talento para isso". Eles ficaram impressionados com o personagem de Poirot, notando que "a personalidade exuberante de M. Poirot, que é uma variação muito bem-vinda do 'detetive' dos romances" e "um homenzinho alegre personificado num famoso ex-detetive belga". Embora Poirot pudesse discutir o uso do termo "ex-detetive" para descrevê-lo, estava claro que sua presença foi um fator para a aceitação do livro. No relatório datado de 7 de outubro de 1919, um consultor bem observador apontou: "mas o relato do julgamento de John Cavendish faz suspeitar ter sido escrito por uma mulher". (Como seu nome no manuscrito estava grafado A. M. Christie, outro consultor se refere à autoria do Sr. Christie.) Todos os pareceres concordam que a contribuição de Poirot ao julgamento de Cavendish não foi convincente e que precisaria ser revista.

Eles se referiam ao final do manuscrito original, em que a explicação de Poirot para o crime é narrada como depoimento testemunhal prestado durante o julgamento de John Cavendish. Isso não funcionou, como Agatha Christie mesmo reconheceu, e a Lane pediu que ela o reescrevesse. Ela concordou e, embora a explicação para o crime permanecesse a mesma, em vez de apresentá-la como testemunha no julgamento, Poirot a apresenta na sala de estar em Styles, num tipo de cena que se repetiria em muitos dos livros seguintes.

Sutherland Scott, em seu livro de 1953 sobre os romances policiais, *Escrevendo com Sangue*, descreve *O Misterioso Caso de Styles* como "um dos melhores primeiros romances já escritos". Contém as características que distinguiriam muitos dos livros posteriores.

Poirot e os Quatro Grandes

Hercule Poirot

Há uma ironia no fato de que, embora Agatha Christie seja vista como a típica escritora inglesa, seu personagem mais famoso seja um "estrangeiro", um belga. Os personagens de detetives que ela conhecia podem ter contribuído para isso. Chevalier Dupin, de Edgar Allan Poe, Eugène Valmont, de Robert Barr, Arsène Lupin, de Maurice Leblanc, e o inspetor Hanaud, de Sûreté, de A. E. W. Mason, já eram, em 1920, personagens conhecidos no mundo dos livros policiais. E o que Agatha Christie menciona especificamente em sua *Autobiografia* é *O Mistério do Quarto Amarelo*, de Gaston Leroux, de 1908, com seu detetive Monsieur Rouletabille. Embora praticamente esquecido hoje, Leroux também é autor de *O Fantasma da Ópera*.

Na época, também se considerava necessário que o personagem do detetive tivesse uma clara idiossincrasia ou até várias. Holmes tinha o violino, a cocaína e o cachimbo; o Padre Brown tinha o guarda-chuva e o falso ar de distraído; Lorde Peter Winsey tinha um monóculo, um mordomo e uma coleção de livros antigos. Personagens menores tinham outros traços não menos característicos – o Velho do Canto, da Baronesa Orczy, sentava-se numa casa de chá e gostava de fazer nós; Max Carrados, de Ernest Bramah, era cego; e o professor Augustus S. F. X. Van Dusen, de Jacques Futrelle, era conhecido como a "Máquina Pensante". Então, Poirot foi criado belga, com seus bigodes, seus quartos minúsculos, sua excessiva vaidade, tanto intelectual quanto física, e sua mania de organização. O único erro de Agatha Christie foi concebê-lo, em 1920, como membro *aposentado* da força policial belga; isso, por sua vez, significava que em 1975 e em *Cai o Pano* ele estaria com mais de 130 anos de idade. Claro, em 1916, Agatha Christie não poderia imaginar que o pequeno belga que inventara iria sobreviver a ela.

Legibilidade

Desde o primeiro romance ficou evidente um dos maiores dons de Agatha Christie: a legibilidade. Como ponto básico, isso é a capacidade de fazer com que os leitores continuem a ler um livro do começo ao fim; e depois fazê-los ler todos os outros que escreveu. Essa legibilidade somente a abandonou no capítulo final de sua carreira literária, ao escrever *Portal do Destino,* seu livro mais desafiador. Para Agatha Christie, esse dom era inato, e duvida-se que seja algo que possa ser aprendido. Trinta anos depois de *O Misterioso Caso de Styles*, o parecerista da Collins, ao escrever sobre *Aventura em Bagdá*, explicou: "É extremamente fácil de ler e prende a atenção do começo ao fim".

A prosa de Agatha Christie, única em todos os sentidos, flui com facilidade, os personagens são factíveis e distintos e grande parte dos romances é narrada em forma de diálogos. Não há cenas de interrogatório demasiadamente longas, não há explicações científicas detalhadas, não há descrições verborrágicas sobre pessoas ou lugares. Mas há o suficiente de cada uma dessas características para fixar a cena e seus protagonistas na mente. Cada capítulo, na verdade, quase cada cena, empurra a história para uma solução e um clímax cuidadosamente preparados. E Poirot não distrai o leitor com a irritante desfaçatez de Lorde Peter Wimsey, de Dorothy L. Sayers, nem com a arrogância pedante de Philo Vance, de S. S. Van Dine, nem com o intrincado emocional de Philip Trent, de E. C. Bentley.

Ao comparar seus livros com os demais romances policiais de seus contemporâneos vê-se o abismo que havia entre Agatha Christie e os outros autores, a maioria há muito esgotada. Como exemplo, o surgimento de dois outros autores de romances policialescos também coincidiu com a publicação de *O Misterioso Caso de Styles*. Freeman Wills Crofts, um dublinense, publicou *O Barril*, em 1920, e H. C. Bailey publicou *Chame Mr. Fortune*, no ano anterior. O detetive de Crofts, inspetor French, demonstrava uma atenção esmerada ao seguir cada pista e era especialista em álibis perfeitos. No entanto, essa meticulosidade depunha contra uma experiência de leitura emocionante. H. C. Bailey começou a carreira como autor de ficção histórica, mas enveredou para o romance policial e lançou a primeira coletânea de contos longos, *Chame Mr. Fortune*, apresentando seu detetive Reginald Fortune em 1919. Os dois autores, embora fossem talentosos para escrever tramas, tanto romances quanto contos, não possuíam o ingrediente vital da "legibilidade". Hoje seus nomes são conhecidos e admirados apenas por aficionados do gênero.

Trama

A trama de Agatha Christie, com a legibilidade insuperável de seus livros, provou-se nos cinquenta anos seguintes uma combinação inigualável. Espero mostrar, ao examinar os Cadernos, que ela, embora tivesse um dom inato para criar as tramas de forma profusa, trabalhava as ideias, destilando, afinando e aperfeiçoando-as, e mesmo os títulos mais inspirados (por exemplo, *A Casa Torta, Noite sem Fim, Os Crimes ABC*) foram o resultado de uma incansável elaboração. O segredo de sua genialidade em relação à trama está no fato de que essa destreza não é assombrosa. Suas soluções giram em torno de informações cotidianas – alguns nomes podem ser femininos ou masculinos, um espelho reflete, mas também mostra o outro lado, um corpo caído não é necessariamente um cadáver, uma floresta é o melhor esconderijo para uma árvore. Ela sabe que pode contar com a nossa interpretação equivocada sobre um eterno triângulo, uma discussão entreouvida ou uma associação ilícita. Conta com o nosso preconceito de que militares aposentados são bufões inofensivos, de que esposas tranquilas e reservadas são dignas de pena, de que todos os policiais são honestos e todas as crianças inocentes. Não nos ilude com aspectos mecânicos ou técnicos; nem nos insulta com o clichê ou o óbvio; nem nos espanta com o terror ou o grotesco.

Em quase todos os livros de Agatha Christie a encenação apresenta um círculo fechado de suspeitos – um número limitado de possíveis assassinos entre os quais se pode escolher. Uma casa no campo, um navio, um trem, um avião, uma ilha – todos esses ambientes lhe forneciam um cenário que limita o número de possíveis assassinos e garante que um total desconhecido não seja desmascarado no último capítulo. De fato, Agatha Christie diz: "Aqui está o grupo de suspeitos entre os quais escolherei meu vilão. Veja se consegue descobrir a ovelha negra". Podem ser apenas quatro (*Cartas na Mesa*) ou cinco (*Os Cinco Porquinhos*), ou muitos, como no vagão cheio de passageiros em *Assassinato no Expresso do Oriente. O Misterioso Caso de Styles* é um caso clássico de assassinatos que ocorrem numa casa de campo, preferido pelos autores e leitores da Era de Ouro – um grupo de personagens diferentes que convivem em um lugar isolado o tempo suficiente para que um assassinato seja cometido, investigado e resolvido.

Embora um elemento da solução em *O Misterioso Caso de Styles* se baseie em um fato científico, não é injusto, uma vez que somos informados desde o início da investigação de que veneno se trata. Certamente, qualquer pessoa com conhecimento de toxicologia terá uma nítida vantagem, mas a informação já foi antecipada. Além desse fator ligeiramente controverso, toda a informação necessária para se chegar à solução é minuciosamente fornecida – a xícara de café, a amostra de material, uma lareira acesa no calor abrasador do mês de julho, o frasco de remédio. E, claro, a obsessão de Poirot por limpeza, que lhe fornece a prova final – de um modo que seria reutilizado, dez anos mais tarde, na peça teatral *Black Coffee* (*Café Preto*). Mas quantos leitores notarão que Poirot limpa a borda da lareira duas vezes, descobrindo, assim, uma ligação vital na relação de culpa (capítulos 4 e 5)?

Justiça

Ao longo da sua carreira, Agatha Christie especializou-se em fornecer aos leitores as pistas necessárias para a solução dos crimes. Ela ficava feliz por mostrar a prova, confiante por saber que, nas palavras de seu grande contemporâneo R. Austin Freeman, "o leitor vai se perder sozinho". Afinal, como os leitores vão interpretar corretamente a pista do calendário em *O Natal de Poirot*, ou da estola de pele em *Morte no Nilo*, ou das cartas de amor em *A Casa do Penhasco*? Ou quem perceberá a importância das flores de cera em *Depois do Funeral*, ou no olho de vidro do major Palgrave em *Mistério no Caribe*, ou a ligação de telefone em *Treze à Mesa*, ou a garrafa de cerveja em *Os Cinco Porquinhos*?

Embora não esteja na mesma categoria de "solução surpresa" como *Assassinato no Expresso do Oriente*, *O Assassinato de Roger Ackroyd* ou *A Casa Torta*, a solução de *O Misterioso Caso de Styles* consegue surpreender mesmo assim. Isso se deve à utilização de um dos argumentos mais eficazes de Agatha Christie – o duplo blefe. É o primeiro exemplo em sua obra desse poderoso recurso usado por autores de romances policiais. Aqui a solução mais óbvia, apesar de uma aparente impossibilidade inicial, demonstra ser a correta no final. Em sua *Autobiografia*, ela explica: "A finalidade de uma *boa* história policial é culpar alguém óbvio, mas ao mesmo tempo, por algum motivo, levar à constatação de que não é óbvio e de que ele não poderia ser o culpado. Embora, na verdade, evidentemente, *ele* o fosse". Ao longo da carreira, ela retornou várias vezes a esse tipo de solução, e especialmente quando a explicação gira em torno de um conluio homicida – *Assassinato na Casa do Pastor, Morte na Praia, Morte no Nilo*. Parcerias letais à parte, *Treze à Mesa* e *A Mansão Hollow* também apresentam esse recurso. E ela pode levar o blefe um passo à frente, como em *Punição para a Inocência* e, de forma devastadora, em *Testemunha de Acusação*.

Em *O Misterioso Caso de Styles*, ficamos satisfeitos em constatar que Alfred Inglethorp é, ao mesmo tempo, óbvio e detestável demais para ser o assassino; e, num plano mais prático, ele não estava em casa na noite em que sua mulher morreu. Então, nós o excluímos. Como um fortalecimento do duplo blefe, parte do plano dele depende de se tornar o suspeito, ser preso, julgado e absolvido, assegurando assim a liberdade perpétua. A menos que seja cuidadosamente conduzida, essa solução corre o risco de produzir um anticlímax. Aqui ele é habilmente evitado ao revelar a presença de uma inesperada cúmplice na emotiva Evelyn Howard, que, ao longo do romance, denunciou o marido da patroa (seu amante secreto) como golpista – o que de fato ele é.

Produtividade

Embora ninguém, muito menos a própria Agatha Christie, soubesse disso na época, *O Misterioso Caso de Styles* era o primeiro de uma longa lista de livros que seriam escritos em sua máquina de escrever nos cinquenta anos seguintes. Ela obtinha sucesso tanto nos romances quanto nos contos e era a única entre seus contemporâneos a escrever de forma bem-sucedida também para o teatro. Criou dois detetives famosos, um feito jamais conquistado por outro autor de romances policiais. No auge de seu desempenho, as edições mal acompanhavam sua produção – em 1934, ela publicou quatro romances policiais e ainda, sob o pseudônimo de Mary Westmacott, lançou seis ficções não criminais entre 1930 e 1956. E essa produção notável também é um fator de seu contínuo sucesso. É possível ler um livro diferente de Agatha Christie por mês por quase sete anos; e, nesse ponto, é possível começar tudo de novo, a menos que não tenha se esquecido dos livros anteriores. E é possível assistir a uma peça diferente de Agatha Christie por mês durante dois anos. Poucos autores, em qualquer área, igualaram esse recorde.

E, assim, a obra de Agatha Christie continua a transcender todas as barreiras geográficas, culturais, raciais, religiosas, etárias e sexuais; ela é lida com avidez tanto nas Bermudas quanto em Balham; é lida por avós e netos; é lida em *e-books* e em livros impressos no século 21 tão avidamente quanto em edições ecológicas da Penguin e na revista *The Strand*. Por quê? Porque nenhum outro autor de romances policiais escreveu tão bem, tanto ou por tanto tempo; ninguém conseguiu igualar sua combinação de legibilidade, trama, justiça e produtividade.

E ninguém mais conseguirá.

2

*A Testemunha Silenciosa:** *a Prova dos Cadernos de Anotações*

Como um prestidigitador, ele tirou da gaveta da escrivaninha dois cadernos de exercícios amassados.

Os Relógios, Capítulo 28

Embora tenham sido mencionados por suas biógrafas, Janet Morgan e Laura Thompson, os Cadernos de Agatha Christie continuam sendo um tesouro bem guardado e praticamente desconhecido. Depois da morte de sua mãe, Rosalind Hicks garantiu que ficassem seguros na Mansão Greenway e, com exceção do Museu de Torquay, nunca foram expostos ao público. Mas Agatha Christie menciona-os brevemente em sua *Autobiografia*:

Claro, todos os detalhes práticos ainda precisam ser trabalhados e os personagens terão de aflorar lentamente em minha mente, mas rabisquei minha maravilhosa ideia num caderno de exercícios. Tudo muito bem – mas o que invariavelmente faço é perder o caderno de exercícios. Costumo

* Título original em inglês, *Dumb Witness* foi traduzido no Brasil como *Poirot Perde uma Cliente*, título do mesmo conto publicado em série num jornal dos Estados Unidos. (N. T.)

ter uma meia dúzia à mão e anotava as ideias que me ocorriam, ou sobre um veneno ou remédio, ou um golpe inteligente que lera no jornal. É evidente que, se eu tivesse mantido todas essas anotações devidamente organizadas, arquivadas e etiquetadas, iriam me poupar um bocado de esforço. No entanto, é um prazer, algumas vezes, quando estou lendo uma pilha de velhos cadernos de anotações a esmo e encontro algo escrito, como: Possível trama – faça você mesmo – moça e falsa irmã – agosto – com um tipo de esboço para um livro. Do que se trata, não me lembro mais; mas em geral me estimula, se não a escrever a mesma trama, pelo menos a escrever alguma outra coisa.

Um estudo mais detalhado de alguns desses comentários dará ideia mais clara do que ela queria dizer. Usando as palavras da própria Agatha Christie como guia, começamos a perceber o papel que esses Cadernos de Anotações representaram em seu processo criativo.

... ideia num caderno de exercícios...

Considerados como as anotações, rascunhos e esboços do maior conjunto de romances policiais já escritos (e, em muitos casos, jamais escritos), esses Cadernos são artefatos literários únicos e inestimáveis. Vistos como objetos, eles são menos impressionantes. Estão à minha frente enquanto escrevo estas palavras e, olhando de relance, parecem pilhas de cadernos de exercícios reunidos por um professor ao final da aula numa escola em qualquer parte do mundo. Porque a maioria deles é apenas isso – cadernos de exercícios. Cadernos vermelhos, azuis, verdes e cinzas, cadernos de cópia sem capa com linhas azuis espaçadas, pequenos cadernos de bolso de capa preta: cadernos The Minerva, The Marvel, The Kingsway, The Victoria, The Lion Brand, The Challenge, The Mayfair, que variavam de preço desde The Kingsway (Caderno 72) de 2d a The Marvel (Caderno 28) por 1 xelim (5p); o Caderno 5 saiu especialmente a um bom preço de quatro por 7,5d (3p). As capas internas normalmente trazem informações "úteis" – um mapa da Inglaterra, capitais do mundo, índices de conversão decimal (obviamente adquiridos um pouco antes ou depois da introdução das moedas decimais em fevereiro de 1971). Há capas ilustradas com o horizonte de Nova York (Caderno 23) ou um vulcão mexicano (Caderno 18).

Alguns são invólucros mais valiosos de seu conteúdo – cadernos de capa dura com capas marmorizadas ou encadernação com espiral com capas revestidas; alguns ainda trazem escrito de forma grandiosa na capa: "Manuscrito". O Caderno 7 traz a descrição no interior da terceira capa como "capa de PVC lavável de WHS", e o Caderno 71 é um "Cahier" com a inscrição "Agatha Miller, 31 de maio 1907" escrito na capa, contendo o dever de casa de francês da época em que viveu em Paris quando era jovem. O Caderno 31 tem uma impressionante capa dura bordô da Langley and Sons Ltd., Tottenham Court Rd., que custou 1s 3d (6p).

Em alguns casos, a própria disponibilidade e falta de pretensão dos Cadernos hoje são um fardo, pois alguns sofreram danos durante os anos – perderam as capas (e talvez algumas páginas – quem sabe?), os grampos enferrujaram, anotações a lápis se apagaram e, às vezes, a qualidade do papel, combinada com o uso de uma caneta esferográfica com muita tinta, fez com que as anotações de uma página vazassem para o verso. E, evidente, como muitos dos cadernos datam dos anos de guerra, a qualidade do papel, em geral, era ruim.

Parece que alguns dos Cadernos originalmente pertenceram, ou foram temporariamente usados por Rosalind, filha de Agatha Christie, porque seu nome e endereço, escritos com caligrafia impecável, aparecem na capa interna (Caderno 41). E o Caderno 73, totalmente em branco, traz o nome do primeiro marido de Agatha, Archie Christie, em letra cursiva, no verso da primeira capa. Na capa do Caderno 19 está escrito nas linhas para o nome e o endereço: "Mallowan, 17 Lawn Road Flats".

O número de páginas que Agatha usou em cada Caderno varia muito – o Caderno 35 tem 220 páginas de anotações, enquanto o 72 tem apenas cinco. O Caderno 63 tem anotações em 150 páginas, mas o 42 tem somente vinte. A média ficou entre 100 e 120 para cada caderno.

Embora sejam chamados de "Os Cadernos de Agatha Christie", nem todos se referem à sua produção literária. Os Cadernos 11, 40 e 55 trazem somente fórmulas químicas e devem datar do tempo em que ela era estudante; o Caderno 71 tem deveres de casa de francês e o 73 está totalmente em branco. Ademais, ela costumava usá-los para fazer anotações ao acaso, às vezes, na parte interna da capa – há uma lista de "mobília para 48" [Sheffield Terrace] no Caderno 59; o Caderno 67 tem um recado para ligar para a editora Collins e para marcar hora no cabeleireiro; o Caderno 68 tem uma lista de horários de trens de Stockport a Torquay. E seu marido Max Mollowan escreveu precisamente, com sua caligrafia pequena e bem-feita, "O Cavalo Amarelo", na capa do Caderno 54.

o que invariavelmente faço é perder o caderno de exercícios...

Em uma carreira que durou mais de 55 anos e passou por duas guerras mundiais, é inevitável que tenha havido algumas perdas, mas nos consolamos ao saber que parecem ter ocorrido poucas vezes. É evidente que não podemos ter certeza de quantos Cadernos havia, mas os 73 que permaneceram são um legado impressionante.

Apesar disso, não há anotações ou esboços para *Assassinato no Campo de Golfe* (1923), *O Assassinato de Roger Ackroyd* (1926), *Os Quatro Grandes* (1927) ou *O Mistério dos Sete Relógios* (1929). Da década de 1920, temos notas apenas para *O Misterioso Caso de Styles* (1920), *O Homem do Terno Marrom* (1924), *O Segredo de Chimneys* (1925) e *O Mistério do Trem Azul* (1928). Quando lembramos que *O Assassinato de Roger Ackroyd* foi publicado logo antes do desaparecimento traumático de Agatha Christie e consequente divórcio de seu marido, talvez não seja surpreendente verificar que essas anotações não existam mais. O mesmo se aplica para *Os Quatro Grandes*, apesar do fato de esse romance episódico ter sido lançado anteriormente como contos separados. E não há nada que apresente a gênese da primeira aventura de Tommy e Tuppence em *O Inimigo Secreto* (1922); para a coletânea *Sócios no Crime*, de 1929, há apenas breves anotações. Essa é uma grande decepção, pois poderia revelar-nos os pensamentos de Agatha Christie em relação a seus colegas de ofício, que são copiados nessa coletânea em uma espécie de homenagem carinhosa.

É uma grande decepção que não tenha restado nada da criação de dois de seus romances mais famosos – *O Assassinato de Roger Ackroyd* e *Assassinato no Expresso do Oriente*. Esses romances estão entre as suas construções mais audaciosas e conhecer os bastidores teria sido fascinante. Sobre o último livro, não sabemos absolutamente nada, pois não é sequer mencionado de passagem. O Caderno 67 contém uma lista dos personagens de *O Assassinato de Roger Ackroyd*, nada mais. Há, no entanto, um resquício sobre a criação contido na curiosa troca de correspondência com Lorde Mountbatten, da Birmânia.

Numa carta datada de 28 de março de 1924, Mountbatten escreveu a "Mrs. Christie, autora de *O Quarto Homem*, em *The Sketch*" (uma referência à recém-terminada serialização de *Os Quatro Grandes* nessa revista). Escrevendo na terceira pessoa, ele expressou admiração por Poirot e Agatha Christie e pediu permissão para oferecer uma ideia de história policial. Explicou que, embora tivesse publicado alguns contos sob pseudônimo, sua carreira marítima não lhe deixava muito tempo para escrever.

De modo sucinto, sua ideia era de que Hastings, antes de viajar à América do Sul, apresentasse um amigo, Genny, a Poirot. Quando ocorre

A partir da década de 1930, no entanto, os únicos títulos que faltam são *Assassinato no Expresso do Oriente* (1934), *Cartas na Mesa* (1936) e *É Fácil Matar* (1939). (Este último aparece somente como uma referência de passagem no Caderno 66.) Isso parece demonstrar que muito poucos cadernos, de fato, se perderam. Exceto *É Fácil Matar*, os demais títulos datam de meados da década de 1930 e podem ter sido escritos num mesmo caderno. Mas, como todos os romances anteriores e posteriores a *É Fácil Matar* aparecem, o motivo de esse título estar faltando é um mistério em si mesmo.

Algumas vezes, as anotações são curtas e apresentam pouca coisa além de uma lista de personagens (*Morte no Nilo* – Caderno 30). E outros títulos um homicídio, Poirot escreve para informar a Hastings e explica que Genny lhe escreverá as cartas seguintes para mantê-lo informado dos acontecimentos. A trama consiste em drogar a vítima para que pareça morta; quando o corpo é "descoberto", o assassino o esfaqueia. O álibi de Genny parece impecável por ele estar com Poirot até o momento da descoberta. Apenas no último capítulo Genny é desmascarado como o assassino. Como se pode ver, Agatha Christie manteve a sugestão subliminar, a ideia do narrador/assassino. Todos os demais detalhes, no entanto, foram acrescidos por ela a partir da ideia inicial de Mountbatten.

Em 26 de novembro de 1969, Mountbatten escreveu-lhe novamente para cumprimentar Agatha Christie pelo décimo sétimo aniversário de sua peça teatral, *A Ratoeira*. Ela respondeu na mesma semana e desculpou-se caso não tivesse agradecido a sua sugestão feita 45 anos antes (depois ele lhe assegurou que ela o fizera), agradeceu-lhe pela gentileza de suas palavras e lhe enviou um exemplar de seu último livro, *A Noite das Bruxas* ("não tão bom quanto *Roger Ackroyd*, mas não ruim demais"). Ela também mencionou que seu cunhado, James, havia sugerido uma trama semelhante com um narrador/assassino a ela na mesma época, embora tivesse pensado que seria muito difícil escrevê-la.

têm uma profusão de anotações – *Aventura em Bagdá* (100 páginas), *Os Cinco Porquinhos* (75 páginas), *Uma Dose Mortal* (75 páginas). Outros títulos contam detalhes tão precisos de livros terminados que fico tentado a presumir que antes deveria haver anotações genéricas que não sobreviveram. Um exemplo disso é *O Caso dos Dez Negrinhos* (também conhecido como *E Não Sobrou Nenhum*). Em sua *Autobiografia*, ela diz: "Escrevi *O Caso dos Dez Negrinhos* porque ele era tão difícil que a ideia me fascinava. Dez pessoas tinham de morrer sem que a história se tornasse ridícula ou o assassino, óbvio. Escrevi o livro depois de planejá-lo até a exaustão". Infelizmente, nenhuma parte desse planejamento sobreviveu. O que existe no Caderno 65 (veja o Capítulo 4) segue praticamente a sequência do

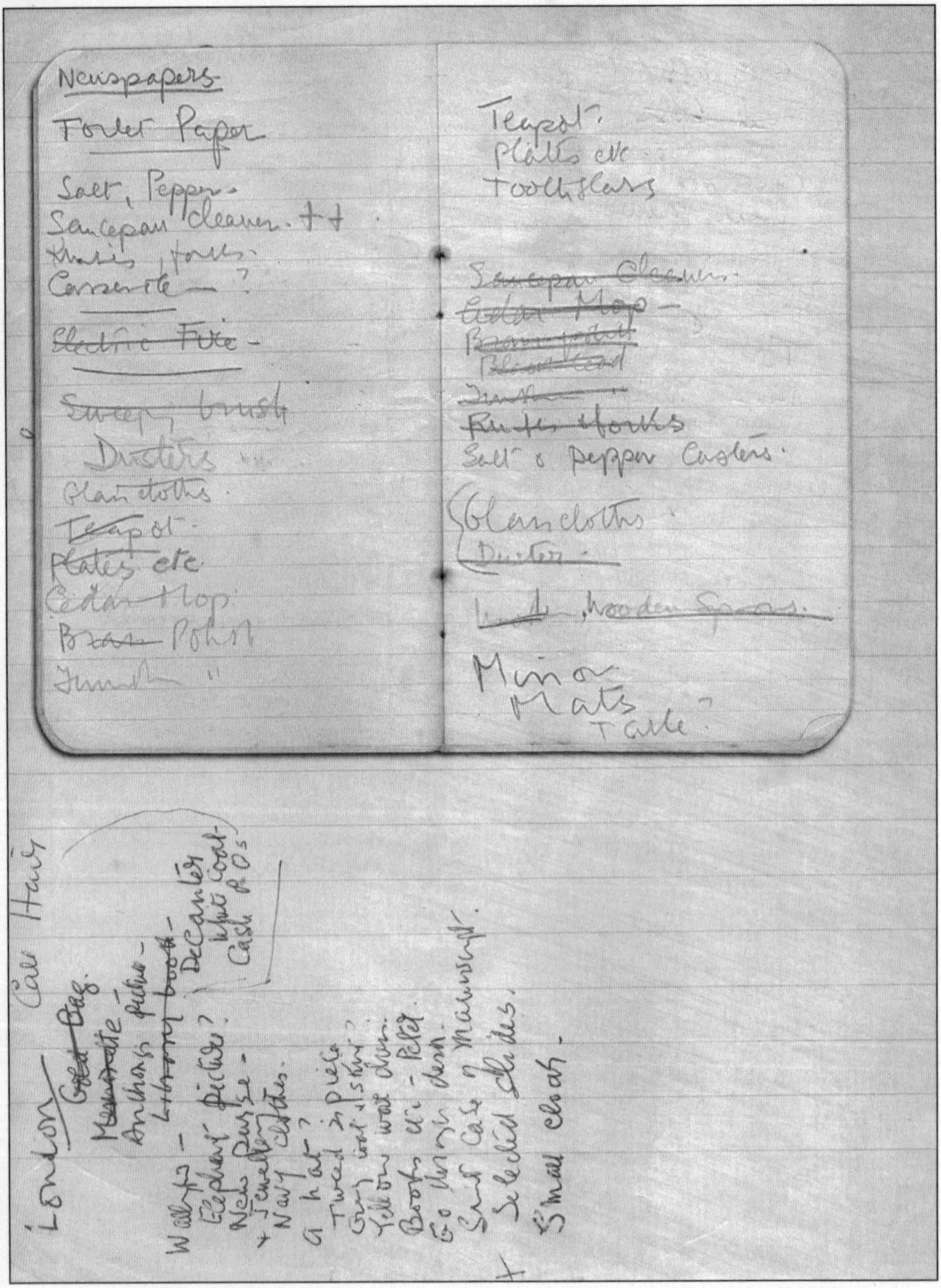

Dois exemplos de Agatha Christie, a dona de casa: a indicação (da cidade de) "Wallingford" na lista de baixo confirma que ambas contêm itens a ser trazidos ou levados de uma casa à outra.

romance. É difícil de crer que tenha sido escrito diretamente na página com tão poucos cortes ou tão pouca discussão sobre as possíveis alternativas. Nem há, infelizmente, anotações para a teatralização dessa famosa história. Quanto ao restante de sua produção, temos a sorte de ter anotações sobre os demais romances. Em relação à maioria dos últimos títulos, as notas são longas e detalhadas – e legíveis.

Menos de cinquenta de quase 150 contos são discutidos nas páginas dos Cadernos. Isso pode significar que, para muitos deles, Agatha Christie datilografou-os diretamente sem quaisquer anotações preliminares. Ou que escrevia em páginas soltas que jogava fora depois. Quando escreveu os primeiros contos, ela não se considerava uma escritora num sentido profissional. Somente depois do divórcio e a consequente necessidade de garantir o seu sustento percebeu que escrever seria agora o seu "ofício". Então, as primeiras aventuras de Poirot publicadas em 1923 na revista *The Sketch* não aparecem nos Cadernos, embora haja, ainda bem, anotações detalhadas para a grande coletânea de Poirot, *Os Trabalhos de Hércules* (veja o Capítulo 11). E muitas das ideias esboçadas para contos não sobreviveram além das páginas dos Cadernos (veja "A Casa dos Sonhos", página 291).

Há anotações sobre grande parte de suas peças teatrais, incluindo algumas desconhecidas, não encenadas ou inconclusas. Há apenas duas páginas de notas para suas duas melhores e mais famosas peças, *Três Ratos Cegos* (título ainda usado na época das anotações) e *Testemunha de Acusação*, respectivamente. Mas são totalmente insípidas, por não trazer nenhum detalhe sobre a adaptação, apenas um esboço das cenas sem a especulação costumeira.

E há muitas páginas dedicadas à *Autobiografia*, poemas e romances assinados com seu pseudônimo, Mary Westmacott. Grande parte dos poemas são pessoais, pois sempre escrevia algum para dar de presente de aniversário a alguém da família. E, no caso desses poemas, desconhecendo os assuntos em questão, não adianta decifrar a caligrafia praticamente ilegível. Há apenas quarenta páginas ao todo dedicadas aos romances assinados com seu pseudônimo literário e nenhum planejamento detalhado. Dentre essas poucas páginas, muitas contêm citações que incluíam possíveis títulos. Muitos desses não foram usados, mas são fascinantes de se ler. E as anotações para a *Autobiografia* são, em grande parte, difusas e desconexas, consistindo, na verdade, de lembretes que deixava para si mesma.

... Costumo ter uma meia dúzia à mão...

Muito bem se poderia presumir que cada um dos livros de Agatha Christie tivesse seu Caderno de Anotações. Isso não acontece de forma alguma. Em apenas cinco casos um Caderno é dedicado a um único livro. Os Cadernos 26 e 42 são totalmente para *A Terceira Moça*; o 68 refere-se apenas ao livro *A Casa do Penhasco* e o 2 a *Mistério no Caribe*; o Caderno 46 contém apenas um estudo histórico e um esboço para *E no Final, a Morte*. Fora isso, cada Caderno é um registro fascinante de uma mente produtiva e uma profissional prolífera. Alguns exemplos poderão esclarecer esse ponto.

O Caderno 53 contém:

50 páginas de anotações detalhadas de *Depois do Funeral* e *Cem Gramas de Centeio*, alternando entre eles, ao longo das páginas,
rascunhos de *Um Destino Ignorado*,
um breve esboço para um romance não escrito,
três tentativas diferentes e separadas para a radionovela *Ligação Pessoal*,
anotações para um novo romance de Mary Westmacott,
notas preliminares de *Testemunha de Acusação* e *Um Hóspede Inesperado*, um esboço de uma peça teatral inédita e não encenada, *Miss Perry*,
alguns poemas.

O Caderno 13 contém:

E no Final, a Morte – 38 páginas,
Seguindo a Correnteza – 20 páginas,
Um Brinde de Cianureto – 20 páginas,

Mary Westmacott – 6 páginas,
Diário de viagem ao exterior – 30 páginas,
A Mansão Hollow, *Cai o Pano*, *M ou N?* – 4 páginas cada um.

O Caderno 35 contém:
Os Cinco Porquinhos – 75 páginas,
Uma Dose Mortal – 75 páginas,
M ou N? – 8 páginas,
Um Corpo na Biblioteca – 4 páginas,
25 páginas de ideias.

... se eu tivesse mantido todas essas anotações devidamente organizadas...

Um dos aspectos mais interessantes, porém mais frustrantes dos Cadernos, é a falta de ordem, especialmente quanto às datas. Embora haja 73 Cadernos, há apenas 77 datas determinadas. E, em muitos casos, as datas estão incompletas. Uma página pode estar datada de "20 de outubro" ou "28 de setembro", ou, apenas, "1948". Há só seis datas completas (com dia, mês e ano) e todas pertencem aos dez últimos anos. No caso de datas incompletas, por vezes é possível imaginar o ano a partir da publicação do livro em questão, mas, no caso de anotações relativas a um livro inédito ou a uma ideia inconclusa, isso se torna praticamente impossível. Essa incerteza se dá por inúmeras razões.

Primeiro, o uso dos Cadernos era totalmente aleatório. Agatha Christie pegava um deles (ou, como ela mesma diz, qualquer dos seis que usava ao mesmo tempo), abria em uma página em branco e começava a escrever. Poderia ser qualquer página em branco, mesmo se estivesse entre duas já escritas. E, como se não bastasse, quase todas as vezes virava o caderno de cabeça para baixo e, com uma economia admirável, escrevia de trás para a frente também. Num dos casos extremos, na preparação da trama de "Manx Gold", chegou a escrever de lado na folha de papel! (Lembrem-se que muitas dessas páginas foram escritas na época do racio-

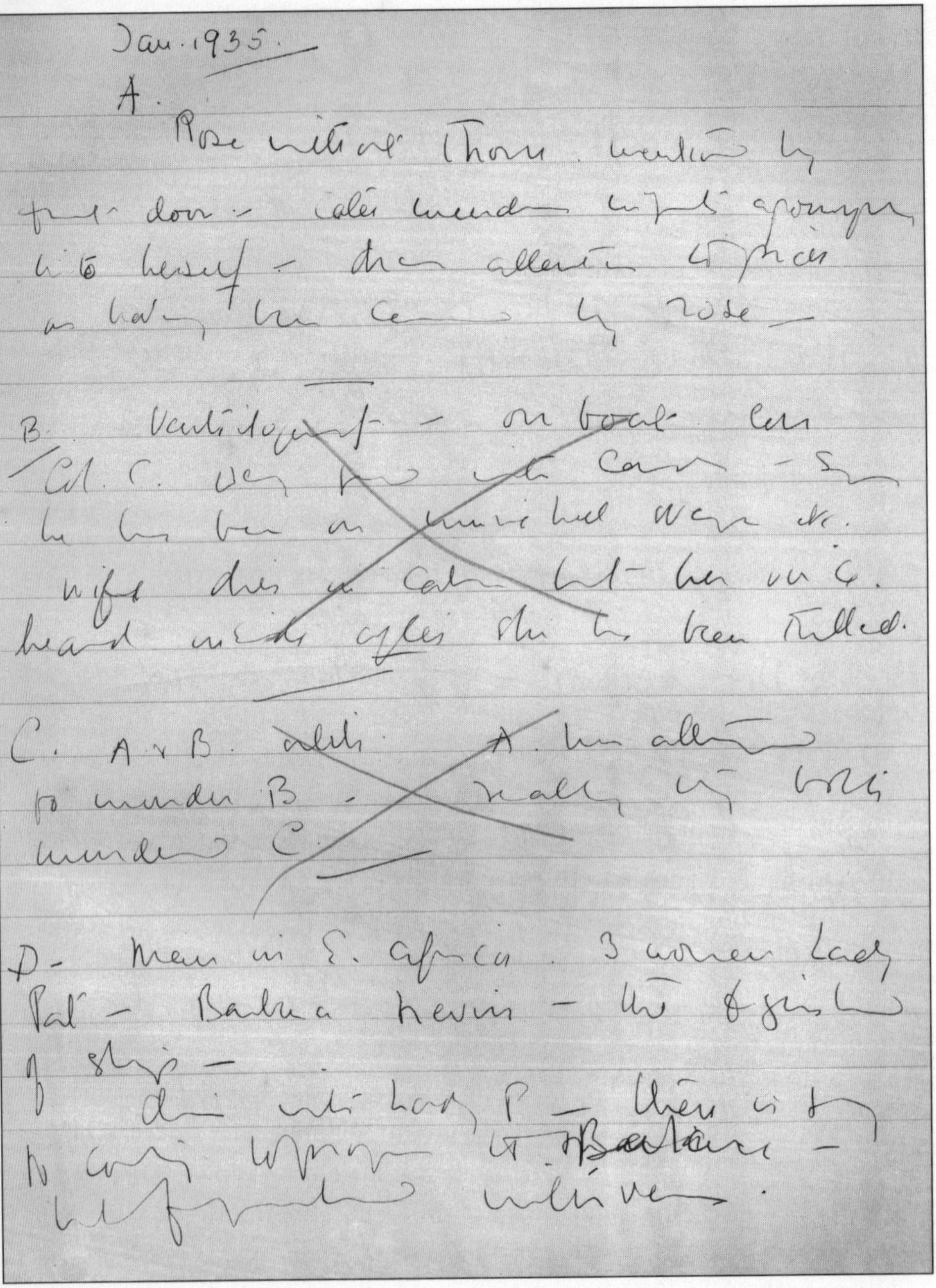

Esta página, do Caderno 66, é do período mais prolífico e criativo de Agatha Christie e lista ideias que foram usadas em Cipreste Triste, *"Problema a Bordo"* e Um Passe de Mágica. *É uma das pouquíssimas páginas dos Cadernos que têm uma data, e os contos foram publicados entre 1936 e 1952.*

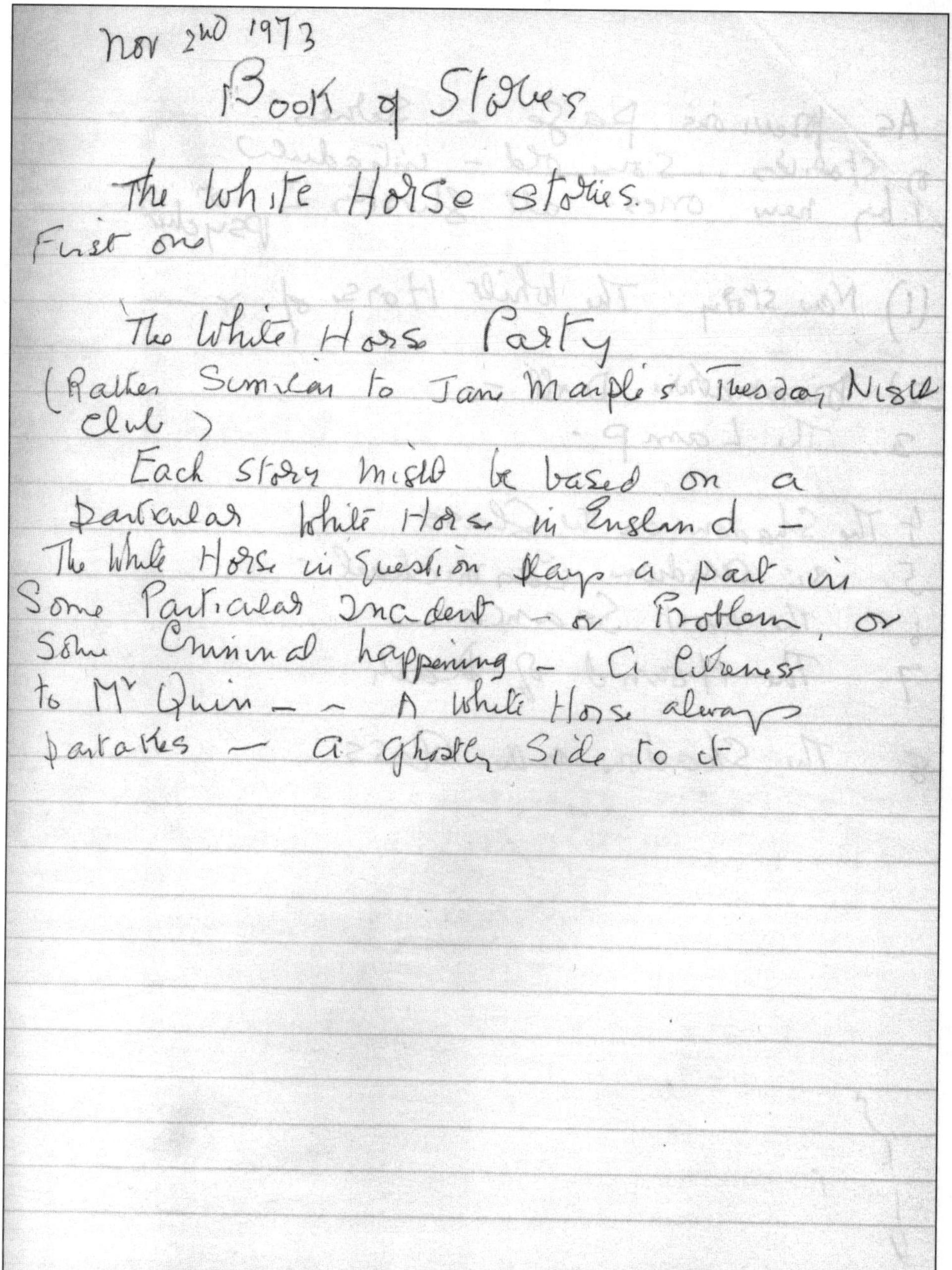

Nov 2nd 1973

Book of Stories

The White Horse stories.

First one

The White Horse Party

(Rather Similar to Jane Marple's Tuesday Night Club)

Each story might be based on a particular White Horse in England — The White Horse in question plays a part in Some Particular Incident — or Problem, or Some Criminal happening — a likeness to Mr Quin — — A White Horse always partakes — a ghostly side to it

Outra página rara com data, mostrando uma grande alteração na caligrafia, entre as últimas anotações que Agatha Christie escreveu e que aparecem no Caderno 7. Embora ela tivesse continuado a fazer anotações, não há material novo após Portal do Destino, *publicado em outubro de 1973.*

namento na Segunda Guerra Mundial.) Ao compilar esse caderno, tive de criar um sistema para me ajudar a identificar se a página estaria de cabeça para baixo ou não.

Segundo, como muitas das páginas estão cheias de anotações de contos que nunca foram terminados, não há datas de publicação que nos orientem. Pode-se, por vezes, deduzir as datas a partir das anotações imediatamente anteriores e posteriores a outra sem data, mas esse método não é infalível. Um estudo mais detalhado do conteúdo do Caderno 13 (listado acima) ilustra um aspecto dessa cronologia aleatória. Deixando *Cai o Pano* de lado, o romance mais antigo ali listado é *M ou N?*, publicado em 1941, e o mais recente é *Seguindo a Correnteza*, de 1948. Mas muitos dos livros intermediários não constam desse Caderno – *Os Cinco Porquinhos* está no Caderno 35, *Morte na Praia* no 39 e *Hora Zero* no 32.

Terceiro, em muitos casos, as anotações sobre um livro poderiam ter sido feitas muito tempo antes de sua publicação. As primeiras anotações de *Um Hóspede Inesperado* são precedidas de "1951" no Caderno 31, ou seja, sete anos antes de ser publicado; o germe de *Noite sem Fim* aparece pela primeira vez seis anos antes da publicação, numa página do Caderno 4, com data de 1961.

As páginas seguintes a uma que esteja datada não podem ser presumidas como escritas na mesma época. Por exemplo:

> na página 1 do Caderno 3 está escrito "Projetos Gerais 1955",
> a página 9 traz "5 nov. 1965" (e havia dez livros no período intermediário),
> a página 12 tem escrito "1963",
> a página 21 tem escrito "6 nov. 1965 Cont.",
> a página 28 tem escrito no cabeçalho "Anotações sobre o Passageiro para Franfort [sic] 1970",
> a página 36 tem escrito "Out. 1972",
> a página 72 tem escrito "Livro Nov. 1972".

No espaço de setenta páginas, atravessamos dezessete anos e muitos romances e, entre as páginas 9 e 21, saltamos para a frente e para trás entre 1963 e 1965.

O Caderno 31 está datado, em páginas diferentes, 1944, 1948 e 1951, mas também contém anotações para *Um Corpo na Biblioteca* (1942), escrito no início da Segunda Guerra Mundial. O Caderno 35 tem páginas datadas de 1947, esboços de *A Morte da Sra. McGinty* e de 1962, uma ideia inicial para *Noite sem Fim*.

... arquivadas...

Mesmo os Cadernos tendo sido numerados de 1 a 73, essa numeração é totalmente arbitrária. Poucos anos antes de Agatha Christie morrer, sua filha Rosalind determinou, como um primeiro passo na tentativa de analisar o conteúdo, que os Cadernos deveriam ser numerados e que os livros mencionados deveriam ser listados. A análise nunca foi além disso, mas, por esse motivo, cada Caderno recebeu um número. Essa numeração é totalmente aleatória e um número baixo não indica um ano anterior ou um Caderno mais importante. O Caderno 2, por exemplo, contém anotações de *Mistério no Caribe* (1964) e o Caderno 3, de *Passageiro para Frankfurt* (1972), enquanto o Caderno 37 contém um longo trecho cortado de *O Misterioso Caso de Styles* (1920). Como se pode constatar, não passa de simples numeração.

... e etiquetadas...

Alguns dos Cadernos mostram tentativas, por parte de uma Agatha Christie mais velha, de colocar um pouco de ordem nesse caos. O Caderno 31 tem uma página avulsa com uma lista colada na primeira capa interna com letra da própria autora; outros Cadernos têm marcadores datilografados indicando onde foi discutido cada um dos livros. Essas bravas tentativas são rudimentares e o compilador (provavelmente não a própria Agatha Christie) logo se cansou da tarefa hercúlea. A maioria dos

Cadernos contém anotações relativas a vários livros e, como três romances podem compartilhar o mesmo espaço ao longo de dez páginas, os marcadores de página se tornaram inúteis.

Para dar uma ideia, aleatoriamente, da quantidade de informação contida em cada caderno que fosse útil para a finalidade deste livro, criei uma tabela listando o conteúdo de todos os Cadernos. Quando a imprimi, totalizavam dezessete páginas.

... algo escrito...

Antes de questionar a caligrafia dos Cadernos, é necessário enfatizar serem anotações e frases escritas como "lembretes". Não havia razão para se manter um padrão de caligrafia, pois ninguém senão Agatha Christie iria lê-los. Como ficou claro em outro trecho (veja o Capítulo 3), esses cadernos eram diários pessoais e escritos apenas para esclarecer os pensamentos da autora.

A caligrafia se altera com o tempo. As anotações confusas da faculdade logo tomam conta dos esforços empregados para escrever bem no início do período escolar. Acidentes, doenças ou a idade afetam a letra. Na maioria das vezes, pode-se dizer que a caligrafia piora com a velhice. Com Agatha Christie, acontece o oposto. No auge de sua criatividade (entre 1930 e 1950), sua letra era praticamente indecifrável. Parece, muitas vezes, taquigrafia e é questionável se conseguia ler o que ela mesma escrevia. Tenho certeza de que os garranchos aconteciam porque, nesses anos prolíficos, sua mente fértil estava cheia de ideias para muitos livros e contos. Era necessário anotá-las o mais rapidamente possível. A clareza do que ela escrevia tinha uma importância secundária.

A conversão dos Cadernos num formato mais legível, para fazer este livro, levou mais de seis meses. Um conhecimento detalhado de toda a obra de Dama Agatha não só foi de extremo auxílio, mas uma necessidade básica. Ajudou-me a saber, por exemplo, que uma referência a "apomorfina" não é um equívoco, um erro de impressão ou de ortografia, mas uma parte central da trama de *Cipreste Triste*. Mas não me ajudou em relação a anotações de um livro inédito ou de ideias para um livro publicado que ela tenha descartado depois. À medida que as semanas passavam, me surpreendi como havia me familiarizado com a caligrafia e decifrei a última pilha de Cadernos muito mais rapidamente do que a primeira. Também descobri que, se saltasse uma página indecifrável e voltasse a ela alguns dias depois, conseguiria decifrá-la. Mas algumas palavras ou frases ainda me desafiavam e, muitas vezes, precisava adivinhar.

A partir do final da década de 1940, a caligrafia começou a "melhorar"; então, no início da década de 1950 e, por exemplo, *Depois do Funeral*, no Caderno 53, havia anotações que podiam ser lidas facilmente de primeira. Ela tinha perfeita consciência disso. Em novembro de 1957, em uma carta sobre *Punição para a Inocência*, ela escreve: "Pedi a Mrs. Kirwan [sua secretária Stella Kirwan] para datilografar isto para você conhecendo bem minha caligrafia", e novamente, em agosto de 1970, ela descreve sua caligrafia como "exagerada e bastante ilegível". E escreveu isso *depois* de ter melhorado muito!

Por alguns anos, havia uma lenda que corria na imprensa popular de que Agatha Christie sofria de dislexia. Não sei de onde tiraram essa ideia, mas, mesmo ao olhar os Cadernos de relance, eles provam que essa história é uma farsa. O único exemplo que poderia ser trazido como prova foi sua alternância ao escrever "Caribe" e "Caribbe" ao longo das anotações de *Mistério no Caribe* – e creio que ela não seria a única a cometer esse equívoco!

... um tipo de esboço para um livro...

Aleatoriamente, ao longo de todos os Cadernos, há anotações curtas e muitas vezes não desenvolvidas na época em que foram feitas. É o que Agatha Christie quer dizer com "esboço para um livro"; essas anotações eram tudo de que ela precisava para estimular a imensa imaginação. As ideias a seguir foram reproduzidas exatamente como aparecem em uma página dos Cadernos, e algumas delas ocorrem em mais de um Caderno (exemplos de anotações semelhantes serão mostrados mais à frente). Todos eles aparecem, de uma forma ou de outra, em seus livros. Os dois primeiros são enredos mais relevantes e os outros dois são descrições de trama de menor importância:

> Poirot pede para ir para o interior – encontra uma casa e vários detalhes fantásticos [veja *A Mansão Hollow*, no Capítulo 12]
>
> Salva a vida dela várias vezes [veja *Noite sem Fim*, no Capítulo 12]
>
> Substâncias perigosas são roubadas do carro [veja Prova F: "A Casa dos Sonhos"]
>
> Perquirição perquisição – ambos na mesma carta [veja *Convite para um Homicídio*, no Capítulo 5]

... em geral, me estimula, senão a escrever a mesma trama, pelo menos a escrever alguma outra coisa...

Ao longo da carreira, um dos maiores talentos de Agatha Christie foi sua habilidade em tecer infinitas variações a partir de ideias semelhantes. Conspirações homicidas, o eterno triângulo, a vítima como assassino, o disfarce – durante anos ela utilizou e reutilizou todos esses artifícios para confundir a expectativa do leitor. Então, quando menciona estar sendo estimulada a escrever "algo mais", sabemos que poderá fazê-lo sem qualquer dificuldade. Algo aparentemente desimportante ou sem inspiração, como a palavra "dentes", poderia inspirá-la e, de fato, ela usou essa mesma ideia em ao menos dois romances – em *Uma Dose Mortal* e, como elemento menor do enredo, em *Um Corpo na Biblioteca*.

> Gêmeos idênticos (um morto num acidente ferroviário) sobrevivente – alega ser o mais rico (dentes?)
> Pobre menina rica – casa na montanha – objetos luxuosos, etc. – verdadeiro proprietário
> A ideia do selo – homem ganha uma fortuna – coloca-a numa carta antiga – um selo de Trinidad numa carta das Ilhas Fiji

> Senhora idosa num vagão de trem – uma moça a acompanha – mais tarde recebe uma oferta de emprego na cidadezinha – ela o aceita

Como veremos, a "ideia do selo" aparece num conto e numa peça teatral escritos com quinze anos de diferença entre eles; o argumento da "Senhora idosa num vagão de trem" aparece em dois romances com quase vinte anos entre eles; e a "Pobre menina rica" inspirou um conto e, 25 anos depois, um romance.

PROVA A:
O CLUBE DE INVESTIGAÇÃO

– É muito cedo para ligar para você, mas queria lhe pedir um favor.
– Sim?
– Temos o jantar anual do nosso Clube de Autores de Suspense.

A Terceira Moça, Capítulo 2

O Clube de Investigação, como o nome sugere, é um clube de escritores de romances policiais. Embora a data exata seja incerta, foi provavelmente fundado em 1929. Anthony Berkeley e Dorothy L. Sayers eram dois dos fundadores e, no início da década de 1930, todos os maiores ficcionistas de histórias de detetive da época, incluindo Agatha Christie, eram membros. Apenas autores de ficção de suspense clássico, diferentes dos autores de livros policiais em geral, podiam se filiar. Não era um grupo profissional que trabalhasse para melhorar os autores de suspense; era um clube de escritores eméritos como G. K. Chesterton, criador do Padre Brown, como primeiro presidente, seguido, em 1936, por E. C. Bentley, autor do famoso *O Último Caso de Trent*, e, a partir de 1958 e até sua morte em 1976, Agatha Christie. Ela concordou em aceitar esse cargo com a condição de nunca precisar fazer discursos. A filiação era feita apenas por convite e todos os novos membros tinham de passar por uma cerimônia de iniciação (inventada por Dorothy L. Sayers) que envolvia a presença do presidente paramentado em trajes de gala, uma procissão com velas acesas e um juramento feito pelo iniciado, com a mão sobre a Caveira Eric, de respeitar as regras do clube.

Embora essas regras nunca tenham sido escritas e o ritual, propriamente dito, tenha sido criado por Sayers como brincadeira, apresentava intenções sérias e admiráveis. Num esforço de elevar o nível literário das histórias policiais e para distingui-las do suspense comum ou "livro de impacto", os candidatos prometiam:

- respeitar a língua inglesa do Rei;
- nunca ocultar uma pista essencial do leitor;
- aderir à causa da investigação de forma diversa da "Revelação Divina, da Intuição Feminina... da Coincidência ou do Acaso";
- respeitar uma "moderação no uso de Gangues, Raios Letais, Fantasmas, Chineses Misteriosos e Venenos Estranhos desconhecidos pela Ciência";
- nunca roubar ou revelar as tramas de outros membros.

Nos primeiros anos, o Clube de Investigação produziu romances coletivos e, mais recentemente, coletâneas de contos. Nos primeiros romances, cada um escrevia um capítulo, tomando conhecimento do andamento da trama de seu predecessor. Agatha Christie contribuiu nas primeiras três publicações, *Um Furo Jornalístico*, em 1930, *O Cadáver atrás do Biombo*, no ano seguinte, e o romance de longo fôlego *A Morte do Almirante*, em 1932. Os dois esforços iniciais mais curtos foram lidos em capítulos na Rádio BBC e, posteriormente, publicados no *The Listener*, sendo, finalmente, publicados em livro em 1983. Além de Agatha Christie, os colaboradores de *Um Furo Jornalístico* foram Dorothy L. Sayers, Anthony Berkeley, E. C. Bentley, Freeman Wills Crofts e Clemence Dane; Ronald Knox e Hugh Walpole substituíram Crofts e Dane em *O Cadáver atrás do Biombo*.

No caso de *A Morte do Almirante*, cada participante tinha de incluir uma proposta de solução, além do capítulo, para evitar que fossem introduzidas implicações na trama apenas para complicar a vida do participante seguinte. A participação de Agatha Christie é, infelizmente, a mais curta do livro, mas a sua proposta de solução é tipicamente genial. No entanto, ela decidiu que o tempo e o esforço que empregava em uma dessas produções seriam mais bem aproveitados em seus próprios livros e educadamente declinou do convite para participar de edições posteriores.

O Clube de Investigação nos Cadernos de Anotações

A principal referência ao Clube de Investigação está no Caderno 41, cuja primeira página traz no cabeçalho "Ideias 1931" (apesar da incerteza da data de sua fundação, na época dessa anotação o clube já atuava):

> 13 para Jantar
>
> Clube do romance policial (?)
> Miss Sayers e marido – Venenos
> Mr. Van Dine e
> Mr. Wills Crofts e senhora – Álibis
> Mrs. Christie
> Mr. Rhode
> Mr. e Mrs. Cole
> Mr. Bentley
> Miss Clemence Dane
> Mr. Berkeley e senhora – fantástico escritor

Coincidentemente, o título *Treze para Jantar* foi usado nos Estados Unidos dois anos mais tarde no romance de Agatha Christie de 1933, *Treze à Mesa*. O título americano se refere ao Capítulo 15 do livro, em que um personagem declara que havia treze convidados à mesa de jantar na noite da morte de Lorde Edgware, dando assim a Lady Edgware doze testemunhas. É pouco provável, no entanto, que fosse isso o que Agatha Christie tivesse em mente quando esboçou a ideia do Clube de Investigação.

As treze pessoas que ela lista, que faziam parte do grupo, eram na maioria seus colegas de profissão. "Miss Sayers" é Dorothy L. Sayers – escritora, dramaturga, antologista, teóloga e erudita – uma grande contemporânea de Agatha Christie e uma das fundadoras do Clube de Investigação. Embora citada no Caderno 41 como "Miss", Sayers estava casada com Oswald Fleming desde abril de 1926, mas mantinha o nome de solteira para suas atividades profissionais.

"Mr. Van Dine" era conhecido pelo público leitor como S. S. Van Dine, criador de Philo Vance. O espaço em branco depois do seu nome parece indicar que Agatha Christie não tinha certeza se ele seria casado (e era), mas a inclusão da acompanhante aumentaria para catorze o número de convidados para o jantar – o que talvez justifique a incerteza. É estranho que Agatha Christie tenha incluído Van Dine, de qualquer modo. Ela certamente leu os romances dele – alguns estão nas prateleiras da Mansão Greenway –, por serem *best-sellers* na época, mas ele não era membro do Clube de Investigação, pois vivia nos Estados Unidos.

"Mr. Wills Crofts" era Freeman Wills Crofts, criador do Inspetor French da Scotland Yard, um policial dedicado e persistente, cuja especialidade (como indicado) é o álibi perfeito. Como Agatha Christie, seu primeiro romance, *O Barril*, surgiu em 1920 e é ainda considerado um clássico. Ele continuou a escrever até sua morte em 1955, tendo produzido mais de quarenta romances.

"Mr. Rhode" é John Rhode, cujo verdadeiro nome era Major Cecil John Charles Street, que também se assinava Miles Burton. Como Agatha Christie, foi membro do Clube de Investigação por quase toda a sua carreira e escreveu 150 romances com ambos os nomes literários.

"Mr. e Mrs. Cole" eram o casal G. D. H. e Margaret Cole, romancistas policiais e socialistas. Embora a dupla fosse prolífica, com trinta romances publicados, seus livros eram verborrágicos, insossos e há muito deixaram de ser reeditados.

"Mr. Bentley" era E. C. Bentley, cuja reputação como romancista policial restringe-se praticamente a um único livro, o clássico *O Último Caso de Trent*. Ele também lançou um livro de contos e foi coautor de outro chamado *O Caso de Trent*; em ambos o protagonista é Philip Trent.

Clemence Dane já foi esquecida como autora policial. *Enter Sir John*, filmado por Hitchcock como *Assassinato*, é seu romance mais famoso.

"Mr. Berkeley" é Anthony Berkeley, que também se assinava Francis Iles. Um autor muito influente, previu o crescimento do romance policial à parte das histórias de detetive, e sua contribuição às duas ramificações do gênero é impressionante. Alfred Hitchcock filmou um dos romances assinados com o pseudônimo Iles, *Before the Fact* (*Antes dos Fatos*, 1932), como *Suspeita* (1941).

Além dessa lista, Agatha Christie faz várias alusões a seus colegas membros do Clube de Investigação em diversos livros. Em *Sócios no Crime*, da coletânea de contos de Tommy e Tuppence de Agatha Christie, de 1929, vemos os irmãos Beresford investigando os casos com o estilo de diferentes detetives. Ela copia Berkeley em "A Filha do Pastor" e Crofts em "O Álibi Perfeito", embora, estranhamente, não apareça nenhum dos outros autores mencionados no Caderno 41.

Um artigo que Agatha Christie escreveu para o Ministério da Informação em 1945, "Escritores Policiais na Inglaterra", também é digno de nota. Aqui os escritores citados são Dorothy L. Sayers, John Dickson Carr, H. C. Bailey, Ngaio Marsh, Austin Freeman e Margery Allingham – Sayers é a única autora mencionada no artigo e no Caderno 41, embora todos fossem membros do Clube de Investigação. Isso pode se dever ao fato de Agatha Christie ter tido um relacionamento maior com Sayers, principalmente durante o planejamento dos livros que escreveram conjuntamente, *A Morte do Almirante, Um Furo Jornalístico* e *O Cadáver atrás do Biombo*, todos conduzidos por Sayers.

O Capítulo 6 de *Um Corpo na Biblioteca* também menciona Sayers, H. C. Bailey e John Dickson Carr (bem como a própria Agatha Christie); e "O Rebanho de Gerião", o décimo *Trabalho de Hércules*, menciona Sherlock Holmes, Mr. Fortune, criação de Bailey, e Sir Henry Merrivale, criação de Dickson Carr. *The Burning Court* [*Corte em Chamas*], de Dickson Carr, também é uma pista menor em *Morte na Praia* e o mesmo autor é mencionado outra vez em *Os Relógios.*

Uma única frase, nos Cadernos 18 e 35, também menciona o Clube de Investigação, ambos sobre a mesma ideia:

Noite de festa no Clube de Invest[igação] durante ritual – 6 convidados da Mrs. O[liver]

Assassinato no Clube de Investigação – Mrs. Oliver – seus dois convidados – alguém é assassinado quando o Ritual começa

A Noite de Festa era, não por acaso, quando os membros do clube podiam trazer um convidado para o jantar. O "ritual" era a cerimônia, na qual se fazia o "juramento" com a Caveira Eric no lugar da Bíblia e os novos membros se iniciavam. Como uma romancista policial, Mrs. Oliver poderia, certamente, ter sido um dos membros do clube.

3

A Mão Misteriosa: Agatha Christie Escreve

Ou seja, o que *podemos* dizer sobre como escrevemos nossos romances? O que quero dizer é, primeiro, temos de pensar em algo e, depois de termos pensado, temos de nos obrigar a sentar e escrever. Isso é tudo.

A Extravagância do Morto, Capítulo 17

SOLUÇÕES REVELADAS

A Casa Torta • Noite sem Fim • A Morte da Sra. McGinty • Convite para um Homicídio • Morte na Mesopotâmia • Uma Dose Mortal

Como Agatha Christie conseguiu produzir tantos livros com tanta qualidade e por tantos anos? Um exame cuidadoso de seus Cadernos vai revelar alguns de seus métodos de trabalho, embora, como se verá, "método" não fosse o seu forte. Mas isso, eu defendo, era o seu segredo – mesmo que ela mesma não tivesse consciência desse paradoxo.

Testemunhas Silenciosas

Em fevereiro de 1955, no programa de rádio da BBC *Close-Up*, Agatha Christie admitiu, quando lhe perguntaram sobre seu processo de escrita, que "a triste verdade é que não tenho realmente um método". Ela datilografava seus próprios rascunhos "numa máquina de escrever velha e fiel, que tenho há muitos anos", mas achava que um gravador era muito útil para fazer os contos. "O verdadeiro trabalho está concluído depois que se pensa no desenvolvimento da história e se ajustam todos os detalhes. Isso pode tomar bastante tempo." E esse é o ponto em que entram seus Cadernos, que não são mencionados na entrevista. Uma folheada nos cadernos mostra que foi ali que ela fez o que chamou de "pensar e ajustar" os detalhes das histórias.

Até a metade da década de 1930, os Cadernos são esboços sucintos dos romances, com poucos rascunhos ou estudos, cortes ou supressões. E, diferentemente dos anos posteriores, quando cada Caderno contém anotações de poucos livros, nesse início a maioria das notas do livro todo está contida em um Caderno. Esses esboços acompanham o romance acabado e parecem indicar que "pensar e ajustar" eram feitos em outro lugar e, consequentemente, foram destruídos ou se perderam. Anotações para *O Misterioso Caso de Styles* (Caderno 37), *O Homem do Terno Marrom* (Caderno 34), *O Mistério do Trem Azul* (Caderno 54), *Assassinato na Casa do Pastor* (Caderno 33), *O Mistério de Sittaford* (Caderno 59), *A Casa do Penhasco* (Caderno 68) e *Treze à Mesa* (Caderno 41) correspondem precisamente aos romances. Mas, a partir de meados da década de 1930 e de *Morte nas Nuvens*, os Cadernos incluem todos os seus pensamentos e ideias, usadas ou rejeitadas.

Ela fazia todas as especulações nas páginas dos Cadernos até que tivesse, pelo menos em mente, a direção que tomaria em determinada trama, embora nem sempre seja óbvio, a partir apenas do Caderno, que plano teria tomado. Trabalhava variações e possibilidades; escolhia e descartava; explorava e experimentava. Fazia um "brainstorm" na própria página e depois separava o que poderia usar daquilo que não fosse útil. Anotações se sobrepõem e se cruzam em diferentes cadernos; um único livro aparece salteado ao longo das páginas de um Caderno e, em casos extremos, em doze Cadernos.

Quando Lorde Snowdon lhe perguntou, numa entrevista em 1974, como ela gostaria de ser lembrada, Agatha Christie respondeu:

– Quero ser lembrada como uma boa autora de histórias policiais.

Esse comentário modesto, depois de se tornar, ao longo da vida, uma escritora *best-seller* tanto de livros quanto de peças teatrais, é uma confirmação inconsciente de outro aspecto de Agatha Christie que surge em seus Cadernos – sua falta de pretensão. Ela via essas anotações despretensiosas como um instrumento de trabalho com a mesma importância de um lápis, caneta-tinteiro ou esferográfica que pegava para escrever nos Cadernos. Usava os Cadernos como diários, pautas de rascunho, blocos de recados telefônicos, diários de viagem, livros de contabilidade doméstica; usava-os para rascunhar cartas, fazer listas de presentes de Natal e de aniversário, rabiscar lembretes de coisas a fazer, registrar livros lidos e por ler, traçar planos de viagem. Fazia mapas de Warmsley Heath (*Seguindo a Correnteza*) e St. Mary Mead; esboçava a imagem da capa de *Cipreste Triste* e o cenário de *Tarde na Praia*; desenhava o diagrama do compartimento do avião de *Morte nas Nuvens* e a ilha de *Morte na Praia*. Sir Max usou-os para fazer contas, Rosalind para fazer exercícios de caligrafia e todos os usavam para marcar pontos de *bridge*.

Um Pombo entre os Gatos

Parte do prazer de estudar os Cadernos está no fato de não se saber o que vai ser encontrado ao virar a página. A trama do último romance de Poirot pode ser interrompida por um poema escrito para o aniversário de Rosalind; uma página em que se lê, de forma otimista, "Coisas a fazer", está espremida entre um romance de Miss Marple e uma peça teatral inconclusa. Um número de telefone e um recado quebram o ritmo de uma nova peça radiofônica; uma lista de livros novos rompe os detalhes do plano de ação de um assassino; uma carta para o jornal *The Times* perturba um novo romance de Mary Westmacott.

Pode-se descobrir a conclusão original de *E no Final, a Morte* ou pode-se tentar resolver uma palavra cruzada ("– *I* – *T* – –"); pode-se tropeçar num rascunho de conto não terminado de Poirot ou numa lista de cores de tulipa ("Granada – Realmente vermelha, Dom Pedro – Arroxeada"); pode-se ler uma carta para o *The Times* ("Li com muito interesse um artigo escrito pelo Dr. A. L. Rowse sobre a descoberta da identidade da Dama Negra dos Sonetos de Shakespeare") ou um esquema para *A Ratoeira* II.

Folhear os Cadernos ao acaso ilustra alguns desses pontos. Uma página de anotações – uma pequena lista de livros (todos publicados em 1970), preparações para as compras de Natal e uma citação que chamou a atenção dela – interrompe as anotações de *Nêmesis*:

> Em algum lugar na (Irlanda?) (Escócia?) (Cornualha?) vive uma família – escrevem-lhe para ficar um dia ou dois ou um fim de semana – e juntar-se ao grupo de viagem depois – (Teria ficado um pouco doente? Febre? Mal-estar – algum remédio que lhe foi ministrado)
>
> Anotações sobre livros
>
> Deliverance – James Dickey
>
> The Driver's Seat – Muriel Spark
>
> A Start in Life – Alan Sillitoe
>
> Vamos para Syon Lodge Ltd. (*Crowthers*) – 20 min. de carro saindo de Hyde Park Corner – no caminho para o aeroporto – compras de Natal? Collinwood na Conduit St.
>
> Observação feita por McCauley: "Ser contaminado por um maledicente é mais do que a natureza humana consegue suportar"
>
> Qual é o ponto de (um prisioneiro indiciado) – filho de R – um fracassado – R. sempre soube quando ele mentia

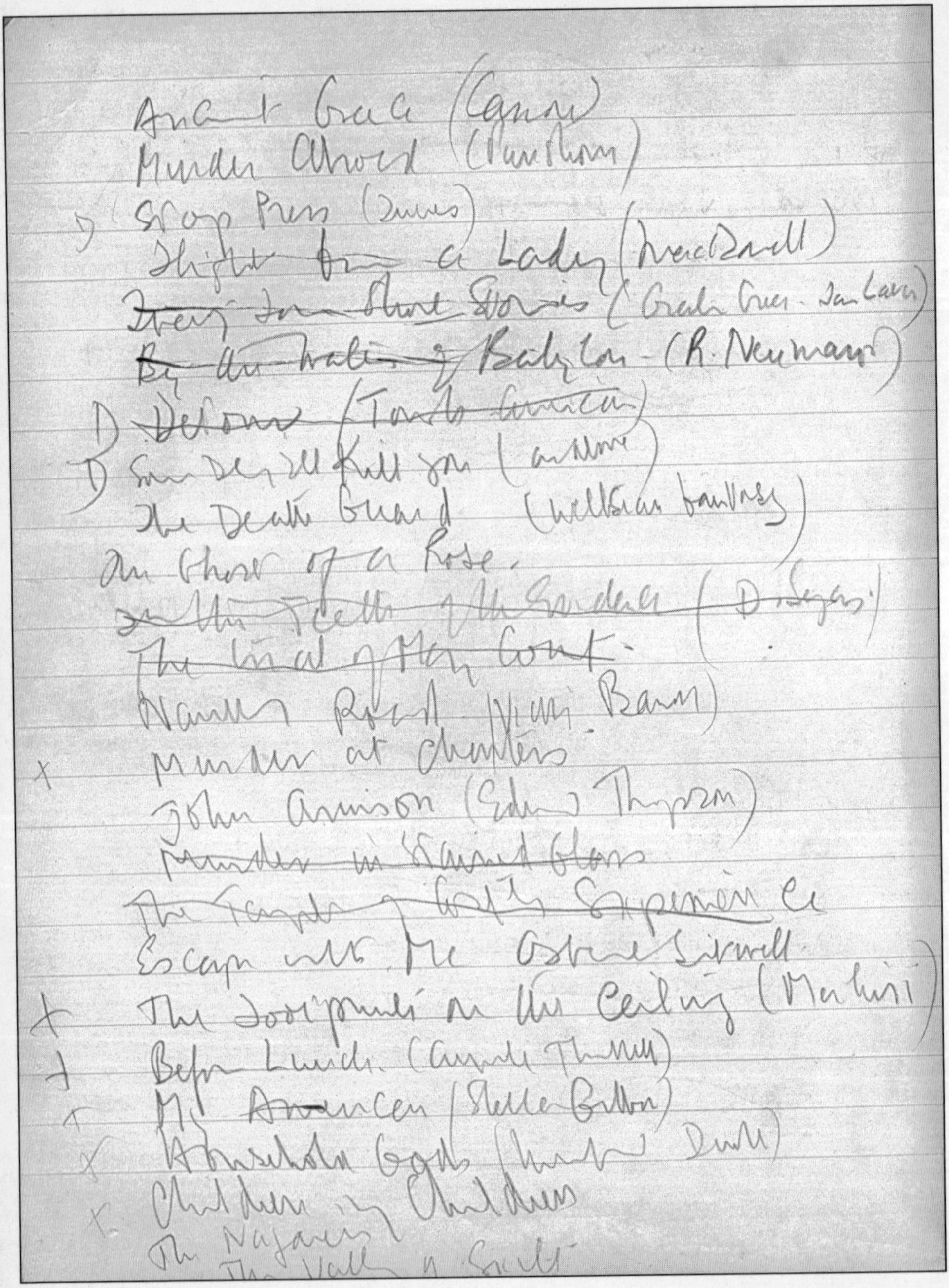

Uma das muitas listas de livros espalhadas por todos os Cadernos, esta, feita em duas páginas, inclui romances policiais do final da década de 1930/início da década de 1940, com livros de Simenon, Wentworth, Innes, Ferrars e Sayers…

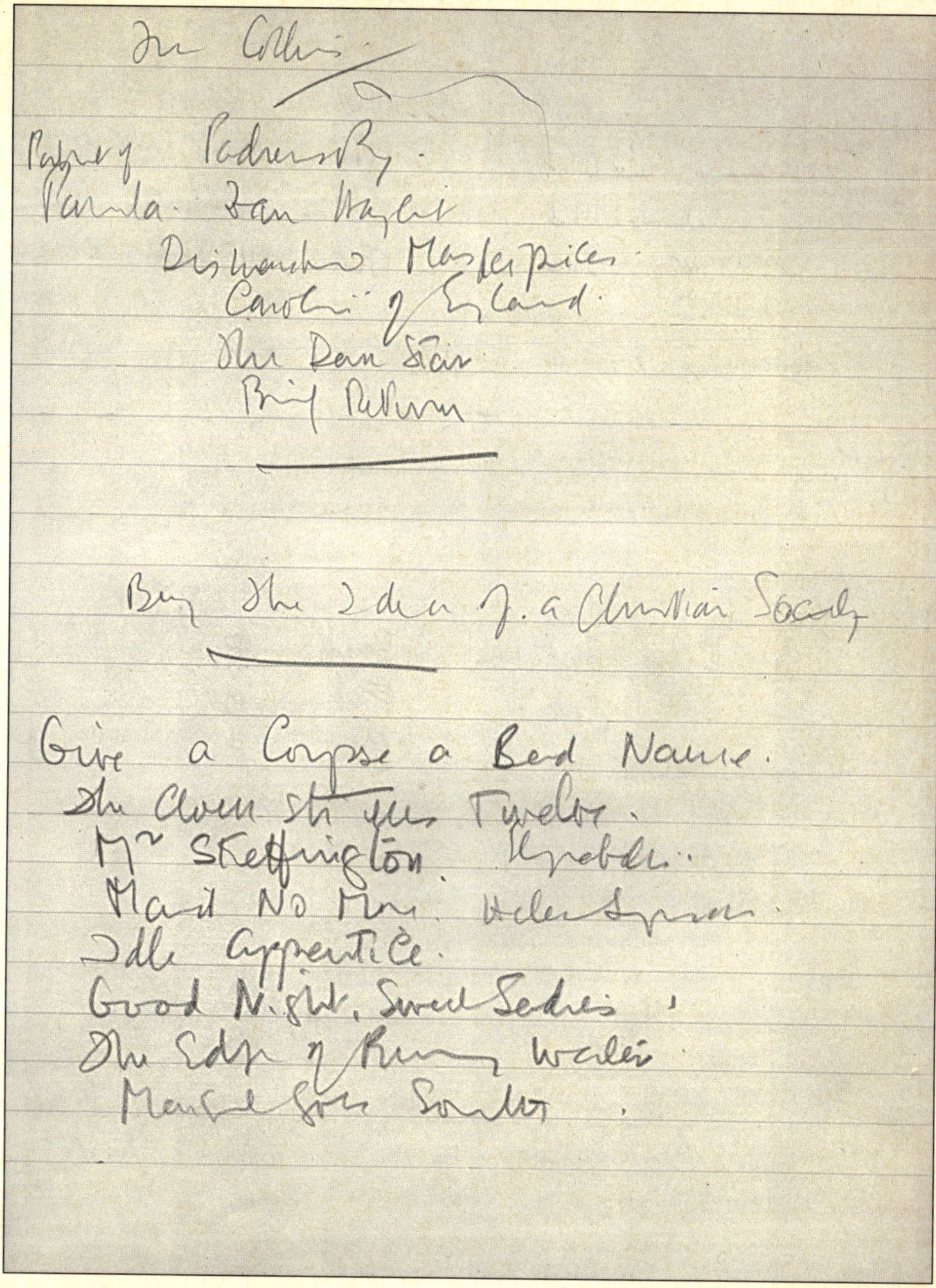
Caroline of England
The Dark Stair
The Idea of a Christian Society
Give a Corpse a Bad Name.
The Clock Strikes Twelve.
Mr Skeffington
Maid No More.
Idle Apprentice.
Good Night, Sweet Ladies
The Edge of Running Water

... Seus editores mandavam livros para Agatha ler e, de fato, a página acima assinala no topo: "Da Collins".

A trama de *Uma Dose Mortal* e também uma lista de possíveis ideias para contos são interrompidas por um recado de sua grande amiga Nan (Nanette) Gardner:

> H. P. não está satisfeito – pergunta sobre os corpos – finalmente – um é encontrado
>
> Fora todo o final de semana – podemos ir na quinta Nan
>
> Ideias (1940)
>
> A. 2 amigas – solteironas trapaceiras – uma delas vigarista – (outra disfarçada) elas trazem provas – possível para Miss Marple

Uma lista de ideias, em que parte foi usada em *Morte nas Nuvens*, *Os Crimes ABC* e "Problema a Bordo", é interrompida ao longo de três páginas por uma lista de presentes de Natal:

> C. Ferido com uma flecha – Ferido por um dardo (veneno) de um lançador de dardos
>
> Jack [seu cunhado] – Cachorro?
>
> Mrs. E – Presilhas de menu
>
> Tia Min – mata-borrão e bloco de anotações
>
> Barbara – bolsa e lenço
>
> Joan – Cinto?
>
> D. Ventríloquo
>
> E. Série de assassinatos – P encontra carta de um aparente maníaco – Primeiro – uma senhora de Yorkshire

Tragédia em Três Atos é precedida por um endereço e um número de telefone:

> Toby, 1 Granville Place, Portman Street Mayfair 1087
>
> P sugere Egg deveria desafiar Mrs. Dacres

Detalhes de viagem aparecem no meio de "A Captura de Cérbero" ("Robin" era provavelmente Robin McCartney, que fez a arte das capas de *Morte no Nilo*, de *Morte na Mesopotâmia* e de *Encontro com a Morte*):

> Jovem viúva – marido desaparecido que se acreditava morto – P o vê no "Inferno"
>
> Robin qualquer quinta-feira no trem da tarde
>
> Combinar com ideia de homem que faliu – Morto? Um garçom do "Inferno"?

Como se vê, a criatividade de Agatha Christie não era exclusiva – ela era capaz de engendrar um assassinato enquanto marcava um compromisso social, ou pensar na arma do crime enquanto fazia uma lista de livros para ler, ou pensar num motivo enquanto transcrevia roteiros de viagem. Ao longo dos Cadernos, ela é Agatha Christie, a Rainha do Crime, que continuava a ser Agatha, membro de sua família.

Motivo e Oportunidade

Uma de suas criações mais pessoais, Ariadne Oliver, é, em geral, tida como o *alter ego* de Agatha Christie. Mrs. Oliver é uma escritora de meia-idade, bem-sucedida e prolífica de histórias policiais e a criadora de um detetive estrangeiro, o finlandês Sven Hjerson. Ela detesta jantares literários, fazer discursos ou escrever com outros autores; é autora de *Um Corpo na Biblioteca* e não bebe nem fuma. As semelhanças são surpreendentes. Não há dúvida de que, quando Mrs. Oliver fala, estamos de fato ouvindo Agatha Christie falar.

No Capítulo 2 de *A Extravagância do Morto*, Mrs. Oliver minimiza sua genialidade:

> *– É fácil pensar nas coisas – disse Mrs. Oliver. – O problema é que pensamos coisas demais e, então, se torna muito complicado, assim temos de sacrificar algumas delas, e isso é um sofrimento.*

E novamente, mais adiante, no Capítulo 17, ela diz:

> *Ou seja, o que podemos dizer sobre como escrevemos nossos romances? O que quero dizer é, primeiro, que temos de pensar em algo e, depois de termos pensado, que temos de nos obrigar a sentar e escrever. Isso é tudo.*

Era simples assim e, por 55 anos, foi exatamente o que sua criadora fez.

O processo de produção era, como vimos, aleatório e acidentado. E, mesmo assim, esse aparente trabalho aleatório era transformado num *best-seller* anual e, por muitos anos, em mais de um *best-seller*. Por mais de cinquenta anos ela entregou o último "Agatha Christie de Natal" ao seu agente literário; por vinte anos presenteou o West End, em Londres, com um sucesso de bilheteria atrás do outro; e manteve editores de revistas ocupados resenhando sua última publicação. Todos esses – romances, contos e peças teatrais – se sucederam com a precisão fluida da Troca da Guarda no Palácio de Buckingham.

Então, embora seja verdadeiro que não havia um método específico nem um sistema comprovado e autêntico que ela tivesse desenvolvido ao longo da carreira de escritora, sabemos que essas aparentes anotações aleatórias de tramas e enredos são apenas isso – aparentes. E, por fim, chegamos à conclusão de que, de fato, essa forma aleatória *é* o seu método; era assim que ela trabalhava, que ela criava, que escrevia. Ela sobrevivia mentalmente em meio ao caos, que a estimulava mais do que a completa organização; a rigidez embotava seu processo criativo. E isso explica por que os Cadernos eram escritos de trás para a frente, por que ela saltava de um livro para outro numa mesma página, por que Cadernos diferentes repetem e desenvolvem as mesmas ideias e por que sua caligrafia é impossível de ler.

O Caderno 15 e a trama de *Um Gato entre os Pombos* ilustram alguns desses pontos. Ela conversa consigo mesma na página:

> Como tudo isso deve ser abordado? – em sequência? Ou seguido de trás para a frente por Hercule Poirot – a partir do desaparecimento... na escola – um possível acontecimento trivial, mas

que está ligado ao assassinato? – mas assassinato de quem – e por quê?

Ela imagina, especula e lista as possibilidades:

Quem é assassinado?
Uma moça?
Uma instrutora de educação física?
Uma criada?
Estrangeiro árabe?? que conhecia a moça de vista?
Ou uma moça que...?

Mrs. U vê alguém pela janela – poderia ser
    Uma nova instrutora?
    Uma empregada doméstica?
    Uma aluna?
    Um parente?

O assassinato –
Poderia ser   Uma moça (lembra Julia/lembra Clara?
    Um parente – Dia de esporte
    Uma instrutora

Alguém morto ou perseguido no ginásio da escola?
    Princesa Maynasita presente –
    ou – uma atriz como aluna
    ou – uma atriz como instrutora de educação física

Ela se lembra de trabalho ainda por fazer:

Arrumar – Final do capítulo

Capítulo III – Há muito a ser feito –

Capítulo IV – Há muito a ser retrabalhado – (possível terminar o capítulo com "Adão, o Jardineiro" – lista de instrutoras – (ou no capítulo seguinte)

Capítulo V – Cartas mais completas

Notas da revisão – um pouco sobre Miss B

Prólogo – Datilografar mais trechos

Capítulo V – Algumas novas cartas

E, para se distrair um pouco, ela interrompe o trabalho, para resolver um quebra-cabeça de palavras. Nesse exercício bem conhecido, o teste é usar todas as letras do alfabeto em uma única frase. Em sua versão, ela tem uma resposta alternativa, embora ainda falte a letra Z.

A D G ~~J~~ L ~~M~~ ~~P~~ ~~S~~ V Y Z

THE QUICK BROWN FOX JUMPS over gladly
(A RÁPIDA RAPOSA MARROM SALTA alegremente)

Mortes Relembradas

Em *Cartas na Mesa*, perguntam a Mrs. Oliver se alguma vez ela usou a mesma trama duas vezes.

– "O Assassinato de Lótus", murmurou Poirot, "A Pista da Cera de Vela".

Mrs. Oliver virou-se para ele, com os olhos faiscando de alegria.

– Muito inteligente de sua parte, realmente muito inteligente de sua parte. Porque, certamente, os dois contêm exatamente a mesma trama, mas ninguém mais percebeu isso. Um trata de papéis roubados numa festa informal do Ministério durante o final de semana, e o outro é um assassinato em Bornéu, em uma cabana em uma fazenda de borracha.

– Mas o vértice da história é o mesmo – respondeu Poirot. – Um dos seus truques mais perfeitos.

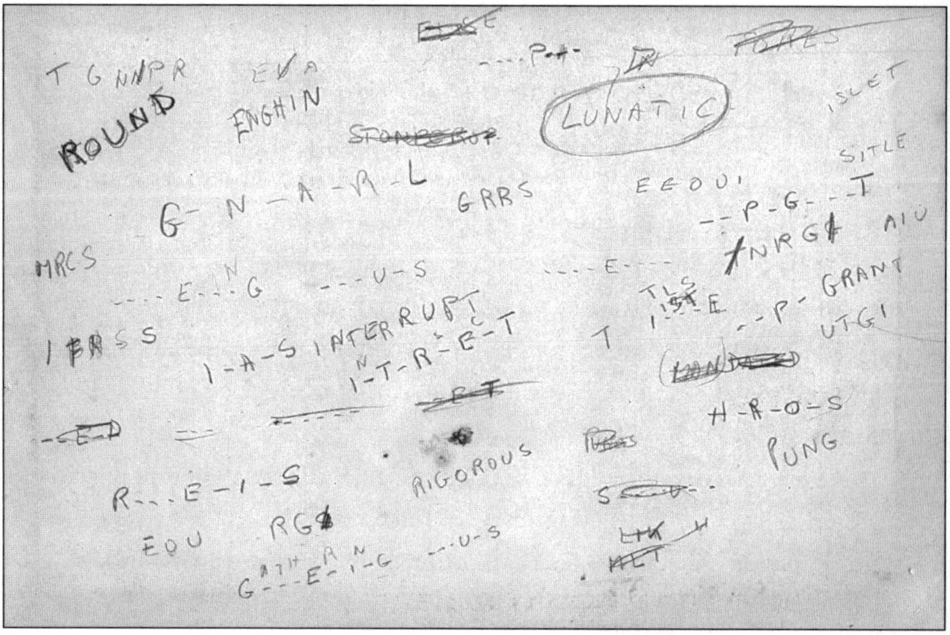

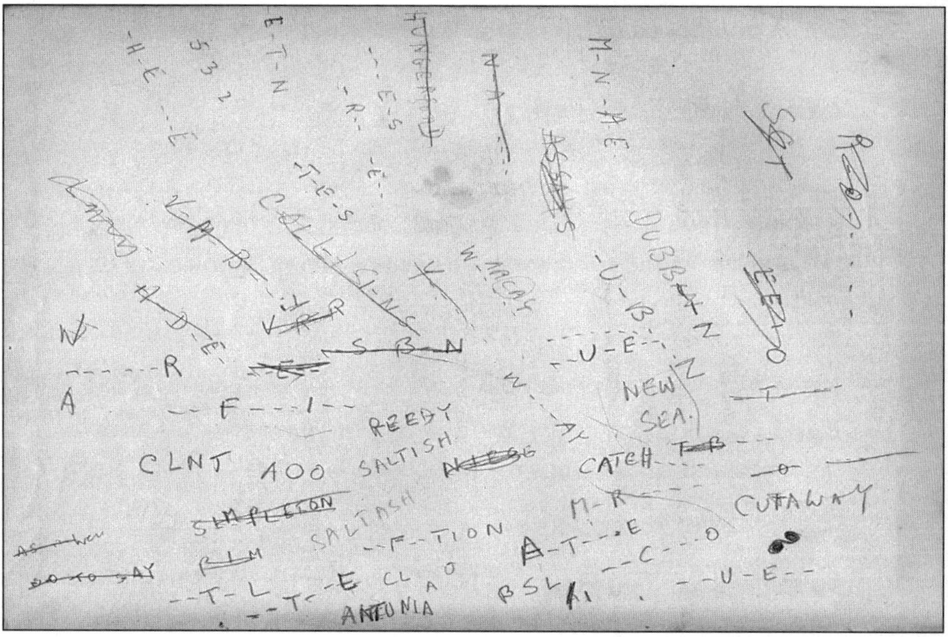

Duas páginas de quebra-cabeças de palavras aleatórias, provavelmente um rascunho de palavras cruzadas.

O mesmo acontece com Agatha Christie. Ela reutilizou tramas em toda a sua carreira; e reciclou os contos em novelas e romances – ela especula com frequência nos Cadernos sobre a expansão ou adaptação de um livro anterior. Os Cadernos demonstram como, mesmo se ela descartasse uma ideia naquele momento, deixava tudo ali para ser visto novamente depois. E quando fazia isso, como escreveu na *Autobiografia*, "do que se trata, não me lembro agora; mas normalmente me estimulava a escrever", então ela usava os Cadernos como um "lembrete" e também como um rascunho.

O primeiro exemplo data de meados da década de 1950 e se relaciona com os contos "O Apartamento do Terceiro Andar" e "A Aventura do Baú de Bagdá"; é cercado de anotações para "O Pateta de Greenshaw" e *A Testemunha Ocular do Crime*. O segundo exemplo, referente a "A Aventura do Pudim de Natal", é do começo da década de 1960, e o último se refere a "A Sombra na Vidraça", sendo provavelmente de 1950:

Desenvolvimento dos contos

O Apartamento do Terceiro Andar – assassinato cometido um pouco antes – retorna para pegar a correspondência e também pegadas etc. encontradas – ideia do elevador de serviço? Andar errado

Baú ou um biombo de Bagdá?
Ideia? A convence B esconde B
Baú ou biombo como Mrs. B – que tem um caso com C – C dá uma festa – B e A aparecem – B esconde A – mata-o – e sai novamente

Versão ampliada do Pudim de Natal – Pontos de relevância. Um rubi (que pertence a um Príncipe indiano – ou um governante recém-casado?) no pudim

Um livro ou uma peça a partir da ideia de A Sombra na Cortina? (Mr. Q)

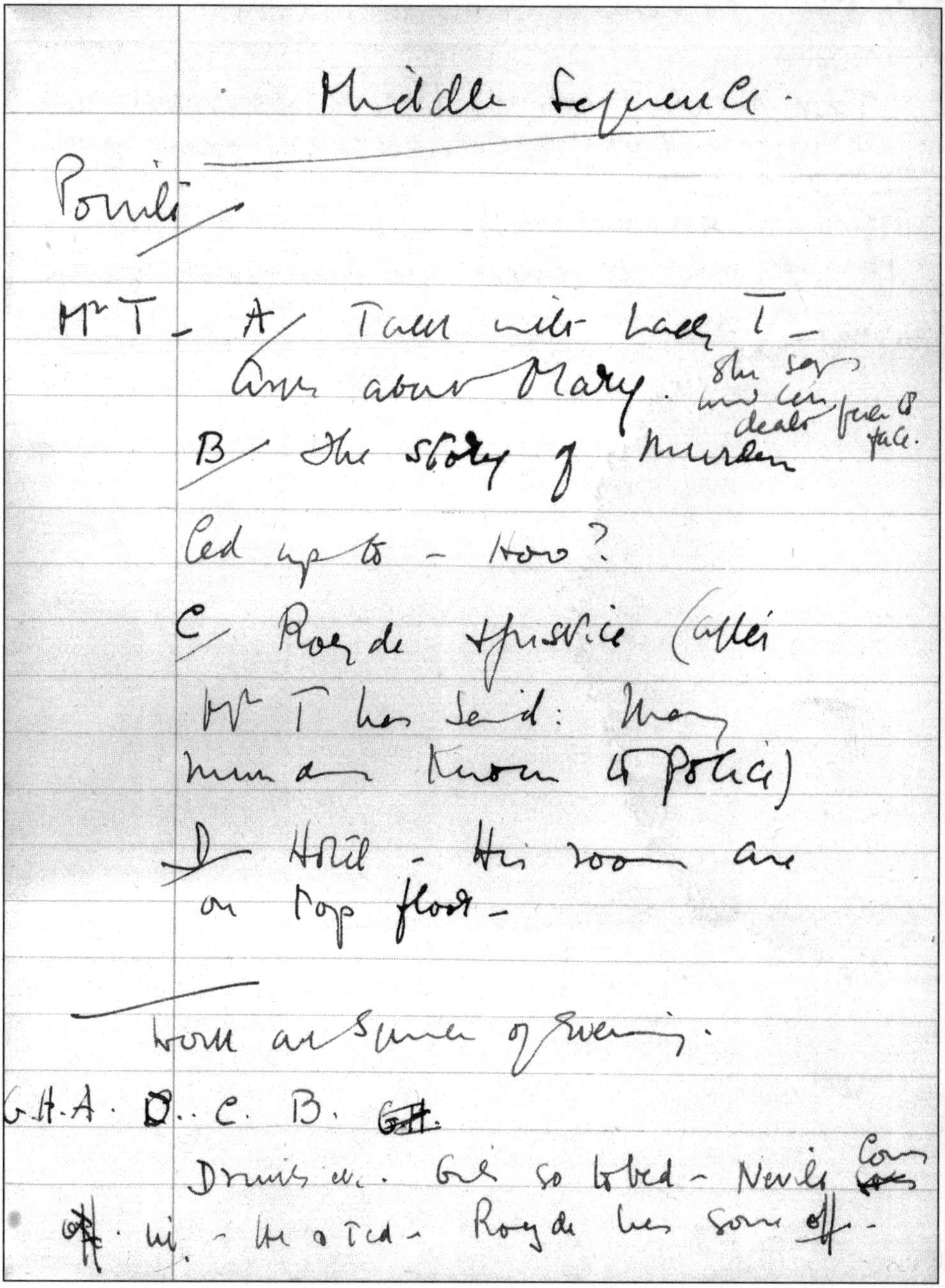

Middle Sequence.

Points

Mr T – A/ Talk with Lady T – Anxious about Mary. She says she can deal face to face.
B/ The story of murder led up to – How?
C/ Royde & Justice (after Mr T has said: Many murderers known to Police)
D/ Hotel – His rooms are on top floor –

Work out scheme of evening.

G. H. A. D. C. B. ~~G.H.~~

Drinks etc. – Girls go to bed – Nevile comes ~~in~~ ~~off~~ in – Mr T – Royde has some off –

Trama detalhada de Hora Zero – veja p. 78.

Os seguintes títulos são exemplos de ideias retrabalhadas de Agatha Christie, muitos dos quais discutidos em outras partes deste livro. Algumas elaborações são óbvias:

"O Caso do Coveiro" / *Noite sem Fim*

"O Mistério do Expresso de Plymouth" / *O Mistério do Trem Azul*

"O Mistério de Market Basing" / "Assassinato no Beco"

"Os Planos do Submarino" / "O Roubo Inacreditável"

"O Mistério do Baú Bagdá" / "O Mistério do Baú Espanhol"

"Aventura de Natal" / "A Aventura do Pudim de Natal"

"O Pateta de Greenshore" (inédito) / *A Extravagância do Morto*

Em outros casos, ela desafiava a si mesma ao adaptar e expandir a história mudando o assassino:

O Segredo de Chimneys / *Chimneys*

"O Segundo Gongo" / "O Espelho do Morto"

"Íris Amarela" / *Um Brinde de Cianureto*

"O Incidente da Bola de Cachorro" / *Poirot Perde uma Cliente* (veja Apêndice)

Algumas versões para o teatro diferem dos romances que lhes deram origem...

Encontro com a Morte apresenta um novo vilão com uma solução dramática e desafiadora.

O Segredo de Chimneys introduz inúmeras variações sobre o romance original, incluindo um novo assassino.
O Caso dos Dez Negrinhos desmascara o assassino inicial com um final totalmente diferente.

Enquanto isso, há mais ligações sutis entre certas obras:

O Misterioso Caso de Styles, *Morte no Nilo* e *Noite sem Fim* têm todos, essencialmente, a mesma trama.

O Homem do Terno Marrom, *O Assassinato de Roger Ackroyd* e *Noite sem Fim* utilizam o mesmo argumento para o enredo.

Morte na Praia e *Um Corpo na Biblioteca* empregam um artifício em comum.

Depois do Funeral e *Um Passe de Mágica* se baseiam no mesmo truque de erro de acusação.

Assassinato no Expresso do Oriente, *O Caso do Hotel Bertram* e, de forma menos evidente, *A Mansão Hollow* foram construídos sobre bases semelhantes.

Tragédia em Três Atos, *Morte nas Nuvens* e *Os Crimes ABC* ocultam o assassino em lugares semelhantes.

E há outros exemplos de aproximação de contos e romances que escaparam à observação em estudos anteriores sobre a Rainha do Crime:

"O Clube das Terças-Feiras" / *Cem Gramas de Centeio*

"Tragédia de Natal" / *Morte na Praia*

"Uma Canção de Meio Xelim" / *Punição para a Inocência*

"Os Detetives do Amor" / *Assassinato na Casa do Pastor*

O ABC do Crime

Um dos métodos de criação que Agatha Christie usava no período mais prolífico de sua carreira era escrever uma lista com uma série de cenas, fazendo o esboço do que ela queria que cada uma contivesse e designando para cada cena um número ou uma letra; essa ideia, numa época antes dos computadores, que dispõem do recurso de "cortar e colar", pode ter sido inspirada a partir da técnica que ela desenvolveu para escrever peças teatrais. Em seguida, ela rearranjava as letras para adequar as cenas ao propósito do enredo. Mantendo o seu processo criativo caótico, nem sempre o seguia e até quando o começava, por vezes, o abandonava depois para arrumá-lo de modo mais linear (veja *A Casa Torta,* a seguir). E, às vezes, o padrão no livro terminado não seguiria exatamente a sequência que ela havia criado originalmente, talvez devido a uma edição posterior.

O trecho seguinte, do Caderno 32, é um exemplo perfeito desse método na prática. Faz parte da trama de *Hora Zero* (veja também Capítulo 10).

E. Thomas e Audrey o que está errado? Ela não consegue lhe dizer. Ele afirma Eu sei, querida – Eu sei – Mas você precisa voltar a viver. Algo sobre "ter morrido" a morte – (referindo-se a Adrian – alguém como N[evile] deve estar morto)

F. Mary e Audrey – sugestão de mulher desapontada – "Até os criados estão nervosos"

G. Incidente sobre os botões do casaco

H. A beleza lunar de Audrey

Pontos

Mr. T – A. Conversa com Lady T – pergunta sobre Mary

B. A história do assassinato levou a como?

C. Royde e a justiça (após Mr. T ter dito: Muitos crimes conhecidos pela polícia)

D. Hotel – o quarto dele fica na cobertura

Trabalhar a sequência da noite

G. H. A. D. C. B. ~~G. H.~~

Deve-se notar que as cenas E F G H aparecem numa página anterior e as cenas A B C D numa página posterior. Depois de terem sido todas tabuladas, ela, então, as reordena para fazer a sequência que deseja. Primeiro, queria que as cenas G e H seguissem as cenas A D C B, mas mudou de ideia, riscou-as e as transpôs, espremendo-as na frente, na margem esquerda da página. Um estudo da segunda parte importante do romance – "Branca de Neve e Rosa Vermelha" – demonstrará que ela seguiu exatamente este plano:

G. Botões do casaco	V
H. Luar	V
A. Lady T	VI
D. Hotel	VI
C. Royde	VI
B. Condução	VI
F. Mary e Audrey	VII
E. Thomas e Audrey	VIII

Trabalhar a sequência da noite G. H. A. D. C. B. ~~G. H.~~ [F E]

Ela segue esse esquema no enredo de, entre outros, *Um Brinde de Cianureto*, *Uma Dose Mortal* e *A Casa Torta*. Mas, com um método caótico de criação e um método criativo do caos, por vezes deixa-o de lado.

O Caderno 14 apresenta este esquema, usado até certo ponto para *A Casa Torta* (veja também Capítulo 4). Mas dessa vez ela acrescentou outras complicações – AA e FF. Por último, dispensou a reordenação das letras e apenas reordenou as cenas sem a ordem alfabética. E as cenas AA e FF eram simplesmente ideias posteriores a ser inseridas num estágio posterior.

A. Investigações sobre a Atend[ente] do B[ufê] – discreta inicialmente – Contador contratado conseguirá o que queremos [Capítulos 10/11]

AA Também Brenda – mulher fatal – sentem muito etc. [Capítulo 9]

B. Mais tarde? – ~~em seu~~ Na Rua Queer – Encontra Roger lá – Roger – a história dele – etc. [Capítulo 11]

C. A prova do filho – melhor prova – que há – inútil no tribunal – crianças não gostam que lhes façam perguntas diretas. Para você ela estava se mostrando [Capítulo 12]

D. Charles e Josephine – pergunta sobre as cartas – eu inventei isso – não vou lhe contar – você não deveria ter contado à polícia [Capítulo 13]

E. Charles e Eustace – (Ouve por trás da porta – realmente um professor muito chato) Eustace – sua visão – ridiculariza Josephine [Capítulo 16]

F. Charles e Edith – uma idolatria paralela – pergunta a Philip – você não se deve deixar intimidar pelo comportamento frio dele – realmente se importava com o pai – Philip sente ciúmes de Roger [Capítulo 14]

FF. Pergunta para poupar a Atendente do Bufê Roger se recusa – Clemency o apoia – Age de modo bastante firme

[Capítulo 14. Há indicações no Caderno 14 de que ela tinha intenção de que esta fizesse parte de H abaixo]

G. Magda e Charles – Edith não o odiava – ela o amava – gostaria de se casar com ele [Capítulo 15]

H. Charles e Clemency – sua total felicidade no casamento – como Roger se sentiria feliz longe de tudo isso – Josephine escreve em seu livro [Capítulo 14]

I. A.C. diz – cuidado com a criança – há um envenenador à solta [Capítulo 12]

J. O peso da porta (se J) ou de fato morre – pequeno livro preto desaparecido [Capítulo 18]

K. Morte de Charles e Sophia – o que o assassinato tem a ver com todo mundo? [Capítulo 4]

As anotações de *A Casa Torta* também ilustram um aspecto contraditório e enganoso dos Cadernos. É muito comum encontrar páginas riscadas. À primeira vista pareceria, sem dúvida, que foram ideias rejeitadas, mas, ao observar mais atentamente, vê-se que aconteceu exatamente o contrário. Um traço em diagonal numa página indica "Trabalho Feito" ou "Ideia Usada". Esse foi um hábito que ela desenvolveu no período mais prolífico, embora tivesse a tendência de deixar as páginas, usadas ou não, sem nenhuma marca depois em sua carreira literária.

Dez Pequenas Possibilidades

Em "O Caso do Bangalô", escrito em 1928 e publicado em *Os Treze Enigmas* (1932), Mrs. Bantry apresenta razões por que alguém roubaria suas próprias joias:

> *E, de qualquer forma, consigo pensar em centenas de razões. Ela pode ter precisado de dinheiro rápido... então, finge que as joias foram roubadas e vende-as em segredo. Ou pode ter sido chantageada por alguém que ameaçou contar a seu marido... Ou já poderia ter vendido as joias... e ela precisava fazer algo em relação a isso. Isso acontece muito nos livros. Ou talvez ele iria mandar refazê-las e ela mandou fazer cópias. Ou – e aqui está uma ideia muito boa e que não acontece com muita frequência nos livros – ela finge que foram roubadas, fica arrasada e ele a presenteia com joias novas.*

Em *A Terceira Moça* (1966), Norma Restarick procura Poirot e lhe diz que ela pode ter cometido um crime. No Capítulo 2, Mrs. Ariadne Oliver, a famosa romancista policial, imagina algumas situações que poderiam gerar essa possibilidade:

> *Mrs. Oliver começou a imaginar, à medida que colocava a mente prolífica para funcionar:*
>
> *– Ela pode ter atropelado alguém e não ter parado para socorrer. Ela pode ter sido atacada por um homem num penhasco, lutado com ele, jogando-o lá de cima. Ela pode ter dado o remédio errado a alguém por engano. Ela pode ter ido a uma festa movida a drogas e ter discutido*

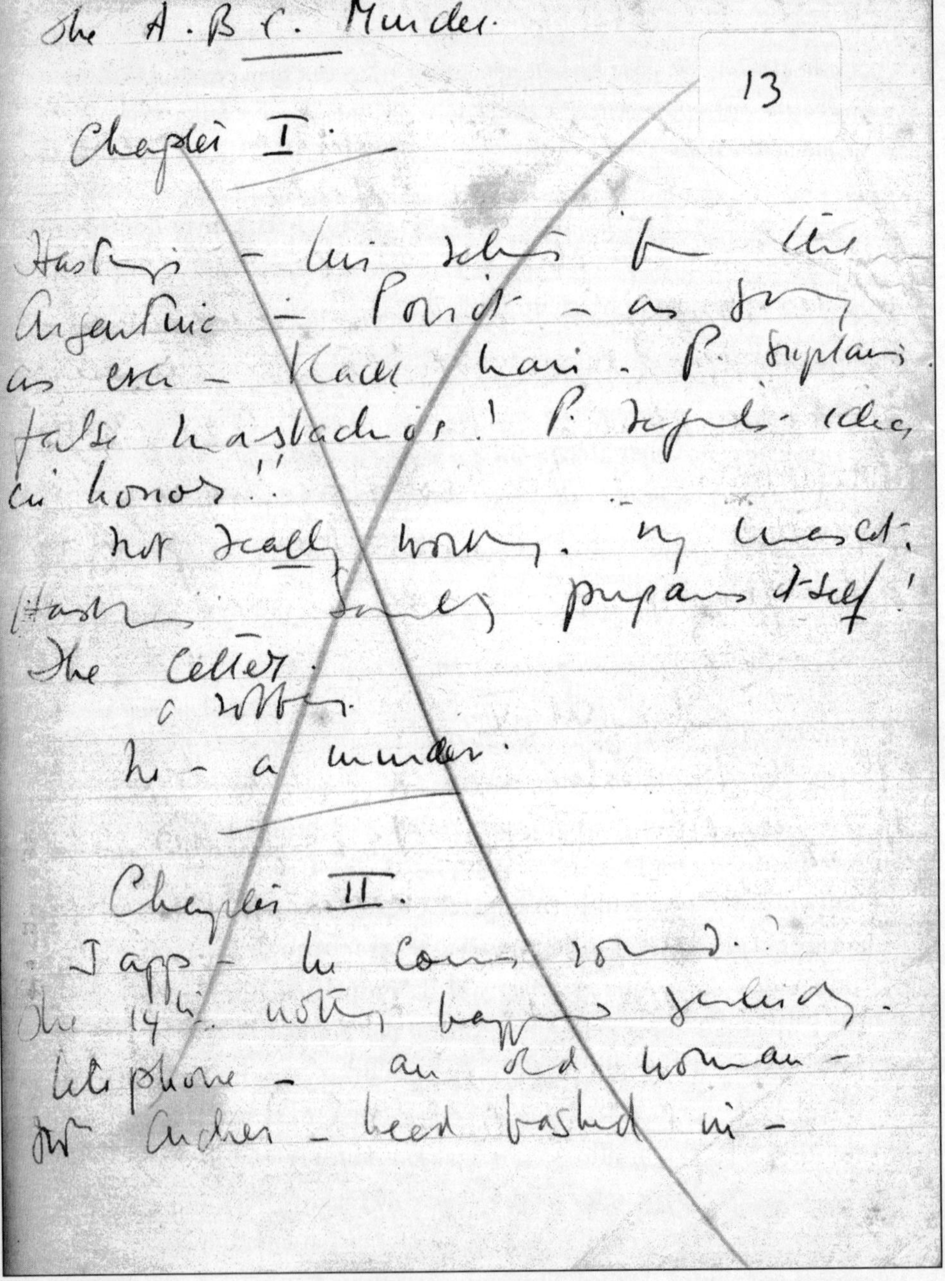

A abertura de Os Crimes ABC *(veja a referência a um único "Assassinato"), ilustrando o uso de riscar a folha como indicação de trabalho terminado.*

com alguém. Ela pode ter-se lembrado que esfaqueou uma pessoa. Ela... poderia ser uma enfermeira numa sala de cirurgia que administrou o anestésico errado...

No Capítulo 8 de *A Extravagância do Morto* (1956), Mrs. Oliver novamente deixa sua imaginação rolar ao considerar os possíveis motivos para o assassinato da estudante Marlene Tucker:

> *– Ela pode ter sido assassinada por alguém que gosta de matar moças... Ou pode ter descoberto um caso amoroso, ou pode ter visto alguém enterrando um corpo à noite, ou que estivesse ocultando a verdadeira identidade – ou pode ter descoberto onde foi enterrado um tesouro durante a guerra. Ou o condutor da lancha pode ter lançado uma pessoa no rio e ela o viu quando a jogou pela janela da casa de barcos – ou encontrou uma mensagem muito importante escrita em código sem saber do que se tratava...*
>
> *Era óbvio que ela poderia continuar essa linha de raciocínio indefinidamente, embora, para o inspetor, ela já tivesse abordado todas as possibilidades prováveis ou improváveis.*

Esses trechos das histórias, escritas num intervalo de quase quarenta anos, ilustram, por meio de seus personagens, a maior força de Agatha Christie – sua capacidade de tecer infinitas variações em torno de uma única ideia. Há pouca dúvida de que essa fala seja da própria Agatha Christie; Mrs. Oliver é, no final das contas, uma romancista policial de muito sucesso. E, como podemos ver agora a partir dos Cadernos, isso foi exatamente o que Agatha Christie fez. Ao longo de toda a carreira, ela retirava continuamente suas ideias do mundo com o qual seus leitores estavam familiarizados – dentes, cachorros, selos (como abaixo), espelhos, telefones, remédios – e, sobre essas bases, ergueu suas construções geniais. Explorou temas universais em alguns de seus últimos livros (culpa e inocência em *Punição para a Inocência*, o mal em *O Cavalo Amarelo*, inquietação internacional em *Um Gato entre os Pombos* e *Passageiro para Frankfurt*), mas eles continuavam firmemente enraizados nos fatos do dia a dia.

Embora não se possa assegurar com toda a certeza, não há motivo para supor que as ideias listadas e suas variações tivessem sido escritas em épocas diferentes; não tenho dúvida de que ela listava as variantes e possibilidades rapidamente, o que explica a má caligrafia. Em muitos casos, é possível demonstrar que a lista foi escrita com a mesma caneta e com o mesmo tipo de letra. O esboço de *Uma Dose Mortal* (veja também Capítulo 4) fornece um bom exemplo disso. Ela está considerando os possíveis motivos para colocar a trama em ação.

Homem casa-se secretamente com uma das irmãs gêmeas
Ou
Homem já era realmente casado [esta foi a opção adotada]
Ou
A "irmã" do promotor que vive com ele (na verdade, a esposa)
Ou
Duplo assassinato – ou seja – A envenena B – B esfaqueia A – mas realmente graças ao plano de C
Ou
Mulher chantagista descobre – depois é encontrada morta
Ou
Ele realmente ama a mulher – parte para recomeçar a vida com ela
Ou
Dentistas mortos – 1 Londres – 1 Condado

Algumas páginas à frente no mesmo Caderno, também em conexão com *Uma Dose Mortal,* ela tenta outras variações em torno do mesmo tema, dessa vez introduzindo "Subideias".

Pos. A. 1ª mulher ainda viva –
A. (a) sabe tudo – coopera com ele
(b) não sabe – que ele trabalha para o serviço secreto
Pos. B. 1ª mulher morta – alguém o reconhece – "Eu era um grande amigo de sua mulher"

Em ambos os casos – o assassinato é cometido para suprimir o fato do 1º casamento e elaborar as preparações que foram assumidas

C. Age sozinho

D. Cooperação da mulher como secretária

Subideia C

Os "amigos" Miss B e Miss R – uma vai ao dentista
Ou
~~A mulher vai à consulta com determinado dentista?~~
Miss B marca a cons[ulta] – com dentista – Miss R comparece
Os dentes de Miss R são marcados com o nome de Miss B

Também do Caderno 35, mas dessa vez em relação a *Os Cinco Porquinhos*, encontramos algumas questões básicas e possibilidades sendo consideradas:

Mamãe matou –

A. Marido

B. Amante

C. Tio rico ou tutor

D. Outra mulher (ciúmes)

Quem eram as outras pessoas?

Durante o planejamento para *A Morte da Sra. McGinty* (veja também Capítulo 7), os quatro assassinos do passado, em torno dos quais a trama é construída, dão a Agatha Christie um número infinito de possibilidades e ela abre caminho metodicamente na maioria dos casos. Mais do que em qualquer outro romance, esse cenário parecia desafiar sua criatividade mental, por ela considerar que todos os personagens viviam em Broadhinny, onde se desenrola o romance, como um participante possível dos antigos assassinatos. Neste trecho do Caderno 43, ela tenta vários enredos com o possível assassino sublinhado (por ela) em cada caso. Como sabemos, ela acabou escolhendo a ideia 1B.

Guia Prático do Crime

Ao longo dos Cadernos encontramos dezenas de citações que apresentam Agatha Christie, a engenhosa criadora, Agatha Christie, a profissional crítica, Agatha Christie, a astuta humorista trabalhando. Em muitos casos, "pensava" enquanto escrevia e há muitos momentos em que conversa consigo mesma desse modo.

Às vezes, ela simplesmente especula, enquanto propõe diversas ideias, antes de escolher uma:

"Que tal isto" ... enquanto monta o esquema de "O Pateta de Greenshaw"

"Uma boa ideia seria" ... esta frase, surpreendentemente, está escrita numa página em branco

"ou – um pouco melhor" ... firmando o motivo em *O Natal de Poirot*

"Que tal moça consegue emprego" ... das primeiras anotações de *Mistério no Caribe*

"Quem? Por quê? Quando? Como? Onde? O quê?" ... a essência de uma história policial em *Uma Dose Mortal*

"Para que lado vamos?" ... no meio de *A Terceira Moça*

"Uma pessoa proeminente – como um ministro – (como Aneurin Bevan?) – em férias? Dificuldade, porque não sei nada sobre ministros" ... envergonhada, procurando uma nova ideia em meados da década de 1940

Quando se decide em relação a um enredo, ela normalmente considera a complexidade e as possibilidades de uma variação:

"Jeremy precisa estar ali naquele momento?" ... pensando nas ações do personagem em *A Teia da Aranha*

"Conteúdo da carta revelado? Ou Não" ... durante a preparação de *Um Gato entre os Pombos*

"Como ela consegue fazer isso? ... Que remédio?" ... enquanto planeja *Mistério no Caribe*

"Sim – melhor se o dentista estiver morto" ... uma decisão que ela tomou durante *Uma Dose Mortal*

"Por quê? Por quê??? Por quê?????" ... sentimento de frustração durante *Uma Dose Mortal*

"Ele poderia ser um assassino – se houver um assassinato" ... uma possibilidade em *Três Violinistas*

Como uma verdadeira profissional, ela é autocrítica:

"diferente da ideia idêntica – uma delas uma serviçal – NÃO!!" ... uma decisão tomada durante a preparação de *Os Trabalhos de Hércules*

"NB todos v. implausível" ... ao chegar ao fim de *A Morte da Sra. McGinty*

"Tudo bem – um pouco de elaboração – mais mulheres? ... não muito satisfeita com *Um Gato entre os Pombos*

(continua na próxima página)

Ela inclui lembretes para si mesma:

"Verificar envenenamento por datura* ... e reler O Touro de Creta" ... enquanto escreve *Mistério no Caribe*

"Encontrar história sobre menino em que outro menino vem brincar com ele" ... provavelmente seu conto "O Abajur"

"Variação possível – (ler um livro de detetive primeiro antes de datilografar)" ... um lembrete durante *Os Relógios*

"Uma boa ideia – precisa ser trabalhada" ... para *Nêmesis*

"Coisas a ser alinhadas" ... durante *A Extravagância do Morto*

E há curiosos momentos de humor:

"Van D. aparece do nada" ... durante *Mistério no Caribe*

"Pennyfather é abatido" ... uma descrição pouco caridosa em *O Caso do Hotel Bertram*

"Sugestões Elefânticas" ... de, obviamente, *Os Elefantes Não Esquecem*

"Suspeita (brilhante!) de leitor ser conduzido à <u>Enfermeira</u>" ... uma observação astuta em *Cai o Pano*, quando a enfermeira é totalmente inocente (note o uso da exclamação depois de "brilhante"!)

* *Datura L.*, gênero botânico, pertencente à família *Solanaceae*. O nome vem do hindu "dhát", um veneno preparado com plantas, e "tatorah", entorpecente. (N.T.)

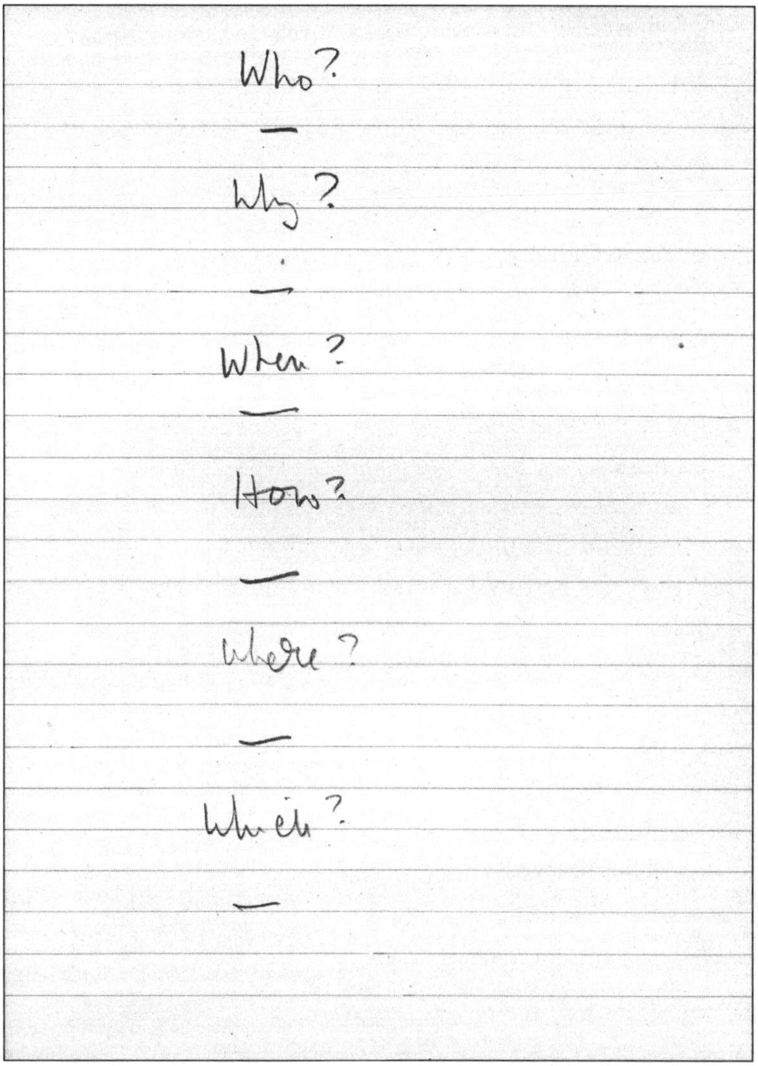

Who?

—

Why?

—

When?

—

How?

—

Where?

—

Which?

—

Do Caderno 35 e de Uma Dose Mortal *– a essência da ficção policial é expressa em seis palavras.*

Qual?

1. A. Falso – velho Cranes – com filha (moça – Evelyn)

   B. Verdadeiro – Robin – filho com mãe filho [Para cima]

2. A. Falso Mãe inválida (ou não inválida) e filho

   B. Verdadeiro – esposa sem graça de esnobe A.P. (Carter) F[ilha]

3. A. Falso mulher artista com filho

   B. Verdadeiro esposa de meia-idade – casal sem sal – ou simpáticos casal Carter (filha inválida)

4. A. Falsa viúva – a se casar logo com ricaço

5. [A] Falso homem com cães – enteado – nome diferente

   [B] Verdadeiro – mãe e filha inválidas – f[ilha] é culpada [Wetherby]

E, mais à frente, no mesmo Caderno, ela pensa quais de seus personagens se encaixariam nos perfis de um dos crimes anteriores, o caso do assassinato de Kane:

Poderia ser
A mãe de Robin (E. Kane)
Robin (filho de EK)
Mrs. Crane (EK)
A filha deles (f de EK)
Mrs. Carter (f de EK)
Jovem William Crane (filho de EK)
Mrs. Wildfell (f de EK)

No Caderno 39, Agatha Christie lista seis (apesar do cabeçalho!) ideias de tramas, cobrindo, com esses breves esboços, rapto, falsificação, roubo, fraude, assassinato e extorsão:

4 ideias rápidas para Contos

Rapto? [A Aventura de] Johnnie Waverley novamente – louríssima – simula rapto?

Testamento invisível? Testamento escrito em outro documento

Roubo no museu – famoso professor pega objetos e os examina? – ou algum visitante o faz

Selos – Fortuna escondida neles – encontra comerciante para comprá-los para ele

Um incidente num lugar público – Savoy? Baile? Chá de debutantes? Mães eliminadas em rápida sucessão?

O Pequinês Desaparecido

As "rápidas" sugestões foram anotadas enquanto ela esperava uma chaleira esquentar a água para o chá – como, de fato, provavelmente eram. A data exata desse trecho é discutível. A referência "Pequinês desaparecido" pertence a "O Leão da Nemeia", reunido em *Os Trabalhos de Hércules*, mas publicado pela primeira vez em 1939. Este, tomado em conjunto com a referência ao "Chá de debutantes", provavelmente indica uma data no final da década de 1930, quando a filha de Agatha Christie, Rosalind, era debutante. Apenas duas das ideias foram publicadas ("Testamento Invisível" em "O Móvel do Crime" em *Os Treze Enigmas* e "Selos" em "Estranha Charada" e *A Teia da Aranha*), embora não do modo como aparecem aqui.

No Caderno 47, Agatha Christie está planejando um novo conto, provavelmente de encomenda, por ela indicar a quantidade de palavras. O trecho seguinte está todo contido em uma página e foi possivelmente escrito de uma só vez:

Ideias para conto com 7.000 palavras
Ideia... "Ruth Ellis"?
Atira em homem – não fatal – outro homem (ou mulher) atira nela

Digamos esta 2ª pessoa fosse –

A. Cunhada? Casada com o irmão – seu filho ou filha receberia este dinheiro e não seria mandado para um colégio interno para longe de sua influência – uma criatura maternal amorosa
B. Uma irmã masculinizada determinou que irmão não deve se casar com Ruby
C. Homem (com influência sobre Ruby) convence-a, enquanto finge querer acalmá-la. X sabe de algo em relação a ele. Ele quer se casar com a irmã de X
D. Homem que foi amante/marido de Ruby – tem algo em mente em relação a ela e a X.

Infelizmente, ela não desenvolveu essa ideia e nenhum conto resultou disso; retomou, quatro páginas depois, a trama da peça *Um Hóspede Inesperado*, então esse trecho data provavelmente de meados da década de 1950. (Ruth Ellis foi a última mulher a ser enforcada na Inglaterra, em julho de 1955, depois de ser condenada por ter matado o amante David Blakely a tiros.)

Destinos Desconhecidos

Quando Agatha Christie se sentava para pensar no livro seguinte, mesmo antes de criar o enredo, imaginava possíveis cenários. O trecho seguinte aparece no Caderno 47, algumas páginas antes das anotações de *A Testemunha Ocular do Crime* (e esta lista contém o germe desse livro), e, então, parece datar de meados da década de 1950:

Livro

Cenário
Bagdá?
Hospital
Hotel [*O Caso do Hotel Bertram*]

Apartamento Ideia de O Apartamento do Terceiro Andar
Ideia do Baú de Bagdá ["O Mistério do Baú Espanhol" e *Os Ratos*]

Casinha em Londres marido e mulher, filhos etc.

Parque Regent's Park

Colégio Colégio de meninas [*Um Gato entre os Pombos*]

Navio Queen Emma? Senhora ocidental

Trem visto de um trem? Pela janela de casa ou vice-versa? [*A Testemunha Ocular do Crime*]

Praia E uma Pensão [possivelmente *Tarde na Praia*]

Embora seja difícil datar precisamente, o trecho seguinte parece ser do final da década de 1940. Surge logo após as anotações para *A Morte da Sra. McGinty* (embora com uma linha de trama totalmente diferente) e *Um Passe de Mágica* (também com um enredo diverso) e é seguido por uma lista que ela fez de seus livros, cujo último título é *A Mansão Hollow* (1946).

Ideias para uma Peça?

Condições como O Corvo Branco. Começa com um assassinato – uma personalidade – como um ministro –

(tipo Aneurin Bevan?) – em férias? – Interrogatório de sua equipe – Sua esposa – Sua secretária

Homem [secretário] – Difícil, porque nada sei sobre Ministros

Chefe farmacêutico de um Hospital? Jovem médico pesquisando Penicilina?

Um fundo de pesquisa? Local? BBC Mrs. AC chega para entrevista ao vivo – Morre – não a verdadeira Mrs. AC?

Um grande hotel? Imperial? Não – feito

Loja? Worth's durante um desfile de moda – Selfridges – num provador durante Liquidação

Algumas das referências neste trecho precisam de esclarecimento. *O Corvo Branco* é um romance de 1928, escrito por Philip MacDonald, membro do Clube do Crime; refere-se ao assassinato de um influente homem de negócios ocorrido em seu escritório (como em *Cem Gramas de Centeio*). Aneurin Bevan foi o ministro da Saúde inglês de 1945 a 1951. O cargo de chefe farmacêutico Agatha Christie conheceria bem desde cedo a partir de sua experiência durante a Segunda Guerra Mundial (*O Cavalo Amarelo* contém um elemento nesse sentido). "Imperial" é uma referência a *A Casa do Penhasco*, embora o hotel esteja disfarçado com o nome Majestic. E Worth's, como Selfridge's, é uma famosa loja de departamentos.

"Mrs. AC chega para entrevista ao vivo" lembra-nos que, embora Agatha Christie tenha recusado inúmeros convites ao longo da carreira para entrevistas em rádio e televisão, ela, pelo menos uma vez, participou do programa *A Biblioteca Gramofônica*, que foi ao ar em agosto de 1946. E a observação curiosa: "Difícil, porque nada sei sobre Ministros" – meu comentário favorito de todos os Cadernos –, mostra que ela seguia a velha máxima: "Escreva sobre aquilo que conhece".

Surpresa, Surpresa!

Mas o elemento mais inesperado dos Cadernos foi, para mim, o fato de que muitas das melhores tramas de Agatha Christie não necessariamente surgiam de uma única ideia avassaladora. Ela pensava em todas as possibilidades quando criava o enredo e não se limitava a uma única ideia, não importa quão boa ela parecesse. Em muitos poucos casos a identidade do assassino é revelada desde o começo.

O exemplo mais dramático é *A Casa Torta* (veja também o Capítulo 4). Com a revelação assustadora de que o assassino é uma criança, permanece como uma das grandes surpresas de Agatha Christie, do mesmo nível de *O Assassinato de Roger Ackroyd, Assassinato no Expresso do Oriente, Cai o Pano* e *Noite sem Fim*. (Por uma questão de justiça, pelo menos dois outros autores, Ellery Queen em *A Tragédia de Y* e Margery Allingham em *O Mistério do Chalé Branco*, já tinham explorado essa ideia, mas com resultado muito menos eficaz.) Nesse ponto, ela já havia usado o artifício do narrador-assassino, do policial-assassino, de todos serem suspeitos e de todos serem vítimas. Antes de ler os Cadernos, eu visualizava Agatha Christie sentada diante de sua máquina de escrever sorrindo ardilosamente, como ela se sentou, em 1948, para escrever o "romance de Natal de Agatha Christie" seguinte, criando uma história sobre uma menina de 11 anos como assassina a sangue frio. Mas não foi isso o que aconteceu. Mesmo uma leitura rápida do Caderno 14 mostra que Agatha Christie pensava em Sophia, Clemency e Edith, bem como em Josephine, quando teve de optar por possíveis criminosas. Não foi o caso de dispor toda a trama em volta de Josephine como fato inalterável. Essa não foi a razão de ser do romance; a identidade espantosa do vilão foi apenas um dos elementos a ser considerados e não necessariamente o elemento-chave.

Novamente, em nenhum momento nas anotações de sua última surpresa devastadora, *Noite sem Fim* (veja o Capítulo 12), há menção do narrador-assassino. Não foi o caso de ter ela pensado: "Vou empregar o truque usado em *Ackroyd* outra vez, mas agora com um narrador da classe trabalhadora. E começarei com a reunião e o namoro, que fazem parte da trama, em vez de colocá-los após o casamento". De fato, há uma rápida menção no Caderno 50 de um dos personagens ser amigo de Poirot, que deveria, presumivelmente, investigar o caso; e em apenas um momento há menção de narrar a história na primeira pessoa. A inspiração para o final chocante lhe ocorreu enquanto montava a trama, em vez de ter-lhe ocorrido logo de início.

O último dos romances policiais mais bem urdidos, *Convite para um Homicídio* (veja o Capítulo 5), parece permitir apenas uma solução, mas, apesar disso, em determinado momento Letitia Blacklock é listada como a segunda vítima de Mitzi, que já havia matado o próprio marido, Rudi Sherz. Não foi o caso de decidir escrever um romance apresentando uma suposta vítima que acaba por matar seu chantageador após um jogo meticulosamente calculado. Nem *Morte na Mesopotâmia* (veja o Capítulo 8) começou apresentando um marido assassino de sua mulher com um álibi perfeito; Agatha Christie também pensou em Miss Johnston e, de fato,

Mrs. Leidner era uma forte candidata para o papel de assassina durante grande parte do enredo. O ambiente, a escavação arqueológica, parece ter sido uma ideia determinada para esse romance e o resto da trama se construiu em torno dele, em vez de ter sido o contrário.

Embora isso ainda pareça surpreendente, acompanha o método geral de trabalho de Agatha Christie. Seus esforços residiam em sua mente constantemente fértil e em sua falta de método. A inspiração inicial poderia ser algo tão vago quanto a maldição de uma cigana (*Noite sem Fim*), uma escavação arqueológica (*Morte na Mesopotâmia*) ou um anúncio de jornal (*Convite para um Homicídio*). Depois disso, ela deixava a vasta imaginação correr solta e de repente, mais do que depressa, no ano seguinte, outro novo romance de Agatha Christie aparecia nas livrarias. E algumas das ideias que não conseguissem entrar nessa obra-prima poderiam muito bem aparecer no que ela publicasse no ano seguinte – ou dez anos depois.

Hoje temos uma ideia mais clara de como Agatha Christie construía suas histórias. Usando os Cadernos como uma combinação de rascunho e esboço literário, ela criava e desenvolvia; escolhia e rejeitava; afiava e polia; revia e reciclava; e, como espero demonstrar por meio de uma análise mais detalhada nos próximos capítulos, a partir desse caos aparente ela produziu uma obra única e imortal.

PROVA B:
OUTROS ESCRITORES DE SUSPENSE NOS CADERNOS DE ANOTAÇÕES

Gosta de romances policiais? Eu gosto. Leio todos e tenho autógrafos de Dorothy Sayers, Agatha Christie, Dickson Carr e H. C. Bailey.

Um Corpo na Biblioteca, Capítulo 6

Além da lista dos "Treze para Jantar" no Caderno 41, Agatha Christie faz várias referências aos seus companheiros autores de policiais ao longo dos Cadernos. Segue-se uma seleção dos mencionados:

⁂ E. C. Bentley

Além de estar ligado ao Clube de Investigação, também é mencionado no Caderno 41. O que se segue refere-se à contribuição para a antologia de Bentley, *Um Segundo Século de Histórias Policiais*, publicada em 1938, em que "O Caso da Moça Desaparecida", de *Sócios no Crime*,* é o conto de Christie; ela não escreveu um conto especificamente para ser incluído.

Uma história de HP para Bentley

* "O Caso da Senhora Angustiada" foi incluído no livro *O Detetive Parker Pyne*. (N.T.)

✻ G. K. Chesterton

Criador do Padre Brown, o imortal padre detetive, e primeiro presidente do Clube de Investigação, Chesterton contribuiu no romance coletivo *A Morte do Almirante.* A referência no Caderno 66 é um lembrete para escrever um conto para ele, presumivelmente para uma antologia de 1935, *Um Século de Histórias Policiais*. Ela não escreveu um novo conto, mas, em vez disso, apresentou "Uma Canção de Meio Xelim".

> Ideias para G. K. C.

✻ John Creasey

No Caderno 52 há duas referências, ambas muito semelhantes, a John Creasey, escritor criminal inglês, autor de quase seiscentos livros. Muito prolífico, com grande quantidade de pseudônimos, também foi um dos fundadores da Associação de Autores Policiais. Em *Os Relógios*, a agência de datilografia, que é o centro de grande parte do romance, faz trabalhos para autores como Creasey. Ele não escreveu romances de detetive.

> Miss M[artindale] é a chefe dos agentes – Sec[retária] de Creasey – que escreveu histórias de espionagem

✻ Rufus King

Duas vezes no Caderno 35, durante a montagem da trama de *A Morte da Sra. McGinty*, Agatha Christie menciona *Assassinato por Latitude*, o título de um romance desse escritor esquecido, embora seu nome propriamente dito não apareça. *Assassinato por Latitude* apresenta um ambiente tipicamente de Christie, a bordo de um navio que perdeu contato com o continente. Há poucos livros de King na biblioteca da Mansão Greenway.

> Atmosfera como Assassinato por Latitude – algumas pessoas – entre elas um Assassino

⁜ A. E. W. Mason

Mason foi o criador do inspetor Hanaud. A referência no Caderno 35 é feita a *Na Casa Rosa*, publicado em 1910, um caso envolvendo a morte de uma senhora idosa e a suspeita em torno de seu companheiro. Enquanto criava a trama de *Uma Dose Mortal*, Christie se lembra:

> Um assassinato descoberto (mulher? Idosa? Como Casa Rosa)
> Pista – uma fivela de sapato

⁜ Edgar Allan Poe

O "inventor" do conto policial ao publicar "Os Assassinatos da Rua Morgue", em 1841. "A Carta Roubada" (1844) é outro famoso caso de seu detetive Auguste Dupin, que usa o truque de esconder algo bem debaixo do nariz de todo mundo. A referência de Agatha Christie está ligada a uma fortuna escondida não *dentro*, mas *sobre* um envelope – em forma de selos. Ela usou esse argumento no conto "Estranha Charada" e também, bem mais tarde, em *A Teia da Aranha*. A ideia de esconder algo à vista de todos também é usada em "O Leão da Nemeia".

> Selos – fortuna deixada neles – em antigas cartas na escrivaninha – "A Carta Roubada" mencionada – eles olham dentro do envelope – na verdade os <u>selos</u> estão colados no envelope

⁜ Dorothy L. Sayers

A criação de Sayers, Lorde Peter Wimsey, fez sua estreia em 1923, em *Whose Body?** Além de mencionar a própria autora, Wimsey é citado no Caderno 41 – dessa vez em uma referência a Ronnie West em *Treze à Mesa*. É também possível que o nome do

* Tradução livre: "De quem é o corpo?". (N. T.)

Dr. Peter Lord em *Cipreste Triste* seja uma homenagem à grande contemporânea de Agatha Christie.

Ronnie West (ar bonachão de Peter Wimsey)

4

Um Gato entre os Pombos: Os Crimes dos Poemas Infantis

Adoro poemas infantis, você não gosta? Sempre tão trágicos e macabros. Por isso as crianças gostam deles.

A Ratoeira, I, i

SOLUÇÕES REVELADAS

A Casa Torta • *Os Cinco Porquinhos* • "O Caso das Amoras Pretas" • *Morte na Rua Hickory* • "Como é seu Jardim?" • *Punição para a Inocência* • *Cem Gramas de Centeio* • "Uma Canção de Meio Xelim" • *O Caso dos Dez Negrinhos* • "O Clube das Terças-Feiras"

A atração pela literatura infantil, tanto pelos títulos quanto pelos temas, sempre inspirou os autores de romances policiais. *O Assassinato das Mil e Uma Noites,* de Dickson Carr, *Os Assassinatos do Espelho*, de Douglas Browne, *Branca de Neve e Rosa Vermelha* e *Rumpelstiltskin*, de McBain, *Era uma vez uma Velha Senhora*, de Queen, *Esta é a Casa*, de Smith, *Era uma vez um Homem Mau*, de Witting, e *Meu Pequeno Olho*, de Fuller, são todos inspirados em histórias para crianças, enquanto *O Caso do Assassinato do Bispo*, de S. S.Van Dine, usa a Mamãe Ganso como tema. A atração é óbvia – a justaposição do infantil com o medo, a transformação do rotineiro no macabro.

Mas foi Agatha Christie quem a tomou para si e a explorou de maneira mais ampla do que qualquer outro autor. Há inúmeras referências a poemas infantis espalhadas pelos Cadernos. Às vezes, a ideia não passou de uma breve anotação (veja "Variedades", mais à frente); outras vezes lhe forneceu algumas de suas maiores obras – *O Caso dos Dez Negrinhos, Os Cinco Porquinhos* e *Três Ratos Cegos / A Ratoeira*. Em alguns casos, não rendia nada além do título, *Morte na Rua Hickory* e *Uma Dose Mortal*; em outros, *O Caso dos Dez Negrinhos* e *Cem Gramas de Centeio*, lhe rende um livro com um esquema pré-montado, enquanto em *A Casa Torta* e *Três Ratos Cegos* é mais simbólico do que factual. Os mais bem-sucedidos foram, sem dúvida, *Os Cinco Porquinhos* e *O Caso dos Dez Negrinhos*, em que o poema é seguido de forma inteligente e convincente. O impacto dramático de um inocente poema infantil se transformar no cartão de visitas de um assassino é irresistível para um autor de ficção criminal tão imaginativo quanto Agatha Christie.

Cante uma canção de meio xelim,
Com o bolso cheio de centeio,
Vinte e quatro pássaros pretos foram assados numa torta,
Ao abrirem a torta, eles começaram a cantar,
Que fina iguaria serviram ao rei!

O rei estava no cofre, contando dinheiro,
A rainha estava no salão, comendo pão com mel,
A ama estava no jardim, estendendo a roupa,
*Quando veio um pássaro preto que bicou seu nariz.**

---

* Sing a song of sixpence, a pocket full of rye,/ Four and twenty blackbirds, baked in a pie,/ When the pie was opened, the birds began to sing,/ Was not that a dainty dish to set before the king?// The king was in his counting-house, counting out his money,/ The queen was in the parlour, eating bread and honey,/ The maid was in the garden, hanging out the clothes/ When down came a blackbird and pecked off her nose.

O poema infantil mais prolífico foi "Cante uma canção de meio xelim", que lhe rendeu três títulos: do romance *Cem Gramas de Centeio* e dos contos "Uma Canção de Meio Xelim" e "O Caso das Amoras Pretas". No caso dos contos, apenas o título foi inspirado pelo poema, enquanto o romance acompanha fielmente a sequência do poema.

"Uma Canção de Meio Xelim"

Dezembro de 1929

Uma moeda de meio xelim ajuda a resolver um brutal assassinato que dividiu uma família com suspeitas de parte a parte.

Embora não haja anotações remanescentes de "Uma Canção de Meio Xelim" – sem muita surpresa, uma vez que apareceu bem cedo na edição de Natal de 1929 de *Holly Leaves* –, há uma referência a ela no Caderno 56. Ao aparecer entre as anotações de *Cem Gramas de Centeio*, é inusitado que, surpreendentemente, também apareça para se referir a um livro já publicado, *A Casa Torta*.

> Uma Canção de Meio Xelim
>
> Encontrado meio xelim torto (um homem Torto uma mulher Torta uma casa Torta)

Um aspecto desse conto que fugiu à atenção dos críticos de Agatha Christie é sua semelhança com *Punição para a Inocência* (veja o Capítulo 7). "Uma Canção de Meio Xelim" mostra a chegada de um investigador de fora, Sir

Edward Palliser, à residência de Miss Crabtree, morta com uma pancada na cabeça, infligida por alguém de dentro da casa. Como ninguém foi preso pelo crime, a família confessa que "continuam ali todos os dias suspeitando uns dos outros". Nessa atmosfera de suspeitas recíprocas, o investigador chega a uma solução que explicitamente prevê o romance de 1958.

*"Que Bonito é seu Jardim?"**

Agosto de 1935

Um pedido de ajuda para salvar Amelia Barrowby chega muito tarde a Poirot, mas ele está determinado a descobrir a verdade.

Maria, Maria, mal-humorada,
Como é seu jardim?
Com campânulas e ostras,
*E margaridas todas perfiladas.***

Esse pequeno poema infantil aparece cinco vezes ao longo dos Cadernos, embora tenha rendido o título de apenas um conto, "Que Bonito é seu Jardim?". Mas parece ter causado alguma impressão na mente de Agatha Christie, pois ela, vez por outra, se refere a ele ao construir o enredo de outros livros. E há semelhanças entre esse conto e um romance que ela

* A melhor tradução do título seria "Como é seu Jardim?". (N.T.)

** Mary, Mary, quite contrary/ How does your garden grow?/ With silver bells and cockle-shells/ And pretty maids all in a row.

planejou, mas nunca escreveu. O conto foi publicado pela primeira vez na Inglaterra na revista *The Strand*, tendo aparecido alguns meses antes no *Ladies' Home Journal*, nos Estados Unidos. A conexão desse conto com o poema infantil é mais forte do que em "Uma Canção de Meio Xelim" ou em "O Caso das Amoras Pretas", pois inclui as conchas, o jardim e o nome do assassino. Mary Delafontaine envenena a tia e esconde as conchas das ostras letais entre as demais usadas como decoração em seu jardim. Ela tenta, sem sucesso, incriminar o parceiro estrangeiro:

> A velha senhora – a garota estrangeira – Mary – o marido "fraco"

O enredo final está encapsulado no Caderno 20:

> História da ostra – Homem morre após jantar – estricnina na ostra – engolida – conchas no jardim ou na caixa de conchas – comida analisada – nada. Possivelmente alguma complicação sobre um cachê que ele recebeu – ou que alguém lhe deu – se for isso, acusado injustamente

É outro exemplo de um dos enredos iniciais favoritos de Agatha Christie – chamar Poirot à cena de um pretenso crime, apenas para descobrir, quando ele chega, que é tarde demais. Já em 1923 ela usou essa ideia pela primeira vez em *Assassinato no Campo de Golfe*, e depois em "O Mistério da Cornualha", *Poirot Perde uma Cliente* e "O Incidente da Bola de Cachorro" (veja no Apêndice). Pode-se ver por que – produz um impacto emocional e pragmático. A vítima, que prometeu explicar a situação em detalhes, agora não pode mais fazer isso, e Poirot tem a obrigação moral, bem como a de ordem prática, de resolver o crime. Também existe o argumento da vítima que "sabia demais", sempre um bom modo de começar uma história policial. Em "Que Bonito é seu Jardim?", o aparecimento de um personagem russo seria inusitado numa ficção policial daquela época. De fato, o surgimento de qualquer pessoa estrangeira (incluindo Poirot) é sempre visto de modo suspeito pelos moradores de cidadezinhas ao longo do cânone de Agatha Christie. E, certamente

– como se pode ver em *Poirot Perde uma Cliente* –, isso permitia a Christie subverter, outra vez, as ideias preconcebidas dos leitores.

A conhecida personagem principal, Mary Delafontaine, tornou-se um epíteto na taquigrafia de Agatha Christie, surgindo de forma abreviada na criação do enredo de *A Terceira Moça* e na de *Punição para a Inocência,* respectivamente, embora não tenha sido utilizada na trama final de nenhum desses romances:

> Mary Del. – Arthur (marido inocente) – Katrina – desconfiada, apaixonada – pelo dinheiro cuida do rapaz
>
> Olivia (A mulher Mary Delafontaine)

O nome também foi usado para uma das vítimas em *O Cavalo Amarelo,* como a amiga de Mrs. Oliver no Capítulo 1, e aparece na lista fatal do Padre Gorman no capítulo seguinte.

O Caso dos Dez Negrinhos

6 de novembro de 1939

Dez pessoas que não se conhecem são convidadas a passar um fim de semana em uma ilha próxima à costa de Devon. O anfitrião não aparece e uma série de mortes dos convidados faz com que descubram que um deles é o assassino, seguindo fielmente um poema infantil que está pendurado em cada um dos quartos.

Dez negrinhos foram jantar;
Um se engasgou, e então sobraram nove;
Nove negrinhos foram dormir bem tarde;
Um dormiu demais, e então sobraram oito.
Oito negrinhos foram para Devon;
Um decidiu não voltar, e então sobraram sete.
Sete negrinhos estavam cortando lenha;
Um se cortou ao meio, e então sobraram seis.
Seis negrinhos estavam chutando uma colmeia;
Um, a abelha picou, e então sobraram cinco.
Cinco negrinhos foram a julgamento;
Um foi condenado, e então sobraram quatro.
Quatro negrinhos saíram para velejar;
Um, o arenque engoliu, e então sobraram três.
Três negrinhos foram ao zoológico;
Um, o grande urso abraçou, e então sobraram dois.
Dois negrinhos foram tomar sol;
Um se torrou, e então sobrou só um.
Um negrinho ficou tão sozinho,
*Que resolveu sair e se enforcar, e então não sobrou nenhum.**

O Caso dos Dez Negrinhos (também conhecido como *E Não Sobrou Nenhum*) é o romance mais famoso de Agatha Christie, sua maior realização técnica e o romance policial de maior vendagem de todos os tempos. De todos os romances baseados em um poema infantil, este é o que se mantém mais fiel à origem. Embora Christie tenha adaptado o final para "Ele

* Ten little nigger boys went out to dine;/ One choked his little self and then there were nine;/ Nine little nigger boys sat up very late;/ One overslept himself and then there were eight;/ Eight little nigger boys travelling in Devon;/ One said he'd stay there and then there were seven;/ Seven little nigger boys chopping up sticks;/ One chopped himself in half and then there were six;/ Six little nigger boys playing with a hive;/ A bumble bee stung one and then there were five./ Five little nigger boys going in for law;/ One got into Chancery and then there were four./ Four little nigger boys going out to sea;/ A red herring swallowed one and then there were three./ Three little nigger boys walking in the Zoo;/ A big bear hugged one and then there were two./ Two little nigger boys sitting in the sun;/ One got frizzled up and then there was one./ One little nigger boy left all alone;/ He went and hanged himself and then there were none.

se casou, e então não sobrou nenhum" na montagem teatral, ela usou o final original para o clímax do romance. O poema é um tema constante ao longo do livro, especialmente quando os personagens descobrem o que está acontecendo. O modo como cada morte acontece se identifica claramente com o poema, à exceção da morte de Blore, em que a ideia do zoológico é ligeiramente modificada.

Ao escrever esse livro, Christie se propõe um desafio, e em sua *Autobiografia* ela descreve como a dificuldade da ideia central a atraía: "Dez pessoas teriam de morrer sem que isso se tornasse ridículo. Escrevi o livro depois de planejá-lo meticulosamente... Era claro, direto, confuso e, ao mesmo tempo, havia uma razão perfeitamente lógica... a única pessoa que se sentiu realmente satisfeita com o romance fui eu, pois eu sabia, melhor do que qualquer crítico, como foi difícil escrevê-lo".

Como se vê no Capítulo 2, o "planejamento meticuloso" não aparece no Caderno 65, o único a mostrar esse romance. O Caderno inclui, no entanto, detalhes interessantes de vários personagens que não chegaram a entrar na edição final do livro. E, usando apenas os Cadernos como referência, parece que os próprios personagens deram muito trabalho. Em lugar nenhum há uma lista com dez nomes. No início, há oito (acrescentei nomes prováveis a ambas as listas, embora Vera Claythorne, Emily Brent, Philip Lombard e o general MacArthur apareçam no romance como foi listado no Caderno, mas alguns detalhes menores de cenário seriam alterados):

Dez Negrinhos

Médico – bêbado na op – ou descuidado [Dr. Armstrong]

Juiz – Condenação injusta – [Juiz Wargrave]

Casal de criados (mata uma senhora idosa) [Mr. e Mrs. Rogers]

Moça – ~~cujo amante se matou~~ [Vera]

Marido e mulher – Chantagem

Allenby – Rapaz – alerta perigoso [Lombard]

Quando a Collins começou a anunciar *O Caso dos Dez Negrinhos* na revista *Booksellers Record*, em julho de 1939, denominou-o, simplesmente, "o maior romance que Agatha Christie já fez". Mas a referência ao livro no jornal *Crime Club News* provocou a ira da autora e ela escreveu da Mansão Greenway, em 24 de julho, para William Collins, protestando. Ela achava que muito da trama havia sido revelado, ressaltando que "qualquer livro fica arruinado quando se sabe exatamente o que vai acontecer no final". Também incluiu uma ameaça velada lembrando que estava para assinar o contrato para seus quatro livros seguintes, e disse que deixaria de fazê-lo, a menos que lhe garantissem que esse erro não se repetiria. Apesar do fato de a Collins ter declarado ser "certamente o maior romance policial já publicado pelo Clube do Crime e provavelmente, acreditamos, o mundo o apontará como o maior romance policial de todos os tempos", eles incluíram revelações demais. É óbvio o que ela quis dizer. Escreveram sobre a ilha, o poema infantil, o sumiço das esculturas de porcelana, a descoberta de que o assassino está entre eles, e o mais prejudicial de tudo: o fato de o último a morrer não ser necessariamente o vilão. Nós nos solidarizamos inteiramente com Agatha Christie; a única coisa que deixaram de fora foi o nome do assassino.

Em uma etapa mais adiante, a julgar pela mudança da anotação a lápis para caneta e a caligrafia ligeiramente alterada, ela tenta mais uma vez. Agora, inclui doze personagens:

1. Vera Claythorne – Secretária da escola – inscreveu-se na agência para um trabalho nas férias
2. Mr. Justice Swettenham no vagão de primeira classe [Juiz Wargrave]
3. Médico – telegrama de Gifford – Pode vir nos encontrar – etc. [Dr. Armstrong]

4 5. Cap. e Mrs. Winyard – Cartas – amiga comum Letty Harrington – Venha no fim de semana

6. Lombard – visitado pelo advogado ou detetive secreto – ofereceu cem guinéus* – pegar ou largar
7. Aluno universitário que leciona para crianças – um pouco tenso – vem de carro [Anthony Marston]
8. Llewelly Oban – Cometeu perjúrio em julgamento de homicídio – homem executado [Blore]
9. Emily Brent – tornou-se criada – mais tarde ingeriu ácido oxálico – carta de uma pessoa que abriu a hospedaria e é sua amiga – hospedagem gratuita
10 11. Casal de criados [Mr. e Mrs. Rogers]
12. General MacArthur – matou 30 homens injustamente na guerra

Cada lista inclui uma combinação de marido e mulher, Cap. e Mrs. Winyard na segunda lista, e estes foram deixados de fora. A segunda lista está mais próxima do romance, embora seja possível discernir o germe dos personagens no rascunho da primeira lista.

Mais dois refinamentos da trama foram incluídos entre os personagens 8 e 9 no Caderno. A maioria dos convidados para vir à ilha é atraída por arranjos ou convites feitos por um certo Mr. ou Mrs. Owens, às vezes com as iniciais U.N., ou, como Justice Wargrave diz ao final do Capítulo 3, "por uma sutil abreviação para DESCONHECIDO".** As iniciais passam por algumas variações e a primeira anotação a seguir é provavelmente a semente dessa ideia. A segunda nota refere-se à diminuição da coleção de esculturas de porcelana na mesa de jantar:

Ulick Noel Nomen

Dez Negrinhos sobre a mesa de jantar

* Guinéu – 1. moeda de ouro inglesa, cunhada para o tráfico africano. 2. moeda inglesa com valor de 21 xelins, que se usou, para efeito de cálculo, na fixação de honorários e salários profissionais, de preços de obras de arte, de cavalos puro-sangue, de imóveis etc. [*Dicionário Eletrônico Houaiss da Língua Portuguesa* 2.0]

** Em inglês, UNKNOWN (desconhecido), abreviação: U.N. (N.T.)

Depois de uma página em branco, as anotações começam no Capítulo 9, e nas seis páginas seguintes ela traça o curso do restante do romance, incluindo a cena da Scotland Yard. Isso significa que os últimos sete assassinatos (a partir de Rogers) estão todos detalhados nesse pequeno espaço, reforçando a teoria de que a criação da trama para o livro era feita em outro lugar e o Caderno 65 apresenta o enredo praticamente terminado.

> Capítulo IX
> Juiz toma a frente – demonstra grande rapidez de raciocínio – Armstrong e Wargrave – Juiz tem uma ideia. A tempestade se aproxima – todos eles ficam reunidos numa sala – com nervos à flor da pele. Na manhã seguinte – Rogers sumiu – nenhum sinal dele – café da manhã não é servido. Homens buscam a ilha – no café da manhã – de repente Vera vê – ~~Sete~~ Seis negrinhos. Aumenta desconfiança sobre Emily – um rosto a observa – um marimbondo a pica – uma abelha morta no chão. Todos estão aterrorizados – mantêm-se juntos. Onde está o velho Wargrave – eles o encontram de roupão vermelho e peruca. Ele e Blore o levam para cima – a sala de jantar – ainda 5 negrinhos. Os 3 – o criminoso <u>deve</u> ser Armstrong. Finalmente: o corpo lançado na praia é Armstrong! Blore é atingido pelo deslizamento de uma pedra. Vera e Lombard – um dos dois – ela sente medo – autopreservação – ela pega o revólver dele – por fim ela atira nele – finalmente – a salvo – Hugo

Uma interessante anotação de rodapé é fornecida por um grande autor contemporâneo de romances policiais americano, Ellery Queen. Em seu *No Salão da Rainha* (1957), ele revela como, por duas vezes, durante a carreira literária, teve de abandonar o livro que estava escrevendo ao ler os recém-lançados por Agatha Christie. Francis M. Nevins, em seu estudo sobre Queen, *Descendência Real*, confirma que um desses era uma trama baseada na mesma ideia de *O Caso dos Dez Negrinhos*.

A investigação –

As outras mortes Owen? V e L por último? Mrs. R[ogers] e AM [Marston] todos mortos –

Morris morto também – ele fez todos os arranjos – cometeu suicídio – morto –

Jovem sugere Wargrave – Edward Seton era o culpado – Velho Wargrave era excêntrico

Epílogo – carta numa garrafa – ele descreve como tudo foi feito

Ela abandonou a ideia de um "observador" ao longo de toda a ação. Após a morte de Emily Brent lemos no Caderno que "Um rosto a observa"; e no clímax da história, quando Vera sobe para o quarto, está anotado "Sobe para seu quarto – o espião – homem sai da escuridão". Em retrospecto, o leitor pode imaginar o assassino "observando" o desenrolar de seu plano, tanto antes como depois de sua suposta morte, mas parece, a partir dessas breves referências, que Christie cogitou de mencionar o "observador" anônimo. Muito mais eficaz e menos melodramático, no entanto, foi o conceito que ela adotou no final do Capítulo 11, e novamente no Capítulo 13, quando ela nos permite compartilhar os pensamentos dos seis personagens remanescentes, incluindo o assassino, mas sem identificá-lo.

Uma Dose Mortal

4 de novembro de 1940

A consulta de Hercule Poirot coincide com a morte de seu dentista.
Uma fivela de sapato, o desaparecimento e mais mortes se eguem,
até que ele possa dizer: "Dezenove, vinte, meu prato a voar".

Um, dois, sapato afivelado
Três, quatro, porta fechada
Cinco, seis, pegar varetas
Sete, oito, colocá-las em linha
Nove, dez, uma grande e gorda galinha
Onze, doze, homens a cavar
Treze, catorze, damas a cortejar
Quinze, dezesseis, criadas a cozinhar
Dezessete, dezoito, damas a esperar
*Dezenove, vinte, meu prato a voar...**

As anotações deste romance estão em quatro Cadernos, com a maioria (mais de 75 páginas) no Caderno 35. Elas se alternam em grande parte desse Caderno com as anotações de *Os Cinco Porquinhos*. *Uma Dose Mortal* é o romance mais complicado de Agatha Christie. Apresenta uma tripla personificação e uma trama de assassinato complexa que começa num passado distante. O romance gira em torno da identidade do corpo, mas, ao contrário de *A Testemunha Ocular do Crime*, é uma questão crucial em vez de exasperadora.

O único aspecto desse romance que não parece verossímil é, ironicamente, o uso do poema infantil. É forçado, não convence e, fora a relevante fivela de sapato, o poema tem pouco ou nenhum significado, além de dar os títulos aos capítulos. Isso se confirma pelo trecho seguinte do Caderno 35, em que Agatha Christie escreve o poema e tenta encaixar ideias para cada verso. Como se pode ver, elas não são muito convincentes e, de fato, poucas, exceto a fivela de sapato, entraram no romance:

> Um, dois, sapato afivelado – a Fivela de Sapato – pense nisso – o começo deste caso

* One two buckle my shoe/ Three, four, shut the door/ Five, six, pick up sticks/ Seven, eight, lay them straight/ Nine, ten, a big fat hen/ Eleven, twelve, men must delve/ Thirteen, fourteen, maids are courting/ Fifteen, sixteen, maids in the kitchen/ Seventeen, eighteen, maids in waiting/ Nineteen, twenty, my plate's empty...

Porta Trancada – algo em relação a uma porta – tanto um quarto trancado ou algo não escutado através de uma porta fechada quando deveria ter sido ouvido.

Pegar varetas – juntar pistas

Colocá-las em Linha – ordem e método

Uma grande e gorda galinha – o testamento – lido – morte de uma rica senhora – assassinada – senhora gorda – duas moças – homem recém-chegado que vem morar com parente rico?

Homens a Cavar – Cavando o jardim – outro corpo – descoberto enterrado no jardim – outro dono da fivela do sapato?

Moças a cortejar – 2 moças – herdeiras da Gorda Galinha? Ou seriam ligadas ao marido da galinha gorda – em conluio com criada

Moças a cozinhar – fofoca da criada

Moças a esperar?

Meu Prato está Vazio
Fim

Pista – uma fivela de sapato

Como exemplo de tipo de lista organizada que aparece ao longo dos Cadernos, a trama de *Uma Dose Mortal* ocorre como Ideia H numa lista de A até U. Essa lista parece ter sido escrita de uma só vez, a partir de três ou quatro ideias, escritas numa página, com a mesma caligrafia e a mesma caneta. A maioria inclui maiores detalhes, mas a Ideia H a seguir está exatamente como foi rabiscada (a possibilidade de combiná-la com a ideia das gêmeas ou da camareira – veja também "A Casa dos Sonhos", adiante – não foi seguida).

Ideias

A. O Último Caso de Poirot – a história se repete – Styles agora é uma hospedaria [Cai o Pano]

B. Morte lembrada – morte de Rosemary [*Um Brinde de Cianureto*]

C. Droga perigosa roubada do carro do médico [Veja *Morte na Rua Hickory* a seguir e "A Casa dos Sonhos"]

D. Homem sem perna – às vezes alto – às vezes baixo

E. Gêmeas idênticas (uma morta num acidente de trem)

F. Gêmeas não idênticas

G. Ocorre um assassinato – depois se descobre ser inocente [*Os Cinco Porquinhos / Punição para a Inocência*]

H. Motivo Morte de Dentista? Substituição de tabela? Combinar com E? ou F? ou J?

I. Duas mulheres – amigas trapaceiras – ridículas – uma delas é desonesta

J. Camareira em hotel cúmplice de um homem

K. Selos – porém selos na carta ["Estranha Charada"]

L. Ácido prússico

M. Potássio cáustico escondido

N. Ferido no olho com prendedor de chapéu

O. Testemunha em caso de homicídio – sem muita importância – recebeu oferta de trabalho no exterior

P. Ideia do Apartamento do Terceiro Andar

Q. Ideia de pessoa importante no navio

R. Ácido prússico – "Grito" na banheira

S. Ideia de diabetes – insulina (substitui outro remédio) [A Casa Torta]

T. Corpo na Biblioteca – Miss Marple [Um Corpo na Biblioteca]

U. Ideia do banco de sangue, sangue errado

Algumas páginas depois, o germe do enredo surge, embora, como se pode deduzir pelos pontos de interrogação, a ideia fosse vaga. Como vimos no Capítulo 3, Agatha Christie considerava uma variedade de possibilidades ao trabalhar uma trama. Mas, fora uma alteração de nome, esta curiosa anotação serviu de base para o romance:

> Mulher morta é supostamente uma atriz? Rose Lane – (realmente é Rose Lane) mas corpo apresentado é outra pessoa –
>
> Por quê?
>
> Por quê???
>
> Por quê?????

A partir da prova (claramente não científica) de que a palavra "dentista" aparece 65 vezes nos Cadernos contra meras 13 ocorrências da palavra "fivela", parece que o cenário surgiu antes da tão relevante pista ou mesmo do poema infantil. Mas essa combinação de dentista – sua família, pacientes, cirurgia e, essencialmente, as fichas – com o poema e a pista acessória principal deu a Agatha Christie a situação ideal para criar a confusão sobre a identidade de um corpo irreconhecível. Ela poderia agora começar a trabalhar no desenvolvimento da trama:

> Assassinato do dentista
> H.P. na cadeira do dentista – este conversa enquanto trabalha
> Pontos:
>
> (1) Nunca esquece um rosto – paciente – não me lembro onde o vi antes – irei me lembrar depois
>
> (2) Outros ângulos – uma filha – noiva de um jovem desqualificado – pai não aprova
>
> (3) Personagem profissional – seu sócio
>
> Muita coisa ligada à prova dos dentes (morte do dentista)
>
> Dentista assassinado – H.P. na sala de espera na hora – fichas dos pacientes retiradas ou trocadas

Dentista – HP na sala de espera – pedem que vá embora

Telefona a Japp – ou este telefona para ele

Você se lembra quem estava na sala de espera?

Ela começa a desenvolver os personagens, esboçando nas anotações nomes e origens, em uma lista de cenas bem organizada que os introduziria:

Últimas ideias para dentista

Curtas descrições das pessoas que vão ao Mr. Claymore naquele dia

1 Mr. Claymore no café da manhã
2 Miss D – pede um dia de folga ou apenas recebe um telefonema
3 Miss Cobb ou Miss Slob no café da manhã – Miss C diz se sentir melhor – sem dor
4 Mr. Amberiotis – conversa sobre sua senhoria – sobre seu dente – fala corretamente
5 Caroline – (jovem impostora?) ou Mr. Bell (amante da filha do dentista – americano? Tenta encontrar o pai)
6 Sócio do dentista – telefona – pergunta se pode vir vê-lo – elevador de serviço – conduta antiprofissional?
7 Mr. Marron Levy – uma reunião de diretoria – muito curta – admite no fim – dor de dente – entra no seu Daimler – Rua Harley, 29
8 H.P. Seu dente – sua conversa com o dentista – encontra nas escadas – mulher com dentes muito brancos?

Mais tarde Japp – estrangeiro suspeito

Nem todos os personagens esboçados estão no romance e os que estão aparecem com outros nomes. O dentista, que é a vítima, chama-se Morley em vez de Claymore, Miss D tornou-se Gladys Neville, e Marron Levy tornou-se Alistair Blunt. Mr. Bell possivelmente tornou-se Frank Carter, o namorado de Gladys, e a referência a Miss Cobb, que diz que sua dor de dente está melhor, é semelhante à introdução de Miss Sainsbury Seale.

Miss Slob e Caroline foram colocadas de lado depois de essa lista ter sido feita. Estranhamente, a fivela de sapato não é mencionada de modo algum neste momento, e a mulher de dentes brancos indicada no item 8 substituiu ou, mais provavelmente, prenuncia Miss Sainsbury Seale.

Ao longo das anotações, Agatha Christie continua tentando encaixar sua trama bem engendrada no contexto do poema infantil:

1 – 2
Miss S vai ao dentista
Mr. Mauro
Miss Nesbit
Mr. Milton
H.P. na sala de espera – fivela de sapato – solta – incomoda-o

3 – 4
Japp chega – P. sai com ele – entrevista a mulher do sócio? – secretária etc.

5 – 6
O corpo – prova da identidade destruída – mas identificado pelas roupas. Apartamento de Mrs. Chapman – os sapatos – falta uma fivela ou uma fivela é encontrada ali

9 – 10
Julia Oliveira – casada sem amor – Tia Julia – "a filha é atraente"

11 – 12
Homens devem cavar – secretária do dentista esteve chorando porque o rapaz perdeu o emprego. No jardim na manhã seguinte – o jardineiro – P contorna um arbusto – Frank Carter – cavando

13 – 14
Mrs. Adams – aquele conversa – então – no parque Jane e Howard

15 – 16
Final Criadas a Cozinhar – uma das criadas no andar de cima olha pela janela – viu Carter – viu Carter entrar – viu dentista morto

17 – 18
Miss Montressor – morena – bonita – jardim – marca da pegada na cama

19 – 20
P delineia o caso – sapato novo e moderno – presilha do tornozelo – fivela arrancada. Mais tarde mulher encontrada – fivela é costurada no sapato. Um pé de sapato feminino usado – outro pé de sapato era novo

Mas simplesmente não dá certo. Os primeiros capítulos – a fivela, pegar varetas (pistas) e colocá-las em linha (interpretá-las) – são aceitáveis. Mas o tema do jardim ("homens a cavar") e as criadas espiando pela janela simplesmente não convencem. A trama inteligente não precisa desse recurso e o livro se sustenta sozinho sem nenhuma referência ao poema, como modelo exemplar de ficção policial.

Se, no entanto, fossem necessárias mais provas da engenhosidade e fertilidade da mente de Agatha Christie, a leitura de qualquer página do Caderno 35 comprova isso. As ideias seguintes estão espalhadas pelas anotações de *Uma Dose Mortal*. Nenhuma delas foi usada.

Ideia: duas mulheres – uma criminosa em conluio com homem vai ao dentista – apenas para fornecer um álibi ao homem

Harvey – rico, inescrupuloso – casado com jovem esposa – viúva quando ele se casou com ela – teria matado primeiro marido?

Ou duplo suicídio homem e mulher – um deles não a pessoa certa – por isso suicídio e não homicídio – dentista poderia tê-la identificado

M. quer se livrar de alguém – (da mulher?) assim ele mata a esposa e outro homem mas descobre-se que não é sua esposa e sim outra mulher

"O Caso das Amoras Pretas"

Março de 1941

Poirot investiga a misteriosa morte de um senhor de idade, quando suas suspeitas se voltam para a comida.

O título "O Caso das Amoras Pretas" aparece pela primeira vez no Caderno 20:

> O Caso das Amoras Pretas[*]

Colocado acima como um lembrete para si mesma ("A ser acrescentado – Capítulo II") para incluir em *Morte na Mesopotâmia*, data de meados da década de 1930, pelo menos seis anos antes de o conto ser publicado pela primeira vez. Um rascunho do conto propriamente dito aparece no Caderno 66, logo antes de um rascunho de "Triângulo de Rodes":

> Personagem de um homem idoso – ele come uma refeição diferente na terça-feira – nada estranho foi notado. Morre depois.
>
> Mr. P Parker Pyne – Eles conversam – aponta idoso com ~~óculos~~ monóculo – sobrancelhas grossas
>
> Antigo companheiro não aparece – garçom diz que ele está indisposto – notou primeira vez há duas semanas – quando recusou pão com geleia – em vez disso comeu torta de amoras pretas. Vê corpo – dentes – nem vestígio da torta de amoras pretas. Casa vazia – caiu das escadas – morto – carta aberta

* Em inglês: "Four and Twenty Blackbirds" [Vinte e Quatro Pássaros Pretos].

Há um aspecto especialmente surpreendente nas anotações do Caderno 66 – dar o caso a Parker Pine em vez de a Hercule Poirot. De fato, essa mudança poderia ser facilmente imaginada; este não é um dos contos com as tramas mais intrincadas de Poirot, e é provável que a tendência de mercado tivesse determinado a troca do detetive belga. Como veremos adiante, não é um exemplo isolado de troca de personagens.

É preciso dizer que a conexão com o poema infantil é muito distante. Para o propósito da história, os pássaros pretos do poema se transformam em amoras pretas: a principal pista é a falta de descoloração dos dentes da vítima ("Vê corpo – dentes – nem vestígio da torta de amoras pretas") apesar do fato de ele ter sido visto comendo uma fatia de torta de amoras pretas pouco antes de morrer. O disfarce óbvio é o outro elemento importante da história. Um título mais adequado foi o usado na primeira publicação do conto nos Estados Unidos na *Colliers Magazine*, em novembro de 1940, "O Caso do Freguês Regular".

Os Cinco Porquinhos

11 de janeiro de 1943

Este porquinho foi ao mercado
Este porquinho ficou em casa
Este porquinho comeu rosbife
Este porquinho nada comeu
*Este porquinho chorou, chorou, chorou, todo o caminho pra casa.**

* This little piggy went to market/ This little piggy stayed at home/ This little piggy ate roast beef/ This little piggy had none/ This little piggy cried wee-wee-wee all the way home.

Carla Lemarchant procura Hercule Poirot e lhe pede
que vingue sua mãe, que morreu na prisão há dezesseis anos,
enquanto cumpria pena pelo assassinato do marido.
Poirot procura os cinco outros suspeitos e lhes pede que
escrevam sobre os fatos que levaram ao dia fatídico.

Publicado na Inglaterra em janeiro de 1943, tendo sido lançado nos Estados Unidos seis meses antes, *Os Cinco Porquinhos* representa o auge da carreira literária de Agatha Christie como romancista policial; é sua melhor combinação de ficção policial e romance "clássico". Os personagens são cuidadosamente criados e a rede de relacionamentos foi a mais bem realizada de todos os seus livros. É um romance policial rigorosamente formal, ardiloso e escrupulosamente montado, uma história de amor elegíaca e um exemplo magistral de técnica de narrativa com cinco relatos individuais sobre um fato devastador. E nesse romance, pelo menos, o uso do poema infantil não é forçado. Cada um dos cinco personagens principais está exatamente espelhado nas palavras do poema. Além disso, talvez, como não há versos excedentes, a analogia não parece forçada (como, por exemplo, parece no caso de *Uma Dose Mortal*). Mas, como os Cadernos revelam, a jornada até o livro que conhecemos hoje não foi direta nem óbvia.

Do ponto de vista técnico, o teste que Agatha Christie se propõe nesse romance é assombroso. Assim como o lapso de dezesseis anos entre o crime e sua investigação, ela se limita a apenas cinco possíveis assassinos. Sete anos antes, ela tentara pela primeira vez usar um enredo com um grupo reduzido de suspeitos; em *Cartas na Mesa*, restringe-se a apenas quatro jogadores de *bridge*. Ela tenta resolver um problema semelhante em *Os Cinco Porquinhos*, embora desta vez conceda algumas pistas físicas, como um copo, uma garrafa de cerveja e uma pipeta quebrada.

É também uma das maiores tramas de Agatha Christie de "mortes no passado". De fato, se não contarmos *Poirot Perde uma Cliente* – a investigação

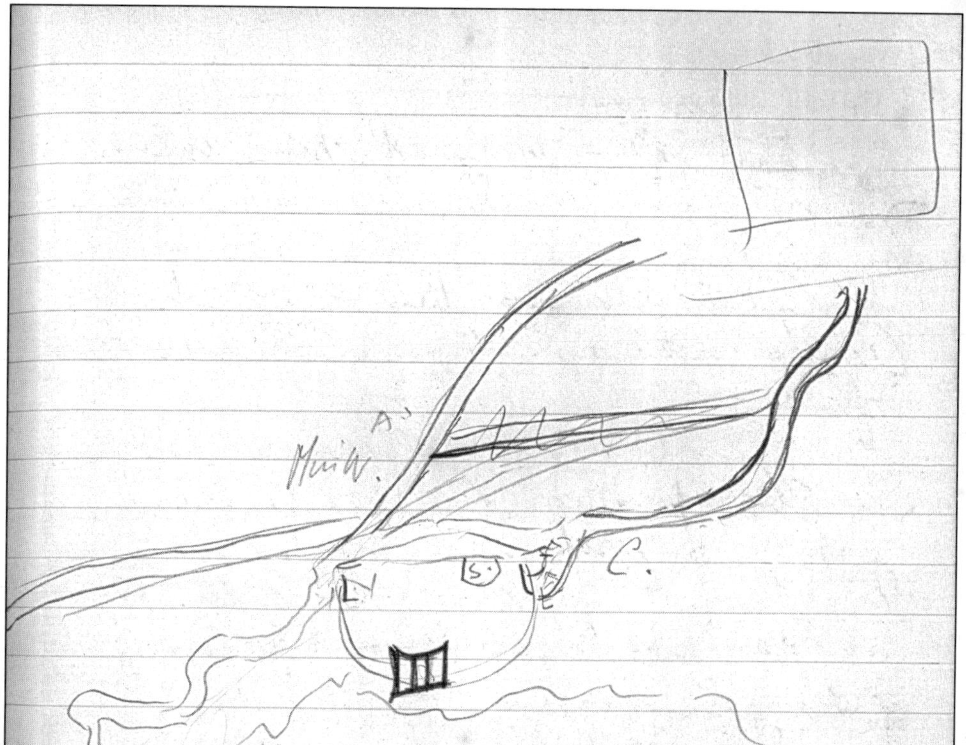

Este mapa do Caderno 35 mostra a cena do crime em Os Cinco Porquinhos *com a Casa de Barcos à esquerda (também a cena do assassinato em* A Extravagância do Morto*), a Mansão Greenway no canto direito no alto da página, e as posições de Miss W(illiams) e C(aroline). A foto do Terraço da época em que foi escrita mostra o muro onde Elsa se apoiou.*

de um homicídio ocorrido dois meses antes –, é também o primeiro dos enredos deste tipo. Alderbury, a cena do crime, assemelha-se à própria Mansão Greenway de Agatha Christie e a geografia do relato corresponde exatamente à de sua propriedade. O Terraço, onde Elsa se apoia sobre o muro e assiste ao amante morrer, acima do Rio Dart e do caminho onde a pipeta partida é encontrada, conduz de volta à Mansão Greenway.

O poema infantil é citado integralmente no Caderno 35, abrindo 75 páginas de anotações:

> 5 Porquinhos
> Um Porquinho foi ao Mercado (Market Basing)
> 1 " ficou em casa
> 1 " comeu rosbife
> 1 " nada comeu
> 1 " chorou, chorou, chorou

Mas foi um processo longo e frustrante até ela chegar à trama de mestre. Levou sessenta páginas construindo o enredo até a versão final adquirir forma. Antes disso, pensou em um tipo de assassinato, um assassino e suspeitos diferentes; de fato, outra história inteiramente diferente.

Seus "cinco porquinhos" são o executivo bem-sucedido Philip Blake e seu irmão acomodado Meredith, ambos amigos de infância da vítima, o artista Amyas Crale; Elsa Greer, modelo e amante de Amyas; Angela Warren, irmã da prisioneira Caroline; e Miss William, governanta de Angela. No começo das anotações, podemos ver claramente o passado desses cinco personagens principais, embora Agatha Christie não tenha decidido, ainda, quem será a vítima, além do vilão:

> Moça – (Nova Zelândia) descobre que sua mãe foi julgada e condenada por assassinato – possivelmente condenada a trabalhos f[orçados] – à prisão perpétua e então morreu
> Grande choque – ela é uma herdeira tio deixou-lhe todo seu dinheiro – fica noiva – conta ao homem seu verdadeiro nome e o que ocorreu – vê um brilho em seus olhos – decide nesse momento fazer algo a respeito – sua mãe não é culpada – procura H.P.

O passado – há 18 anos? 1920-24
Se não era culpada quem era?

4 (ou 5) outras pessoas na casa (um pouco como os Borden?)

A mãe matou
A. Marido
B. Amante
C. Tio rico ou tutor
D. Outra mulher (ciúmes)

Variedades

Entre as inúmeras referências a poemas infantis espalhadas pelos Cadernos, às vezes a ideia não passava de uma breve anotação e, em muitas delas, parecia que o poema vencia até mesmo a fértil imaginação de Agatha Christie. No Caderno 31 encontramos a seguinte lista:

1948 Conto para a Nash [Revista]

A. Hickory Dickory Dock*

Complexo em relação à palavra Dock** – uma história de terror – perigo – moça no trabalho – descobre um segredo – (as pessoas que queriam destruir o saguão) começa em hotel – pessoas ricas – desonestas

(continua na próxima página)

* Som do pêndulo do relógio, primeiro verso do poema infantil, o tiquetaque. (N. T.)

** A palavra tem vários sentidos: doca, dique, estaleiro, embarcadouro, cais, instalações portuárias, hangar, galpão e banco dos réus. Como verbo, significa "cortar cauda de animal". Docker é o estivador. (N. T.)

B. Menininho Azul
Onde você está indo, minha querida?
C. Assim cavalgam os cavalheiros
Jarrinha marrom – (Minha mulher gosta de café e eu gosto de chá / ela diz que é de mim que ela gosta)
D. Ding Dong Dell
E. Gatinho, gatinho, onde você esteve?
F. Rato do campo, rato da cidade
G. Lucy Locket

Este é um dos poucos exemplos de uma página datada. Infelizmente, é indicado apenas o ano, sem referência ao mês em que foi escrita. É provável que Christie tenha feito a lista de poemas infantis, com algumas anotações rápidas, por vezes crípticas, ao lado, com a intenção de trabalhá-las depois. A referência a "Nash" é, de certa forma, um mistério: Agatha Christie não publicou nada na *Nash* depois de 1933, quando foram publicados os últimos contos de Parker Pyne. Obviamente, ela queria desenvolver a ideia de trabalhar um tema baseado nos poemas infantis, mas a ideia em grande parte, como veremos, não resultou em nada. Talvez ela, ou a *Nash*, tenha mudado de ideia, e por isso ela acabou por abandonar o projeto.

Os únicos poemas a aparecerem no final, e de forma bem disfarçada, foram os dois primeiros: "Hickory Dickory Dock", como acima, parece ter pouca, se houver alguma conexão com o poema. Um "complexo" é uma ideia intrigante, mas, fora Helen em *Um Crime Adormecido* e sua terrível associação de ideias na apresentação de "A Duquesa de Malfi", não há exemplo de "complexos" em Agatha Christie. *Morte na Rua Hickory* que conhecemos é muito diferente das especulações escritas acima. Talvez as últimas seis palavras ("começa em hotel – pessoas ricas – desonestas") antecipem *O Caso do Hotel Bertram*.

"Menininho Azul" acabou aparecendo, embora de uma forma bastante modificada e breve, em *Seguindo a Correnteza*. Adela, a mística da família Cloade, recebe a mensagem, "Menininho Azul", de uma médium. Ela interpreta isso como um sinal de que Robert Underhay ainda está vivo. Essa lógica tortuosa se deve ao último verso do poema – "sob o monte de feno, adormecido". Poirot se pergunta, sem muita surpresa, por que a médium não poderia ter dito isso de uma forma direta.

Apesar do fato de "Ding Dong Dell" aparecer no Caderno 18 e novamente no Caderno 35 com o acréscimo de uma nota (veja a seguir), nunca foi usado. E, além de uma breve referência a "Gatinho, gatinho, onde você esteve?", na última página de *Uma Autobiografia*, nada mais aparece também.

Três outras referências a poemas infantis surgem nos Cadernos:

Um, dois, 3 – 4 – 5 Pescando peixes vivos

Ding Dong Dell – Gatinho dentro do Poço – ? Uma senhora idosa assassinada

Velho Rei Cole?

Embora, numa primeira impressão, pareça que nada disso tenha sido usado, ao observarmos melhor o último deles descobrimos que o último verso forneceu o título da última peça teatral que Agatha Christie escreveu – *Fiddlers Three*.* A gênese complicada dessa derradeira peça teatral é apresentada no Capítulo 9.

* Escrita, originalmente, em 1972 com o título de *Fiddler's Five*, a peça não chegou a ser publicada. (N.T.)

Quem eram as outras pessoas – Possibilidades

Criada – moça irlandesa um pouco boba – Ellen
Governanta – mulher – reservada – prática – outro Carlo
Moça – 15 na época (hoje mais de 30) (uma Judy?)
Homem – cavalheiro inglês – apaixonado por jardins etc.
Mulher – Atriz?

As primeiras anotações são um planejamento bastante preciso do que seria feito, mas há diferenças sutis. Carla Lemarchant ("a moça") é canadense em vez de neozelandesa; e dos cinco esboços dos possíveis personagens, um deles, "a criada irlandesa um pouco boba Ellen", é totalmente descartado. A "Moça" e o "Homem" tornaram-se Angela e Meredith respectivamente; a "governanta" é o protótipo de Miss Williams e a "mulher" se torna Elsa Greer – embora não seja uma atriz profissional, ela é, de várias formas, uma artista completa.

Há três referências que requerem explicação. "Borden" refere-se ao infame caso do homicídio do casal Borden, em Fall River, Massachusetts, em agosto de 1892, quando foram mortos a machadadas no momento em que sua filha Lizzie e a criada de origem irlandesa, Bridget, estavam em casa. Embora Lizzie Borden tenha sido julgada pelo duplo homicídio brutal, foi absolvida e ninguém foi condenado pelo crime. Até hoje sua culpa ou inocência ainda é assunto de discussão e controvérsia. "Carlo" é Carlo Fisher, secretária particular de Agatha Christie, que se tornou sua amiga. Começou a trabalhar com ela em 1924 e permaneceu pelo resto da vida. "Judy" é, muito provavelmente, Judith Gardner, filha de Nan Gardner (Kon, quando solteira), amiga de Christie.

Vemos imediatamente um problema importante na montagem anterior. Há quatro personagens femininas e apenas um masculino. Como as três últimas são certamente Angela, Meredith e Elsa, respectivamente, os dois primeiros nomes são descartados. Tentativas subsequentes acabam por aproximá-la da combinação final:

As 5 pessoas

Miss Williams senhora idosa Caro – devotada a Caroline

Mrs. Sargent – meia-irmã mais velha de Caro – casou-se por dinheiro – etc.

Lucy – irmã do marido – violentamente anti-Caro

A. (Ideia) – Caro feriu uma irmã ou irmão quando criança devido a seu temperamento incontrolável – ela acredita que essa irmã ou irmão tenha cometido o crime – por isso acha que está pagando por culpa e fica satisfeita

A irmã ou o irmão são o Nº 5? – Chora, chora

E, por fim, ela chega aos cinco suspeitos do romance propriamente dito. As breves anotações a seguir refletem com precisão, exceto pela troca de um nome, de Carslake por Blake, os "cinco porquinhos" e suas inter-relações.

Philip Carslake – George's Hill – Próspero – seu melhor amigo – Amyas – antagônico de Caro – Descreve como a meia-irmã se feriu – por causa de seu temperamento – induzido a escrever um relato –

Meredith – em casa – conduz P à casa – (hoje um albergue da juventude) fantasmas – ele explica – irá escrever – evita falar de Elsa – mostra sua foto – Eu achava que ela poderia ter cometido o crime – sua filha

Elsa – mulher rica – Diferente da foto – dura – antagônica de Caro – vingativa – fala pouco – envia seu relato. Você quer a verdade? Você a terá (faz drama para desabafar a raiva)

Miss Williams – idosa – quarto em Londres – Enérgica a favor de Caro – mas admite que ela sabe – sobre Angela – P convence que sua versão é a melhor – Ela concorda – ele escreverá –

Mulher inteligente chorona – caráter – arqueóloga bem-sucedida – agradece a intervenção de P – convencida – explica por que Caro não poderia ser a culpada – por causa do que fez a ela

Todos os detalhes do crime somente foram concluídos após inúmeras tentativas. Segundo grande parte das anotações, o meio usado pelo assassino seria uma arma em vez de um veneno e, embora ela não tenha seguido esse caminho, é interessante notar que vários outros detalhes são mantidos:

A. Pistola – (de Amyas) digitais apagadas menos as dele – mas estão enganados – há também digitais dela deixadas com sangue sobre a mesa – Miss W acoberta Angela? – viu-a fazer isso – Angela num barco? Mas voltando)

Alguém fingiu ser a vítima – escondeu-se atrás dele e imitou a voz dela – apertou o gatilho novamente contra cabeça dele e disparou – C pensa que sim V[ítima] ouviu a voz – pega a pistola e a limpa

Caro ouviu Angela – falando com Amyas encostou o revólver em suas costas – finge – (ela tinha um lançador de dardos) ... ao chegar, ela o encontrou morto. Pegou a pistola – limpou-a – colocou-a em sua mão – mas suicídio não era possível e uma de suas digitais está na parte de baixo

Caroline desceu para chamar Amyas para almoçar – morto a tiros – mas antes de ela chegar lá – Caro foi vista pegando pistola da gaveta da escrivaninha

Caro chega – Elsa se levanta, arranca revólver – e atira nele – então foge – Caroline – ela a vê – pensa ser Angela – horrorizada – chocada ao encontrá-lo – Elsa vai até a casa – deixa cair suéter no caminho – Miss Williams desce – pega suéter – então ouve disparo – ela se aproxima – vê Caro – apertando a mão dele sobre revólver

No romance, a pista-chave que no interrogatório convence Poirot da inocência de Caroline foi ela ter limpado a garrafa de cerveja e pressionado os dedos de Amyas contra a garrafa, como testemunhou Miss Williams. Como se pode ver em quatro trechos, essa limpeza era originalmente intencionada para ser feita em um revólver. E o detalhe de Caroline ter sido vista pegando a pistola é mantido no romance, retirando o veneno do laboratório de Meredith. Em três desses trechos também vemos o fator preponderante da crença equivocada de Caroline sobre a culpa de Angela, por isso criando o caminho para o sacrifício final após a sua prisão.

A troca do revólver pelo veneno não é uma surpresa, pois Agatha Christie conhecia pouco o primeiro, mas conhecia profissionalmente o segundo. Ela usou veneno mais do que qualquer outro modo de assassinato e mais do que quaisquer de seus contemporâneos, usando armas de fogo com muito pouca frequência. Quando Agatha Christie decide usar o veneno, sua mente criativa se revela, mais uma vez, de forma clara tanto em relação ao tipo do veneno quanto ao modo de aplicação:

> Núcleo – veneno no vinho do Porto – marido toma um cálice no quarto (analisado e cheio) – Caro vista lavando a garrafa de cristal onde estava o vinho do Porto (por criada)
>
> Veneno – Xerez – Alguém o serve, Caro leva o cálice para Am – mais tarde cianureto é encontrado no cálice, ou beladona
>
> Possibilidades de veneno
> A – Veneno colocado no xerez no momento em que se diz "feche os olhos etc." – C trouxe o xerez para ele – ele o encontra (tendo ouvido WW) mais tarde morto – limpa cálice – coloca sobre ele impressões digitais do morto – (visto por Miss W)
>
> B – Xerez puro – cianeto no morango – Caro ainda assim finge seu papel – assassino coloca cianureto no xerez – permanece na pipeta – encontrada mais tarde
>
> C – Remédio – HCN [ácido cianídrico] – colocado no xerez por Caro – cápsula já foi tomada
>
> D – Cápsula alterada para AC de PC
>
> Cicuta – em cápsula?
> Resultado – ele parece bêbado – cambaleia – visão dupla – (prova de P) – E. se senta e observa-o morrer – alguém entra – ela se

levanta e fala com ele – aproxima-se da outra pessoa – ele balança a cabeça – ou – é visto sentado atrás de uma mesa

Uma garrafa de cristal – Porto? – Caroline lavou-a depois

Caixa de selos – antes das refeições

HCN e mistura de bismuto – dose extra de HCN? Cerveja?

É notável que, mesmo quando ela se decide pela cicuta, a ideia da cápsula na lista acima não é usada.

Outros pontos importantes da trama e pistas são mencionados. O perigo de uma interpretação equivocada a partir de comentários entreouvidos é enfatizado nos primeiros dois trechos; a comovente carta final escrita por Caroline na cela da prisão à filha, no terceiro trecho, é outro exemplo de má interpretação. A inclinação de Angela por jogos e brincadeiras, como comprovado pela bala e depois pela valeriana;* é um fator relevante na suposição de Caroline sobre a sua culpa. E o fato de ter limpado o cálice (garrafa de cerveja no livro) vem à tona novamente:

Ação contra Caroline – Discutiu com marido aquela manhã – disse "Adoraria matá-lo. Um dia, farei isso"

Não se preocupe – Farei com que faça as malas (mandou-a fazer as malas) entreouvido entre Caro e Amyas

A – incluindo bilhete de despedida de C na prisão meu querido estou muito contente – entregue a Amyas – também importante sobre o amante de C – Meredith?

Miss W – Angela e pedaço de metal
Miss W viu Caro limpar cálice ou removendo as impressões digitais do revólver

* Nome comum às plantas do gên. Valeriana, da fam. das valerianáceas, arbustos e ervas com alcalóides, muitas cultivadas como medicinais e também como ornamentais, como, por exemplo, *Valeriana officinalis*, nativa da Europa e da Ásia [*Aulete Digital – Dicionário Contemporâneo da Língua Portuguesa*].

Depois de repreender-se, Agatha Christie chega à trama que conhecemos:

Repasse a manhã

Jantar com Meredith na noite anterior – as drogas – Valeriana – cicuta etc. – Caroline leva cicuta – Ela a vê – Conversa entre Meredith e Amyas – um dia mais – discussão entre Angela e Amyas – Escola – dia seguinte Meredith descobre que foi tomada cicuta – telefona a Philip – (? Philip está em algum lugar e Elsa está com ele – ela ouve?) Elsa está ~~Com~~ acompanhando M – diz que está com frio – vai até a casa (pega cicuta) – (Caroline e Amyas discutiram depois do café da manhã – ? Ela ouviu a discussão? – ela contou a Philip "briga de casal"?) – senta-se – sai – no momento A sai e diz desça e sente-se.

Elsa o testa – Caroline desce – Elsa está com frio – sai para pegar suéter (pega cicuta) – Caro e Amyas discutem – parte da discussão é entreouvida por P e M (Mas a prova deles – Vou matar você etc. – ouvida por Philip e E.) "Eu não lhe disse que a mandei fazer as malas?" – Sai – ele os vê e diz escola – Angela etc. – Elsa reaparece desta vez com o suéter – ele bebe a cerveja – Diz (depois de olhar para o mar) – eles se viram – Elsa está ali – Ele continua a beber a cerveja – diz que está quente e com gosto ruim – Caro ~~vai embora~~ diz que lhe trará outra gelada – ela sai para pegá-la – encontra Angela na geladeira – mexendo na cerveja – Caro tira a garrafa da mão dela – Caro desce com garrafa – ela a serve e dá a cerveja a ele – ele bebe tudo.

~~Miss Williams~~ – Meredith olha para Elsa – sentada ali – seus olhos – ela fala vez ou outra – (ela colocou um pouco de cicuta nos restos de um copo – não garrafa) – Nós vamos nos casar, não vamos? – levanta os olhos e vê Meredith – representa seu papel. M vê A da porta – expressão estranha no rosto – não diz nada – um dos ataques de mau humor dele – M diz eu soube que esteve na minha casa pela manhã – A confirma – Eu queria – algo?

Caroline e Miss W o encontram – C pede a Miss W para chamar ~~polícia~~ médico – então ela quebra a garrafa de cerveja dele e troca-a por outra. Provas – cerveja no copo contém cicuta – e as impressões digitais dele sobre as dela – mas não na posição certa

Estranhamente, há pouco da cena final de Poirot, a explicação dos fatos ocorridos há dezesseis anos e a revelação do verdadeiro assassino de Amyas Crale. Por questões de ordem prática, os detalhes necessários para esta cena estão incluídos no trecho acima e Agatha Christie provavelmente se sentiu confiante para escrever o capítulo final sem precisar fazer anotações com maiores detalhes. E a conclusão é um tanto ambígua. Embora tenha certeza de ter encontrado a verdade, Poirot descobre que não há provas...

> Última Cena
>
> Ph e M estão na sala – Angela chega – depois W – finalmente Lady D – M está um pouco espantado. Caroline tinha motivo – ela tinha o meio – agora leva a cicuta e parece certo de que ela o pegou – questionou Meredith se alguém poderia pegá-lo com 5 pessoas na sala – mas ela foi a última a sair e M na porta estava de costas para ela – então deduzimos que foi ela quem o pegou

Os Três Ratos Cegos

(Peça de rádio, 30/5/1947; conto, 31/12/1948;
peça teatral, 25/11/1952)

Três ratos cegos, três ratos cegos
Veja como correm, veja como correm
Correram atrás da mulher do fazendeiro
Que cortou seus rabinhos com um facão
Já viu algo, em sua vida,
*Como os três ratos cegos?**

* Three blind mice, three blind mice/ See how they run, see how they run/ They all ran after the farmer's wife/ She cut off their tails with a carving knife/ Did you ever see such a thing in your life/ As three blind mice?

A Hospedaria Monkswell Manor dá as boas-vindas aos seus primeiros convidados, incluindo a formidável Mrs. Boyle e os misteriosos Mr. Paravacini, bem como o engraçado Christopher Wren e a enigmática Miss Casewell. Mas o sargento Trotter chega para avisá-los de que há um assassino entre eles logo antes de um deles ser assassinado.

Como sempre, a *Autobiografia* de Agatha Christie é irritantemente vaga sobre datas; então, quando ela escreve: "Nessa época, a BBC me telefonou e me perguntou se eu gostaria de escrever uma peça curta para a rádio para um programa que iriam criar em homenagem à Rainha Mary", devemos presumir que isso tenha sido em 1946, pois a "homenagem" seria o 80º aniversário da Rainha Mary, em 30 de maio de 1947. Ela lhes apresentou *Os Três Ratos Cegos*, uma peça teatral com meia hora de duração. No dia 21 de outubro seguinte, foi televisionada como peça de 30 minutos com o mesmo título e roteiro. Depois, Christie retrabalhou-a como um conto longo, publicado em uma revista americana em 1948 e em uma revista inglesa em janeiro de 1949. O conto saiu em uma antologia, mas apenas nos Estados Unidos, em *Os Três Ratos Cegos e outras Histórias*, em 1950. Quando a antologia, que veio a público mais tarde na Inglaterra como *A Aventura do Pudim de Natal*, ainda estava em processo de edição, Agatha Christie deixou claro que não queria que *Os Três Ratos Cegos* fosse incluído, pois "muita gente ainda não o havia lido" e ela não queria estragar sua diversão.

Na *Autobiografia*, ela continua: "Quanto mais pensava em *Os Três Ratos Cegos*, mais eu sentia que poderia expandi-la de uma peça para rádio de vinte minutos para um suspense de três atos". Então, retrabalhou-a novamente, transformando-a em uma peça teatral, mas, quando chegou o momento de apresentá-la, foi necessário encontrar um novo título, pois o título original já estava sendo usado em outra peça teatral. Seu genro, o erudito Anthony Hicks, sugeriu *A Ratoeira* (a partir do Ato II, Cena ii de *Hamlet*) e ela estreou em Londres, em 25 de novembro de 1952. O resto é história.

As principais mudanças das diferentes versões estão no começo. As adaptações para rádio e televisão apresentam o primeiro assassinato, de Mrs. Lyon, na Rua Culver; a versão teatral inclui essa parte apenas na sonoplastia com o palco às escuras. O primeiro esboço do roteiro incluía uma cena de abertura com dois operários sentados na frente de um braseiro que pedem um fósforo a um passante; este transparece ser o assassino retornando depois de matar Mrs. Lyon na Rua Culver, perto dali, e, nesse momento, ele deixa cair um caderninho com o endereço da Hospedaria Monkswell. Para substituir essa cena, na versão para o conto, está outra que se passa na Scotland Yard, em que os operários descrevem os fatos daquela noite.

Não há praticamente nada que demonstre a gênese dessa obra tão famosa como peça para rádio. No Caderno 56 há, no entanto, duas páginas encabeçadas, de forma divertida, com um número 3 em algarismo arábico, um desenho de um olho riscado e um rato. Como o trecho seguinte indica, estas breves anotações referem-se ao conto ou à versão para o teatro:

> Christopher Wren chega – cachecol – sobretudo escuro – chapéu claro (jogado sobre a bancada) – peso na pasta – nada dentro dela? Algo importante é dito entre ele e Molly. Polícia de Londres – Sargento Dawes – os operários – homem estava confuso. O caderninho – levado à S.Y. por um deles? A identificação – Hospedaria Monkswell. – ligue-me com a polícia de Berkshire. Mrs. Bolton chega – Minha cara, uma mulher formidável – muito respeitosa

Uma referência à pasta suspeita de Christopher Wren aparece no conto, como aparece a frase: "Ligue-me com a polícia"; a combinação dessas duas ideias sustentaria a teoria de que a anotação no Caderno se refere à versão do conto. Também notável é a estranha referência a Mrs. Bolton em vez de a Mrs. Boyle, o nome que foi usado para ela em ambas as versões.

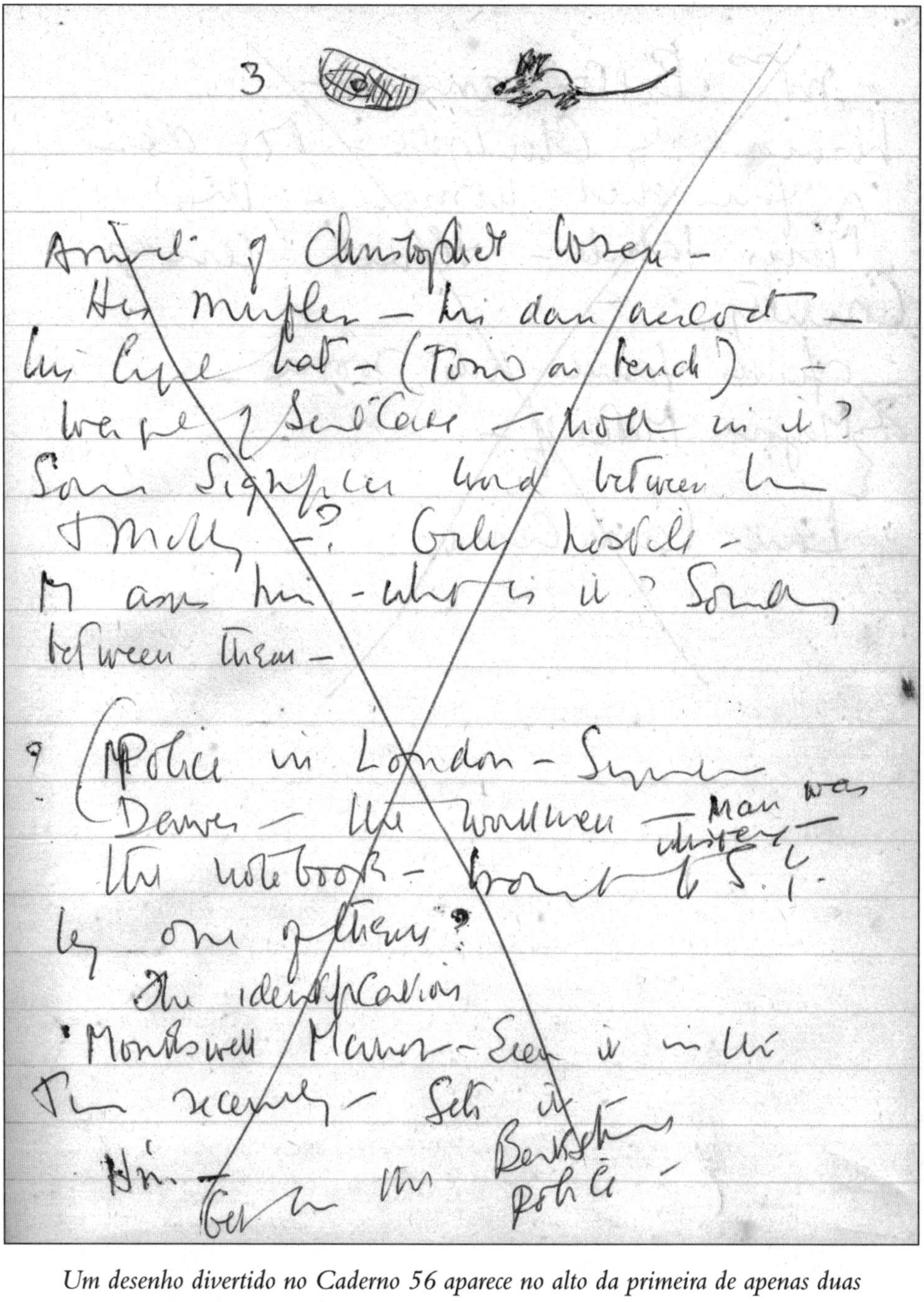

3

Arrival of Christopher Wren –
His muffler – his dark overcoat –
his light hat – (Tom on bench) –
Wrapper of Sunday Times – notes in it?
Some significance between him
and Molly? Only hostile –
M asks him – what is it? Something
between them –

(Police in London – Superintendent
Denver – the workmen – Man was murdered –
the notebook – brought to S.?
by one of them?
The identification
Monkswell Manor – Seen it in the
Times recently – Sets it
Him – Get the Berkshire police –

Um desenho divertido no Caderno 56 aparece no alto da primeira de apenas duas páginas que apresentam a peça mais famosa do mundo – Os Três Ratos Cegos *(mais tarde chamada* A Ratoeira*).*

A Casa Torta

23 de maio de 1949

Charles Hayward se apaixona por Sophia Leonides durante a guerra e fica fascinado pela família dela, que vive numa casa torta, comandada pelo seu avô rico. Quando ele é envenenado, é óbvio que um dos membros da família também é "torto", no sentido criminal.

A Casa Torta apresenta um dos finais mais chocantes dos livros de Agatha Christie. Foi considerado tão brutal, que a Collins solicitou-lhe que o mudasse (entrevista ao *Sunday Times*, em 27/2/1966), mas ela se recusou a alterá-lo. Seria lógico, portanto, supor que essa solução fosse a base do romance. A julgar pelos Cadernos, no entanto, esse não foi o caso. Como vimos no Capítulo 3, vários personagens foram considerados possíveis assassinos antes de Agatha Christie chegar à solução perfeita.

Em seu prefácio especialmente escrito para a edição "Million" da Penguin de *A Casa Torta*, Agatha Christie diz: "Este livro é um dos meus favoritos. Eu o guardei por anos, pensando, trabalhando nele, dizendo para mim mesma: 'Um dia, quando tiver bastante tempo e quiser me divertir – eu o começarei'. Devo dizer isso sobre a produção de um autor: cinco livros são trabalho para quem sente prazer em fazê-lo. Escrever *A Casa Torta* foi o mais puro prazer".

Se, de fato, ela passou anos pensando e trabalhando no livro, nenhuma dessas anotações sobreviveu. No Caderno 14, que contém a maioria das anotações para esse romance, estão também, excepcionalmente, duas marcações de data. Algumas páginas antes do esboço de *A Casa Torta* aparecem as datas de "set. 1947" e "20 out. [1947]". O romance foi publicado pela primeira vez numa serialização nos Estados Unidos, em outubro de 1948, e publicado na Inglaterra em maio de 1949. A partir de uma prova interna (uma referência ao testamento de Aristide ser lavrado no "ano passado", em novembro de 1946) e da prova contida nos Cadernos abaixo, o livro foi concluído no final de 1947 ou início de 1948. Então, os anos gastos "pensando e trabalhando no livro" foram, muito provavelmente, os despendidos no processo mental antes de efetivamente colocá-lo no papel. As mais de vinte páginas de anotações percorrem todo o andamento do romance.

A primeira página das anotações no Caderno 14 também traz o título "A Casa Torta" escrito no cabeçalho; então, parece ter sido esse o nome desde o início. E, de fato, é difícil pensar em um título melhor. Mas (como vimos no começo deste capítulo) o Caderno 56 lista, em sua página de abertura, o germe de *Cem Gramas de Centeio*, que inclui uma clara referência a uma casa torta – embora seja possível que a intenção fosse ter um escroque, ou seja, um executivo desonesto, e não é feita nenhuma referência a um romance com esse título.

> Cante uma canção de meio xelim – o meio xelim torto encontrado (um homem Torto, mulher Torta, casa Torta)
>
> Chegar em casa – Copeira – criada e filho – conspiração – criada morta para evitar que fale

Em algumas páginas antes de começar a desenvolver o enredo desse livro, encontramos duas referências a ele:

> Casa Torta
> Soldado aleijado – com cicatriz no rosto – senhor idoso trata de suas feridas de guerra – mas não se feriu na guerra – na verdade um assassino
>
> Planos Set. 1947
> ~~Casa Torta (As Alt[erações]).~~ Feito

Não é possível datar a primeira anotação, pois esse "soldado aleijado" não aparece em nenhum livro de Agatha Christie, mas a próxima, na página seguinte, aparece em cima de forma inequívoca, mostrando que grande parte do romance, senão todo ele, foi terminada nessa data, apenas com as alterações ainda a ser feitas. Como vimos no Capítulo 3, palavras riscadas, para Agatha Christie, indicam que algo foi concluído; aqui, com a mesma caneta, vemos a palavra "Feito", que foi acrescentada.

Duas páginas adiante, o enredo começa. A família é apresentada com alguns detalhes, como a trama entre Sophia e Charles:

Velho Aristide Kriston – Baixo mas atraente – vitalidade – gerente de restaurante – então casa-se com filha de um caçador de raposas – boa aparência – cabelos loiros e aspecto britânico.

Roger – Grego – inteligente – devotado ao pai

Clemency – uma cientista

Leo – rapaz bem-apessoado [possivelmente um precursor de Philip]

Penélope – bem humorada – motivada [possivelmente uma precursora de Magda]

Sophia

Sua segunda esposa – Dorcas (Tabitha) [Brenda]

Laurence – o tutor aleijado

[Narrado em] Primeira pessoa – Charles(?) em repartição estrangeira – Sophia Alexander está em sua repartição – seu modo de falar – atração – Oh, vivemos todos numa casinha torta – ele lê o poema infantil – encontra-a em Londres – ou dá um jeito de encontrá-la – Avô assassinado. Ela se recusa a desposá-lo – por causa do assassinato – porque não sei quem de nós o matou? – qualquer um de nós poderia tê-lo feito. O pai dele é um SC [Subcomissário] – Charles se aprofunda no caso – o velho – seu casamento

Há uma afirmação inicial sucinta na segunda página das anotações, de que "Harriet mata o velho". No entanto, há anotações posteriores sobre cinco outros personagens – Brenda, a segunda esposa; Clemency, casada com Roger; o tutor Laurence; a incrível Edith de Haviland, cunhada de Aristide; e Sophia – antes de retomar o esquema de usar a menina como assassina. A ideia "Laurence – de fato sem pernas" não é seguida, apesar de Agatha Christie se sentir fascinada em usá-la como enredo (veja "A Casa dos Sonhos", Prova F, Capítulo 9), e Laurence continua aleijado apenas emocionalmente. E embora a homicida no final se chame Josephine, este nome não aparece até a 13ª página do caderno de anotações. Ela é chamada anteriormente (como citado acima) de Harriet e/ou Emma:

> Dorcas – Não [Brenda]
> Clemency? Sim seu motivo – Fanática – ligeiramente maluca
> Ou seria Clemency – Nenhum ganho – estarão soltos no mundo
> Será Laurence o culpado – um aleijado – Laurence – de fato sem pernas – portanto sempre alturas diferentes
> Edith – Sim – possível
> Sophia Possível Falta de fibra moral

Agatha Christie explora um pouco mais essa ideia, embora seja possível inferir – "Sim – interessante", no primeiro trecho e "(se for J)", cinco páginas depois, no segundo – que neste momento ela ainda não havia se decidido a escolher Josephine (como se tornara agora) como a assassina:

> Emma [Josephine] – Sim – interessante – não normal – quer poder – odiava o avô por algum motivo – (não permitia que estudasse balé e deveria começar cedo?): Motivo – ajustar-se ao <u>seu</u> modo – uma inteligência muito acima do normal. Então há um segundo assassinato? – Sim – a velha enfermeira (se for Emma)

> O peso na porta (se for J) ou morre de vez – caderninho de capa preta.
> Final com a menina – melhor prova possível – não serve no tribunal – crianças não gostam que se façam perguntas diretas – para você ela estava se exibindo.
> Charles e Josephine – pergunta sobre as cartas – eu inventei – não vou lhe contar – você não deveria ter contado à polícia.
> Josephine escreve em seu caderno. A.C. diz – cuidado com a menina – há uma envenenadora à solta

Embora não haja menção a Josephine nas primeiras páginas, quando ela é indicada ganha uma página inteira para seu trabalho de investigação. Ao longo do romance, ficamos sabendo sobre sua curiosidade monstruosa, ouvindo por trás das portas, seu conhecimento sobre ficção policial e, de maneira contundente, seu caderninho preto, que contém, supostamente, as anotações de sua investigação policial:

> Harriet sabia que Tio Roger fazia isso?
> Uma menina odiosa que sempre sabe tudo o que acontece
> Josephine – o monstro – ela sabe – tenho investigado
> Descobre que Roger ia embora – acho porque ele embolsou dinheiro
> E Edith odeia Brenda – elas se corresponderam – sei onde elas guardaram as cartas
> Eu não gostava do vovô – balé – proibida de dançar.

Embora seja um livro importante de Agatha Christie graças à sua conclusão chocante, *A Casa Torta* não é uma história policial construída de modo formal. A resposta é bastante evidente em retrospecto – a alegação confiante de Josephine de saber quem é o assassino, seu destemor, as marcas no chão da lavanderia a partir dos experimentos com o calço de porta de mármore – mas não é possível chegar à solução por meio de dedução lógica. Apesar disso, o romance mostra que, mesmo depois de uma carreira de trinta anos, Christie mantém a habilidade de surpreender e entreter.

Cem Gramas de Centeio

9 de novembro de 1953

Rex Fortescue é envenenado em seu escritório de contabilidade; sua esposa é envenenada durante o chá da tarde, comendo pão com mel; e a criada é estrangulada enquanto pendurava roupa. Uma interpretação macabra do poema infantil traz Miss Marple a Yewtree Lodge para investigar a presença dos pássaros pretos.

As anotações desse romance estão contidas em cinco Cadernos, com grande parte no Caderno 53 e breves referências nos outros quatro. Parece, a partir desses elementos, que este enredo vinha sendo construído por algum tempo antes que Christie o afinasse para fazer o romance. *Cem Gramas de Centeio* foi publicado pela primeira vez em outubro como uma série no *Daily Express*. O relatório do parecerista da Collins, datado de abril de 1953, descreve-o como "leitura agradável, interessante, assombrosa e inteligente; é narrado com uma mestria que faz com que os demais romances policiais pareçam textos de amadores". Embora tenha considerado o primeiro homicídio pouco factível, no geral, ele o qualificou como um "bom" livro de Agatha Christie, o que parece ser um comentário pouco entusiasmado depois de uma descrição tão efusiva.

A referência críptica a seguir do Caderno 56 fornece a gênese da trama, o primeiro conto, "O Clube das Terças-Feiras", em *Os Treze Enigmas*, que apareceu 25 anos antes, em dezembro de 1927:

> Padrão geral como centenas e milhares

Aqui, uma criada, a pedido de seu amante casado, espalha "centenas e milhares" de confeitos de açúcar coloridos usados para decorar pequenos bolos e brioches, propositalmente embebidos com arsênico e servidos como sobremesa para eliminar uma mulher inconveniente. Para encerrar a questão, a criada, tanto no conto quanto no romance, chama-se Gladys.

Como se vê a partir da seguinte anotação no Caderno 14, as tramas de *Cem Gramas de Centeio* e *Um Passe de Mágica* estavam entrelaçadas desde o início da criação dos enredos (esta anotação parece datar do final da década de 1940 por estar ao lado das anotações para *A Casa Torta*):

Espelhos

Os irmãos Percival e Lancelot – P bom rapaz – L mau-caráter – violento antagonismo deles – de fato eles se juntam para tirar o Pai e a jovem esposa do caminho?

O truque – P e L fingem discussão – ouvido do andar de baixo (de fato P. está em cima) L. volta e o surpreende – pede socorro

A falsa briga tornou-se o argumento principal do enredo de *Um Passe de Mágica*, enquanto os irmãos Lancelot e Percival permaneceram em *Cem Gramas de Centeio*.

Algumas páginas depois, Agatha Christie desenvolve a trama:

O Rei está no Cofre

Magnata pomposo morto no (a) Escritório (b) casa no Subúrbio – Mina de Blackbirds

Bom filho Percival – mau filho Lance – inimigos mortais (na realidade, em conluio?) Motivo – trapaça de um dos filhos? Criada (moça do IMEA) associada a Lance – ela poderia alterar todos os relógios. Moça leva o café para servir ao pai no escritório – sai gritando? Lance primeiro a chegar (mata-o então) antes de os outros chegarem. Velho drogado antes – deve ter sido durante o jantar (Lance não estava presente). Moça suspeita – poderia tê-lo dopado, esfaqueado e colocado centeio em seus bolsos. Eles discutem – ela é encontrada morta – com alfinete de roupa

Isto está muito mais próximo do enredo que ela acabou escolhendo, embora muitos detalhes tenham sido modificados – por exemplo, não há alteração da hora nos relógios ou morte com faca no romance terminado e os irmãos não agem "em conluio". Aqui também está a primeira menção das Minas de Blackbird, as supostas minas sem valor que acabam se tornando fonte de urânio, fornecendo, assim, o motivo para o assassino. Esse aspecto do enredo é a base da trapaça perpetrada por Simeon Lee, a vítima de *O Natal de Poirot*, contra seu sócio. A "moça do IMEA" refere-se ao Instituto da Marinha, Exército e Aeronáutica, fundado em 1921, que gerenciava estabelecimentos de recreação das Forças Armadas e para vender produtos a funcionários e suas famílias.

Mas o Caderno 53 traz a maior parte do enredo desse livro. Embora siga fielmente o padrão do romance, vemos que muitas outras possibilidades foram consideradas antes de definitivamente descartadas. Tanto Percival e sua mulher quanto Lance e Adele foram considerados assassinos; Lance poderia tanto ser um "bom rapaz" quanto um "mau elemento"; e Agatha Christie propôs o uso de estricnina ou arsênico como o veneno no lugar da toxina:

> Percival casou-se com moça (trapaceira) fora do país. Ela vem para ficar com outro irmão Lancelot – se passa por sua mulher – ela e Percival são os assassinos
>
> Lance em conluio com Adele – Adele está noiva do pai – convence-a a matar o pai – então chega a tempo de colocar veneno na xícara de chá da noiva
>
> Lance está no avião voltando do Oriente. Ele é um bom filho – sua mulher é Ruby Mackenzie
>
> Bom filho Percival – mau filho Lance – inimigos mortais (na verdade, em conspiração?)
>
> Estricnina e arsênico encontrados mais tarde no móvel de entrada, na última prateleira ou na despensa da sala de jantar na terrina de sopa na prateleira superior

Depois dessas especulações, o enredo começa a evoluir. O material dos próximos trechos, todos do Caderno 53, aparece no romance:

> Lance (mau-caráter) está retornando de avião – pai pediu que voltasse. Antes de ele chegar em casa pai falece – a mulher de [Perci]Val é Ruby Mackenzie – Lance aliou-se a Marlene no acampamento de verão. Entrega-lhe pó para colocar no chá durante o café da manhã – diz que deixará pai doente – ele mandará chamá-lo – Marlene em estado deplorável – Lance chega em casa – a tempo de envenenar Adelaide – (no chá?) depois o adiciona ao mel

Capítulo 1
Chá no dia 11 – a nova datilógrafa o prepara
Escritório – secretária loira – prepara o chá do patrão
"Mr. Fortescue está em reunião"
Grito – doente – loura entra correndo – chama médico – telefona – Hospital

Chá – A[dele] come mel da colmeia – filho coloca em seu chá – morre. Ou filho a envenena colocando-o na refeição antes de retornar oficialmente – moça o encontra do lado de fora

Criada no jardim – prendedor de roupas no nariz. Miss M pergunta mais tarde não sairia para pendurar roupas àquela hora? Mas você encontraria um rapaz

Depois de Gladys morrer – Miss M chega ao saguão – sargento constrangido – Inspetor lembra-se dela – Miss M tem certeza sobre Gladys – morta – deve ser impedida – nariz e pregador de roupas – dignidade humana

Morte na Rua Hickory

31 de outubro de 1955

Uma série de furtos misteriosos no albergue de estudantes dirigido pela irmã de Miss Lemon na Rua Hickory termina com a morte de um deles. A incongruência dos objetos roubados atrai a atenção de Hercule Poirot, que visita o albergue – logo antes do primeiro homicídio.

Tique, tique, taque,
O rato subiu no relógio.
O relógio soou uma hora,
O rato assustado correu.
*Tique, tique, taque.**

As anotações para *Morte na Rua Hickory* estão espalhadas ao longo de cinquenta páginas do Caderno 12, com duas tentativas breves e malsucedidas de arrematá-las em dois outros Cadernos (veja a seguir e anteriormente nas "Variedades" – uma anotação com data de seis anos antes). Apesar de rejeitar essas outras ideias, Agatha Christie não desistiu de utilizar o poema, embora só forneça o título e mesmo assim de forma indireta. Fora o endereço (que foi alterado de Gillespie Road), não há tentativa de seguir o poema, exceto nas últimas linhas do romance, quando Poirot o cita.

O trecho abaixo do Caderno 12 demonstra que o livro havia sido terminado em grande parte no início do ano anterior à publicação:

> Sugestões para aumentar e melhorar Hic. Dic. Doc. Maio 1954

Alguns temas de romances anteriores recorrem aqui. Mrs. Nicoletis conversa com seu assassino inominado como repetem-se Murgatroyd em *Convite para um Homicídio*; e o telefonema de Patricia Lane a Poirot no momento em que o assassino a ataca lembra Helen Abernethie em *Depois do Funeral* e Donald Ross em *Treze à Mesa*. E há outro relacionamento improvável e desnecessário revelado no final do romance. Acompanha finais semelhantes em *A Testemunha Ocular do Crime* e *A Maldição do Espelho*. Morgan e Osborne alegam que havia planos, no início da década de 1960, de transformar este livro em um musical. Por mais surpreendente que possa parecer, algumas das músicas foram compostas e o título – "Batida Mortal" – havia sido escolhido, mas o projeto acabou fracassando.

* Hickory Dickory Dock/ The mouse ran up the clock/ The clock struck one/ The mouse ran down/ Hickory Dickory Dock.

A incongruência dos objetos roubados apresenta a Poirot e ao leitor um intrigante quebra-cabeça e as explicações são adequadas. Mas há sem sombra de dúvida personagens demais e alguns dos estudantes estrangeiros são um pouco caricatos.

Cada uma das primeiras cinco páginas das anotações feitas para esse livro traz no cabeçalho "Tarefa de Férias", sugerindo que foi escrito num momento em que Christie devia estar descansando. E a trama não foi urdida facilmente, pois houve infinitas trocas e muitas repetições foram incluídas. Não parece que ela tivesse uma ideia muito clara do enredo quando começou a escrevê-lo. A primeira página das anotações tem um brilho do princípio da história, que em grande parte permaneceu, embora tenha havido muitas mudanças antes de se sentir satisfeita com ela. No final da primeira página, Christie chegou a um possível ponto de partida que faz lembrar – "uma coisa precisava ser disfarçada por outros" – de *Os Crimes ABC*:

> Algumas coisas desapareceram – uma moça um pouco abobada "Cilly" (apelido para Célia ou Cecília) – muito apaixonada por um aluno taciturno – que deseja estudar psiquiatria – ele não repara nela. Valerie, uma moça inteligente, convence-a a roubar "Ele notará você por meio de coisas sem importância ou até – por um bom motivo"
>
> Roubo – coisas continuam desaparecendo – apenas uma coisa precisava ser disfarçada por outros.

Algumas ideias iniciais, felizmente, não foram desenvolvidas...

> Hickory Dickory Dock
>
> Complexo em relação à palavra Dock* – uma história de terror – perigo – moça em emprego – descobre algo
>
> H.P. no trem – moça convence-o a roubar

* Palavra com vários sentidos, entre eles o de banco dos réus. (N.T.)

Trabalho de Férias (Cont.) 23 Gillespie Road
Miss Lemon decide aparecer como Matrona? Aborrecida com aposentadoria – pede conselho a Poirot

... e outras ideias posteriores que pareciam promissoras também foram abandonadas.

~~Hickory Dickory Dock~~
Primeira morte à uma hora – Segunda às 2 horas

Importante – 2 homicídios
[Primeiro] acontece logo depois da palestra de P

1. Mrs. Nicoletis? Por quê? Chantagem? Um membro da quadrilha é um traidor?
2. Johnston? – Sua mente treinada chegou a uma dedução – etc. – possivelmente encontra-o depois – um aviso fique de bico calado –
3. Conhecido como Bombo?
4. Nigel?
5. Patricia

Embora ela brincasse com a ideia de outros personagens serem o vilão da história, Valerie vinha sempre em primeiro lugar, sozinha ou em várias combinações com outros alunos:

1. Valerie – mentora intelectual dos golpes – usa os alunos – convence C a fazê-lo – Nigel em conluio com ela? Ou a chantageia ou depois N. a uma das vítimas
2. Nigel – descobre o golpe – ou conspira com Valerie – infantil temperamental

Um elemento essencial da trama é a aposta para conseguirem um veneno e deve-se admitir que algumas das táticas sugeridas são terrivelmente plausíveis, pelo menos em meados da década de 1950. A ideia do "carro do médico" surgiu algumas vezes ao longo das páginas dos Cadernos e a do jaleco branco usado no romance como disfarce para se ter acesso ao armário de remédios de um hospital foi obviamente inspirada na experiência pessoal de Agatha Christie no Hospital Universitário durante a Segunda Guerra Mundial:

> Os 4 modos – fazem uma aposta – Discussão
> Nigel
> Valerie
> Len
> Angus
> Eles trazem de volta
> D[rogas] P[erigosas] retiradas do carro – Tubo de morfina
> Paciente do hosp. – Fenobarbital
> Armário de venenos – Stric. Ou Digi?
>
> Vidro de bicarbonato retirado para colocar talco dentro – e bicarbonato substituído?
>
> Depois drogas são destruídas menos uma delas – a do hospital?

Na página 50 do Caderno 12, ela já tem o enredo amarrado e o trecho seguinte contém a maioria dos elementos de uma trama finalizada:

> Argumentos principais:
> V. organiza o contrabando para dentro do país (joias?) (drogas?) através dos alunos. Mrs. N faz parte do esquema – compra casas para os alunos – também uma loja numa esquina próxima – onde as mochilas são vendidas – que têm fundos falsos (pedras embebidas em cola ou heroína em pó enroladas em telas).
> Polícia está seguindo a pista de V – ela passa algo para Nigel – sais de banho – ele examina o conteúdo – encontra heroína – substitui por bicarbonato – e coloca a droga dentro do vidro de bicarbonato. Polícia vai até a casa – V. destrói mochila, corta-a – depois convence Célia.

Páginas adiante ela brinca com alguns detalhes (a ideia da sacarina e da mochila e o envolvimento de Elizabeth Johnson foram depois descartados):

Pontos a ser resolvidos

Morfina (Acetato?) substituída por ácido bórico – este apresenta chama verde ao ser queimado (Reconhecido por Célia?), [portanto] C. conhece bórico foi pego para substituir a morfina.
Pat encontrou morfina – pego o A[cido] B[órico] do banheiro.

Sacarina? C. usa-a no café? Tabletes de morfina trocados por sacarina

Val. Coordena o esquema de contrabando (Matou C?)

E[lizabeth] J[ohnson] associada a Val no contrabando

Bombo – viu – o quê? que fazer com bórico? – que fazer com mochila?

Contrabando de Pedras preciosas? Narcótico? Mrs. Nic mãe de V? Apenas pessoa importante?

E, claro, os antecedentes de Nigel – ele foi o responsável pelo falecimento da mãe, e o pai deixou uma carta com essa revelação para ser aberta após sua morte – desempenham um papel vital na trama. Apenas no final das anotações, no entanto, está o seguinte trecho:

Argumento

N. mau elemento – precisa de dinheiro – tenta obtê-lo com sua mãe – falsifica sua assinatura – ou lhe dá pílulas para dormir – ela morre – ele herda o dinheiro – inquérito – overdose – acidente. Mas o pai o desmascara – ele pega o dinheiro da mãe. (Passa impune?) Torna-se amigo de Valerie – no esquema de contrabando – assumiu então outro nome – diplomata e arqueólogo – amigo dos alunos etc. A polícia vem – ele pensa por ele – pai morto? – carta deixada com advogado – pega as lâmpadas – (ou as lâmpadas – são novas – roubadas – e outra retirada do corredor)

> Nigel dá veneno à mãe (Dinheiro) – Pai é químico – testa ou descobre-o – desmascara Nigel – assina uma declaração – no banco no caso de falecimento – ou se Nigel fizer algo desonroso – N. irá mudar de nome

Uma das ideias que aparecem depois das "Sugestões para aumentar e melhorar" o romance, anotadas acima, é o assassinato de Patricia:

> Nigel vai à delegacia de polícia... Pat (?) telefona – fala com Nigel – voz sem fôlego e apavorada – Nigel – Acho que sei – quem deve ter pego a morfina porque lembro que estava lá aquela noite... Eu não quero dizer... Certo... Nigel e Polícia vão – Pat morta. Nigel chora como um bebê

Aparecendo tão tarde no romance, no entanto, isso parece um pouco forçado e é uma ideia que mais estende do que aprimora o livro. De fato, um esboço disso já havia surgido dez páginas antes:

> Sequência final
> Depois da cena de Nigel e Pat Nigel volta à Delegacia de Polícia. Pat (ostensivamente) – de fato Valerie – telefona – sabe quem pegou. Eles vão até lá – Pat morta – tristeza de Nigel – verdadeira – H.P. chega.

Este homicídio se assemelha a outros posteriores em *A Testemunha Ocular do Crime* e *Punição para a Inocência*, nos anos seguintes. Mrs. Oliver, no Capítulo 8 de *Cartas na Mesa*, diz: "O que realmente importa são muitos corpos! Se as coisas começam a ficar sem graça, um pouco mais de sangue ajuda a animar. Alguém vai dizer alguma coisa – e então eles são mortos antes disso. Isso sempre cai bem. Acontece em todos os meus livros...". E no Capítulo 17 do mesmo romance: "quando eu conto, descubro que só escrevi 30 mil palavras em vez de 60 mil, então tenho que inventar outro assassinato...". É difícil não ponderar sobre esses comentários, embora pareçam irônicos, ao se ler *Morte na Rua Hickory*.

PROVA C:
AGATHA CHRISTIE NOS CADERNOS DE ANOTAÇÕES

E então – sempre há os velhos favoritos.

Os Relógios, Capítulo 14

Christie muitas vezes refere-se a si mesma e ao seu trabalho nos Cadernos. Por alguma razão ela listou duas vezes – nos Cadernos 72 e 39 – alguns de seus livros, embora as listas não sejam completas nem esteja claro o que os livros têm em comum; e frequentemente se refere a romances anteriores como um lembrete:

* Análise de livros até aqui
Hotéis – Um Corpo na Biblioteca, Morte na Praia
Trens Aviões – Trem Azul, Expresso do Oriente, Morte nas Nuvens, Nilo
Vida particular (campo) Hora Zero, Hollow, Natal, Tragédia em Três Atos, Cipreste Triste
(cidade) Pastor, A Mão Misteriosa
Viagem – Encontro com a Morte

A lista acima aparece logo após as anotações para *A Morte da Sra. McGinty*. O fato de *Seguindo a Correnteza* não aparecer na lista pode significar que foi feita no final de 1946, depois de *A Mansão Hollow*, ou no início de 1947, antes de *Seguindo a Correnteza* ter sido terminado. A partir do cabeçalho, pode parecer que estivesse pensando nos cenários que já tinha usado.

> ✻ Ackroyd
> Morte no Nilo
> Morte nas Nuvens
> Morte na Mesopotâmia
> Expresso do Oriente
> Encontro com a Morte
> Tragédia em Três Atos
> A Extravagância do Morto

E a lista acima, espremida no canto de uma página, no meio da trama de *Morte na Praia*, é ainda mais enigmática. Fora o fato de serem todos contos de Poirot, é difícil entender o que têm em comum.

A lista seguinte aparece em meio às anotações de *Hora Zero*. Sabiamente, ela decidiu ao contrário, pois outra morte misteriosa num hotel no espaço de tempo de três anos poderia parecer, de acordo com a famosa frase de Oscar Wilde, um descuido:

> ✻ O hotel deveria ser o mesmo de Morte na Praia? – N[eville] deve seguir de bonde devido à enchente

A seguinte referência estranha e imprecisa a um assassino anterior aparece nas anotações para *Os Elefantes Não Esquecem*. É estranho, porque Poirot não estava envolvido nesse caso e nunca conheceu Josephine:

> ✻ Visita a Poirot – pergunta sobre Josephine (A Casa Torta)

Esta estava entre as últimas anotações, escrita pouco antes da publicação de *Portal do Destino*:

> ✻ 2 nov. 1973 Livro de Contos
> Os Contos do Cavalo Branco

Primeiro – A Festa do Cavalo Branco (um pouco parecido com o Clube das Terças-Feiras de Jane Marple)

O Capítulo 25 de *A Testemunha Ocular do Crime* inclui uma breve referência críptica a *Convite para um Homicídio*, mas sem mencionar o título...

* Alguém ganancioso – um pouco como Letty Blacklock

... enquanto esta referência aparece durante a criação da trama de *A Terceira Moça*:

* Poirot preocupado – velho amigo (como em McGinty) vem para o chá

Finalmente, a ideia de reintroduzir o sargento Fletcher de *Convite para um Homicídio* foi rapidamente considerada, enquanto ela escrevia o enredo de *Cem Gramas de Centeio*:

* Capítulo II – Cruzamentos – Inspetor Harwell – ou jovem de Convite para um Homicídio

5

O Jogo de Cabra-Cega: Um Jogo de Morte

O som de duas balas estilhaçou o silêncio da sala. De repente, o jogo deixou de ser um jogo. Ouviu-se um grito...

Convite para um Homicídio, Capítulo 3

SOLUÇÕES REVELADAS

Os Crimes ABC • *A Extravagância do Morto* • "Manx Gold" • *A Maldição do Espelho* • *Convite para um Homicídio* • *Uma Dose Mortal* • *A Casa do Penhasco* • "Estranha Charada" • *Por que não Pediram a Evans?*

"Estilhaçar o silêncio" – este é o impacto dramático de um jogo que não dá certo em três livros de Agatha Christie; enquanto os dois outros são jogos reais, um intelectual e outro físico. O jogo mais mortal dos três livros acontece em *Os Crimes ABC*, enquanto nos dois outros, *A Extravagância do Morto* e *Convite para um Homicídio*, aparecem jogos reais que dão errado devido à intervenção de um assassino de verdade. "Estranha Charada" e "Manx Gold" são quebra-cabeças intelectuais jogados por personagens que receberão um prêmio polpudo ao final. O último foi um jogo que aconteceu de fato na Ilha de Man, em 1930, enquanto o primeiro se refere à interpretação de um testamento. E o jogo de Clarissa em *A Teia da Aranha* se mostra mais perigoso do que ela imagina. Na produção geral de Christie, o conceito do "jogo que não dá certo" não é um tema recorrente, mas o impacto dramático da cena na sala de estar em Little Paddocks, em *Convite para um Homicídio,* não pode ser negado.

"Manx Gold"

Maio de 1930

Os primos Juan e Fenella procuram um tesouro por meio de pistas deixadas por seu tio falecido – e um assassino.

Um relato completo dessa história pode ser encontrado na coletânea *Enquanto Há Luz,* de 1997, graças ao incansável trabalho de detetive do editor Tony Medawar. Resumindo, o presidente de um comitê de turismo da Ilha de Man procurou Agatha Christie, no final de 1929, pedindo-lhe que criasse uma caça ao tesouro na ilha para atrair um maior número de turistas. Depois de uma visita em abril de 1930, ela escreveu "Manx Gold", por 65 libras (cerca de 1.300 libras esterlinas hoje), que foi publicado em cinco capítulos, cheio de pistas, no *Manchester Daily Dispatch*, na terceira semana de maio daquele ano, num livrete distribuído por toda a ilha. O "tesouro" eram quatro caixas de rapé escondidas em lugares diferentes na ilha (Hercule Poirot conhece Mr. Shaitana numa exposição de caixas de rapé em *Cartas na Mesa*).

No Caderno 59, há vinte páginas de anotações para essa inusitada encomenda. Infelizmente, essas páginas contêm algumas das anotações mais indecifráveis de todos os Cadernos, incluindo muitas palavras riscadas, rabiscos e esboços. A história é uma referência menor em sua produção literária, surpreendente principalmente pela exclusividade de sua criação e pelo número de ideias que iriam reaparecer em um livro quatro anos depois. Uma foto instantânea e as últimas palavras de um moribundo, bem como um médico mau-caráter, aparecem em *Por que não Pediram a Evans?*. E, de fato, Juan e Fenella, um casal que junta seus esforços para elucidar um mistério, podem ser vistos como precursores de Bobby Jones e Lady Frances Derwent no mesmo romance. (Estranhamente, Juan e Fenella são noivos e primos-irmãos.) A ideia de usar tinta invisível apareceu pela primeira vez em "O Móvel do Crime", dois anos antes, e como um elemento menor do enredo no Capítulo 20 de *O Inimigo Secreto*.

As notas mostram exatamente a história como ela surgiu. Houve, no entanto, algumas mudanças nos nomes dos personagens – Ronald e Celia tornaram-se Juan e Fenella, e Robert tornou-se Ewan – enquanto a queda do penhasco e a pista da abotoadura foram descartadas no final:

> História
>
> Ronald e Celia – primos-irmãos – carta do tio falecido. Aborrecimento dela em relação ao tio – eles chegam – a governanta – sumiram 4 caixas de rapé. Deixou carta – com um poema misterioso – chamam os advogados. Então começam – a procurar – quando voltam – encontram os demais – Dr. Crook [Crookall era o nome do presidente do Comitê de Turismo!] MacRae – Alan – Robert Bagshawe... não gosta do modo como ele sorri. Decidem se juntar aos demais. No dia seguinte – as pistas – governanta vai buscá-las – foram roubadas – ela admite que eles lhe pediram e ela se recusou a entregar – uma abotoadura – foi Robert.
>
> Eles saem às pressas – encontram R na propriedade – morrendo – assassinado – pancada na cabeça ou no hospital – jogado de um penhasco. Aproximam-se dele – pode estar consciente no final – abre os olhos e diz "D'ye ken – ?" – e morre.

O "poema misterioso" referido acima aparece no Caderno 59 de dois modos, a versão publicada e a seguinte, um esboço anterior que não foi usado:

4 pontos cardeais há na bússola, Sul e Noroeste e Leste
Um duplo S – Não há Este para mim Siga adiante e mostre-me quão sábio és.

Duas outras pistas também aparecem:

Desculpe-me a verbosidade – tenho muitos seis e setes e Palavras trazidas no calor do fogo

Outro ponto de interesse neste Caderno é um desenho da pista fora do mapa da ilha – uma cruz, um círculo e uma seta apontando para baixo e os tracinhos apenas em um dos lados do círculo, como reparou Fenella.

Os Crimes ABC

6 de janeiro de 1936

Uma série de cartas para Hercule Poirot o desafia a um jogo mortal. Apesar desses avisos, o subscritor das cartas consegue matar Alice Ascher em Andover, Betty Barnard em Bexhill e Sir Carmichael Clarke em Churston. Enquanto o país assiste, conseguirá Poirot evitar o assassinato da letra D?

Graças ao Caderno 13, temos a data exata de quando esse romance foi escrito. Ali, num relato de viagem ao longo de quinze páginas, lemos o seguinte trecho, embora, infelizmente, não haja outras referências no registro de viagem sobre o andamento do romance:

Terça-feira 6 de novembro [1934] Comecei *Os Crimes ABC*.

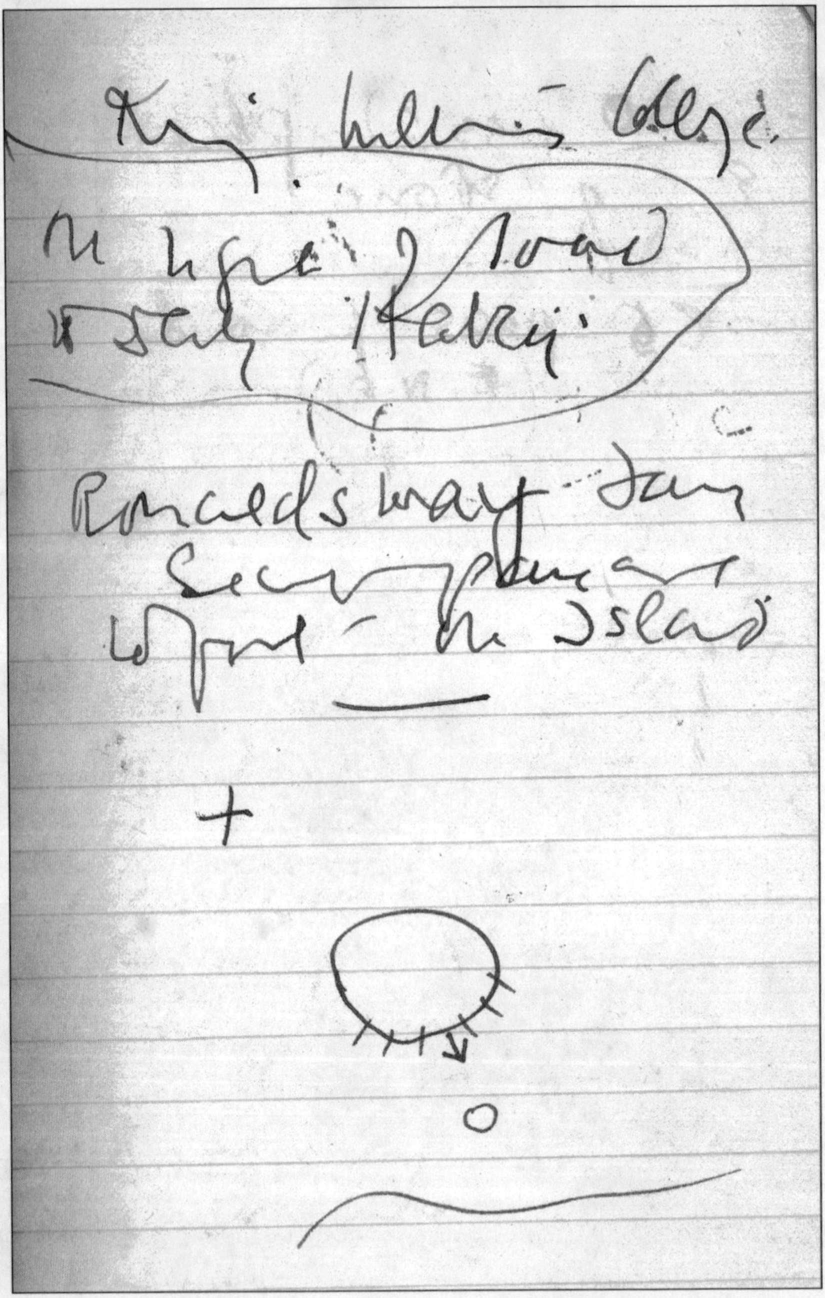

Um rascunho (e uma caligrafia pior ainda!) de uma pista na caça ao tesouro em "Manx Gold", no Caderno 59.

Apresentando um conceito altamente imaginativo – uma série alfabética tanto de vítimas de assassinatos quanto de lugares, escolhidos aparentemente de forma aleatória – que foi levado a termo com talento e ousadia, *Os Crimes ABC* estavam destinados a se tornar um dos três maiores livros de Agatha Christie. Hoje se esqueceu que foi uma das primeiras versões de um "serial killer", desses que agora enchem as prateleiras das livrarias e as telas de cinema. Quando esse livro foi escrito, a expressão nem sequer existia e é outro exemplo do pioneirismo de Christie, mesmo sem que ela percebesse isso, em relação a temas que dominariam os romances policiais nos anos seguintes. (O outro pioneirismo importante foi *E no Final, a Morte*, que se passa no Egito Antigo e prevê também uma tendência atual dos romances policiais ambientados em diversos períodos do passado.)

É, portanto, uma grande decepção haver apenas quinze páginas de anotações para *Os Crimes ABC*, espalhadas em três Cadernos. Suspeito que tenha havido anotações e esboços anteriores que não sobreviveram, porque a premissa intrincada do livro necessitaria de um planejamento detalhado e as anotações de que dispomos são relativamente diretas e organizadas.

Devido ao enredo elaborado e ao grande número de personagens, a caracterização é mais sucinta que de costume. Tratando de três investigações de homicídios distintos, que envolvem três grupos de suspeitos, a atenção à descrição dos personagens teve de ser de certa forma superficial. As únicas que foram descritas com detalhe são as que fazem parte do grupo de investigadores de Poirot.

As primeiras anotações parecem ter sido feitas no Caderno 66. Aparecem como item E em uma lista que inclui o esboço da trama para "Problema a Bordo", "O Sonho", *Morte nas Nuvens, Poirot Perde uma Cliente* e *Cipreste Triste*, e também inclui o germe rudimentar do que se tornaria, quase vinte anos depois, o romance *Cem Gramas de Centeio*.

Séries de assassinatos – P recebe carta de um aparente maníaco.

Primeiro – uma senhora em Yorkshire – Segundo – um executivo – Terceiro – uma moça (viajante?) – Quarto – Sir McClintock

Marsh (que não é assassinado – mas consegue escapar) – Quinto – Muriel Lavery

Análise da festa em sua casa – uma pessoa conhece moça mas tem um álibi perfeito.

Ideia do livro é prova que o álibi é falso mas realmente Sir MM – assassinada ~~segunda v~~ terceira vítima por razões pessoais – 1º e 2º disfarce – ideia desmontar o álibi perfeito deste homem provando sua culpa.

É interessante notar vários pontos de semelhança mesmo entre essas primeiras anotações e o romance terminado. Elas incluem a ideia preservada de uma "senhora" como a primeira vítima. A segunda vítima do romance é uma jovem – "viajante?" – num balneário, refletindo a terceira vítima potencial. O artifício de dois homicídios anteriores como disfarce para um terceiro – "por razões pessoais" – é mantido. E o homem que tem o "álibi perfeito" parece ser o precursor de Alexander Bonaparte Cust, embora um álibi perfeito não seja a característica de sua defesa.

Em contraste, a divergência mais surpreendente em relação ao romance terminado é o desmascaramento da quarta suposta "vítima" do maníaco como o homicida. O mote de "vítima como homicida" não é uma ideia original; usado com grande efeito por Christie em *A Casa do Penhasco*, seria usado novamente, produzindo um efeito igualmente surpreendente, em *Uma Dose Mortal*, *Convite para um Homicídio* e *A Maldição do Espelho*. Por que ela abandonou esse recurso a partir de então, nunca saberemos, por não ter sido um argumento tão utilizado em seus livros.

A referência à "festa em sua casa" também é intrigante. Não há nenhuma cena de festa em casa em *Os Crimes ABC*, embora a ideia lembre a análise da festa fatal que Sir Bartholomew Strange deu em sua casa em *Tragédia em Três Atos*. E, evidentemente, não há menção à ordem alfabética, que é o fundamento principal do romance. Se a quinta vítima fosse Muriel Lavery, então, a ordem certamente não seria alfabética.

O Caderno 20 também traz um breve esboço do enredo e agora a ordem alfabética já foi estabelecida. Os detalhes do relevante homicídio

"C" aproximaram-se mais dos do romance. Mas ainda há diferenças importantes, especialmente no final da anotação:

> Aberystwyth – Mrs. Ames, mais idosa – marido suspeito
>
> Bexhill – Janet ~~Taylor~~ Blythe
>
> Cottersmarch – Sir Morton ~~Carmichael~~ Clarke – também um homem muito rico – seu irmão Rudolph – deseja ajudar – amiga ou irmã de Janet Taylor também interessada
>
> Doncaster – James Don – morto num cinema
>
> P. recebe um telegrama – E. – manda-o ele mesmo – homem é libertado – R[udolph] diz que deve se tratar de outro homicídio

Muitos detalhes dos primeiros quatro homicídios aqui são mantidos. O homicídio A apresenta uma senhora cujo marido é o suspeito; o local, no entanto, é diferente (provavelmente porque Andover é mais fácil de soletrar e/ou pronunciar do que Aberystwyth!). O homicídio B ocorre no mesmo lugar, embora o nome da vítima seja outro. Note a mudança para uma inicial B, embora Barnard seja o sobrenome enfim escolhido. O homicídio C tem o mesmo arranjo – um rico Sir Morton Clarke (note que o nome como aparece no livro, Carmichael, curiosamente foi cortado aqui). O irmão e a irmã de duas das vítimas estão interessados em ajudar, uma ideia seguida pelo grupo de auxiliares de Poirot. O homicídio D ocorre em Doncaster e dentro de um cinema, embora no romance, de fato, o sobrenome da vítima comece com a letra E.

Uma surpresa, no entanto, que permanece infelizmente sem explicação, é a referência ao homicídio E. Eu arriscaria dizer que, ao enviar uma carta ABC para si mesmo, Poirot estava conduzindo a libertação de um suspeito (possivelmente Alexander Bonaparte Cust), que ele sabe ser inocente. Também poderia estar provocando o assassino, precipitando um desmascaramento mais dramático no último capítulo.

No Caderno 66, cinquenta páginas depois da primeira referência, ela retoma o romance começando com os possíveis locais para os homicídios. Considera duas hipóteses, contendo alguns elementos – a existência de uma vítima "real", com um herdeiro avarento, e uma sequência de "falsas" vítimas – que Christie acabou adotando. Finalmente, inclui uma lista de perguntas que Poirot faz aos seus cinco auxiliares no Capítulo 32 do romance:

> Crimes A.B.C.
>
> Poirot recebe carta
> Vai a Aberystwyth
>
> Brixham ou Bexhill
> ~~Cheadle~~ ou Croydon
> ~~Dartmouth~~ Daneshill
>
> Hipótese A
> Vítima visada Sir ~~Lucas~~ Oscar Dane –
> Causa comoção – sua fortuna vai para seu irmão Lewis Dane
>
> Hipótese B
> Vítima visada Janet King
> 3ª vítima é Sir Oscar Dane – mas ele é apenas esfaqueado – não ferido mortalmente – o testamento dela deixa tudo para a sobrinha Vera, que é enfermeira de Oscar – Vera e Oscar se sentem atraídos
>
> P faz uma pergunta a cada um
> Megan – tem paixão pela verdade – quer a verdade? – NÃO – Você pode não querer a verdade mas pode dar uma resposta verdadeira!
> Thora – teria se casado com Sir C se sua mulher tivesse morrido
> F[ranklin] Lembra-se da manchete do jornal no dia em que chegou ou [uma pergunta sobre] chapéus de Ascot
> J. Você tem um filho jovem?
> D[onald] Quando viajou de férias?

Apenas um dos possíveis lugares, Bexhill, foi de fato usado no livro. Ela rejeitou a localidade próxima de Dartmouth e ambas as sugestões com a letra C, terminando por escolher outro lugar que conhecia bem, Churston, como a cena para o homicídio C. Ainda é possível pegar o trem, como Poirot e Hastings fizeram, para Churston e andar dali até a Mansão Greenway, embora nesse momento, em 1934, Christie ainda não tivesse a casa.

A Hipótese A foi a escolha final como trama principal, embora a Hipótese B tivesse algumas possibilidades interessantes. Sir Oscar Dane simulando um ataque para matar outra vítima e herdar, por meio do casamento, uma fortuna da mulher é uma ideia típica de Agatha Christie e teria, sem dúvida, produzido um final surpreendente. Lembra bastante *A Casa do Penhasco*, publicado dois anos antes (em que Nick Buckley simula ataques para poder matar sua prima e herdar a fortuna), e esse é possivelmente o motivo para ela ter rejeitado a ideia.

A maior surpresa, nesse ponto, é as vítimas não terem sido escolhidas em ordem alfabética, apesar de Christie ter escrito, poucas páginas antes, as localidades de Brixham / Cheadle / Dartmouth. A terceira "vítima" é Dane e a quarta é King. Embora devesse haver uma ligação das vítimas, a sugestão da ordem alfabética foi uma inspiração. E, como muitas inspirações, essa é simples e brilhante. Infelizmente, nunca saberemos quem ou o que a inspirou. Talvez Christie tenha se lembrado de *Por que não Pediram a Evans?*, publicado em setembro de 1934, a dois meses de começar a escrever *Os Crimes ABC*, em que um Guia ABC aberto é mencionado no Capítulo 24 e usado como pista para localizar um dos personagens.

Finalmente, as cinco perguntas do Capítulo 32 aparecem no Caderno como estão no livro, exceto por uma inicial diferente ("J") para a pergunta a Mary Drower e a substituição da pergunta mais curta e sutil ("chapéus de Ascot") para Franklin Clark.

Um dos temas principais dos Capítulos 32 e 35, de um assassino caçado como uma raposa, é capturado numa última anotação críptica:

Um pouco sobre a raposa

"Estranha Charada"

Julho de 1944

Quando o rico Tio Mathew morre e deixa uma pequena herança em seu testamento, os herdeiros procuram Miss Marple para tentar descobrir o paradeiro da fortuna.

O conto de Miss Marple "Estranha Charada" foi publicado pela primeira vez nos Estados Unidos em novembro de 1941, mas surgiu na Inglaterra somente três anos depois. É um conto não criminal construído em torno de um único argumento, em relação à interpretação de pistas sobre uma fortuna desaparecida. Sua brevidade, apenas dez páginas, confirma a semelhança com um acróstico.

A leitura de testamentos aparece em alguns contos de Agatha Christie. Poirot lida com "O Caso do Testamento Desaparecido", Tommy e Tuppence resolvem "A Filha do Clérigo" / "A Casa Vermelha", e "Estranha Charada" é uma das versões para Miss Marple, sendo a outra "O Móvel do Crime" em *Os Treze Enigmas*.

A página no Caderno 62 que vem encabeçada com o título de "Contos de Miss Marple" lista ideias que acabaram por aparecer em "O Caso da Empregada Perfeita", "O Episódio da Caseira", "O Crime da Fita Métrica", *A Mão Misteriosa* e, estranhamente, *Noite sem Fim*. Há também algumas ideias que não foram usadas, incluindo duas que aparecem várias vezes, as gêmeas e a criada (veja "A Casa dos Sonhos", na Prova F, no Capítulo 9). Algumas páginas depois, há três com anotações sobre "Estranha Charada", incluindo um esboço completo do enredo:

Encontrado em cartas de amor do exterior – criptograma na carta?
Não – selos colados na carta.

> Velho Tio Henry – falecido – tinha dinheiro, mas escondeu-o em algum lugar – Ouro? Diamantes? Títulos? Últimas palavras – toca seu olho – (olho de vidro como Arsene Lupin). Eles procuram na escrivaninha – gaveta secreta encontrada por especialista em mobília – cartas de amor de Serra Leoa assinadas por Betty Martin

A ideia de selos desconhecidos e valiosos colados num envelope aparece novamente em *A Teia da Aranha* quase quinze anos depois. A pista principal da história, a expressão "os meus olhos e Betty Martin", é exatamente a mesma de "Os Quatro Suspeitos" em *Os Treze Enigmas*. A referência a Arsène Lupin vem do conto criminal "A Tampa de Cristal", escrito por Maurice Leblanc, em que aparece o detetive francês.

Também digna de nota é a ideia do olho de vidro. Christie decidiu não a usar nesse conto, adotando, em vez disso, a ideia de Tio Henry (Mathew na versão publicada) tocar o olho. Mas é totalmente possível que o olho de vidro, que criou uma peça-chave do enredo em *Mistério no Caribe*, quase 25 anos depois, tenha sua origem aqui.

Convite para um Homicídio

5 de junho de 1950

Um anúncio no jornal local que alerta sobre um assassinato traz muitos moradores de Chipping Cleghorn para Little Paddocks, a casa de Miss Blacklock, onde um pretenso jogo de Homicídio se torna mortal. Miss Marple, que faz uma visita ao vigário da cidade, investiga o triplo assassinato.

Convite para um Homicídio foi o 50º livro de Agatha Christie (embora uma coletânea americana de 1939, *O Mistério da Regata e Outras Histórias,* precisasse ser incluída para atingir esse número redondo), que gerou um grande lançamento e uma festa de comemoração no Hotel Savoy em Londres, em junho de 1950. Ela posou feliz para os fotógrafos com Sir William Collins, ao lado de um bolo com uma cobertura igual à capa do livro. Entre os convidados estavam o autor de romances policiais Ngaio Marsh e a atriz Barbara Mullen, que representava o papel de Miss Marple em *Assassinato na Casa do Pastor*, em cartaz no West End.

Convite para um Homicídio é um dos melhores romances policiais que Agatha Christie escreveu. Fica, sem dúvida, entre os Dez Melhores livros policiais e é o melhor dos títulos de Miss Marple. O último dos romances policiais, brilhantemente construído, com as pistas mais ousadas e mais perfeitamente narrado, e um livro maravilhoso para celebrar os cinquenta anos de sua carreira literária, que compartilha o enredo principal com "A Dama de Companhia", em *Os Treze Enigmas*, e "A Casa de Shiraz" (veja o Capítulo 8), em *O Detetive Parker Pyne.* Embora não haja muitas anotações para esse livro – apenas dez páginas ao todo –, temos ideias interessantes que foram elaboradas antes de ela decidir o enredo final. A referência seguinte, que está no Caderno 35, é a ideia J de uma lista alfabética datada de 1947:

> J. Um Homicídio foi (combinar com H)
>
> Algumas pessoas se encontram numa casa no Campo ~~Ou num jantar em Londres~~ Como [O Caso dos Dez] Negrinhos – cada um deles pensa antecipadamente – sobre 6 pessoas – todos têm um motivo para matar determinado homem – por isso foram convidados – a vítima aparece por último – anfitrião e anfitriã (como Mrs. North) – sempre é alugado – para festas ou uma casa em Londres – os números da rua foram repintados
>
> Uma morte foi acertada e ocorrerá na segunda-feira dia 6 de fevereiro no Ennerly Park Gardens nº 20 – amigos aceitam o anúncio como única intimação – pedem para não mandar flores

Como veremos, o local mudou algumas vezes antes de escolher Chipping Cleghorn, como as palavras usadas no convite. E no romance terminado encontramos um grupo de pessoas que vão para uma casa no campo, mas nem todas têm motivo para matar e a razão de serem convidadas é bem diversa. "Mrs. North" é certamente Dorothy North, amiga de Agatha Christie (a quem *Uma Dose Mortal* é dedicado). "Combinar com H" refere-se a uma anotação anterior sobre uma trama, nunca usada, que envolve a mãe de duas filhas e divorciada, cujo primeiro marido herda uma fortuna. As filhas são Primrose e Lavender, e os homicídios que se seguem deveriam apresentar as flores deixadas junto aos corpos; daí a solicitação para "não mandar flores".

No Caderno 31 podemos ver a trama que conhecemos tomando forma. Essas anotações estão inseridas em quatro páginas no meio de longas anotações para *Aventura em Bagdá*, datado, algumas páginas antes, em "24 de maio". Isso aconteceu, presumivelmente, em 1948; em 8 de outubro de 1948, Edmund Cork, o agente inglês de Agatha Christie, escreveu ao agente americano garantindo que ela, embora não tivesse escrito nenhuma palavra naquele ano, logo começaria um conto de Miss Marple. De fato, ela o escreveu em 1949.

O Argumento I, a seguir, é a trama que conhecemos, embora falte um pouco de sintonia fina – Harry (Patrick Simmons no romance) não é a vítima, nem tem conhecimento de nada que prejudique Miss Blacklock. Além de outras alterações de nomes, como indicado, essa é a trama como apareceu no final.

A passagem realmente interessante, no entanto, é o Argumento II. Aqui somos apresentados a uma trama e assassino totalmente diversos, com Letitia como vítima em vez de assassina:

Um H[omicídio] foi encomendado

Letitia Bailey no café da manhã lendo [Letitia Blacklock]
Amy Batter – alguém a chama Lottie [Dora Bunner] jovem
Harry Clegg – filho ou sobrinho da antiga escola
amigo? [Patrick Simmons]

Phillipa Hedges lodger [Phillipa Haymes]
Cel e Mrs. Standish [Cel. e Mrs. Easterbrook]
"Hinch" e "Potts" [Hinchcliffe e Murgatroyd]
Edmund Darley e sua mãe [Edmund e Mrs. Swettenham]
Mitzi – criada?

Os fatos

Argumento I
L[etitia] é Deus ex Machina – Irmã "Charlotte" é na verdade sua ...."suposta" irmã atuando ESL [em seu lugar]

Pista
1 Belle revela isto
2 Chamada de Lotty por Amy em vez de Letty

[por isso] L. precisa eliminar – Harry? Ele sabe por causa de foto – (vista no álbum?) – (ligado ao desaparecimento do álbum?) – (ou lugar vazio nele) mais tarde – ostensivamente fotos de P e E – ou sua mãe – Phillipa é "Pip" Reconhecida por L. que é, no entanto muito solícita em relação a ela e adianta hipótese que H. é Pip. L. atira em Pip H – Envenenamento posterior – Amy morre no lugar dela – O círculo se fecha para procurar por Emma ou o marido de Emma – ou o marido de Phillipa (desaparecido) – Indica carta anônima de "Pip" (escrita por L) enviada a Belle.

3º euforia é o perigo para alguém que descobriu algo (Phillipa?) seu amigo (interesse amoroso?) Edmund ou o amigo misterioso de Edmund

Argumento II

Mitzi se muda constantemente – ela é "Emma" – Rapaz morto a tiros é seu marido – isso é revelado depois – ela persiste – Harry e Phillipa combinam emboscada – segunda a ser assassinada é Letitia – ~~(Mitzi muito doente?) Envenenamento~~ – Mitzi é suspeita – jovem polonesa perseguida – mal-humorado – complexo de perseguição – então ela quase morre – Letitia faz novo testamento?

Como Harry e Phillipa deveriam armar a emboscada não foi elaborado, a menos que tencionasse ser parte do jogo. Jamais saberemos.

Na anotação sem data para a editora Collins, Christie chama a atenção para as provas de impressão e a grafia correta para "Lotty" e "perquirições", lembrando-lhes a importância de que fossem impressas algumas vezes de forma *incorreta* – "A trama depende disso". Há apenas uma única referência a esse detalhe nos Cadernos; no Caderno 30, o trecho seguinte aparece assim:

> Ideia
>
> Perquirição perquisição – ambos na mesma carta (parte foi falsificada)

Quando ela incorporou esse detalhe em *Convite para um Homicídio,* vemos que o utilizou de um modo muito mais inteligente do que apenas como uma falsificação. Ao incluir as duas grafias, em páginas praticamente consecutivas no Capítulo 18, em documentos supostamente escritos pelo mesmo personagem, ela desafia os leitores a descobrir o erro e, dessa forma, encontrar um indício importante para desvendar a identidade do assassino. É uma de suas pistas mais desafiadoras. O uso de ambas as grafias com a mesma caligrafia pode ter sido um pouco ousado *demais* e a solução que ela adota é muito mais sutil.

Embora nos Cadernos haja poucos detalhes sobre *Convite para um Homicídio*, temos sorte de ter o manuscrito original datilografado – um dos poucos conhecidos – com várias anotações feitas à mão. Uma página manuscrita inserida elabora as mudanças em relação ao nome do vilarejo – "Chipping Burton? Chipping Wentworth?" – em vez do nome original Chipping Barnet, o nome do inspetor – "Cary? Craddock?" – em vez de Hudson, e o nome da vítima – "Wiener?" – em vez do original Rene Duchamps. O texto original do anúncio também foi alterado: "Um Homicídio foi encomendado e acontecerá na sexta-feira, 13 de outubro, em Little Paddocks, às 18h. Os amigos recebem este aviso como única intimação". E o título desse texto datilografado soa excessivo: "Um Homicídio foi Encomendado". Estranhamente, o nome "Laetitia" aparece por toda a parte e todos eles foram emendados, à mão, para simplesmente

À parte a trama policial sublime, *Convite para um Homicídio* também é uma descrição convincente de uma Inglaterra recém-saída da austeridade do pós-guerra. Não estamos mais no mundo dos mordomos e coquetéis de recepção; não há mais roupas de gala para ir a um jantar ou pedidos para a criada da senhora; não há hóspedes de fim de semana ou álibis de noites passadas na ópera. A sombra do racionamento e do escambo, desertores e a "ajuda" estrangeira, cadernetas de racionamento de comida e cartões de identidade assombram o livro. De fato, algumas das pistas vêm desse meio – o uso extravagante do aquecimento central, o bilhete com a grafia incriminadora, a facilidade de acesso às casas para fazer a troca de mercadorias. O Capítulo 10 iii também inclui um diálogo de Miss Marple com o inspetor Craddock sobre a mudança da antiga ordem:

– Há quinze anos conhecíamos todo mundo... Mas não é mais assim... Ninguém sabe mais quem é quem.

E isso, com a costumeira engenhosidade de Agatha Christie, também é incorporado à trama.

"Miss (Blacklock)", levando à conclusão de que essa alteração foi feita depois, apesar de estar presente nas anotações – "Irmã 'Charlotte' é, na verdade, ela", como indicado acima. Christie consideraria extremamente desonesto referir-se a "Laetitia" se a personagem fosse realmente Charlotte; por isso a alteração para o nome preciso, porém ambíguo, *Miss* Blacklock.

A única nota dissonante desse quase perfeito romance policial é o desfecho pouco provável, na cozinha de Little Paddocks, quando Miss Marple exercita seu então desconhecido dom de ventriloquia. Uma característica comum de quase todos os livros de Miss Marple é o dramático capítulo final. Como em *Convite para um Homicídio*, *Um Corpo na Biblioteca*, *A Mão Misteriosa*, *Um Passe de Mágica*, *A Testemunha Ocular do Crime*, *Mistério no Caribe*, *O Caso do Hotel Bertram*, *Nêmesis* e *Um Crime Adormecido*, todos culminam em uma sequência de ação teatral, em que

Outro aspecto desse romance que merece atenção é a presença subliminar de um casal de lésbicas, Miss Hinchcliffe e Miss Murgatroyd. Até esse momento, os poucos personagens homossexuais espalhados pelos romances eram figuras cômicas (Mr. Pye, em *A Mão Misteriosa*, ou Mr. Ellsworthy, em *É Fácil Matar*) ou uma ameaça (o mordomo de beleza grega de Lorde Edgware ou, alguns anos mais tarde, Alec em *Os Ratos*). A descrição da dupla de Chipping Cleghorn é factual e, em relação aos moradores do vilarejo, comum; mas, depois do assassinato de Murgatroyd, é comovente. Esse é um desenvolvimento claro na representação de Christopher Wren em *Os Três Ratos Cegos*, três anos antes. Ele é uma das melhores criações da autora e é descrito no roteiro original como tendo uma "voz afeminada"; e não é diminuído na versão teatral dois anos depois de *Convite para um Homicídio*, em que ele comenta como os policiais eram atraentes (Ato I, Cena ii). Logo depois do lançamento de *Convite para um Homicídio*, quando Christie estava planejando *A Morte da Sra. McGinty*, ela pretendia que dois suspeitos fossem "dois rapazes que vivem juntos", embora tivesse abandonado essa ideia.

o assassino incrimina a si mesmo, em geral, numa tentativa malsucedida de mais um homicídio. Na maioria das vezes, isso ocorre porque o caso que Miss Marple descreve tem uma investigação curta e depende imensamente de sua intuição, que, embora precisa, não equivale a uma prova judicial. Estranhamente, em *Convite para um Homicídio*, diferindo de todos os seus demais casos, as provas são abundantes e há inúmeras pistas para complementar o dom de percepção de Miss Marple. Como Robert Barnard ressaltou em seu soberbo estudo sobre Dama Agatha, *Talento para Ludibriar*, a reputação de Miss Marple como Grande Detetive não se aprimora ao emergir de um armário de vassouras no auge do romance. Essa curta cena de duas páginas poderia ter sido facilmente alterada para evitar esse constrangimento.

A Teia da Aranha

Estreia em 14 de dezembro de 1954

Quando descobre um morto em sua sala de estar logo antes de seu marido diplomata chegar em casa com um político importante, Clarissa faz um plano para enganar a polícia. Ela pede a ajuda de três hóspedes, sem saber que o assassino está mais próximo do que imagina.

Há vinte páginas de anotações para *A Teia da Aranha*, todas no Caderno 12. A personagem de Clarissa, escrita especificamente a pedido da atriz Margaret Lockwood, é a melhor criação cômica de Agatha Christie. A peça propriamente dita é uma comédia de suspense com suficientes elementos de ambos para torná-la um sucesso. É também uma mistura equilibrada de drama e comédia; um assassino-surpresa é desmascarado nos últimos minutos, mantendo a fama de Christie de conseguir fazer revelações chocantes, e há inúmeras mudanças inesperadas no enredo secundário. O aspecto de comédia não era uma característica frequente na produção de Agatha Christie, mas também é uma característica, em maior ou menor grau, em suas três peças seguintes: *Um Hóspede Inesperado, Veredicto* e *Os Ratos.*

A primeira página das anotações traz na primeira linha:

Ato III Teia da Aranha Laura encontra um Corpo?

Christie adota seu método costumeiro de designar letras para os diversos pontos da trama que se seguem, mas, apesar do cabeçalho, nem todas se referem ao Ato III. Alguns, como foi marcado, aparecem no Ato II, Cena ii, levando à suspeita de que os atos foram reorganizados (talvez durante a produção da peça), e o Ato III originalmente incluía a cena anterior.

Não há surpresas nas anotações e nenhum desenvolvimento de trama inesperado; aqueles que permanecem, refletem exatamente o curso da encenação. Com a exceção de Sir Rowland Delahaye, que aparece nas anotações como Sir M, até os nomes são os mesmos. Presumo que o desaparecimento das anotações dos primeiros atos seja uma decorrência do passar dos anos.

A Teia da Aranha está cheio de ideias de livros anteriores:

- Miss Peake esconde o corpo sobre a cama do quarto de hóspedes debaixo do travesseiro, como o vilão em "O Homem de Nº 16", o último conto de *Sócios no Crime*.
- A carta do baralho que está faltando é o enredo de "O Rei de Paus".
- A ideia de selos valiosos colados num envelope aparece em "Estranha Charada".
- A criação de Pippa de uma boneca de cera é a mesma linha de ação que Linda Marshall seguiu em *Morte na Praia*.
- Clarissa assumindo a responsabilidade pelo assassinato quando parece que Pippa foi a responsável lembra a atitude de Caroline Crale para proteger a irmã, Angela, em *Os Cinco Porquinhos*.
- "A Aventura do Apartamento Barato" também usa o artifício de um imóvel ser vendido com desconto para a pessoa certa.
- Há ainda outra variação inteligente sobre uma pista envolvendo nomes (veja *Convite para um Homicídio*, *A Morte da Sra. McGinty* e *A Casa do Penhasco*).
- Há referências disfarçadas a *O Caso dos Meninos Negros* [sic] no Ato II, Cena ii, e a um "corpo na biblioteca" no Ato I.

Pontos

A. Miss Peake está no quarto de hóspedes
B. Miss Peake aparece – "o corpo desapareceu" – ela pisca
C. Sir M diz – "nunca um adulto" [Ato I]
D. Inspetor e Sir M – Este explica a hipótese de narcóticos [Ato II, Cena ii]
E. Inspetor sugere ter encontrado algo na escrivaninha [Ato II, Cena ii]
F. Clarissa (para Sir M) um de vocês o tirou daqui? Não – todos vão juntos para a sala de jantar
G. Cl. pergunta a Sir M (ou Hugo) o nome de donos de antiquários
H. O livro – Sir M diz "O que o inspetor está consultando – Quem é Quem" [Ato II, Cena ii]
I. Sir M conta história sobre amigo e selos ou envelope com autógrafos
J. Clarissa pede referências a Elgin [Ato II, Cena ii]
K. Pippa entra – bocejos imensos – fome
L. Clarissa acusa Miss Peake de ser Mrs. Brown

A preocupação principal com as cenas envolvendo Pippa era a presença ou ausência, em retrospecto por razões óbvias, de Jeremy. Essas cenas aparecem no Ato I.

Trechos de Pippa

1. Velas de livro de receitas, Consegue comê-lo? Presente (Sir M? Jeremy? Clarissa?)
2. Confessionário – Local para se colocar corpo. Presente Jeremy e ??? [sic]
3. Os autógrafos – Pippa os mostra – guarda-os numa caixa
4. Depois um pouco sobre selos – Jeremy <u>não</u> está presente – outros ad lib

Um dos itens interessantes entre os papéis de Agatha Christie é uma proposta de roteiro, datada de 1956, para uma possível versão cinematográfica dessa peça teatral. Não é totalmente certo que tenha sido escrita por Christie, mas parece uma versão "não oficial", ou seja, feita por alguém não diretamente envolvido com o filme, rodado em 1960. Esboça os fatos que sucederam antes do começo da peça – Clarissa encontra Henry, Miranda desesperada por drogas, o divórcio subsequente e o recasamento, e a aceitação de Clarissa por Pippa; também inclui a venda de um envelope selado a Mr. Sellon...

A Extravagância do Morto

5 de novembro de 1956

Mrs. Oliver organiza uma Caça ao Assassino na propriedade da Mansão Nasse. Quando o "corpo" parece ser real demais, Hercule Poirot está a caminho para descobrir quem matou a aluna Marlene Tucker e o que aconteceu a Lady Folliat.

Embora tenha sido publicado em novembro de 1956, *A Extravagância do Morto* teve uma complicada gênese de dois anos. Em novembro de 1954, o agente de Christie escreveu para a Diretoria Financeira Diocesana em Exeter explicando que sua cliente gostaria de ver janelas com vitrais na chancelaria da Igreja de Churston Ferrers (igreja da cidade de Agatha Christie) e estaria disposta a pagar por isso cedendo os direitos de um conto para um fundo estabelecido com essa finalidade. A Diretoria Diocesana e a igreja da cidade ficaram ambas muito satisfeitas com a doação e, numa carta de 3 de dezembro de 1954, Hughes Massie confirmou "a intenção da Sra. Mallowan de ceder os direitos autorais de publicação em revista referente a um longo conto a ser intitulado *A Extravagância de Greenshore*" para esse fundo. O total avaliado foi estimado em torno de mil libras esterlinas (18 mil libras esterlinas em valores atuais).

Em março de 1955, a Diretoria Diocesana começou a ficar ansiosa e queria saber sobre o andamento das vendas. Mas, pela primeira vez em 35 anos, para o constrangimento de todos, comprovou-se ser impossível vender o conto. O problema era sua extensão; era uma novela, com tamanho difícil de encaixar: não era um romance, mas também não era um conto para ser publicado numa revista. Em meados de julho de 1955, a decisão foi retirar o conto de venda, pois "Agatha pensa que ele está cheio de material muito bom que ela poderá usar em seu próximo romance". Como compensação, ficou acertado que ela escreveria outro conto para a igreja, também a ser chamado, por razões legais, "A Extravagância de Greenshore", "embora seja provavelmente publicado com algum outro título". Então, a novela original e rejeitada "A Extravagância de Greenshore" foi transformada em *A Extravagância do Morto* e Christie escreveu uma versão mais curta chamada "A Extravagância de Greenshaw", para encher os cofres das autoridades eclesiásticas. "A Extravagância de Greenshaw" foi publicado pela primeira vez em 1956 e incluído na coletânea *A Aventura do Pudim de Natal*, em 1960.

As anotações de *A Extravagância do Morto* estão nos Cadernos 45 e 47. Como resultado de seu desenvolvimento, é difícil dizer, a partir dos Cadernos, se as anotações se referem à novela ou à versão do romance, mas é mais provável que no Caderno 47 esteja a novela original e no Caderno 45 esteja a versão mais elaborada – no Caderno 47 há a discussão dos pontos básicos, que não teriam sido necessários se o conto já tivesse sido escrito. Em quinze páginas, Christie esboçou toda a trama de "A Extravagância de Greenshore"; então, quando precisou expandi-la, somente elaborou as cenas que já existiam – o enredo já estava inteiro dentro da novela.

O Caderno 47 esboça a situação básica e delineia algumas ideias, que, com poucas alterações – uma festa no jardim em vez de "Festa do

Conservatório", uma escoteira como vítima em vez de um escoteiro –, seriam incluídas na história:

> Mrs. Oliver chama Poirot – ela está em Greenway – trabalho profissional – montar uma Caça ao Tesouro ou uma Caça ao Assassino para a Festa do Conservatório, que deve acontecer lá
>
> "Corpo" do escoteiro numa casa de barcos – chave do que deve ser encontrado por meio de "pistas"
>
> ou um corpo <u>de verdade</u> está enterrado onde afloram as raízes da árvore e onde a Caça irá se desenrolar
>
> Algumas ideias
> Caronista (moça?) do albergue
> Vizinha – na verdade Lady Bannerman [Stubbs]

É importante ressaltar que, desde o começo, a história deveria acontecer em Greenway. Talvez porque fosse um projeto pessoal, escrito para o seu lugar predileto, Christie estava ansiosa para manter um sabor local. Embora ela tenha usado Greenway antes em *Os Cinco Porquinhos* e usaria a barca no fundo do jardim em alguns anos em *Punição para a Inocência*, *A Extravagância do Morto* representa um uso longo e detalhado de sua adorada Greenway. Além da casa propriamente dita, e sua história como foi contada por Mrs. Folliat, aparecem o Gate Lodge, Ferry Cottage, a Casa de Barcos, o Cais, a Quadra de Tênis e o Albergue da Juventude ao lado; e a geografia interna da casa reflete a realidade até no quarto de Poirot e no banheiro do outro lado do corredor. O pé de magnólias próximo à porta de entrada, onde Mrs. Folliat e Hattie param para conversar, a pista de acesso sinuosa que seguia até os grandes portões de ferro, o caminho íngreme e curvo que ligava o Cais à Casa de Barcos – todos existem ainda hoje.

As anotações seguintes, todas do Caderno 47, formam a base de *A Extravagância do Morto*. Christie decidiu adotar a versão B como o motivo e ninguém com o nome de Lestrade aparece em nenhuma das publicações:

> Quem quer matar quem
>
> A. Mulher quer matar o rico P Lestrade tem uma amante – ambos pobres
>
> B. Jovem esposa reconhecida por alguém que sabe que ela já é casada – suborno?
>
> C. P Lestrade – tem uma primeira esposa que não morreu – (na A. Sul?) – é a irmã da esposa que o reconhece
>
> Moça tcheca no albergue? P menciona encontrar uma moça do albergue "invadindo" – discussão entre eles vista (mas não ouvida) por alguém – ele decide matá-la
>
> D. Mrs. Folliat – um pouco boba – ou a jovem Folliat no albergue?
>
> Mrs. Folliat da família original que o construiu – hoje pertence a Sir George Stubbs casado com jovem belíssima – moça chilena? – mãe italiana – Nativa? – ricos usineiros – moça é abobada. Diz-se que Sir G fez sua fortuna em contratos com o Exército – na verdade Sir G (um pobretão) está planejando matar a mulher e herdar o dinheiro dela

As referências a "Greenshore" no trecho seguinte parecem confirmar que o Caderno 47 contém as anotações originais para a novela:

> Sir George casa-se com Hattie Deloran? – ela é mentalmente retardada – ele compra uma propriedade "Greenshore" e vem com sua esposa – à noite uma caça foi preparada – ela é enterrada. A Caça continua no dia seguinte – outra Lady Dennison [Stubbs] toma o lugar da outra – os criados nada percebem – eles saem para passear a pé – outra moça retorna (da casa de barcos). Então por um ano Sir George e Lady Dennison são bem conhecidos pelos hóspedes. Então chega o momento de Lady D desaparecer – ela vai e volta de Londres – faz um jogo duplo fingindo ser estudante

Sally Legge permanece no romance; a razão para a mudança do primeiro nome de Peggy foi destacada por Christie. Decididamente foi uma boa ideia!

Pontos a ser decididos

A. Quem seria escolhido para ser a primeira vítima? Peggy Legge? Algo que lembre "Old Peg Leg"

B. O que Maureen [Marlene] sabia ou fazia – ouviu avô dizer sobre corpo e Sir George ser James na verdade?

Ou

Ela espiona? Tem intenção de espionar o que acontece? Realmente vê Lady S se vestir de caronista?

Ou

Vê Sir George e sua parceira juntos?

O que Maureen escreve na revista em quadrinhos?

A pista de Mrs. O?

Casa dos barcos?

Barco da casa?

O que Maureen escreve na revista – G[eorge] S[tubbs] sai com uma moça do Albergue

Os trechos seguintes, do Caderno 45, têm referências de páginas, presumivelmente das provas gráficas de "A Extravagância de Greenshore". Os comentários adicionais são lembretes para ela mesma, à medida que vai aumentando o conto original. Ela também testa os detalhes da Caça ao Assassino de Mrs. Oliver e esclarece o cronograma daquela tarde fatal:

P. 119 – Elaborar a lembrança de Mrs. F

P. 21 – Uma cena mais detalhada na sala de visitas durante o chá

P. 24 Ir até Legges depois de "Hattie"

Reordenar a ordem dos próximos acontecimentos

P. 38 Elaborar a festa no café da manhã –

P. 47 Talvez uma entrevista com Michael Weyman no pavilhão de tênis

Esclarecer ponto sobre a tenda da cartomante

p. 61 muito mais detalhes depois da descoberta do corpo

Plano de Mrs. Oliver

As Armas
Revólver
Faca
Varal

Pegada (no concreto)
Catálogo Rose Gladioli ou Bulb? Marcado?
Sapato
Foto instantânea

Quem?	Vítima
Por quê?	Arma
Como?	Motivo
Onde?	Hora
Quando	Local

Esquema da tarde –

16h P[eggy] L[egge] sai da tenda

16h05 H[attie] diz a Miss B para beber o chá

16h10 H entra na tenda – sai de trás e entra no chalé – veste-se como menina – vai até a casa de barcos

16h20 Chama Marlene – estrangula-a depois retorna e volta vestida como ela mesma uma moça italiana – conversa com um rapaz com gola tartaruga [competidor com camisa de gola rulê]

16h30 sai com moça holandesa e carrega uma mochila ou usa camisa de gola rulê – moça holandesa vai a Dartmouth – moça italiana vai a Plymouth

PROVA D:
CRIMES DE VERDADE NOS CADERNOS DE ANOTAÇÕES

> Ocupei-me ultimamente em ler vários mistérios não resolvidos ocorridos na vida real. Aplico a eles as minhas próprias soluções.
>
> *Os Relógios*, Capítulo 14

Agatha Christie escreveu sobre dois casos de homicídio verdadeiros, ambos muito parecidos com a sua ficção. "A Trágica Família de Croydon", no *Sunday Chronicle* de 11 de agosto de 1929, é o título de um artigo sobre o caso de envenenamento sem solução até hoje, em que três membros da família Sidney foram assassinados, muito provavelmente por alguém da própria casa, em poucos meses; e em outubro de 1968, um breve artigo escrito por Agatha Christie foi publicado no *Sunday Times* sobre o homicídio de Charles Bravo, outro drama de envenenamento doméstico. E, à parte o crime ficcional e seus praticantes, Christie também se refere nos Cadernos a alguns homicídios ocorridos na realidade. Alguns são muito conhecidos, mas outros permaneceram obscuros:

Lizzie Borden

Nos Cadernos 5, 17 e 35, a infame Lizzie Borden é mencionada durante a criação do enredo de *Os Elefantes Não Esquecem*, *Um Passe de Mágica* e *Os Cinco Porquinhos*, respectivamente. Em 1892, em Fall River, Massachusetts, o Sr. e a Sra. Andrew Borden foram brutalmente assassinados em casa. A filha Lizzie foi julgada pelos homicídios, mas ela foi absolvida, e até hoje sua culpa ou inocência suscitam intensa especulação. Em cada caso, como se pode ver, o que atrai Christie é a possibilidade de usar uma armação semelhante ao caso Borden – um crime doméstico com o assassino, por todas as indicações, sendo um dos membros da família:

> Ou família de Lizzie Borden – pai e mãe assassinados – 2 filhas – cunhada devotada – rapaz (sobrinho) – Harriet criada irlandesa
>
> Mulher ambiciosa – rica (realmente uma Lizzie Borden) casada com 3º marido
>
> Se era inocente quem foi? 4 (ou 5) outras pessoas na casa (um pouco como os Borden?)

Constance Kent

Os Cadernos 5 e 6, durante a preparação do enredo de *Os Elefantes Não Esquecem* e *Nêmesis,* respectivamente, referem-se a esse famoso caso. Constance Kent cumpriu pena de vinte anos pelo assassinato de seu meio-irmão de três anos de idade em 13 de junho de 1860. Ela foi libertada em 1885.

> Tipo de história como de Constance Kent – moça Emma – governante adorada – mãe morre. Governante que aparentemente adorava Emma agora se vira contra ela
>
> Caso de Constance Kent – tinha governante que ela adorava – mãe morreu. Governante casou-se com o Pai. Ela tem um filho – Constance gosta muito dele – ele é encontrado num buraco escavado – morto

Crippen e Le Neve

No Caderno 43, Eva Crane, de *A Morte da Sra. McGinty*, é comparada a Ethel Le Neve, a companheira do famoso Dr. Crippen. A referência a Crippen, no Caderno 56, aparece durante o planejamento de um livro nunca escrito baseado na descoberta de um corpo alguns anos após o crime. Crippen foi enforcado em 1910 pelo assassinato de sua mulher, Cora, cujo corpo foi descoberto enterrado no porão de casa – embora descobertas forenses recentes tenham lançado dúvidas sobre esse veredicto.

> Janice [Eva no livro] Crane – antes Ethel Le Neve – marido – Crane um advogado frio e calculista que ela adora
>
> Homicídio descoberto depois – (5 anos) (2 anos) como Crippen?

Charles Bravo

Nos Cadernos 27 e 36, durante a criação do enredo de *A Terceira Moça* e *Um Pressentimento Funesto*, há referência a esse crime ainda não solucionado. Em abril de 1876, quatro meses depois de se casar com Florence Ricardo, Charles Bravo teve uma morte agonizante, envenenado por antimônio. O exame necrológico realizado em seguida revelou que não havia prova suficiente para identificar o assassino. Mais uma vez, Christie usou a situação básica como ponto de partida:

> Arthur (marido inocente) – Katrina – suspeita, apaixonada por dinheiro – procura um rapaz – seu amigo... pesquisador químico – ou médico – tentam pegar Bravo
>
> A ideia Bravo – levaria a mulher (viúva) a ter um caso com o médico. Ela abandona o relacionamento – ele volta para a mulher – ela se casa novamente

Finalmente, no Caderno 2, entre as anotações de *Mistério no Caribe*, alguns diálogos não usados entre Miss Marple e o Major Palgrave, que está conversando sobre um assassino que conheceu, Agatha Christie lista quatro homicidas ingleses bem conhecidos:

> Não, Não – decerto há um padrão – Smith – Armstrong – Buck – Haig[h] – camarada se livra do primeiro [crime] e pensa que está tudo OK por ser muito inteligente

Joseph Smith, que afogou três "esposas", é o assassino infame de "Noivas na Banheira" que foi enforcado em agosto de 1915. O Major Herbert Rowse Armstrong foi condenado em maio de 1922 pelo assassinato de sua mulher, embora tenha sido preso pela tentativa de homicídio de um rival profissional. Em setembro de 1935, o Dr. Buck Ruxton assassinou a esposa e a criada e retalhou os corpos; sua condenação baseou-se muito na prova forense inovadora na época. John Haigh, o assassino que colocava ácido na banheira, foi condenado pelo assassinato de seis pessoas e enforcado em 1949.

6

A Moça do Trem: Crime a Bordo

– Confie no trem, *Mademoiselle*, pois é *le bon Dieu* quem o conduz.

O Mistério do Trem Azul, Capítulo 23

SOLUÇÕES REVELADAS

Morte nas Nuvens • **"Morte no Nilo"** (conto) • *A Testemunha Ocular do Crime* • **"Problema a Bordo"**

Meios de transporte forneceram um ambiente atraente para Agatha Christie ao longo de sua carreira. Em *O Inimigo Secreto*,* o naufrágio do *Lusitânia* é o ponto de partida de uma complicada trama e, dois anos depois, em 1924, *O Homem do Terno Marrom* passa-se em grande parte em um navio. Alguns de seus livros mais famosos acontecem no interior de algum meio de transporte – trens (*Assassinato no Expresso do Oriente*), navios (*Morte no Nilo*) e aviões (*Morte nas Nuvens*). As vantagens com esse tipo de ambiente são óbvias: ele fornece uma forma factível de isolar os

* Segundo livro de Agatha Christie, de 1922. (N. T.)

suspeitos, elimina a Scotland Yard e sua abordagem técnica, que poderia, em alguns casos, causar um curto-circuito no enredo, e, no caso de Agatha Christie, também libera a sua experiência pessoal. Eles também fornecem um cenário variado, que, na época, tendia a girar em torno de casas de campo, escritórios e vilarejos.

"Morte no Nilo" (conto)

Julho de 1933

A bordo do *SS Fayoum*, Lady Grayle procura Parker Pyne para lhe contar a hipótese de estar sendo envenenada pelo marido. Mas é somente uma história?

As anotações de "Morte no Nilo" estão contidas no Caderno 63:

> Esposa confidencia a P (... ou a um padre)
>
> Que ela pensa que está sendo envenenada pelo marido. Ela tem dinheiro – aparentemente ocorreu um duelo entre marido e P – na verdade o marido é a vítima – a esposa é falsa – rapaz que corteja a sobrinha está bolando tudo – flertando com a tia

A cena da morte nesse conto tem fortes reflexos de *O Misterioso Caso de Styles* e o enredo geral se parece muito com "O Mistério da Cornualha". As semelhanças são tão grandes que esse trecho poderia indicar o conto. Mas a esposa em "Morte no Nilo" tem dinheiro, enquanto Mrs. Pengelly, do conto anterior, não tem, então acredito que este seja um esboço para uma versão exótica do enredo.

Uma revelação notável do trecho acima foi que Christie pretendia que o conto envolvesse Hercule Poirot ("P.P." era a abreviação para Parker

Pyne). De fato, ele foi publicado como um conto de Parker Pyne; a ideia foi abandonada provavelmente porque Poirot apareceu em "O Mistério da Cornualha" quase dez anos antes.

E outras duas páginas de anotações do Caderno 63 também revelam que Christie considerou uma teatralização do conto:

Peça versão PP Morte no Nilo

Lady Grayle – austera – 45

Sir George – 50 boa praça – esportista

Miss NcNaughton – enfermeira de hospital

Pam – adorável, boazinha

Michael – secretária de Sir G

Dr. Crowthorne

Ato II

Ela é envenenada – Miss M pensa que foi Sir G – Médico assume – estricnina encontrada com Sir G – Miss M perde a cabeça

Ato III

Jovens – Pam diz Miss M é culpada – conta ao médico – ele começa a averiguá-la – Michael e Médico

Essas anotações seguem o conto detalhadamente, sem indicação da elaboração que teria sido necessária para escrever um conto de dez páginas. Pode-se deduzir a razão disso a partir das páginas próximas no Caderno, em que Christie experimentou outras cenas dramáticas possíveis. De cada lado desse esboço há breves rascunhos similares para uma adaptação teatral (sem que nenhuma delas tenha sido montada) de *Tragédia em Três Atos*, "Triângulo de Rodes" e "A Casa de Shiraz", bem como um original, *Command Performance.** E antes e depois, no mesmo Caderno, há anotações

* Tradução livre: "Trabalho de Mestre". (N.T.)

detalhadas para a teatralização do romance *Morte no Nilo*. É interessante notar que, à exceção de *Tragédia em Três Atos*, todos os demais títulos passam-se no exterior.

Morte nas Nuvens

1º de julho de 1935

A morte silente e misteriosa de Madame Giselle ao sobrevoar o Canal da Mancha, vindo de Paris, desafia Hercule Poirot – especialmente por ele ser um dos suspeitos. Sua investigação envolve uma viagem a Paris, um lançador de dardos, um escritor de romances policiais e uma vespa.

Todas as anotações referentes a esse livro estão no Caderno 66 e compreendem trinta páginas com alguns diagramas fascinantes. As anotações seguem quase fielmente o plano do romance, embora haja alguns pequenos desvios mencionados a seguir. Estranhamente, uma importante lista dos objetos dos passageiros, que contém a pista-chave do romance e que chama a atenção de Poirot em primeiro lugar para o assassino, não está incluída nas anotações.

A primeira página alinhava a trama de forma sucinta:

> Assassino do Avião – Uma faca especial com uma lâmina pontiaguda. Homem se levanta – vai ao banheiro (pulôver azul) volta usando um paletó branco – movimentando-se como um comissário de bordo – abaixa-se fala sobre o cardápio esfaqueia homem – espirra baixo ao mesmo tempo – retorna – novamente vestido com o pulôver azul e senta-se outra vez

Desde o começo das anotações, o assassino é um homem e, talvez surpreendentemente, até o detalhe do pulôver azul que ele usa é mantido. A ideia de um espirro baixo (um reflexo de *Assassinato na Casa do Pastor*) foi, no entanto, descartada e a vítima trocada por uma mulher.

Em páginas posteriores a trama continua a ser elaborada:

Capítulo II

O comissário de bordo – descobre o corpo – chama um médico. B[ryant] se apresenta

HP está ao seu lado – os modos – o casal Dupont o sugere – Mr. Ryder concorda – marca no pescoço – P pega o espinho – Mr. Clancy – lançador de dardos – veneno de seta.

Chegada em Croydon – todos mantidos no primeiro carro – Inspetor – vestido à paisana – outro Inspetor – Japp –

Ora, é o M. Hercule Poirot – Ou pergunta aos comissários de bordo quem ele é – eles dizem que o conhecem de vista etc.

Algumas páginas antes, a ideia de um lançador de dardos ou de uma seta como arma do crime foi considerada. Mas, com a engenhosidade típica de Agatha Christie, seriam ambos usados como arma:

Ferido por uma seta

" por um dardo (veneno) com um lançador de dardos

Isso aparece como Ideia C numa lista de ideias para enredo. A Ideia H nas mesmas listas corresponde a "Assassino de Avião". Quando se sentou para criar a trama de *Morte nas Nuvens*, Agatha Christie incorporou o lançador de dardos; já a seta foi usada muitos anos depois em "A Extravagância de Greenshaw". Em *A Morte da Sra. McGinty*, Mrs. Oliver reclama dos leitores pedantes que lhe escrevem para apontar erros em seus livros. Ela dá o exemplo do lançador de dardos que usou em seu romance *A Morte do Gato*, "onde eu disse que o lançador de dardos tinha 30 centímetros quando, na verdade, ele tem quase 2 metros de comprimento" (Capítulo 12). Isso demonstra o senso de humor de Agatha Christie!

A maioria dos personagens também foi determinada desde o início, embora, como acontece em grande parte dos livros, os nomes acabassem mudando. Alguns foram descartados totalmente e substituídos. Indico abaixo as possíveis mudanças:

Pessoas no avião

Mr. Salvey e Mr. Rider – conhecem-se profissionalmente [James Ryder e, possivelmente, Daniel Clancy]

Mr. Ryder Long – um dentista [Norman Gale]

Lady Carnforth – uma jogadora – marido não paga suas dívidas [Condessa de Horbury]

Jane Holt – moça que tem uma carreira comum e que ganhou um prêmio na loteria na Irlanda [Jane Grey]

M. Duval – pai e filho – Arqueólogos [Dupont]

Venetia Carr (quer se casar com Carnforth) [Venetia Kerr]

James Leslie, irmão mais novo de Carnforth [possivelmente, substituído na totalidade pelo Dr. Bryant]

Madeleine Arneau – criada de Lady Carnforth ["Madeleine"]

E, durante a investigação que se seguiu, observam-se os desenvolvimentos da trama, embora sem a sequência final:

Então Lady Carnforth – Japp e P – P fica para trás e faz com que ela sugira que ele se atrase – conta a ela a verdade e a assusta [Capítulo 19]

Venetia Carr – P e J? – P brinca com o fato de ela não gostar de Lady C [fora uma breve passagem no Capítulo 12, Venetia Kerr não aparece novamente]

Mr. Ryder – bastante direto – dificuldades comerciais etc. [Capítulo 18]

Os Dupont – M. Dupont vai fazer uma palestra na Sociedade dos Antiquários mas talvez eles se encontrem em Paris [Capítulo 22]

Bryant – Japp o entrevista – P aparece como paciente – pode ser um fornecedor de drogas – ou alguém que fez uma cirurgia ilegal – ou culpado por uma conduta não profissional [Capítulos 20/23]

Clancy – recebeu o homenzinho de forma muito hospitaleira – muito conversador [Capítulo 15]

Um ponto estranho sobre o interrogatório das testemunhas é que Venetia Kerr não é interrogada nem por Poirot nem por nenhum de seus investigadores auxiliares. Veja também seu endereço – Little Paddocks, quinze anos depois a cena de um dramático assassinato em *Convite para um Homicídio*. E o subterfúgio adotado pela Condessa de Horbury para camuflar a cocaína – rotulando-a "Ácido Bórico" – é o mesmo adotado pelo criminoso vinte anos mais tarde em *Morte na Rua Hickory*.

Com sua costumeira fertilidade para criar tramas, Christie inventou algumas possibilidades para a cúmplice de Gale no crime:

<u>Motivo</u>

Filha Anne recebe herança em dinheiro

A. Anne é Jane Holt – Jane Holt e Angell [Norman Gale] planejam o homicídio

B. Anne é Jane Holt – ela não sabe disso – mas Angell decide se casar com ela

C. Angele Morisot é Anne – ela é cúmplice de Angell – cria perturbação ao entrar e falar com sua senhora no momento do homicídio – também fornece uma prova cabal contra ela

D. Angele Morisot é Anne – mas é inocente – ela está noiva de Angell mas nunca o vê no avião. Ele usa um nome falso para se tornar seu noivo – James Clare – um romancista – possui um apartamento em Londres

E. ~~Real~~ Falsa Angele Morisot se apresenta com provas completas sobre sua identidade para recuperar fortuna (Jane verdadeira)

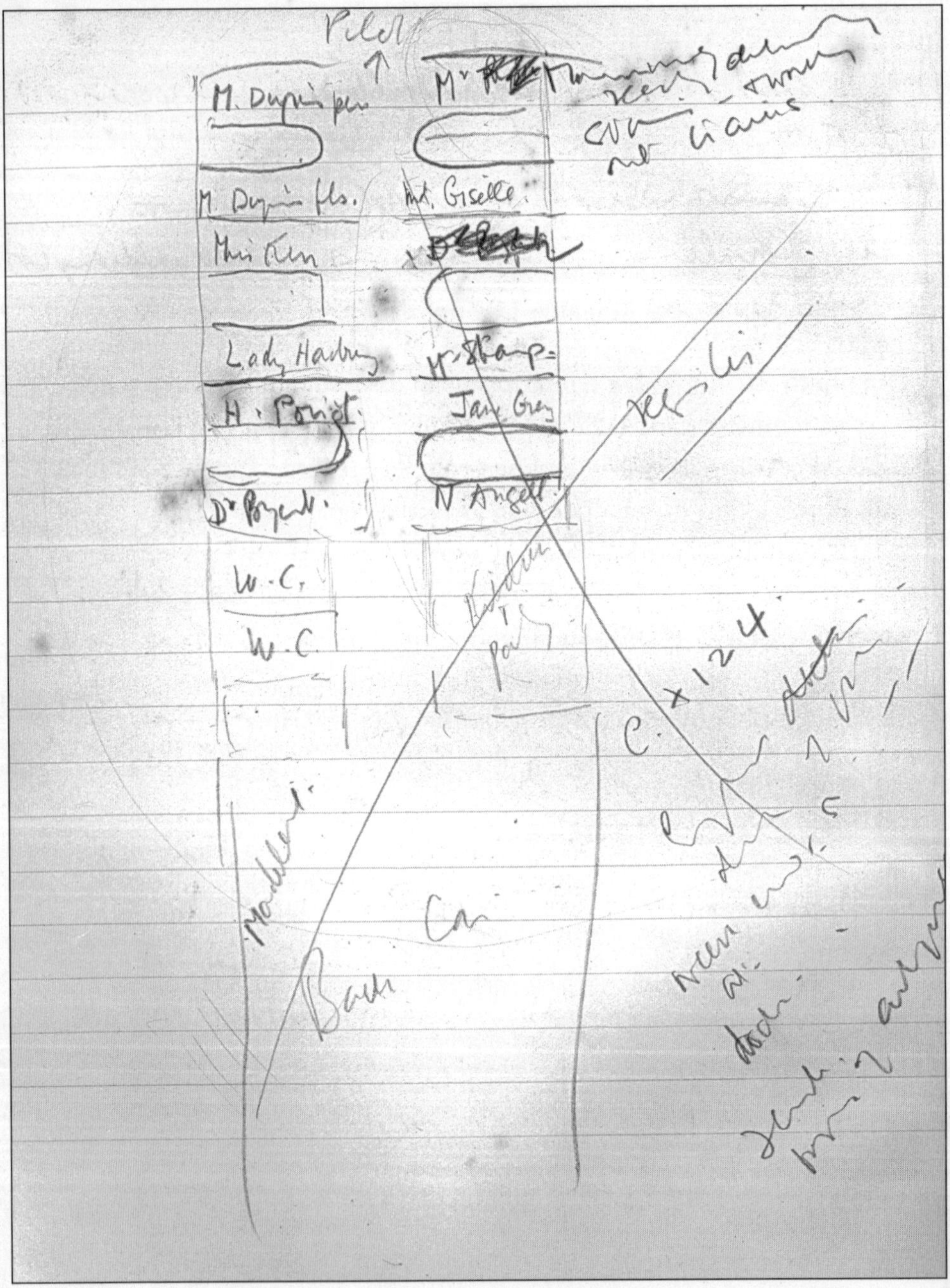

Estes esboços em páginas seguidas no Caderno 66 mostram a atenção aos detalhes durante a preparação do enredo de Morte nas Nuvens. *Fatalmente, o lugar de Norman Angell nos primeiros dois esboços está ao lado dos banheiros…*

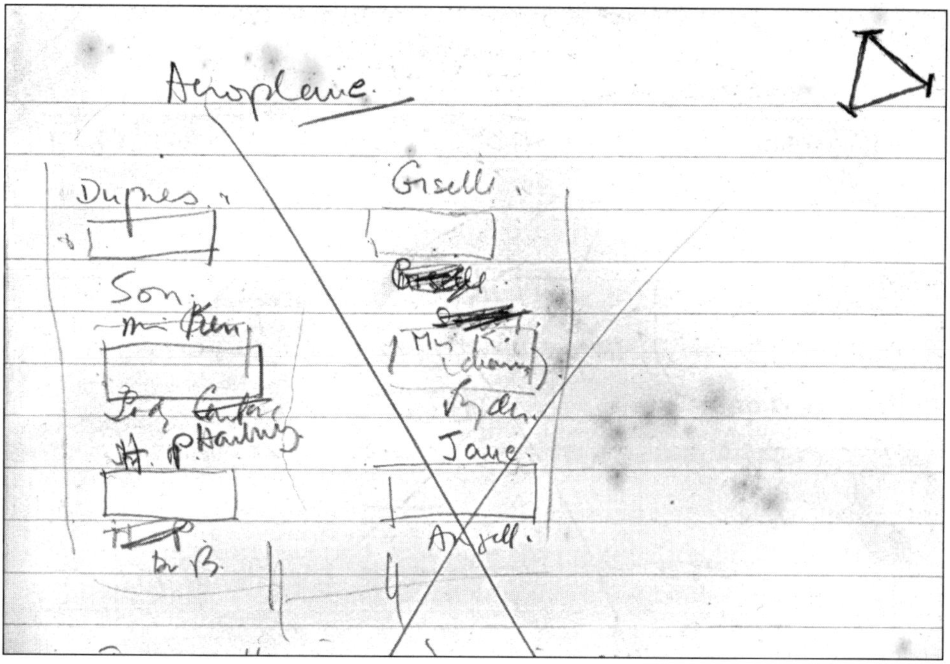

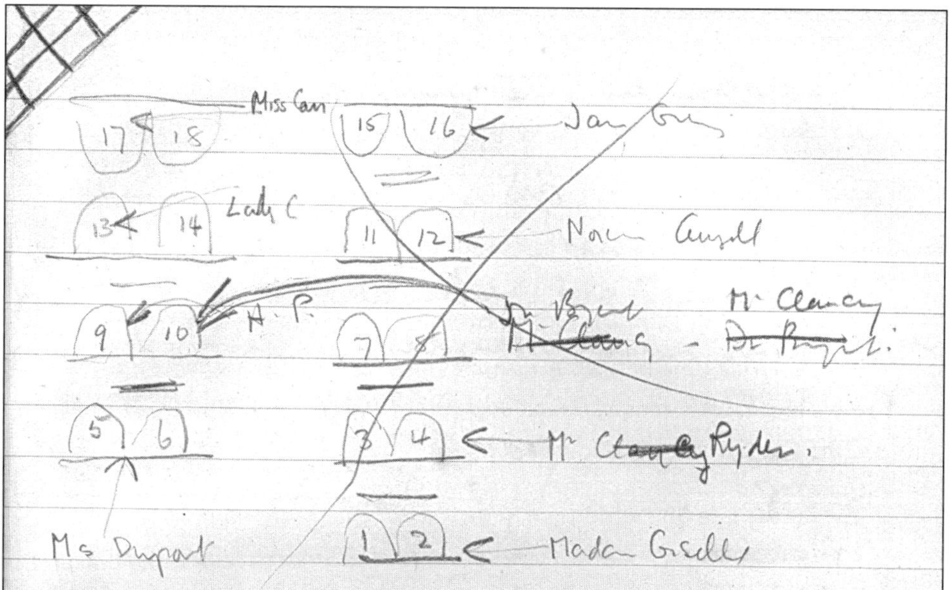

... mas ele é depois transferido para o lado oposto da cabine, como determinava a trama. Note a inclusão da cabine do piloto, a cozinha e a despensa, os banheiros e o detalhe de alguns assentos virados de frente para o outro.

O mais assombroso é a ideia de Jane Grey como cúmplice no crime, que teria fornecido um elemento-surpresa atraente. Foi, no entanto, abandonado em favor da criada, e a Ideia C foi usada.

As anotações param no Capítulo 16, embora os capítulos nas anotações não correspondam exatamente aos do romance. E, estranhamente, Norman Gale nunca é indicado nas anotações como o assassino.

As anotações de *Morte nas Nuvens* apresentam diagramas ilustrando a disposição dos passageiros nos assentos do avião. Tanto por esses quanto pelo romance como um todo, pode-se constatar que o interior da cabine de um avião na década de 1930 era bem diferente dos aviões modernos. Há apenas dezoito lugares e somente onze passageiros; entre os nove assentos do corredor, só dois estão ocupados. E uma característica comum a todos os três desenhos é a disposição de Jane e Angell (como Norman

Morte nas Nuvens depende, para dar certo, tanto como arma do crime quanto como romance policial, de uma tática usada para rebater a crítica negativa. A acusação de pedantismo foi derrubada, porque o assassino e, por decorrência natural, a autora acham que "ninguém olha para um empregado". Esse artifício também é uma característica, em maior ou menor grau e, às vezes, com algumas alterações, em *Tragédia em Três Atos*, *Depois do Funeral*, *Encontro com a Morte*, *O Mistério do Trem Azul*, *Um Brinde de Cianureto* e *Uma Dose Mortal*. Agatha Christie, de certa forma, diminui essa acusação com o seguinte diálogo no Capítulo 24 ii, de *Depois do Funeral*:

> – Eu deveria ter percebido. Senti, de alguma forma, que tinha visto você antes em algum lugar, mas, evidentemente, ninguém olha muito para...
>
> Ele se interrompeu.
>
> – Não, ninguém se importa em olhar para meros serviçais... um criado, um criado doméstico! Quase um serviçal.

Gale era chamado na peça teatral). Eles sempre são mostrados sentados em lugares opostos junto à janela, longe do corredor, como determinado pela trama. As chances de Gale ser identificado ao caminhar pelo avião indo e voltando depois de praticar o crime são remotas; como ele presumiu acertadamente, Jane gastaria esse tempo retocando a maquiagem. Um perigo maior, que não chegou a ser comentado, seriam os demais comissários de bordo. Era bem provável que eles percebessem um comissário a mais circulando.

"Problema a Bordo"

Fevereiro de 1936

Mrs. Clapperton é encontrada morta em sua cabine durante um cruzeiro de férias e a solução de Poirot depende de uma testemunha totalmente inusitada.

A primeira anotação para esse conto aparece no Caderno 66 e está datada de janeiro de 1935, um ano antes de sua publicação. A elaboração depois no mesmo Caderno inclui muitos detalhes do conto terminado:

> Ventríloquo – no navio... Cel. C. joga cartas muito bem – conta que representou em musicais etc. Esposa morre na cabine mas sua voz é ouvida do lado de dentro depois de ela ter sido assassinada
>
> Homem diz ao comissário de bordo para trancar a cabine – corpo está lá dentro – volta mais tarde e ~~Cabine trancada~~ Chama a mulher – ela responde aparentemente (um ventríloquo). Seringa hipodérmica ao seu lado – espeta seu braço desnudo

Um ponto de diferença entre as anotações e o conto terminado é que a seringa hipodérmica como arma do crime é substituída por uma faca. Mesmo a ideia de usar o ventríloquo, sendo inteligente, não teria sido suficiente para sustentar um romance e Christie acertou em usá-la apenas em um conto.

Morte no Nilo (romance)

1º de novembro de 1937

Quando Simon Doyle se casa com a rica Linnet Ridgeway, e não com Jacqueline de Bellefort, as consequências desse fato culminam num triplo homicídio a bordo de um vapor que atravessa o Nilo. Hercule Poirot, que também está viajando no *SS Karnak*, observou o desdobramento da tragédia e investiga um de seus casos mais famosos.

Embora tenha sido publicado no final de 1937, esse clássico livro de Poirot foi escrito dois anos antes. Uma carta de Edmund Cork, de 29 de abril de 1936, expressa sua satisfação em saber que Agatha Christie havia terminado de escrever *Morte no Nilo*. Infelizmente, não há nenhuma anotação nos Cadernos referente à trama desse famoso romance. Temos, no entanto, no Caderno 30, uma lista dos possíveis personagens – incluindo um muito importante – e uma breve anotação sobre um provável desenvolvimento de enredo. A maioria das ideias originalmente planejadas para esse título foi redirecionada para outros livros.

Planos

Morte no Nilo

Miss Marple?

Mrs. P (ex-carcereira de uma prisão americana)

Mathew P filho – bom

Mrs. Mathew P – boa

Miss P moça nervosa histérica

Jovem P rapaz de 20 anos – irascível

Dr. Pfeiffer – médico e toxicólogo

Mrs. Pfeiffer – recém-casada com ele – 35 – atraente – passado suspeito

Marc Tierney – arqueólogo – um pouco afastado dos demais

Mrs. Van Schuyler – velha americana enfadonha arrogante

Mrs. Pooper – romancista barata

Miss Harmsworth – acompanhante de Miss Van Schuyler

Miss Marple

Rosalie Curtis – moça débil

Mrs. Gibson – falante

A primeira e maior surpresa dessa lista é a (dupla) inclusão de Miss Marple – primeiro com e depois sem ponto de interrogação – em vez de Hercule Poirot. Antes deste, o único romance em que Miss Marple aparecera foi *Assassinato na Casa do Pastor*, de 1930, e o romance seguinte em que ela aparece, *Um Corpo na Biblioteca*, somente seria publicado cinco anos depois, em 1942. Ademais, a coletânea de contos de 1932, *Os Treze Enigmas*, ambientada unicamente nas salas de estar em St. Mary Mead, dificilmente seria uma preparação para uma exótica aventura no Egito. Em 1937, o Nilo era tão exótico para a maioria dos leitores de Agatha Christie quanto Marte é para os leitores de hoje: muito poucos viajavam de férias para o exterior, se, de fato, tirassem férias; um pacote de viagem continuava a ser uma miragem distante. Então, tirar Miss Marple de sua (relativa) segurança em St. Mary Mead e transportá-la para as margens do Nilo e, em seguida, para o Templo de Karnak, Abu Simbel e Wadi Haifa, poderia ser uma viagem longa demais para ela – por isso Poirot entrou em seu lugar. Miss Marple chegou a resolver um caso no exterior, mas quase trinta anos depois, quando seu sobrinho Raymond a manda de férias à ilha ficcional de St. Honoré. Lá ela resolve o *Mistério no Caribe*, seu único caso no exterior.

Por outro lado, nessa época, Poirot era um viajante experiente – e, certamente, um estrangeiro propriamente dito. Desde a sua chegada na Inglaterra, ele resolveu casos em diversos lugares distantes – França (*Assassinato no Campo de Golfe, O Mistério do Trem Azul, Morte nas Nuvens*), Iugoslávia (*Assassinato no Expresso do Oriente*) e Itália (*Os Quatro Grandes* e "Triângulo de Rodes"). Seu caso mais recente tinha sido a solução de uma *Morte na Mesopotâmia*. De fato, ele já havia estado no Egito e no Vale dos Reis quando solucionou "A Aventura da Tumba Egípcia", em 1923. Por todos esses motivos, Poirot seria muito mais apropriado para embarcar no *SS Karnak* e descer o Nilo numa viagem encharcada de sangue.

Alguns dos nomes remanescentes também fomentam especulação:

Mrs. P (ex-carcereira de uma prisão americana)

Mathew P filho – bom

Mrs. Mathew P – boa

Miss P moça nervosa histérica

Jovem P rapaz de 20 anos – irascível

Nesses cinco personagens podem-se ver as sementes da família Boynton de *Encontro com a Morte,* de 1938 (veja o Capítulo 8). Mrs. P é descrita como carcereira de uma prisão nos Estados Unidos exatamente como, dois anos depois, a monstruosa Mrs. Boynton seria; o "bom" filho, Mathew e sua mulher, Mrs. Mathew, são os precursores de Lennox e Nadine Boynton, enquanto Miss P, "nervosa e histérica", corresponde a Ginevra. Raymond é o último que resta da família Boynton, mas ele dificilmente poderia ser descrito como um "rapaz irascível". É interessante notar que, apesar de Christie ter resolvido não usar essa família em *Morte no Nilo*, quando decidiu usá-los, situou-os em outro lugar no exterior, dessa vez em Petra.

> Mrs. Van Schuyler – americana idosa enfadonha arrogante

E numa anotação posterior:

> Mrs. Van Schuyler – uma famosa vigarista
> Miss Harmsworth – acompanhante de Miss Van Schuyler

O único personagem a continuar exatamente como foi descrito – mudando apenas de Sra. para Srta. – é Miss Van Schuyler, embora a sua idiossincrasia mude de vigarice para cleptomania. Miss Harmsworth tornou-se Cornelia Robson, a sobrinha infeliz da terrível tia esnobe.

> Mrs. Pooper romancista barata

A romancista de nome mal-ajambrado acabou se tornando Salome Otterbourne, especialista em romances eróticos. Um de seus livros, *Neve sobre a Esfinge do Deserto*, tem quase o mesmo título do romance não policial inédito escrito por Agatha Christie, *Neve no Deserto*. Isso foi provavelmente uma piada pessoal inserida por Christie para divertir sua família.

> Rosalie Curtis moça débil

Rosalie Curtis deve ter se tornado Rosalie Otterbourne, filha da malfadada Salome.

Alguns possíveis desenvolvimentos de enredo estão esboçados nas páginas depois da lista de personagens. Repare que "P", i.e. Poirot ("mas P prova que..."), agora substituiu de vez Miss Marple:

> A esposa do Dr. Pfeiffer foi reconhecida – ele decide se livrar de Mrs. Oger

Esposa do (Dr. Pfeiffer) é ladra ou assassina etc. – inventa história que alguém roubou seu anel ou veneno etc. e broche A.M. vista no espelho. Ela sabe que A.M. está na sala com os outros naquela hora mas P prova que M.A. são as verdadeiras iniciais

ou

Ideia de M.A. e vestido amarelo M.A. não tem um vestido amarelo – mulher com vestido amarelo não tem iniciais A.M.

Dr. Elbes – homem muito doente – conheceu-a na prisão de São João
Pfeiffer menciona suas pesquisas com mamona
Agora A. Quem a matou?
B. Por quê?

Embora a família Pfeiffer nunca tenha aparecido em nenhuma obra de Christie, algumas dessas ideias iriam ressurgir em outros livros – um anel roubado em *Uma Dose Mortal* e a carcereira da prisão em *Encontro com a Morte*.

Mas a ideia principal são as letras simétricas do alfabeto e a confusão que pode surgir se forem vistas de forma direta ou pelo reflexo de um espelho. Meia página do Caderno 30 traz uma lista dessas letras, "H M A W I O T U V Y", e outra lista de possíveis nomes femininos que comecem com cada uma das letras. (O X é omitido provavelmente por haver menos nomes que comecem com X.) Christie finalmente escolheu Isabel Oger, daí a referência a Mrs. Oger acima. Essa ideia foi depois incorporada a *Poirot Perde uma Cliente*, também publicado em 1937, embora os nomes sejam completamente diferentes. Se, de fato, esse foi o enredo pretendido para *Morte no Nilo* é bastante discutível, apesar de o enredo que Christie desenvolveu envolver os Pfeiffer que estavam na lista de personagens destinados para esse romance. Além dessa dúvida, está o fato de não haver personagens na lista com iniciais AM ou MA.

A penúltima anotação para esse livro no Caderno 30 diz:

O Plano

Ouve-se Nellie dizer:: "Queria que ela estivesse morta – nunca estarei livre até ela morrer."

Nellie é um dos nomes que aparecem na lista de iniciais reversíveis ("Helen, Wilhelmina"), mas as palavras que ela diz são muito semelhantes à fala inicial, ouvida por Hercule Poirot, em *Encontro com a Morte*:

–Você concorda, não é, que ela precisa ser assassinada?

Nisso, tomado em conjunto com a profissão que Mrs. P exercia e a composição de sua família, pode-se ver a base desse romance.

*A Testemunha Ocular do Crime**

4 de novembro de 1957

Enquanto viaja para visitar a amiga Miss Marple, Elspeth McGillicuddy testemunha um homicídio cometido no trem que passa ao lado. Durante as buscas do corpo, a atenção se volta para Rutherford Hall, lar da família Crackenthorpe. Miss Marple e sua agente Lucy Eylesbarrow passam a investigar.

Todas as anotações desse livro estão em quatro Cadernos – 3, 22, 45 e 47 –, somando quarenta páginas. *A Testemunha Ocular do Crime* foi enviado à

* 4h50 de Paddington, em inglês. (N.T.)

Collins no final de fevereiro de 1957. A época em que ele foi escrito e concluído é a mesma. A história começa em 20 de dezembro (1956) – "Estava bem escuro agora, um lúgubre e enevoado dia de dezembro, faltavam apenas cinco dias para o Natal" (Capítulo 1) –, mas, exceto por Miss Marple ter vindo à ceia de Natal na residência do pastor, onde ela conversa sobre os mapas locais com Leonard Clement, o filho dele, não há outras menções à data ou à época de Natal.

Esse livro bateu o recorde de alterações de título em inglês em relação a todos os demais de Agatha Christie. Chamou-se 4h15, 4h30 e 4h54, antes de se tornar *4h50 de Paddington* (horário da partida do trem). O manuscrito traz no cabeçalho "4h54 de Paddington", principalmente porque, como Christie explicou numa carta a Edmund Cork, datada de 8 de abril (1957), não havia realmente um trem que partisse nesse horário. Ela concordou que "4h50 de Paddington" ou até "5h de Paddington" eram títulos melhores.

O trecho abaixo do Caderno 47 parece anteceder anotações semelhantes por não ter nomes (exceto o de Miss Marple), mas a ideia básica foi seguida no romance terminado. A pergunta de humor negro final é uma brincadeira típica de Christie, a artífice dos enredos policiais. Algumas páginas à frente, anotações para "A Extravagância de Greenshaw" e *Um Hóspede Inesperado* são levadas a termo e a ideia do trem é engavetada. Como "A Extravagância de Greenshaw" foi publicado pela primeira vez em dezembro de 1956, corrobora a tese de que as anotações de *A Testemunha Ocular do Crime* não antecederam em muito a sua composição.

Trem – visto de um trem? Através da janela da casa. Ou vice-versa?

Ideia do trem

Moça vindo de trem para St. Mary Mead vê um assassinato em outro trem ao lado – uma mulher sendo estrangulada. Chega em casa – comenta o fato com Miss Marple – Polícia? Ninguém foi estrangulado – corpo não encontrado.

Por quê? – 2 trens possíveis um em direção a Manchester – um trem local. Onde se pode jogar um corpo para fora de um trem?

O Caderno 3 esboça a ideia básica (com Mrs. Bantry no lugar de Mrs. McGillicuddy), mas o Caderno 45 traz uma versão sucinta e precisa do capítulo de abertura do romance:

> O Trem
>
> Mrs. McGillicuddy – amiga de Miss Marple – vem passar alguns dias com ela – no trem vindo de Paddington – outro trem vem em outra linha – mas na mesma direção – passa à frente – ficam lado a lado por alguns momentos, a janela de uma cabine emparelha com a dela – um homem estrangula uma loira – então – o trem parte.
>
> Mrs. MG fica muito chocada – relata o fato ao bilheteiro – Chefe da Estação? Oh! Jane, eu vi um homicídio!

Fazendo exceção aos livros de Agatha Christie, somos informados desde o começo de *A Testemunha Ocular do Crime* que o assassino é um homem. Em apenas quatro páginas do Capítulo 1, o leitor fica sabendo: "Ela viu um homem de costas para a janela, agarrando uma mulher de olhos arregalados pelo pescoço e estrangulando-a lentamente". Com essa declaração inequívoca, a possibilidade de que fosse uma mulher disfarçada de homem jamais foi levada em conta e Christie conhecia seus leitores bem o suficiente para saber que se sentiriam enganados se esta fosse a solução. Portanto, com exceção de Emma Crackenthorpe (o motivo) e Lucy Eylesbarrow (a investigadora), todos os protagonistas são homens. O problema era fazer com que todos eles se parecessem fisicamente, sendo personagens diferentes ao mesmo tempo. Ela faz uma anotação para se lembrar disso no Caderno 22:

> Preciso esclarecer os homens
>
> Três homens morenos – todos com altura entre 1,67 m e 1,83 m
> Ossatura larga

Pessoas Cedric mais velho?
Harold casado sem filhos
Alfred
Bryan Eastley Ex-piloto – Marido de Edith (falecida)
Pai de Alistair ou padrasto?
2 filhos de senhor idoso – bom menino (no Banco) Artista – ou cenógrafo ou produtor

Cedric – como Robert Graves – nômade, desinibido – (que vai se casar com Lucy Eylesbarrow)

Sir Harold Crackenthorpe – homem ocupado – diretor da Crackenthorpe Ltda. Bem de vida – na verdade não? Em dívidas?

Bryan? RAF Comando de Voo D? Sem eira nem beira

Alph[red] Moreno magro – o vigarista – mercado negro durante a guerra – Ministério de Abastecimento

"Robert Graves" refere-se ao amigo e vizinho de Agatha Christie na vida real, o autor de *Eu, Cláudio*, entre outros livros. Graves era um fã crítico e a quem ela dedicou *Hora Zero*. Essa referência também esclarece a pergunta não respondida no final do romance – com quem Lucy acabaria se casando?

Há alguns pontos menores a ser considerados, mas aqueles que influenciaram o enredo – como assegurar a escuridão necessária para que o crime fosse cometido e como explicar a presença dos dois rapazes na casa. A questão de possíveis datas é considerada em dois Cadernos:

Pontos a ser resolvidos

Data da viagem possivelmente 9 de janeiro ou em torno disso
Pontos a incluir – férias (rapazes) Ano-Novo (Cedric)
Hora em que escurece (trem)

Datas
Férias? Abril – Stobart-West e Malcolm
Então homicídio no final de fevereiro? Digamos – ~~24~~ 26

A decisão final de colocar a data do assassinato um pouco antes e a investigação um pouco depois do Natal respondia a todas as questões – escurecer cedo, bem como a presença dos dois rapazes e de Cedric.

Mas o maior problema em relação a *Testemunha Ocular do Crime* é a identidade do cadáver. É um problema para Miss Marple, a polícia, o leitor e, suspeito, Agatha Christie resolver. Não sabemos, ao certo, até as últimas páginas do romance de quem é o assassinato que está sendo investigado. E deve-se admitir que provoca certa decepção em um romance que, de outro modo, seria um dos melhores escritos por sua autora. Também levanta a questão de como, pondo a intervenção divina de lado, Miss Marple poderá descobrir a história por trás do homicídio. O parecerista da Collins, que assinou o relatório de leitura do manuscrito, admitiu que, "a menos que eu seja muito burro, não vejo como alguém poderia descobrir o motivo do assassino". Ele não estava sendo "muito burro", pois não é possível deduzir a identidade do assassino, ou o motivo do crime, embora, em retrospecto, ambos sejam perfeitamente aceitáveis. A anotação seguinte mostra que Christie tinha duas ideias sobre a possível identidade do corpo – Anna, a bailarina, ou Martine – e, indecisa entre as duas, acabou por usar características de ambas:

> A mulher morta é Anna, a bailarina ou não?
> Anne é = Mrs. Q – ou Anna laranja arranjada por Q
> A mulher é assassinada por ser Martine e tem um filho ou porque ela é esposa de Q e ele planeja se casar

Mas a devoção até mesmo do fã mais ardoroso de Agatha Christie é testada quando Martine é finalmente identificada.

7

Os Elefantes Não Esquecem: Morte em Retrospecto

Mas agora, ela percebeu, ela precisava se lembrar. Ela precisava se lembrar do passado... Lembrar-se cuidadosamente de cada fato aparentemente sem importância.

Um Brinde de Cianureto, Capítulo 1

SOLUÇÕES REVELADAS

A Morte da Sra. McGinty* • *Punição para a Inocência* • "Uma Canção de Meio Xelim" • *Um Crime Adormecido* • *Um Brinde de Cianureto

Alguns dos livros mais relevantes de Agatha Christie apresentam homicídios cometidos no passado – a investigação de um caso em que o detetive depende das lembranças dos envolvidos, em que os rastros já se apagaram e as pistas desapareceram, e em que a revelação da verdade geralmente desperta um assassino adormecido. Ela experimentou fazer isso pela primeira vez em *Poirot Perde uma Cliente*, em que Poirot investiga uma morte ocorrida dois meses antes; seis anos depois, seu maior triunfo mostra Poirot examinando um caso acontecido dezesseis anos antes, em *Os Cinco Porquinhos* (veja o Capítulo 4); em outros dois casos, *A Morte da Sra. McGinty* e *Punição para a Inocência*, o veredicto já tinha sido dado e, de seus últimos seis romances, cinco deles apresentam esse tipo de trama. Também nessa categoria encontramos seu romance policial histórico, *E no Final, a Morte,* um experimento ousado e, por que não dizer, totalmente bem-sucedido, escrito em meados de sua carreira literária.

A Testemunha Silenciosa ou Poirot Perde uma Cliente

5 de julho de 1937

Emily Arundell escreve para Hercule Poirot em 17 de abril, mas ele somente recebe a carta em 28 de junho e, nesse momento, ela já está morta. Poirot vai a Market Basing para investigar a morte, onde o caso envolve espiritismo, um broche, uma bola de cachorro – e outra morte.

A maioria das anotações de *A Testemunha Silenciosa*, em torno de 25 páginas, está no Caderno 30, junto com as anotações de *Morte no Nilo* e o conto recém-descoberto "O Incidente da Bola de Cachorro"; a relação entre o romance e sua encarnação anterior como conto (não obstante apresente uma diferença vital) é analisada com detalhe no Apêndice. *A Testemunha Silenciosa* foi publicado no final de 1936 nos Estados Unidos como uma série na *Saturday Evening Post* com o título *Poirot Perde uma Cliente,* e como *Mistério na Mansão Littlegreen*, numa série na Inglaterra iniciada em fevereiro de 1937. Em relação à série americana, há uma carta datada de junho de 1936, de Edmund Cork a Agatha Christie, agradecendo-lhe pela versão revisada enviada à revista *Saturday Evening Post* (que pagou US$ 16.000 por ele, US$ 2.000 a mais do que por *Cartas na Mesa*). Cork considerou-o um "grande progresso" e sugeriu "também usá-lo para a Collins". Isso se refere provavelmente aos primeiros quatro capítulos, em que a ambientação numa "pequena cidade inglesa" é narrada na terceira pessoa – os demais capítulos do livro, ao contrário, são narrados por Hastings. Ter agora a informação de que eles foram acrescentados posteriormente faz todo o sentido.

A Testemunha Silenciosa é o mistério de pequena cidade arquetípico de Agatha Christie – uma morte misteriosa numa casa rica, um grupo de parentes depauperados, um médico e um promotor locais e a chegada de Poirot, cujo interrogatório faz com que as línguas dos moradores da cidade comecem a se soltar. Mais uma vez, a questão do espiritismo permeia a investigação. Desde "A Aventura da Tumba Egípcia", de 1923, os assassinos criados por Christie usaram esse artifício para encobrir seus rastros. E em 1961, em *O Cavalo Amarelo*, com uma versão mais sinistra das irmãs Tripp de *A Testemunha Silenciosa*, o espiritismo é usado como parte importante da trama.

De modo inusitado, sabemos por uma prova interna – o final do Capítulo 7 – a exata linha do tempo do romance; Emily Arundell morreu em 1º de maio de 1936 e a investigação de Poirot começou em 28 de junho, embora em grande parte dessa investigação não haja nada que demonstre que o crime tenha sido cometido. O preconceito do leitor é manipulado e novamente subvertido, com a introdução do estrangeiro suspeito, Dr. Tanios. Quatro assassinos anteriores são mencionados – *Morte nas Nuvens*, *O Misterioso Caso de Styles*, *O Assassinato de Roger Ackroyd* e *O Mistério do Trem Azul* – e há uma referência indireta a *Assassinato no Expresso do Oriente* no Capítulo 25. A descrição de Market Basing no Capítulo 6 corresponde a Wallingford, onde Christie comprara, alguns anos antes, a Mansão Winterbrook.

As anotações, encabeçadas por um título temporário, listam os membros da família e sua origem, embora nomes e detalhes – Charles não é casado e sua irmã é Theresa, não Bella – fossem mudar:

Morte de Martha Digby [Emily Arundell]

Os Digby – sua história familiar

Miss Martha – Miss Amelia – Miss Jane – Miss Ethel e Mr. Thomas

Casamento de Mr. Thomas – com uma garçonete de bar?

Mr. John [Charles] e Miss Daphne (filhos de T)

John – bolsa de valores – casado – esposa inteligente

Daphne [Bella] casa-se com um armênio? Dr. Mendeman [Tanios] – homem encantador – esposa calada, fria

Os primeiros capítulos do romance são esboçados com precisão apenas com poucas diferenças – o químico só aparece no Capítulo 21 e há uma referência críptica à pintura em ligação com Theresa:

Plano Geral

P. recebe carta – ele e H[astings] – ele responde – depois rasga a carta – Não, nós iremos – Market Basing – The Lamb... Casa a ser alugada ou vendida. Visita a corretores de imóveis – uma ordem de visita – conversa com Ellen – tap – tap – tap – uma bola rola a escada terrier abana o rabo

O químico – suas lembranças – eles fingem que estão escrevendo uma história sobre a cidade – ele é um arqueólogo amador – a história da família. P vai ao médico – com paciente (e um arqueólogo) médico vem jantar – muita fofoca na cidade – algum mistério envolve a morte? Médico indignado – causas perfeitamente naturais – ele diz – bem, penso que esteja satisfeito agora. P. diz "Mas ela morreu"

> Theresa – apartamento no Chelsea – pintura – fica noiva de Dick Donaldson – depois que se especializar – infecção – fígado – tratamento com soro

Estranhamente, há referências a Peggy, em vez de (Ara)Bella, nos dois trechos seguintes. Essa foi provavelmente uma escolha de nome anterior para o personagem, como a pista para a letra simétrica vista pelo espelho, M para Margaret, ainda iria trabalhá-la melhor. Como vimos, esse enredo foi pensado junto com a criação da trama de *Morte no Nilo* (veja o Capítulo 6).

> Outra visita ao terrier – à família Tripp – alucinações etc. – depoimento da cozinheira – Miss Theresa na escada naquela noite – um pedaço de linha – sim, Ellen encontrou-o. Miss Lawson outra vez – dinheiro sumiu da gaveta – sabia quem o pegou. P. provoca-a um pouco – ela fica confusa – fala da pobre Peggy – que deixou o marido
>
> Peggy novamente – sobre marido – ela se recusa a dizer – P. diz "Diga-me" – Eu vou correr perigo – ela se recusa a dizer qualquer coisa. H. diz "ela sabe algo" – perguntada sobre vestido – diz que sim – ela tem um de seda azul-escuro – Theresa deu-o a ela. Quando? Quando estávamos aqui naquele fim de semana, Que dia? Não lembro.

E uma página de letras e nomes experimentando uma combinação de letras simétricas, a pista cabal mal interpretada por Miss Lawson, acaba, por fim, chegando à que ela precisa:

ARABELLA	A.T.
BELLA	T.A. Arundell

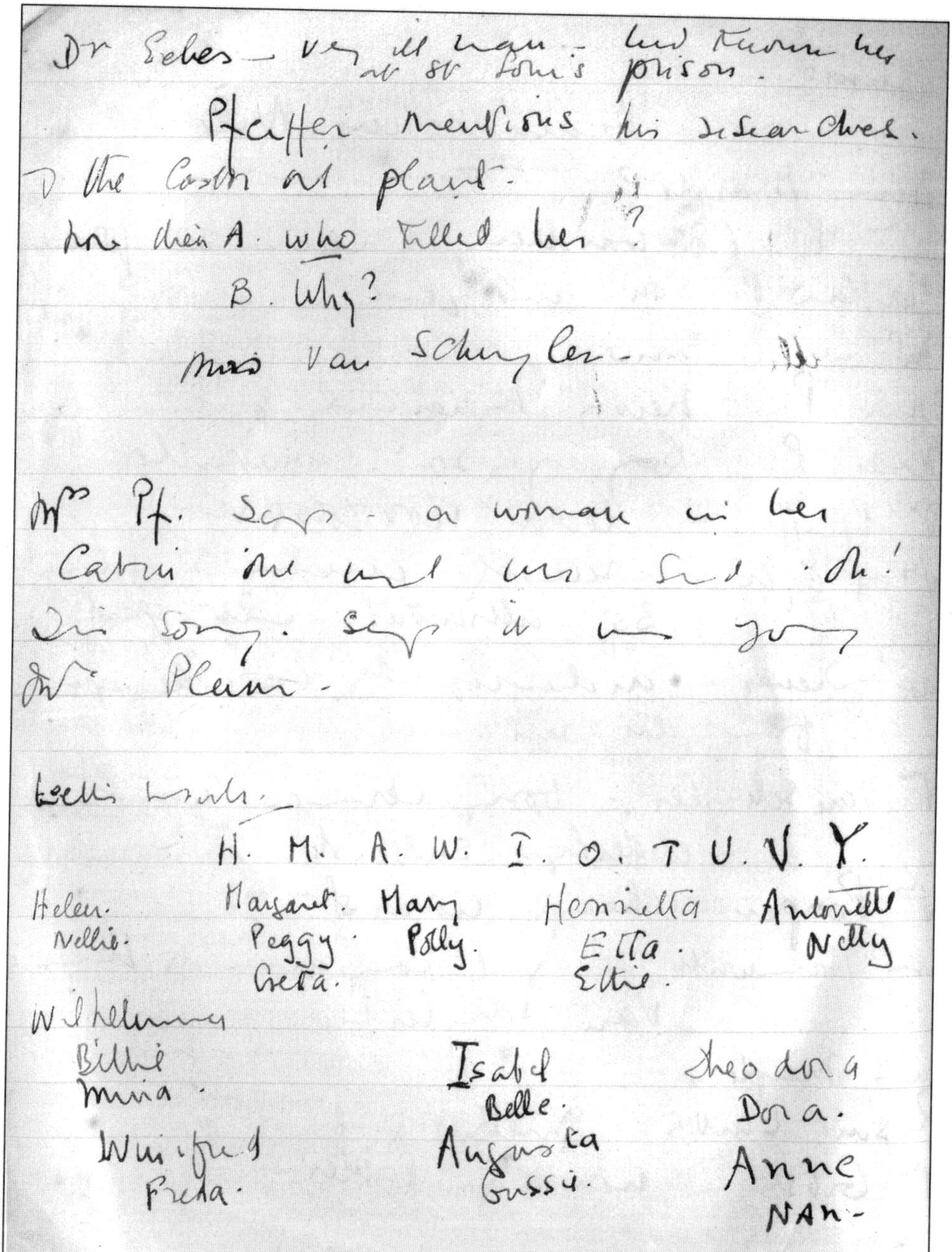
Dr Sebes — very ill man — had known her at St Louis's prison.

Pfeiffer mentions his researches.

to the Castor oil plant.

Now then A. who killed her?

B. Why?

Miss Van Schuyler —

Mrs Pf. says — a woman in her cabin ... Oh! I'm sorry. Says it was young Mr Pl... —

Letters symmetrical —

H. M. A. W. I. O. T. U. V. Y.

Helen. Nellie. Margaret. Peggy. Greta. Mary Polly. Henrietta Etta. Ettie. Antonette Netty

Wilhelmina Billie Mina. Isabel Belle. Theodora Dora.

Winifred Freda. Augusta Gussie. Anne NAN —

Esta página de rascunho com letras simétricas e os nomes correspondentes está no Caderno 30. Observe a inclusão de "Wilhelmina / Mina", o primeiro nome de Miss Lawson. "Arabella" e "Theresa" são criadas mais à frente no mesmo Caderno.

Um Brinde de Cianureto

3 de dezembro de 1945

Num restaurante elegante, numa festa de aniversário glamourosa, a bela Rosemary Barton é envenenada na hora do brinde. Um ano depois, numa macabra reconstituição, no mesmo restaurante, numa festa semelhante, ocorre outra morte. Mas quem era a vítima?
O Coronel Race conduz a investigação.

As anotações de *Um Brinde de Cianureto* estão espalhadas em dez Cadernos. Embora tenha sido lançado em dezembro de 1945, o romance foi publicado em capítulos seis meses antes na Inglaterra e dezoito meses antes nos Estados Unidos. Uma cópia do manuscrito datilografado já havia sido enviada aos agentes literários americanos de Christie em janeiro de 1944; então, esse livro foi concluído no final de 1943. É uma bem elaborada versão do conto (e subsequente peça de rádio) "Íris Amarela", publicado pela primeira vez em julho de 1937. A trama básica em ambas é a mesma, mas um assassino diferente é desmascarado no final do romance.

Um Brinde de Cianureto é outro exemplo do uso de um recurso favorito de Christie – um drama com envenenamento. Sua ação inesperada durante um evento social lembra uma cena semelhante, de dez anos antes, em *Tragédia em Três Atos* e prevê outra, muitos anos depois, em *A Maldição do Espelho*. No entanto, alguma reserva permanece quanto à exequibilidade da trama. É aceitável, especialmente em relação à subsequente investigação, que ninguém note a colocação incorreta dos lugares, que é vital para que a trama seja bem-sucedida? A preparação e a mecânica desse feito são magistrais e a forma como está contada é muito ousada (releia o Livro I, Capítulo 2 e admire a audácia até do nome), mas, ao mesmo tempo em que a ideia é, sem dúvida, brilhante, a aplicação prática é um tanto duvidosa.

Há semelhanças estruturais com *Os Cinco Porquinhos*, com as lembranças de seis pessoas sobre um envenenamento anterior, embora, diferentemente do primeiro romance, as pessoas não sejam apresentadas de forma escrita. Descobrimos Rosemary Barton por meio da visão dos suspeitos, incluindo seu assassino, com uma descrição diferente emergindo a cada relato. Por lembranças individuais, nas primeiras setenta páginas do livro, nós a vemos como esposa, irmã, sobrinha, amante, amiga, adúltera e, finalmente, vítima. Mesmo o retrato não sendo tão completo quanto no romance anterior, ainda assim é admiravelmente bem delineado.

As anotações mais concentradas aparecem nos Cadernos 13 e 63, com dezoito páginas em cada um. Os outros oito Cadernos que apresentam *Um Brinde de Cianureto* têm entre uma e seis páginas de anotações desconjuntas, incluindo alguns falsos começos e repetições. Apesar das mudanças de nome dos personagens, como esboçado no Caderno 35 abaixo, eles são imediatamente reconhecíveis. Como se pode ver, o título alternativo (com que foi publicado nos Estados Unidos) enfatiza a "morte em retrospecto" característica do romance:

> Morte relembrada "Eis aqui, Rosemary – um brinde à sua Memória"
>
> Livro I
>
> "Doce como beijos lembrados após a morte"
>
> O que devo fazer para afastar a lembrança de meus olhos?
>
> Começo de In Memoriam
>
> Rosemary
>
> Íris... sombras – o começo de tudo
>
> Livro
>
> Morte relembrada – o nome da moça é Rue
>
> Morte relembrada

Rosemary (morta) – marido – George Barton – age de modo suspeito – um executivo

Stephen Fane [Faraday] – amante de R

Lady Mary Fane – sua mulher – fria orgulhosa muito ciumenta

Tony Getty [Tony Morelli cognome de Anthony Browne] – ex-amante de R aparentemente apaixonado por Viola [Iris]

Ruth Chambers [Lessing] – sec[retária] de George Barton – moça eficiente – pode estar apaixonada por ele

Lucilla Drake – velha senhora – prima – mora com eles – tem um filho na A. Sul – vive de bico

Assassinato (de George ou V[iola]?) pelo filho que é casado secretamente com Ruth

Cel. Race investiga

No Caderno 63, vemos o romance começando a tomar forma, com seis personagens pensando em Rosemary:

Morte relembrada Seis pessoas se lembram de Rosemary Blair [Barton] que morreu em novembro passado

Sandra – R. sente ódio dela – suspeita que St. não se importa com ela

Iris – quebrando a cabeça – cartas etc. – o modo de George – a vinda de Anthony – os Faraway [Faraday]

Stephen – sua vida – encontra S – aproximação calculada – o casamento – Rosemary – choque – paixão – o despertar – a atitude dela – após o aniversário

Anthony Browne – pensando em R – pensando em como se sentiu atraído por ela – seu modo adorável. O nome dele – "um bom nome" – eminentemente respeitável – o mesmo nome do camareiro de Henrique VIII

Ruth
Tudo começou com Victor – entrevista no escritório com George. Seu... relacionamento indesejável – minha mulher – coração mole – paixão adolescente por ele – ele precisa sair do país – dinheiro argentino.

George
Pensando na esposa – (bebendo?) – sentimental – que mulher bonita ela era – sempre soube que ele não era jovem o suficiente. Ele se decidiu – desde que teve a primeira suspeita – a carta – o mata-borrão – o destinatário da carta – Browne, aquele sujeito? ou aquele magricela Stephen Faraday.

O Caderno 21 tem um desenho da mesa da primeira festa (Rosemary está incluída) e, como a referência na versão para o conto ao local do primeiro jantar, parece ser Nova York em vez de Londres. É possível que Boyd Masterson seja o precursor do Coronel Race:

George recebeu uma carta – "Sua esposa foi assassinada"

Seu amigo mais antigo Boyd Masterson – este fala com Iris – Iris encontra Tony – hospedado com Stephen Fane M.P. e Lady Mary Fane.

A Festa

- ✻ George Barton
- ✻ Iris
- ✻ Tony
- ✻ Stephen
- ✻ Mary [Sandra]
- ? Carolyn Mercer (amiga de R) [descartada, possivelmente em favor de Ruth]
- ? Boyd Masterson
- ? Lucilla Drake (prima mais velha)

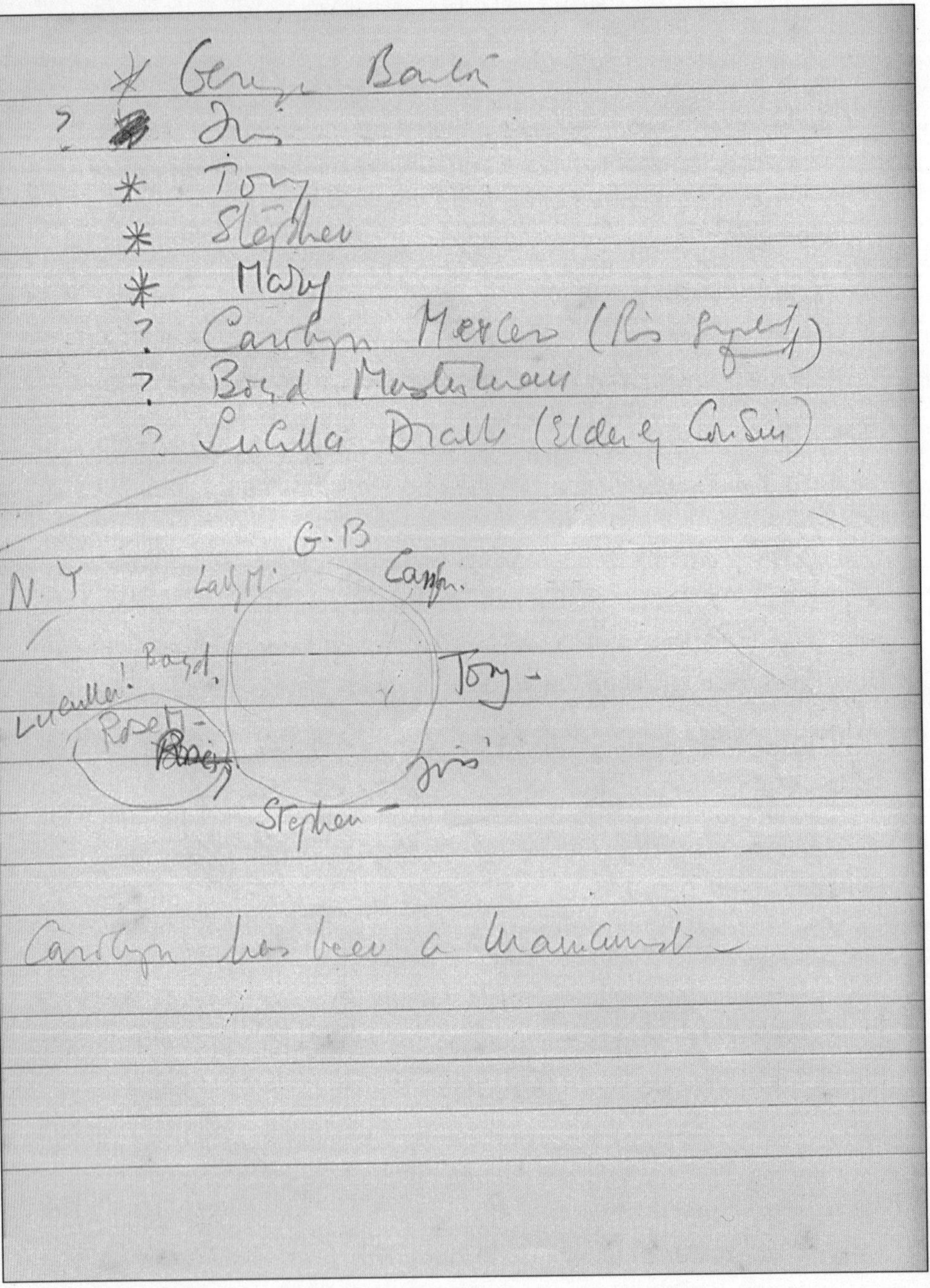

Esquema fatal das cadeiras em Um Brinde de Cianureto
– veja página ao lado.

N. Y.

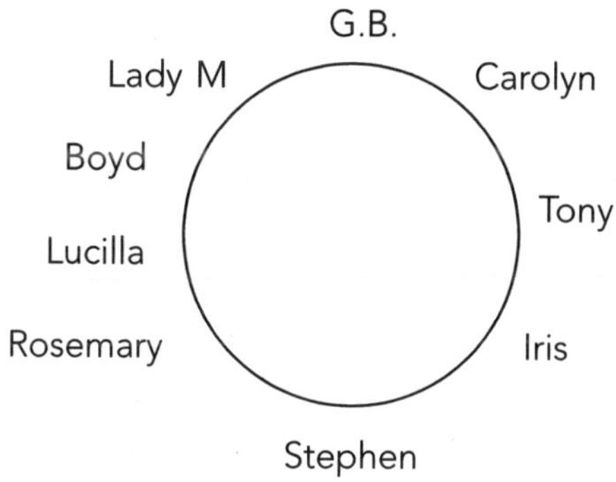

Estranhamente, a página seguinte está no meio da criação da trama de *Os Cinco Porquinhos*, dando a impressão de ter sido rabiscada enquanto Christie pensava nisso. Dois anos separam as publicações, mas deve-se lembrar que uma página em branco era tudo de que Christie precisava para anotar uma ideia. A cronologia não era um fator relevante.

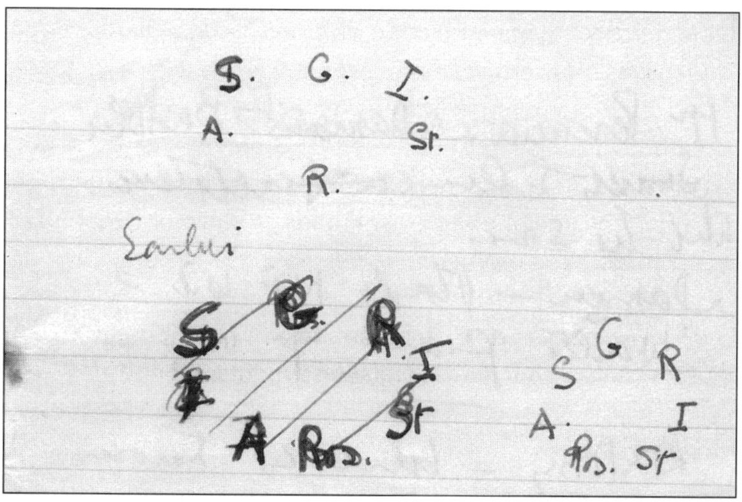

Estes três esboços espremidos, do Caderno 25, da mesa em Um Brinde de Cianureto, *mostram "Rosemary" em dois deles, indicando o primeiro jantar fatal.*

Morte relembrada Possíveis desenvolvimentos

Desmaio – erva-bezerra? No Savoy – apresentadores – canção indecente – todos ouvem com a respiração suspensa – para não perder nenhuma palavra. Garçom e as bebidas – As luzes se acendem – Viola [Iris] se levanta para dançar – derruba a bolsa – rapaz recoloca-a sobre a mesa – na cadeira ao lado – portanto – um homem morre – George Barton

Embora Ruth e Victor sempre tenham sido os preferidos para ser os vilões, fornecendo uma solução mais inesperada, outros personagens também foram considerados. No segundo trecho abaixo, de um esboço mais antigo, Charles é George Barton e Pauline é Iris Marle:

A. George – mata Rosemary – mantém controle sobre dinheiro – ela iria deixá-lo. Então Iris porque ela também vai exigir dinheiro – Lucilla Drake deixará nas mãos dela. Ele produz uma carta – elabora a ideia de "assassinato" – engana Race

B. Victor Drake – combina com Ruth – Ruth vai se casar com George – R. coloca cianureto na bolsa de R. Victor disfarçado de garçom coloca-o no copo dela. Iris herda o dinheiro – <u>não</u> George – é insensível em relação a Gerry – Ruth e Victor (casados) decidem representar – Victor <u>ostensivamente</u> na A. Sul. Ruth coloca cianureto no bolso de Stephen – carta na bolsa de Iris (de Stephen para Rosemary) – bolsa recolocada de propósito na cadeira errada – então Iris se senta no lugar errado – George bebe o veneno

C. Victor é o homem e ele é também Gerry Wade [Anthony Browne] – em conluio com Ruth – esquema é montado entre eles

Assassino pode ser

Charles – (primeira morte suicídio) – apropriou-se indevidamente do dinheiro de P [Pauline, depois Iris]

Ou

Anthony (na verdade amante de V?) – matou-a – Charles descobre – tem intenção de separá-los – Charles é morto

Ou

Pauline? Matou a irmã

E no Final, a Morte

29 de março de 1945

No Egito, no ano 2000 a.C., o rico proprietário Imhotep choca a família ao trazer Nofret, uma nova e jovem esposa para casa, que hostiliza todo o grupo. O assassinato logo acontece, mas o mal no coração da família não se sacia com uma única morte e o assassino ataca outra vez... e outra vez... e outra vez.

Muito antes da atual moda de mistérios ambientados no passado, Agatha Christie foi pioneira. *E no Final, a Morte*, escrito em 1943, foi uma experiência criada a partir da sugestão de Stephen Glanville, professor de Egiptologia e amigo de Max Mallowan. Ele lhe forneceu a informação básica e deu-lhe os livros para pesquisar e para que tivesse todos os detalhes corretos.

Avaliando-o como romance policial clássico, não passa pelo teste-mor. Não há pistas para o leitor localizar e interpretar, chegando a uma solução lógica. Mas, como um romance policial tenso e legível, ele passa com louvor. E, como um quadro real de uma família que não sabe em quem acreditar dentro de seu próprio círculo, é totalmente factível. Grande parte dos ingredientes costumeiros de seus outros romances – recursos policiais e análises póstumas, telefones e telegramas, pegadas e impressões digitais, investigações formais e inquéritos – teve de ser abandonada. Então, embora não seja um romance de Agatha Christie de primeira linha, é, apesar de tudo, uma grande realização.

Parte da dificuldade de interpretar os Cadernos para este livro está no fato de que os nomes dos personagens mudam ao longo das oitenta e tantas páginas em cinco Cadernos diferentes. Várias vezes, a personagem que aparece no romance como Nofret também é chamada Ibunept, Nebet, Ibneb e Tut. E, evidentemente, não é possível ter certeza se os nomes se referem a personagens masculinos ou femininos.

Christie escreve em sua *Autobiografia* que "Casas eram muito mais difíceis de ser descobertas do que templos ou palácios". E no Caderno 9 encontramos dezesseis páginas de anotações sobre "A Vida e os Costumes no Antigo Egito", com detalhes da vida cotidiana (as páginas se referem a alguns dos livros emprestados por Stephen Glanville):

Braceletes de contas ou anéis de ouro com escaravelhos verdes esmaltados P. 110 P. 46 também

Embalsamamento 21ST D. P. 111 e 55

A fabricação de papiro P. 114

Descrição de arco e flecha P. 127

Descrição de veste de Escriba P. 14

Descrição dinastia de Fundação P. 51

Descrição mumificação etc. P. 55 e P. 57

O Caderno 46 contém o esboço inicial da família. Embora alguns dos nomes não correspondam aos do romance, os personagens são todos reconhecíveis:

Ambiente do Reino Médio Personagens

Ipi – (mãe idosa) Tirana? Demônio? Sábia [Esa]
Pai – sábio idoso – gentil – um incômodo [Imhotep]

Meru – (filho mais velho) Rapaz bom da família – um pouco estúpido – introspectivo ressentido? [Yahmose]

S – ? Rapaz mau da família – fora de casa – Encrenqueiro [Sobek]

H – caçula mimado – precoce [Ipy]

Concubina – Vítima? Beldade em perigo ou Mal – cheia de poder [Nofret]

Mulher de M – uma víbora [Satipy]

Mulher de S – criatura gentil ou uma Emilia? [Kait]

Uma filha – energia – resolvida [Renisenb]

N – amigo da família – perspicaz – como defensor talvez narrado em 1ª pessoa [Hori – mas a "narrativa em 1ª pessoa" não foi seguida]

Hepshut – enganador [Henet]

A situação básica é descrita no Caderno 13:

> Nofret chega – todos são cruéis com ela – ela é dura com eles – suas lendas de cidades estrangeiras – o modo como ela atiça o conflito – Hori diz sempre lá subliminarmente. Ela escreve por meio de um escriba a Imhotep – Imhotep responde de modo furioso à família – ele retorna – designa terras para ela. Ela morre – picada por escorpião – todos sabem disso – Rensenb inquieto – então se lembra de uma discussão entre Nebet e Seneb

As anotações desse romance incluem outro exemplo do sistema de Agatha Christie para montar as cenas colocando letras em cada uma delas. É interessante olhar a página seguinte dos Cadernos e compará-la com o romance. Embora esteja nomeada como Capítulo 15, as cenas estão de fato espalhadas pelos Capítulos 15, 16 e 17. Mas a decisão final ("A.C.D. – então BB") é seguida. Acrescentei os cabeçalhos de capítulos pertinentes a cada cena:

Capítulo XV

A Esa e Henet [15 iii]

B Henet e Imhotep [16 i]

C Renisenb e "Tudo é Medo" – encontra Aapene – Por que você me olha de modo estranho? Então vê Yahmose – conversa sobre isso com ele – quem poderia ter sido? [15 iv]

D ~~Renisenb~~ Yahmose e seu pai – Y. mais autoridade [15 v]

E Kait e Renisenb [15 vii]

F Renisenb. Teti e Kameni – tem os olhos para ela – crianças fortes [15 vii]

G Renisenb e seu pai – casamento [17 i]

H Ren. e Kameni – conversa amorosa – o amuleto – quebrado – ela vai para casa – procura na caixa – Henet encontra-a com ele – pistas de H [17 ii e iii]

Quem morre depois?

A.A. Esa – por causa do unguento – ou óleo perfumado

B.B. Aahene [Ipy]

Sim, B.B. depois de falar mal de Henet [15 vi] que se queixa a Imhotep

Então: A.C.D. – depois B.B.

E esta é a ordem que aparece no romance publicado:

A Esa e Henet [15 iii]

C Renisenb e "Tudo é Medo" – encontra Aapene – Por que você me olha de modo estranho? Então vê Yahmose – conversa sobre isso com ele – quem poderia ter sido? [15 iv]

D ~~Renisenb~~ Yahmose e seu pai – Y. mais autoridade [15 v]

B.B. Aahene [Ipy] Sim, B.B. depois de falar mal de Henet [15 vi]

Os Cadernos oferecem uma solução para ao menos um quebra-cabeça em relação ao romance. Em sua *Autobiografia*, Christie escreve:

Stephen [Glanville] discutiu muito comigo sobre meu desfecho e lamento informar que tive de concordar com ele no final... Se acho que algo está certo no meu livro – do modo como deveria ser – não sou facilmente convencida a mudá-lo. Neste caso, contra minha própria opinião, eu tive de aceitar. Era um ponto controvertido, mas ainda acredito, quando releio o livro, que gostaria de reescrever o final. Porém fiquei sensibilizada pela gratidão que senti em relação a Stephen por todo o trabalho que ele teve e pelo fato de ele ter tido essa ideia.

Não fica totalmente claro o que ela quer dizer com "o final" – será a identidade do assassino ou o modo como ele é revelado? Se ela se refere a uma cena final mais dramática, nunca saberemos, embora seja pouco provável, porque o lugar do desfecho repete claramente as mortes anteriores de Nofret e Satipy. Mas, se pensou em outro assassino, ela já havia alinhado alguns candidatos:

Henet – esposa odiada – e todos os seus filhos – provoca Ibneb – depois a mata

Henet – ama o rapaz – matou a primeira mulher – e a segunda "irmã" – determinada a destruir Ibneb – finge gostar dela

Hori – aliado a Ib? Ela ganhará ascendência sobre a senhora – Hori sondou – a culpa cairá sobre Meru

Hori e Ibneb são companheiros – ele promove encontro dela com rapaz – convence-o a fazer o acordo fingindo se opor – ela então o trai ou irá trair – ele a mata – então finge – ela está se vingando na família – cena final com Renisenb – você Hori – jovem primo a salva

Filho (rapaz mau) entra – fala com a concubina – ele gosta dela – ideia é estarem em conluio

E havia outra proposta fascinante que nunca chegou a ser publicada. No Caderno 13, Christie brinca com a ideia de haver uma história moderna correndo paralelamente à antiga. De fato, é possível ver, mesmo nessas breves anotações, semelhanças entre os personagens antigos e os modernos. O velho professor e sua jovem esposa são Yahmose e Nofret, Julie é claramente Henet, Regina é uma Renisenb moderna e Edward e Silva poderiam ser Sobek e Ipy:

Versão moderna – Velho professor ou Chanceler – sua jovem esposa – ele traz o filho e a nora – filha viúva e o filho

Julie (solteirona que ficou morando com eles) – jovem arqueólogo que passou a viver com eles

Descoberta das Cartas da Tumba – Incluindo uma ~~da~~ para mulher morta que é acusada de matar Tut

Segunda mulher do autor morre subitamente – ela bebeu um veneno por engano

Jovem esposa morre – discussão entre pai, filho e nora – P[ai] diz novo testamento – tudo vai para Ida

Julie e retrato de Eleanor (primeira esposa) que iria voltar

Elaborado

Dr. ~~Elinor Solomon~~ Oppenheim
Ida – jovem esposa
Julie a criada fiel e ex-governante companheira

Edward Mervyn Oppenheim – dependente do pai – arqueólogo?

Charlotte – escultora – ou musicista (pianista) – ou escritora histórica – ou política

Irmão de Charlotte – Richard – o arqueólogo

Regina Oppenheim uma viúva com filhos – ~~Oscar Walsh~~ Jeremy Walsh – um jovem escritor – psíquico – dedutivo – sabe demais sobre as pessoas

Outro filho Silas

Da frase "Jovem esposa morre", fazendo o paralelo com a morte de Nofret, a jovem esposa de Imhotep, parece que os paralelos iriam se estender mais do que os relacionamentos familiares. No entanto, a ideia não foi desenvolvida além dessas breves anotações – claro, se tivesse sido, teria se transformado em contos dentro de cada período.

Esses dois aspectos – o final alternativo e a narrativa paralela – tornam esse romance ainda mais fascinante do que se pensava, mesmo sem debater a inovação ao criar a ambientação histórica. Aparentemente completo e interligado como foi concebido, parece que Christie estava pronta para traçar algumas linhas a mais por meio de sua narrativa. É inteiramente possível que, se tivesse conseguido realizar o paralelo moderno, ela revelaria outra solução; afinal, se os dois braços da história tivessem chegado ao mesmo destino, poderia haver outro anticlímax. Então, um único acontecimento produziria uma solução, podendo ainda criar um segundo e depois possivelmente um terceiro.

A Morte da Sra. McGinty

3 de março de 1952

A pedido do superintendente Spence, Poirot concorda em abrir uma nova investigação sobre a morte da diarista, Sra. McGinty, brutalmente assassinada dois meses antes. Embora James Bentley tenha sido condenado pelo homicídio, alguém em Broadhinny está prestes a matar novamente.
Apesar disso, todos são excelentes pessoas...

Continuando um padrão estabelecido dois anos antes em *Convite para um Homicídio*, *A Morte da Sra. McGinty* é destituído de qualquer charme, refletindo a adaptação ao pós-guerra; é um dos raros casos em que Poirot se aventura pela classe trabalhadora. "A Aventura da Cozinheira de Clapham", de 1923, foi sua experiência anterior. A morte da diarista, uma apatia surpreendente, um atentado à vida de Poirot e um promotor não carismático combinam-se para transformar *A Morte da Sra. McGinty* em um caso obscuro por excelência.

Há mais de setenta páginas de anotações para esse romance. Nomes, motivos, suspeitos, casos anteriores, todas as possibilidades aparecem numa profusão caótica. Como vimos no Capítulo 3, as trocas e combinações dos quatro primeiros casos importantes e suas possíveis encarnações como moradores de Broadhinny são praticamente ilimitadas, e todas são consideradas.

Na primeira página, Christie estabelece a premissa do romance, deixando apenas o nome do superintendente para ser decidido depois:

> Inspetor? [sic] velho amigo aposentado preocupado com o caso recém-julgado no Tribunal (ou recém-~~julgado~~ enviado a julgamento).
>
> Incorreto – tem todas as provas – motivo – oportunidade e pistas – mas tudo errado – sua obrigação apurar os fatos – enviou-os ao Promotor Público – ali cessou sua responsabilidade. Ele não pode fazer mais nada... Pode P fazer alguma coisa?
>
> Fatos?
>
> Não há fatos. Ninguém mais tinha motivos – de fato, todos são excelentes pessoas

Ela acabou por escolher o superintendente Spence, parceiro de Poirot na investigação em seu caso anterior, *Seguindo a Correnteza*, de quatro anos antes. Esse foi um grande intervalo e a primeira edição de *A Morte da Sra. McGinty* trazia na capa: "Poirot voltou!".

E, por trinta anos após seu primeiro romance, seu poder de criação não dá sinais de abandoná-la. Ela esboça pelo menos sete possíveis enredos antes de escolher o quarto. Parece que o título já estava decidido, provavelmente por ser o nome de uma brincadeira de criança, embora não muito conhecida. É citado e descrito no Capítulo 1, mas somente o título é utilizado e não há tentativa de seguir o restante do poema infantil. Esse foi o fator inalterado que ela usou para poder criar essas ideias, que poderiam resultar em tramas aceitáveis. Como se pode ver, as primeiras anotações para este caso surgiram em 1947, cinco anos antes da publicação do livro:

A Morte da Sra. McGinty

Sra. M é diarista – faxineira de escritório de meia-idade – por ter encontrado algo na lata de lixo – ela reuniu pedaços de cartas? Levou algo para casa?

Morfina no chá da manhã –

Apartamentos! Lawn Road – apenas super – Sra. M é uma das faxineiras

1947

A. A Morte da Sra. McGinty

Começa Diarista encontrada morta no escritório – levantou sofá – depois se descobriu ter sido estrangulada

Alguém vai à sua casa dar a notícia – a verdadeira Sra. M morreu há seis meses – esta é conhecida pelos faxineiros como sua cunhada

Por quê?

Quem?

Uma mulher entre 50-60 anos – Mãos calosas – pés bem tratados – roupa íntima de qualidade

A Morte da Sra. McGinty

A. Sra. M é diarista. Ao se investigar, descobre-se que ela não tem passado – subornou ex-faxineira e tomou seu lugar – suas referências foram falsificadas – 17 Norton St. Birmingham – um endereço de quartos para dormir. O que ela estava fazendo no escritório de Eleanor Lee... Prova de chantagem?

B. Sra. M é diarista – "trabalha" para a família Remington – vive numa casinha próxima à Agência de Correios – aceita um inquilino – (James McBride) sua poupança foi aberta – Ou atingida na cabeça – sangue nas roupas de James – ele tenta queimá-las na caldeira.

C. Sra. M senhora ~~idosa~~ de meia-idade – vivia com marido de idade James McGinty. Encontrada morta – JM conta uma história muito curiosa – (como Wallace) ou ele é sobrinho que herda dinheiro. Na verdade jovem faz amizade com ela – passa a adulá-la – finalmente a mata de tal modo J passa a ser suspeito – Por quê?

Ideias para HP (Sra. McGinty)

4 ou 5 pessoas na casa – uma perigosa – a única pista de P – ele é empurrado nas corridas debaixo das patas de um cavalo ou trem etc. por um deles. Sra. McGinty – (governanta?) sai – é mandada embora – por quê? Depois ele a encontra – ela está morta

"Wallace" no item C acima é uma referência ao famoso caso de homicídio de Julia Wallace, em Liverpool, em 1931. O marido, cujo álibi não poderia ser comprovado, foi condenado pelo assassinato, mas depois foi libertado. Como a Sra. McGinty, Julia Wallace foi encontrada na sala de estar com pancadas na cabeça.

Todas as pistas que estão no livro aparecem no Caderno 43 – o vidro de tinta e a carta, o recorte de jornal com seu erro de informação, a xícara de café, o cortador de açúcar e o comentário ousado de Maureen Summerhayes durante a festa:

Mancha de tinta no dedo da mulher morta. Comprou pote de tinta naquela tarde na agência de correios – nenhuma carta encontrada. Jornal – Daily Newshound ou Jornal da Noite

Cortador de açúcar – Juiz e esposa trouxeram-no de volta – Presbitério venda de trabalho

Pista real Robin
E. Kane mudou o sobrenome para Hope – Evelyn Hope – uma jovem – mas não uma moça – rapaz. "Mãe" de Robin não é a verdadeira mãe – ele obteve o sobrenome dela por escritura – ela foi paga para passar o sobrenome a ele – depois ele a mata – não quer que ela revele seu passado

O método de Robin para o segundo homicídio – tem uma xícara de café com borra e batom

Prova documental – nascituro – portanto sexo não é conhecido

Você não gosta de ser adotado, não é? (Um comentário feito por Maureen Summerhayes na festa)

E, então, ela pensa nos suspeitos...

Agora pense em cada membro da casa

1. Casal em torno dos 40 anos – meio aéreo – como R e A [Rosalind e Anthony, filha e genro de Agatha Christie] – vão às compras cuidam do jardim – (ele é o filho – ou ela é a filha de X) [possivelmente a família Summerhayes]

2. Mulher inválida com filho – filho é artista – ou pinta móveis ou um escritor – (romances policiais?) [Mrs. Upward e Robin]

3. Os Vaughan – marido instável (banqueiro ou advogado) esposa pacata e simples – filhos? – um (filho) dela de casamento anterior?

4. ~~Mulher rica – esposa muito vistosa~~ – 2 rapazes – vivem juntos (um é filho de X) disse à mocinha rica e estúpida que é filho de um grão-duque russo

Nem todos os casos anteriores que dão motivo para o assassino tentar ocultar o passado criminoso aparecem no Caderno como estão no romance:

Edith Kane [Eva Kane/Evelyn Hope]

Saiu aquele dia – ele envenenou a Esposa – um monte de besteira no jornal – tudo sobre aquela criança inocente – traída – ela e sua filha – filha nasceu depois – uma filha – a irmãzinha que nunca soube o nome do pai. A nova vida para Edith Kane – foi para a Austrália – ou África do Sul – uma nova vida num mundo novo. Ela foi – sim – mas voltou há 25 anos

Janice Remington – absolvida pela morte de seu marido ou amante como Madeleine Smith [Janice Courtland]

Pequena Lily Waterbrook – levou cutelo para tia – detido – apenas 15 anos de idade – libertado mais tarde – Harris? [Lily Gamboll]

Caso Greenwood – filha – mudou nome – sua prova salvou pai – em torno de 30 anos

Suspeitos do jornal – Idade atual
55 Eva Kane (? Mudou nome para Hope – viajou para o exterior – teve f[ilho] ou f[ilha]
45 Janice Crale – ou A Esposa Trágica – marido morreu com morfina – ou banho – amante a matou – homem desagradável – perverso – tomou remédios [Janice Courtland]
30 Lily Gamboll – matou tia

O nome "Madeleine Smith" refere-se ao caso de uma mulher julgada por envenenar o amante, Emile L'Engelier, em Glasgow, em 1857. O veredicto contra Smith foi "Sem provas"; na realidade, ela foi absolvida. Como o caso Wallace, citado na p. 230, ainda provoca profunda especulação.

Aparecendo junto na mesma página do Caderno 43, o seguinte texto teria sido acrescentado quando a trama já estava bem avançada. Com exceção do Ponto B, todos acontecem nos capítulos 13 e 14:

Pontos a ser trabalhados

A. Mrs. Upward vê foto – familiar

B. Mrs. Rendell veio visitar Mrs. Upward naquela noite – não pode fazê-la ouvir
C. Maureen fala sobre ser adotada
D. Mrs. O analisa a idade e a aparência de Maureen
E. Mrs. Rendell pergunta a P sobre as cartas anônimas – falsas
F. Mrs. O diz a Poirot – foi o Dr. Rendell

Em especial, o Ponto C é a pista principal que incrimina o assassino – embora poucos leitores percebam, pela forma sutil como é inserida. E o Ponto A determina o segundo homicídio em Broadhinny, pois Mrs. Upward faz um jogo muito perigoso com Poirot.

Punição para a Inocência

3 de novembro de 1958

Jacko Argyle morreu na prisão enquanto cumpria pena pela morte da madrasta. O álibi para a noite do crime nunca fora comprovado – até este momento. Arthur Calgary chega à casa da família e confirma o álibi de Jacko. Isso significa que o verdadeiro assassino ainda está entre os familiares e pronto para matar novamente.

O Caderno 28 contém todas as anotações desse romance, somando quase quarenta páginas. Em 1º de outubro de 1957, Agatha Christie escreveu a Edmund Cork pedindo-lhe para checar a situação jurídica se uma pessoa (A) fosse julgada e condenada pela morte da madrasta, apesar de alegar que estava com outra pessoa (B) no momento do crime. A pessoa B nunca é encontrada e A morre na cadeia seis meses depois da prisão. Então B, que viajou para o exterior por um ano, aparece e vai à polícia para confirmar a história de A e seu álibi. Christie queria esclarecer a situação em relação à "anistia" e à possível reabertura do caso. Ela assegurou a Cork que uma resposta rápida iria ajudá-la a trabalhar "com afinco no projeto deste novo livro". A data de "6 de outubro" aparece na página 20 do Caderno 28, confirmando que o romance foi planejado e escrito no ano anterior à publicação.

"Este é certamente o melhor romance de Christie sem suas marcas registradas [Poirot ou Marple] que já recebemos ultimamente... *O Inocente* [como era então chamado] quase consegue atingir uma mistura bem-sucedida de romance policial clássico com o conceito moderno de romance criminal." Esse foi o veredicto entusiasmado, escrito em 1º de maio de 1958, quando a Collins recebeu o mais novo romance de Agatha Christie. O parecerista considerou que poderia melhorar se fosse editado e mencionou que Christie se propôs a fazer isso. Seu outro senão referia-se ao título e ele forneceu alternativas – "O Lugar da Víbora", "O Dente da Serpente", "O Peso da Inocência" e, profeticamente, "Gato entre os Pombos". Embora ninguém soubesse naquele momento, este seria o título do livro a ser lançado no ano seguinte.

O conto "Uma Canção de Meio Xelim" (veja o Capítulo 4), que está em *O Mistério de Listerdale*, contém semelhanças com esse romance. Como no conto, um investigador externo chega à casa da vítima assassinada, cujos parentes suspeitam uns dos outros, e descobre que o assassino é um jovem com ligação emocional com o membro mais velho da família. Mude o "filho" do conto para "amante" e as semelhanças com Kirsten Lindstrom e Jacko em *Punição para a Inocência*, em que Arthur Calgary chega à mansão Argyle, são impressionantes. Embora o conto tenha sido publicado pela primeira vez em dezembro de 1929, quase trinta anos antes, os paralelos com *Punição para a Inocência* são demasiados para ser mera coincidência – o detetive de fora, a matriarca idosa assassinada por causa de dinheiro, a suspeita e a desconfiança, a revelação de uma parceria emocional e criminosa insuspeita.

Punição para a Inocência continua a ser um dos melhores romances da fase madura da carreira de Christie. É um romance criminal, diferente de um romance policial clássico, com convicções profundamente enraizadas sobre verdade e justiça, culpa e inocência. É embaçado apenas pela inclusão, nas últimas vinte páginas, de dois crimes, um bem-sucedido e outro que se limitou à tentativa de homicídio. Surgindo tão próximo do final do romance, eles não convencem como demonstração do pânico do assassino ou como um exercício para aumentar o suspense; os Cadernos, no entanto, jogam um pouco de luz sobre a inclusão desses homicídios.

A abertura do romance segue exatamente as primeiras anotações no Caderno 28, até no total do valor pago ao barqueiro. O barco usado por Arthur Calgary é o mesmo que se utiliza até hoje no final da Greenway Road, logo depois dos imponentes portões da residência de verão de Dama Agatha.

> Arthur Calgary – Barco de travessia – começo
>
> O barco veio parar de supetão nos pedregulhos da margem – A.C. pagou 4 pence e pisou na margem
>
> Bem, isso é tudo – ele poderia ainda, imaginou, dar meia-volta etc.

Uma página anterior do Caderno 28 vai direto ao crime. Ele é basicamente o mesmo, exceto pelo detalhe de um atiçador em vez de um saco de areia. Nesse ponto, o personagem Jacko, que aparece no livro, ainda consta no Caderno como Albert:

> Discussão violenta entre Albert e Mrs. A – ele a ataca – ela está quase morta – K. manda-o embora para poder ter um álibi. Às 8 horas – com ela novamente e ele a mata ou a esfaqueia – ela se levanta – denuncia-o.
>
> Possível desenvolvimento dos fatos –
>
> Albert – determinado a extorquir o dinheiro de Mrs. Argyle compõe-se com Lindstrom – quer que ela se case com ele – ela concorda

Com sua engenhosidade costumeira, Agatha Christie resolveu a questão espinhosa da justiça legal e moral. Quando *Punição para a Inocência* foi escrito, muitos aspectos vitais estavam mais bem delineados do que depois de o romance ter sido concluído. Se um personagem de romance de Agatha Christie fosse desmascarado como assassino, o leitor poderia ter certeza de que ele ou ela pegaria a pena máxima. Com a morte na prisão de Jacko, enquanto cumpria a pena por um crime que não havia cometido, Christie poderia ser acusada de um desserviço tanto para a justiça jurídica quanto para a da lei natural. Quinze anos antes, em *Os Cinco Porquinhos*, Caroline Crale foi erroneamente condenada, mas como resultado de sua própria conspiração para expiar um delito anterior. Igualmente, ela morre na prisão. E em *A Morte da Sra. McGinty* (1952), o insensível James Bentley, também equivocadamente condenado, é salvo por Poirot antes da execução. Mas em *Punição para a Inocência* comprova-se, finalmente, que Jacko foi moralmente responsável, mesmo não tendo efetivamente praticado o crime.

– Mrs. A – não vou ajudar – Leo não irá ajudar – ele tenta convencê-la – o saco de areia debaixo da porta – às 8h15 uma forma que ela não compreende – Mrs. A abaixa-se para ver – K a agride

Os membros da família mudaram de nome, mas ainda assim são reconhecíveis, enquanto Mrs. Argyle, Kirsten e Maureen são essencialmente as mesmas como no romance terminado. O cálculo da idade de Tina demonstra que essas anotações foram escritas em 1958:

Tina jovem mestiça – (5 em 1940 – agora 23) casou-se com carteiro local? Pedreiro? fazendeiro

Linda – casada com um homem desde a paralisia – ela vive ali [Mary]

Johnnie – um emprego em Plymouth vem com frequência

Albert – mau-caráter – instável ~~enforcado~~ condenado pela morte de Mrs. Argyll [Jacko]

Mr. Argyll – um erudito

Mr. Argyle – (ou Mr. Randolph) Randolph Argyle? Ambrose Randolph?
    Magro – etéreo – cercado de livros

Kirsten?
    Seu rosto comum – achatado – ~~nariz~~ cabelos descoloridos
    Uma freira de véu e toucado? – não uma irmã contemplativa – o tipo que olharia para você através da grade da porta antes de deixá-lo entrar na sala de visita – ou presença da Madre Superiora

Calgary vai e vê – Maureen – (casada com ele?) – Garota comum e boba – mas astuta – foi até a família quando ele foi preso – eles não sabiam que ~~ela~~ ele era casado.

Mary – Apartamento em Nova York – ódio por tudo – mãe estava na rua – carro passou – Mrs. A – adoção – então vida no hotel – cresceu num orfanato – planos para ela – encontro com Philip – sem passado – sai para se casar com ele – ele se estabelece nos negócios – Falha – depois contrai pólio – Mrs. Argyle – quer que venham – ele está pronto para partir – vai para o hospital – Mary vai para Sunny Point

As duas vítimas posteriores também são consideradas. No entanto, como mostram as anotações abaixo, a intenção original era que Philip ou Tina fossem a vítima:

Quem foi morto? Philip envenenado – não acorda ou Tina esfaqueada – ela anda de Kirsty até Mickey – desfalece

O envenenamento de Philip foi descartado em favor do esfaqueamento. Tendo em vista a urgência da situação do assassino, essa foi uma solução mais rápida e mais fácil, de acordo com a capacidade do personagem em questão. E uma possível razão para a inclusão de uma tentativa malsucedida de matar Tina fornece uma testemunha na ausência de outra prova de culpa. Para os leitores que duvidam da possibilidade clínica da tentativa de homicídio de Tina, que continua a caminhar apesar de ter sido esfaqueada, há duas edições do *British Medical Journal,* datado de 28 de janeiro e de 18 de fevereiro de 1956, entre os papéis de Christie com páginas que tratam exatamente desse tipo de atentado. E ambos os artigos estão marcados. Uma leitura cuidadosa do ousado Capítulo 22 deveria ser suficiente para dispensar qualquer acusação de falsidade.

Também há algumas ideias que nunca passaram além do Caderno 28:

> Testamento forjado – forjado em favor do verdadeiro assassino – mas muito mal forjado? Ou mal forjado em favor de Albert.
>
> Marido não gosta da esposa e odiava os filhos. Queria se casar com alguém? Ou tinha um filho fora do casamento.
>
> Ela iria alterar o testamento em favor de uma fundação para órfãos – que eliminava o marido.

E, finalmente, duas ideias intrigantes, ambas, na verdade, variações sobre o mesmo tema...

> Ou Albert era seu filho [i.e. de Mrs. Argyle]
>
> Kirsten é a verdadeira mãe de Albert?

Ambas as ideias poderiam ter funcionado e teriam criado, ademais, um sentido psicológico. O primeiro teria formado um enredo profundamente emocional; o segundo talvez tivesse sido mais eficaz como motivação para Kirsten (como fez para a sua contrapartida em "Uma Canção de Meio Xelim") do que a que foi usada. No entanto, as possibilidades de uma paternidade desconhecida como elemento do enredo e motivação são plenamente exploradas em *O Natal de Poirot, Cipreste Triste, A Morte da Sra. McGinty* e "O Espelho do Morto", entre outros; então, talvez, tenha sido simplesmente o caso de evitar uma repetição.

Um Crime Adormecido

11 de outubro de 1976

A nova casa de Gwenda Reed evoca lembranças perturbadoras e, depois de assistir à apresentação de *A Duquesa de Malfi*, ela confirma a suspeita de que, quando criança, testemunhou um assassinato naquele lugar. Ela ignora o conselho de Miss Marple para que deixe o crime continuar adormecido, e um assassino se prepara para matar mais uma vez.

Embora tenha sido publicado dez meses após a morte de Agatha Christie, *Um Crime Adormecido* foi escrito durante a Segunda Guerra Mundial e, como *Cai o Pano*, foi guardado para ser lançado somente depois da morte da autora. Ou, então, até a descoberta dos Cadernos, nós pensamos...

Anotações relacionadas com o desenvolvimento de *Um Crime Adormecido* aparecem nos Cadernos 17, 19, 33, 44, 63 e 66, uma indicação de sua conturbada gênese: ele passou por duas mudanças (pelo menos) de título e sua história está ligada a *Seguindo a Correnteza* (veja o Capítulo 12), que, por sua vez, está ligado a *Um Passe de Mágica*. Os Cadernos também mostram que, em vários momentos, ele deveria envolver o motivo da história de Mr. Quin, "O Arlequim Morto", de alguém curvado sobre um corpo no chão; poderia ter sido um título de Poirot e, mais surpreendente ainda, um romance de Tommy e Tuppence. Apesar da afirmativa de que foi escrito durante os ataques aéreos alemães, os Cadernos revelam uma cronologia bem diferente para a sua criação.

A primeira página do Caderno 19 traz logo em cima:

Cubra o Rosto Dela
A Falecida Sra. Dane
Um Passe de Mágica

O promissor título "A Falecida Sra. Dane" não foi seguido, embora o nome apareça nos primeiros esboços de *Cipreste Triste* e *Os Crimes ABC*. *Cubra o Rosto Dela*, enquanto isso, foi por algum tempo o título para *Um Crime Adormecido*. Ele foi originalmente chamado *Morte em Retrospecto*, como aparece em um dos manuscritos datilografados que sobreviveram, e como o Capítulo 5 do romance confirma. Então, os editores americanos de *Os Cinco Porquinhos* apropriaram-se desse título em 1942; assim o manuscrito guardado foi rebatizado *Cubra o Rosto Dela*. Tudo ia bem até P. D. James usar esse título em 1964 para o seu primeiro romance policial. Agatha Christie mesmo, em uma carta ao seu agente em 1972, sugeriu *Ela Morreu Jovem*. Por fim, o último romance de Miss Marple a ser publicado foi lançado, em 1976, como *Um Crime Adormecido*. Mas, como se pode ver a partir dos detalhes do texto seguinte – a casa com ambiente familiar, o papel de parede, a porta –, o título *Cubra o Rosto Dela* aparece com frequência nos Cadernos em relação a *Um Crime Adormecido*.

> Cubra o Rosto dela
>
> A Casa – reconhecimento – porta – Escadas etc. Poirot e moça assistem Duquesa de M – a história dela
>
> Cubra o Rosto dela
>
> ... no trem – depois na casa – sensação de já ter estado ali – o papel de parede deste quarto – (dentro do armário) – ~~a porta~~ mas foi a porta que realmente a chocou

A história complexa desse romance é mais bem exemplificada por uma breve citação do Caderno 63:

> Helen – Comece pela casa e a moça e Tuppence (?) ou amigo – Raymond West e esposa – coisas acontecendo uma de cada vez – depois o teatro – Malfi – uma história para T e T? Uma história para Miss M? Uma história de P?
>
> Helen Rendall – suicídio – enforcou-se – seu marido vendeu a casa e viajou para o exterior.

> Agora quem a matou? – O irmão dela – cirurgião famoso – Médico? – Marido? Choque – o marido da moça? H é a segunda mulher de P – jovem, volúvel – um amante – Fergus – chofer ou amante

A única certeza real em todo esse enredo é uma moça que compra a casa que guarda lembranças do começo de sua vida, e podemos ver a partir do trecho acima que Christie estava indecisa sobre a quem entregar o caso – Miss Marple, Poirot e até Tommy e Tuppence! Fora isso, não havia uma ideia clara de como continuar a história; e, presumivelmente, dependendo do detetive que ela escolhesse, se seguiria um livro e, possivelmente, um enredo diferentes. Essa dúvida em torno do detetive também levanta questões sobre o livro ter sido escrito especificamente como um último caso de Miss Marple; se tivesse sido criado como sua última investigação, o nome de Miss Marple teria sido o escolhido desde o princípio.

O Caderno 17 tem um esboço claro do enredo para os primeiros quatro capítulos. O nome da heroína, que depois seria alterado para Gwenda, aqui é Gilda, embora o nome do marido continue o mesmo:

> Gilda – jovem casada que chega a Plymouth ou Southampton – sente-se mal – fica durante a noite depois aluga carro – dirige devagar pelo sul da Inglaterra. Sensação de volta ao lar – noite – entra no vale – decidir pernoitar – visita a casa – agente – (ex--donos?). Ela a compra – escreve carta ao marido (ou compra-a mobiliada? sem mobília?) Incidentes – o caminho – a porta – o papel de parede – envia telegrama a Londres – para Giles tia Miss M? – ou para Giles primo de Miss M é tia dela – ou ao casal Crest – teatro – alguns jovens – etc. – Cubra o rosto dela – ela sai correndo e volta para casa. Joan pergunta a ela – Miss M. traz garrafa de água quente e café e açúcar. Na manhã seguinte... Gilda lhe conta tudo o que aconteceu – Helen etc.

O Caderno 66 começa como o Caderno 17, mas depois diverge brevemente para uma ideia diferente antes de retornar ao tema da *Duquesa de Malfi*. Também incluída nessa anotação está a menção a um pai colocado num hospício por um homicídio que ele pode ter cometido ou não, uma ideia que aparece em *Um Crime Adormecido*.

> Cubra o Rosto Dela
>
> Comece com a garota e uma amiga – encontre casa [em] Sidmouth – estranhos acontecimentos etc.
>
> Marido chega (ou está chegando) – medo de A – consulta médico da cidade – um vigarista? Ele a aconselha a deixar o bairro – depois o caixilho da janela cai sobre ela – "a casa me odeia") – peça teatral – A Duquesa de Malfi etc. – etc. – Helen. O pai dela está no hospício porque pensa que matou a jovem esposa?

O Caderno 44 confunde a questão mais um pouco ao mencionar um soldado e Poirot:

> Festa no teatro
>
> Duquesa de Malfi – Cubra o Rosto Dela – moça grita – levada para fora – não vou retornar para casa com meu noivo – jovem soldado – volta com Poirot. Um homem olha para corpo no chão – o homem com a mão – não apenas isso – casa familiar – já viu tudo antes

E o Caderno 33 mostra a possível conexão com o Arlequim:

> Continuação de Arlequim e Helen?
>
> Moça (Anne) desce as escadas e vê a moça morta e homem/mulher curvado sobre ela – (mãos cinzentas) Helen

Por fim, com o enredo bem andado e Miss Marple firmemente instalada como detetive, Christie pode seguir o planejamento em ordem alfabética:

> A. Carta de amor na escrivaninha para Musgrave? [mencionado no Capítulo 17 iii por Erskine]
>
> B. Anúncio de jornal visto pelo ex-empregado [Capítulo 12]
>
> C. Empregado 1? 2? Ouviu que H. tinha medo de alguém [Capítulo 14]

D. 3 empregados – 1. Enfermeira volúvel – saiu naquela noite... (Ela é C [supra])

   2. Cozinheira – empregada da Sra. F – muito jovem na época.

   3. Lily – muito jovem na época – diz a criada – roupas erradas – viu algo pela janela? [Capítulo 14]

E. Fane no escritório – gentil, reprimida – nunca se casou – mãe possessiva [Capítulo 13]

F. Miss M e mãe – descobre sobre filho de Jackson – também sobre homem ao sair – Major M [Capítulo 16]

G. Jackson [Affleck] – deixado na dúvida – (no escritório de Fane?) feito bom – funcionário de uma empresa de contabilidade – 2º homicídio – Lily? Enfermeira? [Capítulo 21 e 22]

H. Major e Mrs. Musgrave [Erskine] – Gwenda conversa com ele – moça adorável – sim, eu me apaixonei por ela – minha esposa – filhos pequenos – acho que fiz o que era certo – vim para Dilmouth porque queria ver onde ela viveu [Capítulo 17]

I. Miss M diz – o corpo sempre pode ser colocado onde se quer – no jardim – seguindo J. [Capítulo 23]

J. Dr. Kennedy com G. Gil e Miss M – os 3 homens – qual? Depois suas próprias vidas – Miss M pergunta como um homem se sente – solitário – falante [Capítulo 23 é o encaixe mais próximo]

Num livro ligeiramente descolorido, o álibi para o assassinato de Lily Kimble brilha como um belo exemplo da engenhosidade de Christie. E aparece no livro muito como foi esboçado no Caderno 17. Como de costume, com os melhores artifícios criados por Agatha Christie está a simplicidade propriamente dita:

Circunstâncias da morte de Lily

Escreve (contra o conselho do marido) para Dr. K – Ele quando ele vem para ver G[iles] e G[wenda] encontra Marple – traz a carta dela – diz que pediu a ela para vir na terça no trem das 16h30 trocando em Dillmouth Junction. G e G chegam lá às 16h30.

Na verdade ele diz a ela para vir no trem das 14h30 – duas cartas – iguais – exceto pelo horário

Ao todo, no entanto, *Um Crime Adormecido* não é igual aos demais livros escritos no início da década de 1940 – *Uma Dose Mortal, Morte na Praia* ou *Um Corpo na Biblioteca*. E, graças aos Cadernos, temos uma possível explicação para isso.

O Caderno 14 contém a primeira referência a uma data em conexão com esse livro: setembro de 1947:

Planos set. 1947

Arlequim moribundo
Cubra o rosto dela (Helen)
~~A Casa Torta (A Alt~~[erações]) Feito

E é essa data que contradiz todas as teorias que temos sobre a data da criação desse livro. Não há outro romance que poderia se encaixar na descrição de "Cubra o rosto dela (Helen)", então é de fato uma referência ao livro que conhecemos como *Um Crime Adormecido*. Mas, se estava apenas nos estágios de planejamento (e um estágio muito inicial, a julgar pela brevidade da anotação) em setembro de 1947, a escritura do romance é postergada para muito depois da data presumida até aqui.

Essa complicação é sublinhada na página seguinte, em que encontramos uma data mais de um ano depois, novamente, ainda com apenas um breve esboço do enredo:

Planos Nov. 1948

Cubra o Rosto Dela

A moça (ou jovem esposa) tem lembranças – volta – aponta – "Helen" está morta aos pés da escada – "Dedos cinzentos". Anúncio para Helen Gilliat (nome encontrado num livro) – respondido por Dr. Gilliat – cirurgião plástico – era irmã dele?

E parte do enredo delineado aqui ("nome encontrado num livro – respondido por Dr. Gilliat – cirurgião plástico") não tem relação com o enredo de *Um Crime Adormecido*, embora a referência a "Dedos cinzentos" aqui e a "homem com a mão" supra esteja refletida na confrontação final no livro, quando seu significado perturbador se torna claro. Evidentemente, havia ainda muito planejamento a ser feito. Então podemos mover a escritura do livro até quase 1950, i.e., quase dez anos após a suposta data de 1940.

Há ainda outras indicações de que esse livro tenha sido escrito muitos anos após a guerra. No trecho seguinte, do Caderno 19 ("moça no teatro – tropeça" claramente identifica *O Crime Adormecido*), encontramos a referência a "durante os anos de guerra", uma frase que certamente teria sido escrita muito depois de a guerra ter terminado:

> Jimmy Peterson vem dos Estados Unidos para procurar por Val (que esteve lá durante os anos de guerra). Moça no teatro – tropeça – rapaz a segue

Dois pontos finais comprovam a teoria de que *Um Crime Adormecido* não foi escrito durante a guerra. Primeiro, por que escrever, no início da década de 1940, um caso "final" de Miss Marple quando, nesse momento, seu único caso longo tinha sido *Assassinato na Casa do Pastor*, publicado em 1930, e *Um Corpo na Biblioteca* somente apareceria em 1942? E, segundo, no Capítulo 24 i de *Um Crime Adormecido*, o inspetor Primer menciona "caso da caneta com veneno próximo a Lymstock", uma referência direta ao romance *A Mão Misteriosa*, publicado em 1943.

Em aspectos gerais, *Um Crime Adormecido* é um clímax decepcionante para a carreira de Miss Marple. Como um romance policial perfeitamente adequado, não corresponde ao nível técnico do ano anterior, *Cai o Pano: O Último Caso de Poirot*, ou a *Convite para um Homicídio*, o ápice da carreira de Miss Marple. A possibilidade de que tenha sido escrito muito depois do que se imaginava exigiria muita explicação para se saber por quê.

PROVA E: M OU N?
UM JOGO DE TÍTULOS

> Os dois elementos essenciais para uma história eram um título e um enredo – o restante era mero trabalho artesanal, às vezes o título conduzia ao enredo, por si mesmo, e bastava seguir em frente – mas neste caso o título continuava a constar no alto da página e a falta de uma trama era auspiciosa.
>
> "A Aventura de Antony Eastwood"

Todos os títulos seguintes foram considerados, mas, por fim, descartados, para os livros de Agatha Christie. Foram retirados dos cadernos, dos manuscritos, datilografados ou não, dos relatórios dos pareceristas e das correspondências. Alguns são mais óbvios que outros, e a lista inclui romances, contos, peças e um livro de Mary Westmacott.

1. Fim de Semana Trágico
2. Justiça Post Mortem
3. Morte em Retrospecto
4. In Memoriam
5. Morte de uma Jogadora
6. A Inocente
7. O Dia Seguinte
8. Banquete de Sangue
9. A Mão
10. Morte Arranjada
11. Operação Final
12. Viagem de Volta
13. Morte Extravagante
14. Morte Fácil
15. Ponto da Víbora
16. Segunda Jogada
17. A Rede Intrincada
18. Laura Encontra um Corpo
19. O Rio / Maré Cheia
20. O Dente da Serpente
21. Um Gato entre os Pombos
22. A Alma no Assento da Janela
23. A Teia da Aranha
24. O Esquecimento do Mundo
25. O Mistério do Sobrado
26. Sombra ao Sol

Respostas na página seguinte.

Respostas

1. *A Mansão Hollow*
2. *Os Cinco Porquinhos*
3. *Os Cinco Porquinhos*
4. *Um Brinde de Cianureto*
5. *Um Gato entre os Pombos*
6. *Punição para a Inocência*
7. "Santuário"
8. *O Natal de Poirot*
9. *Um Crime Adormecido*
10. *Convite para um Homicídio*
11. *Terceto de Violinos*
12. *A Mansão Hollow*
13. *A Extravagância do Morto*
14. *A Noite das Bruxas*
15. *Punição para a Inocência*
16. *M ou N?*
17. *A Mão Misteriosa*
18. *A Teia da Aranha*
19. *Seguindo a Correnteza*
20. *Punição para a Inocência*
21. *Punição para a Inocência*
22. *A Rosa e o Teixo*
23. *A Mão Misteriosa*
24. "A Casa de Shiraz"
25. *Tragédia em Três Atos*
26. *Mistério no Caribe*

8

Um Destino Ignorado: Morte no Exterior

Tudo era igual todos os dias – nada acontecia. Não como em St. Mary Mead, onde sempre acontecia alguma coisa.

Mistério no Caribe, Capítulo 1

SOLUÇÕES REVELADAS

Encontro com a Morte (peça teatral) • "A Casa de Shiraz" • *O Homem do Terno Marrom* • *Morte na Mesopotâmia* • "Triângulo de Rodes"

Mais do que quaisquer de seus contemporâneos, Agatha Christie usou o "estrangeiro" como cenário ao longo de sua carreira literária. Logo em seu terceiro livro, *Assassinato no Campo de Golfe*, ela despachou Poirot para a França. Na primeira década em que escreveu, mais três títulos – *O Homem do Terno Marrom, Os Quatro Grandes* e *O Mistério do Trem Azul* – apresentam predominantemente ambientes no estrangeiro. E, em 1964, Miss Marple levou o seu tricô para o Caribe. Muitos dos suspenses de

Christie têm ambientes semelhantes – *Aventura em Bagdá, Um Destino Ignorado, Passageiro para Frankfurt.* E Poirot resolveu alguns de seus casos mais famosos longe de Whitehaven Mansions – *Morte no Nilo, Assassinato no Expresso do Oriente, Morte na Mesopotâmia* e *Encontro com a Morte.* Tudo isso refletia a paixão de Christie pelas viagens.

O Homem do Terno Marrom

22 de agosto de 1924

Quando Anne Beddingfeld de repente fica órfã,
vai para Londres e aí testemunha uma morte suspeita
em uma estação de metrô. Outra morte na Mansão Mill
convence Anne a investigar e ela embarca num navio
para a África do Sul, onde se envolve
em uma aventura emocionante.

O quarto romance de Agatha Christie usou bastante suas experiências com o primeiro marido Archie, quando ambos viajaram pelo mundo, em 1922. Embora comece na Inglaterra, grande parte do romance se passa a bordo de um navio seguindo em direção à África do Sul e o clímax da história acontece em Johanesburgo. Não é, *stricto sensu*, uma história de detetive, mas contém elementos de romance policial. Uma história emocionante com morte, joias roubadas, um mestre do crime, mensagens misteriosas e um tiroteio, é um trabalho de aprendiz antes de Christie encontrar a sua verdadeira profissão como romancista policial. Apesar disso, é uma leitura extremamente prazerosa, com uma solução-surpresa no final. E por isso é um livro relevante no cânone de Agatha Christie – anuncia, com dois anos de antecedência, seu mais assombroso e elaborado truque e o faz do modo mais sutil e engenhoso possível. E também adota a técnica de usar mais de um narrador, recurso que utiliza, de várias formas, em romances tão diversos quanto *Os Crimes ABC*, *Os Cinco Porquinhos* e *O Cavalo Amarelo*.

O Major Belcher, na vida real, que contratou Archie como o gerente para essa viagem à volta do mundo, convenceu Christie a incluí-lo como personagem em seu romance seguinte. E não estava satisfeito em ser apenas mais um personagem; queria ser o assassino, que considerava o mais interessante em um romance criminal. Ele chegou a sugerir um título, *Mistério na Mansão Mill*, o nome de sua própria casa. Em sua *Autobiografia*, Christie diz que, embora tenha criado um Sir Eustace Pedler usando algumas características físicas de Belcher, ele não era de fato Belcher.

Ela também relata na *Autobiografia* que, quando os direitos da serialização de *O Homem do Terno Marrom* foram vendidos para o *Evening News*, o título foi mudado para *Anna, a Aventureira*. Ela pensou que era "o título mais bobo que eu já vi" – e, apesar disso, a primeira página do Caderno 34 traz escrito no cabeçalho: "Anna Aventureira".

As dezenas de páginas de anotações que sobreviveram no Caderno 34 refletem o curso da história e representam tudo o que ficou da criação da trama. Sua precisão sugere que seja uma sinopse de rascunhos anteriores, mas, como Christie começou a fazer as anotações para esse livro na África do Sul, é compreensível que não existam mais.

> Capítulo I – Anne – sua vida com Papai – seus amigos... a morte dele – A. ficou sem dinheiro... entrevista com advogado deixou-a com £ 95.
>
> Capítulo II – Acidente no Metrô – O Homem no Metrô – Anne volta para casa.
>
> Anúncio no jornal "Procura-se Informação" advogado da Scotland Yard – Inspetor vem entrevistar Anne – sua calma – Braquicéfalo – não um médico. Sugere ser um detetive – pega uma

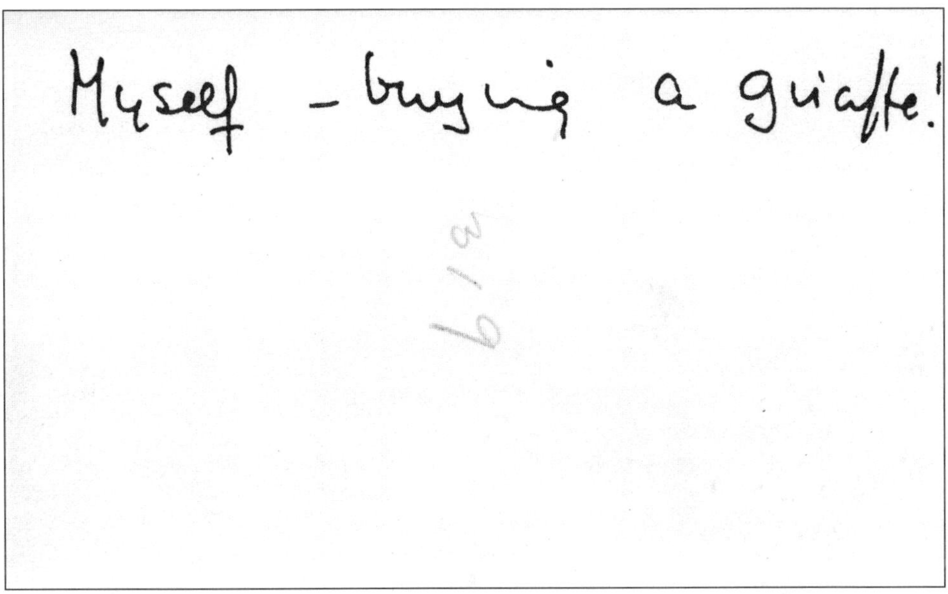

Esta foto inédita, de sua viagem à volta do mundo, em 1922, com Archie, mostra Agatha Christie comprando uma girafa de madeira ao lado de um trem, exatamente como sua heroína Anne no Capítulo 23 de O Homem do Terno Marrom.

folha de papel – cheira a naftalina – descobre papel foi retirado do morto em 17 jan 22

III – Visita ao Editor (Lord Northcliffe) – pega cartão de indicação no saguão – sua recepção – se ela trabalhar bem. A ordem para ver – Ela encontra alguma coisa? Talvez um rolo de filme?

V – Castelo Walkendale – suas pesquisas – O Castelo Arundel – Anne faz sua passagem

VI – Major Sir Eustace Puffin [Pedler] – muda de cabine – 13 – para – 17 – confusão generalizada – Eustace, Anne e Dr. Phillips e Pratt todos se apresentam para reclamar

Ou homem corre para pedir ajuda – depois atendente vem ela vê que ele foi apunhalado no ombro – Médico entra "Com licença" – Ela suspeita dele – ele sorri – no final homem é levado para a cabine do médico e o médico do Navio o atende

A referência a Lord Northcliffe, o famoso editor de jornal, sugere que Christie tinha a intenção de se basear nele para criar Lord Nasby, a quem Anne visita no Capítulo 5 para pedir emprego. E ambas as situações, envolvendo a mudança de cabine e o homem esfaqueado, aparecem no romance.

"A Casa de Shiraz"

Junho de 1933

Por que Lady Esther Carr se escondeu em sua casa na Pérsia?
O que realmente aconteceu com a criada?
Parker Pyne investiga o caso.

Esse conto do livro *O Detetive Parker Pyne* é um conto menor, mas, mesmo assim, apresenta um enredo semelhante a "A Dama de Companhia", em *Os Treze Enigmas*, e, muito depois e de forma mais elaborada, a *Convite para um Homicídio*. Há referências no Caderno 63, de modo surpreendente, a uma adaptação para teatro que nunca foi realizada como roteiro. Parece ser pouco adaptável para ser encenado; no entanto, o mesmo acontecia com "Testemunha de Acusação"! Aqui Christie brinca com vários títulos, todos dando importância à história:

> O Esquecimento do Mundo (Peça? Mansão de Shiraz)
> Dama do Deserto

As anotações para a adaptação teatral incluem um esboço para dois atos e três cenas:

> Hotel – indo de um lugar a outro – Lady Esther Carr – discussão entre ela e senhora ou senhor idoso – nômade – amiga de sua mãe – o chofer – sua ira – fugiu com ele – ele a deixou – antiga amiga diz que o homem é louco.
> Conversa entre Lady E e a moça – Muriel – moça normal bem comportada – ou foi babá de berçário – está noiva – chofer – um piloto – homem amargo. Na entrevista ele fala com outra moça – gosta dela – eles se tornam próximos.
>
> Ato II A casa no Deserto – criados nativos – Lady E – vestida com trajes árabes. Manda-o viajar para Damasco – ficará fora um mês – depois a transforma em escrava – diz à moça que ela não terá permissão para ver Alan – M responde – volta-se contra ela – sou tão altiva e forte quanto você – ela anda para trás – cai. Novo cônsul britânico deve chegar para fazer uma visita – ela joga fora a bandeja do café da manhã – coloca o anel no dedo – manda-o entrar – recebe-o como Lady E.

A maior diferença entre o original e a adaptação proposta é que a informação que recebemos no conto pela conversa de Pyne com o cônsul inglês é representada no palco. A primeira cena estabelece o passado da narrativa e a segunda mostra o acidente que gera a farsa. Isso significa que o público está ciente desde o começo da revelação até o final da peça. Mas não temos como saber se Christie tinha outra surpresa em mente – não há anotações para um último ato.

"Problema na Baía Pollensa"

Novembro de 1935

Mrs. Adela Chester pede a Parker Pyne que convença seu filho, Basil, a romper o namoro com Betty, que ela considera inadequada.

Há breves anotações no Caderno 66 e no 20 para esse conto jovial de Parker Pyne. A única questão foi onde ambientá-lo. História não criminal, foi obviamente escrito para uma revista:

> Mulher ansiosa quer que M PP impeça que seu filho se case com determinada moça – eles não serão felizes – filho pergunta se PP irá ajudá-lo.
>
> Córsega? Maiorca?
> A mãe e o filho – ele gosta de uma moça – pais – calças – Madeleine sai – esta cena – o rapaz está distraído

"Triângulo de Rodes"

Maio de 1936

Apesar de alertar os protagonistas, Hercule Poirot não consegue evitar um homicídio no hotel onde está passando as férias em Rodes. Mas consegue resolver o caso ao interpretar corretamente o triângulo fatal.

A gênese desse conto é complicada. Há textos variados nas publicações nos Estados Unidos e na Inglaterra, ao mesmo tempo que inúmeras anotações para a sua teatralização. E, ao ser aumentado e alterado para se tornar o romance *Morte na Praia*, algumas das anotações se sobrepõem e se entrecruzam. Não é possível datar os Cadernos com precisão, mas o trecho seguinte do Caderno 20 faz um resumo sucinto do enredo:

> O triângulo – Valeria C. amada pelo Comandante C. e Douglas Golding

Ele passou por algumas alterações antes de chegar à versão que conhecemos. Essas anotações, completadas pelos esboços de Christie de vários "eternos triângulos", estão escritas antes e depois de "Problema na Baía Pollensa". Para complicar um pouco mais, dois cenários separados e totalmente distintos e um grupo de personagens estão listados:

> União Soviética
>
> Quarto de hotel –
> No trem –

O Triângulo

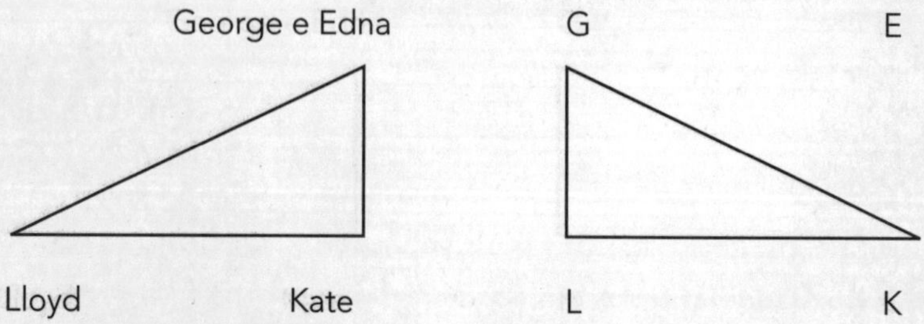

Anna e Ivan
Os Gordon – Lloyd e Jessica

Rodes – Balneário – Emily Renault (Joan Heaslip)

Os Courtney – lindos – sem graça – fúteis
Os Golding chegam – homem – mulher comum – um choque ao descobrir que estão em lua de mel – sua devoção a Mrs. C – cai por terra – antagonismo entre ele e C – uma discussão durante o jantar – todos comentam.

Mulher discreta fala com PP... o que vamos fazer? Ele diz deixe a ilha imediatamente – você corre perigo – (PP pergunta a si mesmo onde a viu antes – lembrança de um julgamento de homicídio). Lee um químico – Golding bebe o drinque de sempre – gim com água tônica – Mrs. Golding bebe no lugar dele e morre

O cenário da União Soviética (talvez inspirado por uma breve incursão quando retornavam de Ur em 1931) teria sido excepcional para Christie e muito incomum para um romance policial na época. Não surpreende que essa versão nunca tenha sido desenvolvida. O outro cenário está mais próximo da versão publicada, mas ainda passaria por alguns ajustes. Repare também que esse primeiro rascunho coloca o caso nas mãos de Parker Pyne.

Finalmente, no Caderno 66, chegamos à versão "real". O breve resumo a seguir dos enredos está entre as anotações de *Os Crimes ABC*, uma posição que combina com as datas de publicação de cada um dos romances. O fato de esse enredo e cenário aparecerem, de repente, totalmente formados, ao mesmo tempo que Christie estava criando um dos seus maiores livros, é outro exemplo de sua fertilidade criativa.

> História de Poirot – Chantries – ela linda, fútil, ele um homem reservado de forte personalidade – Os Golding – G apaixonado por Mrs. C – Mrs. G desesperada procura Poirot – você corre perigo. Várias cenas se for livro – atualmente Chantries e Mrs. G são amantes – o gim-tônica – Gold – suspeito de querer matar C – Mrs. C bebe no lugar dele – e morre

Repare nas palavras no meio dessa anotação – "Várias cenas se for livro". Ela obviamente pensou, e corretamente, que esse enredo apresentava um potencial que poderia ser elaborado um pouco mais. E foi exatamente o que fez anos depois, em *Morte na Praia*, embora os enredos sejam um tanto diferentes. Ambos apresentam um triângulo amoroso em uma praia e nenhum dos triângulos é aquele que o leitor imaginou, mas o motivo para os crimes é outro e o tema do eterno triângulo ganha uma variação no romance finalizado. Há também uma semelhança quanto ao modo de envenenamento adotado pelo assassino em *A Maldição do Espelho*, mais de 25 anos depois.

Finalmente, o seguinte trecho do Caderno 58 parece um esboço de "Triângulo de Rodes", embora, de fato, apareça entre as anotações de *Mistério no Caribe*.

> Ideia do triângulo (Rodes)
>
> Sereia encantadora – seu marido – devotado, sombrio, cínico – homem moreno miúdo, mulherzinha adorável, esposa – marido estúpido e comum – marido sombrio de fato tem ligação com o homenzinho. Eles planejam se livrar da sereia – marido estúpido será o suspeito

Há semelhanças entre os dois – o quarteto de dois maridos e duas mulheres numa praia exótica. Mas, de fato, está incluído nesse ponto no Caderno como um resumo do enredo para ela mesma, enquanto pensava nas possibilidades para seu novo quarteto caribenho.

Morte na Mesopotâmia

6 de julho de 1936

Quando Amy Leatheran aceita o emprego como enfermeira em um sítio arqueológico para cuidar da neurótica Mrs. Leidner, nem sequer suspeita que se envolverá na investigação da morte de sua paciente. Mas como o assassino entrou no quarto da vítima, se era constantemente vigiado?

Desde que se casou com Max Mallowan, Agatha Christie passou a acompanhá-lo todos os anos ao Iraque em suas expedições arqueológicas. Essas viagens deram-lhe subsídios para seus romances passados no exterior, mas aquele que mais se aproxima de suas próprias experiências é *Morte na Mesopotâmia*. O cenário é um sítio arqueológico e, além do enredo policial, há muitos detalhes do dia a dia, escritos a partir de sua experiência real.

As anotações que sobreviveram não são extensas, menos de quinze páginas ao todo, distribuídas em quatro Cadernos. No Caderno 66 há uma anotação, em uma única linha, em uma lista datada de janeiro de 1935; o romance foi escrito nesse ano e publicado em capa dura em julho de 1936:

> Morte no sítio arqueológico 1ª pessoa Enfermeira de Hospital?

Uma lista de personagens anotada no Caderno 20 combina com o romance publicado (embora alguns dos personagens masculinos não sejam de todo reconhecíveis), bem como o esquema básico delineado a seguir:

> As Pessoas
> 1. Dr. L[eidner]
> 2. Mrs. L[eidner]

3. Arquiteto B. homem 35 anos taciturno atraente [Richard Carey]
4. Epigrafista P. homem temperamental – hipocondríaco ou Padre (não de fato um padre!) [Fr. Lavigny]
5. Rapaz R. inclinação para ser tagarela ou ingênuo [David Emmott]
6. Miss Johnson – meia-idade – devotada a L.
7. Esposa – não arqueóloga – bonita – frívola [Mrs. Mercado]
8. G. um jovem obstinado [Carl Reiter]

A esposa – muito excêntrica – Ela está sendo dopada sem saber? O ambiente muda gradualmente de intensidade – uma bomba pode explodir a qualquer momento

É uma pena que não haja anotações mais detalhadas sobre o andamento da trama, especialmente diante do recado que Christie deixou para si mesma no início do trecho seguinte:

Podemos trabalhar a ideia da janela?

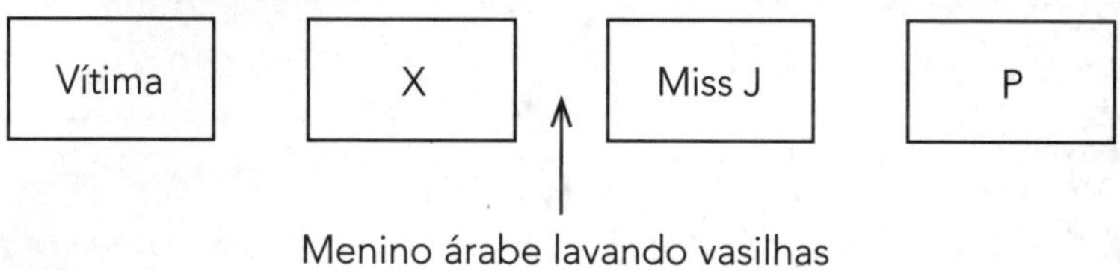

A "ideia da janela" é, sem dúvida, um de seus artifícios mais brilhantes e originais, e, como todos os seus melhores enredos, é totalmente simples – se analisado em retrospecto. Dito isso, quando Miss Johnson fica de pé no telhado no Capítulo 23 e diz: "Descobri como alguém poderia entrar – e jamais conseguiriam adivinhar", essa não é exatamente a verdade. Teria sido mais correto dizer: "Descobri como alguém poderia cometer este homicídio – e jamais conseguiriam adivinhar". O assassino não entrou – ele já estava dentro; e, embora Miss Johnson tivesse descoberto como ele conseguiu matar sem descer do telhado, isso não significa a mesma coisa.

Morte na Mesopotâmia deixa de ser um romance de Agatha Christie de primeira linha devido à revelação pouco factível durante a explicação de Poirot de um relacionamento insuspeito. A forma do homicídio é extremamente bem elaborada, o cenário e os personagens são mais bem delineados do que de costume, e a identidade do assassino é, sem dúvida, uma surpresa. Mas o motivo para o crime perde a credibilidade; como Christie (ou seu editor) nunca pensou que esse seria um cenário factível, é difícil imaginar. À parte a insatisfação implícita, também desperdiça um dos poucos casos em que Christie tentou criar um "crime perfeito". Esse é um subgênero de romance policial em que o interesse está não apenas na identidade do assassino, mas também no modo como foi cometido o crime. Nos romances policiais de "crimes perfeitos", as vítimas são encontradas em gramados cobertos de neve sem qualquer pegada, num quarto constantemente vigiado (como é o caso) ou num cômodo com todas as portas e janelas trancadas por dentro. Seu grande contemporâneo John Dickson Carr, Mestre do Quarto Trancado, foi exímio em sua criação. Quando aparece num enredo de Agatha Christie, é sempre como segunda opção, nunca como o foco principal da história. Ela o empregou apenas em três outros romances – *O Natal de Poirot, Por que não Pediram a Evans?* e *Cai o Pano* –, bem como em diversos contos.

Apesar da referência à "ideia da janela", o diagrama que o acompanhava não é de fato relevante para o caso, por representar uma parte da planta do andar térreo da Casa de Expedição, embora outra casa diferente tenha sido incluída no romance terminado.

Embora Christie testasse outros possíveis assassinos, o primeiro parece o que foi desmascarado:

> Possíveis manobras – O passado de Mrs. L – Um homem que ela feriu – marido ou alguém que ela traiu – que a odeia – que a perseguiu – ela fica cada vez mais nervosa
> Desenvolvimento
> A. Mrs. L é assassinada

B. Outra pessoa é morta por engano no lugar dela – na verdade ela armou tudo e a história de perseguição é uma invenção

Dr. L mata Mrs. L
Depois um segundo homicídio – alguém que sabia demais – Miss Johnson?

Miss J primeira esposa – sua vingança pessoal?
Ou – uma história distorcida pela esposa – e marido assassinado?
Ou Dr. L o vilão

Por último, o Caderno 47 revela que Christie pensou em usar *Morte na Mesopotâmia* como base para uma peça teatral. No entanto, ela rejeita a ideia de usar os personagens ou o enredo do romance como base (apesar da "mulher atraente e encrenqueira", uma personagem semelhante a Mrs. Leidner) ao esboçar um possível cenário:

Peça num sítio arqueológico? Possíveis personagens de Morte na Mesopot[âmia]

Diretor americano – ~~com mulher encrenqueira~~ – apaixonado por uma mulher atraente e encrenqueira – viúva de um inventor – ou cientista atômico – preso por atividades comunistas – (como Hiss?) Há dez anos – ele está na cadeia – ela se divorciou dele – apaixonada por Deirdre? Casada com ele – está ~~De fato~~ a ponto de ter um caso com arquiteto de meia-idade – chegam dois médicos da conferência médica de Bagdá – um deles amigo de expedição – o outro cirurgião plástico – ele é assassinado – depois ela também é

Alger Hiss foi o funcionário do Departamento de Estado americano acusado de espionagem, preso em 1950, porém por perjúrio. Sua culpa ou inocência da acusação de espionagem é uma questão ainda em debate. Faleceu em 1992.

O esboço acima parece um assunto pouco plausível para uma peça teatral, mas algumas dessas ideias acabaram surgindo afinal em *Um Destino Ignorado*.

Encontro com a Morte

2 de maio de 1938

A tenebrosa Mrs. Boynton aterroriza a família mesmo durante as férias em Petra. Quando é encontrada morta no acampamento, várias pessoas se sentem aliviadas. Hercule Poirot, ao mesmo tempo que se solidariza com a família, tem 24 horas para encontrar o assassino.

Há anotações tanto para o romance quanto para a peça teatral com esse mesmo título. Mais de sessenta páginas de anotações para a peça estão em quatro Cadernos e há vinte páginas para o romance no Caderno 61, logo depois das anotações preliminares de *O Natal de Poirot* e as outras mais extensas para *Akhnaton*. Embora tenha sido publicado em maio de 1938, houve uma serialização anterior no mês de janeiro desse mesmo ano no *Daily Mail*, onde recebeu o título de *Um Encontro com a Morte*, e foi publicado no final do ano anterior nos Estados Unidos. Num ensaio anunciando a serialização do romance, Christie escreveu que três pontos desse caso agradaram a Poirot – o prazo de 24 horas, a mente da assassinada e o fato de ter sido solicitado a investigar o caso por um homem cuja paixão pela verdade era igual à dele, o Coronel Carbury.

Em *Encontro com a Morte*, Christie cria para si outro desafio técnico. A investigação acontece em apenas 24 horas (embora a armação leve um pouco mais) na locação maravilhosa de Petra, longe do escritório da Scotland Yard. Não há impressões digitais, pessoas estranhas, nem Hastings; apenas Hercule Poirot e os suspeitos. Tem-se que dizer que partes da solução só podem ser explicadas por meio de intervenção divina – por exemplo: como poderia Poirot conhecer o passado do assassino? Por isso, quando Christie adaptou esse romance para o teatro, mudou o final completamente e apresentou à plateia uma solução mais plausível e psicologicamente mais fascinante.

Na primeira página do Caderno 61 está escrito acima: "Assassinato em Petra". Logo depois, há uma lista de personagens e breves descrições, cujos precursores podem ser claramente identificados nas anotações de *Morte no Nilo* (veja o Capítulo 6). O nome Boynton, no entanto, não aparece nesse momento e a família chama-se Platt:

> Personagens
>
> Roy – jovem, neurótico (26?)
>
> Nadine (22?)
>
> Lucia – filha de Mrs. P?
>
> Jefferson – primogênito
>
> Prunella (sua esposa – clara, cabelos cacheados
>
> Sarah Grant (Sybil Grey) jovem médica – interessada em psicologia [Sarah King]
>
> Lady Westholme M.P. (uma possível futura primeira-ministra)
>
> Dr. Gerard (francês?)
>
> Mrs. Gibson (falante e descuidada)? [Miss Price]

Quando ela volta seis páginas adiante (depois de um rápido desvio para fazer anotações de "O Espelho do Morto", *Cipreste Triste* e *Cai o Pano*), Christie altera os personagens – como de costume, alguns são depois rebatizados, enquanto outros não aparecem no romance – e continua com o sistema de alocar letras para cada cena. Ela rascunha de A até L sem hesitar ou se desviar (o que pode indicar que já havia trabalhado esse enredo em outro lugar), embora a ordem ainda fosse mudar bastante. A frase de abertura do romance, a mais impressionante de todos os romances de Agatha Christie ("Você concorda, não é, que ela precisa ser assassinada?"), não aparece até a Cena L nas anotações. O fato de Poirot ser mencionado junto com essa declaração pode contribuir para que ela seja dita.

Assassinato em Petra

A família Platt na Mansão Mena – depois no navio para a Palestina

Pessoas

Mrs. Platt [Mrs. Boynton]

Jefferson Platt [substituído por Lennox]

Nadine sua esposa

Marcia [Carol]

Lennox [torna-se Raymond no romance]

Ginevra

Sarah Grey [Sarah King]

Amos Cope (apaixonado por Nadine) [torna-se Jefferson Cope no romance]

Lady Westholme M.P.

Dr. Gerard – médico francês

Sir Charles Westholme [não aparece]

A. Sarah Grey e Gerard conversam sobre Mrs. Platt – S faz comentários sádicos [Parte I Capítulo 6]

B. Marcia e Lennox – "Isso não pode continuar – E por que não? Sempre foi assim – Ela vai morrer um dia – Não há ninguém para nos ajudar. [Parte I Capítulo 1]

C. Mrs. Platt e Ginevra – você está cansada esta noite, querida – doente – ela a força a se sentir doente [Parte I Capítulo 4]

D. Nadine e Amos – Por que está aqui? Deixe tudo [Parte I Capítulo 5]

E. Nadine e Jefferson – ela lhe implora – ele exclama Não me deixe [Parte I Capítulo 8]

F. Nadine e Mrs. Platt – Ela não se sente encantada [Parte I Capítulo 8]

G. N e Marcia que entreouviu a conversa – Eu não a culparia se você fosse embora

H. Amos e Mrs. P – a última diz que ela está doente – só pode ter sua própria família – um arrogante [Parte I Capítulo 5]
I. Marcia e Sarah Grey [Parte I Capítulo 7]
J. Lennox e Sarah – ela lhe diz para ir embora – Não posso – Sou fraco – Não sou bom para você [Parte I Capítulo 9]
K. Sarah e Gerard – ela admite que me apaixonei por ele [Parte I Capítulo 9]
L. Lennox e Marcia – temos que matá-la – Isso poderia – isso poderia libertar a todos – HP entreouve essa última frase [Parte I Capítulo 1]

Há muita especulação nas anotações quanto à forma do crime, dando força ao argumento de que o livro tenha sido moldado pelo personagem, em vez de pelo enredo. E não é irrelevante que, na versão teatral, não só seja outro o assassino a ser desmascarado como o modo empregado seja totalmente diverso. Como se pode ver, Christie pensou em vários venenos antes de escolher a digitoxina:

É interessante notar que tanto *Encontro com a Morte* quanto o livro seguinte, *O Natal de Poirot*, publicado seis meses depois, apresentam as criações mais monstruosas de Christie, Mrs. Boynton e Simeon Lee, respectivamente. Ambos oprimem as famílias, embora em nenhum dos casos sua tirania seja o motivo de sua morte. A solução alternativa proposta na versão teatral de *Encontro com a Morte* eleva a dominação a um novo patamar. Esse romance também apresenta um primeiro exemplo de uma jovem profissional, Dra. Sarah King. Houve mulheres jovens e independentes em romances anteriores – além de Tuppence Beresford, há Emily Trefusis em *O Mistério de Sittaford*, Frankie em *Por que não Pediram a Evans?* e Anne Beddingfeld em *O Homem do Terno Marrom* – mas a Dra. King é a primeira a exercer essa profissão.

Forma do Crime etc.

O remédio de Sarah é roubado

Abricina – roubado de Sarah – súbita doença violenta de Mrs. Pl[att]

Ácido prússico no rapé?

Digitalina

Narcótico no almoço

Um criado pega a bebida normal (chá?) – Lady M que bebe chá falso

Se for veneno – Coniina – Digitoxina – Coramina

Se coniina* ou coramina – Lady MacMartin e Miss Pierce subiram para falar com ela – ela não respondeu

Se for insulina, Mrs. P se autoinjetou

Ponto da coniina (ou coramina) paralisia muscular

A velha senhora se senta – cada um da família sobe para falar com ela – todos veem que ela está morta – mas ninguém diz

A adaptação teatral, até o final, tem basicamente o mesmo andamento do romance. No entanto, como nas outras peças teatrais – *A Mansão Hollow*, *Morte no Nilo*, *Retorno ao Assassinato / Os Cinco Porquinhos* e *Cartas na Mesa* (embora não teatralizadas por Christie) –, Poirot fica de fora. A maior diferença é o novo final, mas há também uma referência no Ato II, Cena I, sobre Mrs. Boynton ter trabalhado como carcereira em uma prisão. Ambos são debatidos nas anotações. E é a praticamente insignificante Miss Price que fornece a informação necessária para levar à solução, enquanto Christie rascunha o diálogo revelador:

Você sabia – você já salvou uma vida? – Carcereira. Miss P se sente desconfortável – levanta-se e vai embora. Sarah, que está sentada

* Cicuta. (N.T.)

ao lado – então interrompe – "Isso explica muitas coisas – você não abandonou o emprego quando se casou – continuou trabalhando. A necessidade de dominar etc."

Ser dependente química – é muito triste para a família

S: Miss Pierce, o que a senhora está dizendo?

Miss P: Nada – nada mesmo

S: Está dizendo que Mrs. Boynton consumia drogas?

Miss P: Eu descobri – quase por acaso – claro. Eu sabia que era muito pior

S: Mas isso significa... Mrs. Boynton era dependente química

Miss P: Sim, querida, eu sei

S: Diga-me – você precisa me dizer

Miss P: Não, não vou dizer nada. A pobre mulher está morta e...

S: Diga-me – o que você viu ou ouviu –

Miss P conta o que viu – dentro da bengala. Sarah chama Cel. Carbury – todos assistem – retiram de dentro da bengala

Mistério no Caribe

16 de novembro de 1964

Durante as férias nas Índias Ocidentais, Miss Marple é obrigada a ouvir inúmeras reminiscências do Major Palgrave. Depois que ele morre subitamente, ela lamenta não ter prestado mais atenção quando ele mencionou um assassino que conhecia. É possível que o mesmo criminoso esteja planejando outro homicídio em St. Honoré?

Em *Mistério no Caribe,* Christie usou lembranças de umas férias passadas em Barbados poucos anos antes. É o único caso estrangeiro de Miss Marple, embora mandá-la para o exterior tenha começado a ser considerado logo antes de Christie iniciar *A Testemunha Ocular do Crime*:

> Miss Marple – em algum lugar em viagem – ou na praia

As anotações de *Mistério no Caribe* estão espalhadas em catorze Cadernos, embora muitas delas não sejam mais do que anotações de ideias isoladas, que Christie concentrou para criar *Mistério no Caribe* quando se sentou para escrevê-lo em 1963. O Caderno 4 mostra as primeiras variações e no Caderno 48 encontramos especulações sobre dois casais:

> 1961 Projetos
>
> Carribe [sic] – Miss M – depois de período de doença – Raymond e Esposa – Filha – ou filho? Bogus Major Taylor – como um sapo – ele espreme os olhos quando fala.
>
> Ideia A Casais Lucky e Greg Evelyn e Rupert [Edward]
>
> Greg americano muito rico – Lucky quer se casar com o rapaz – no entanto finge que é com Rupert – tem romance com ele. O ponto é R. mata Greg ou Evelyn mata G por engano no lugar de R. Na verdade rapaz mata Greg

Apesar da presença de dois casais com nomes quase idênticos no romance, nenhuma das inúmeras variações e combinações consideradas aqui entrou em *Mistério no Caribe.* E no Caderno 35 ela lista o que viriam a se tornar três romances, embora a ordem alfabética seja estranha. Talvez essa seja a ordem com que ela tencionou escrevê-los, embora tenham sido publicados de fato na ordem abaixo:

> 1962 Anotações para 3 livros
>
> Y. Os Relógios (?)
>
> Z. Mistério no Carribe [sic]
>
> X. Terra Cigana [Noite sem Fim]

Algumas das ideias que Christie anotou nos diversos Cadernos – o major com cara de sapo, alguém contando histórias rebuscadas sobre assassinatos, a administração de drogas alucinógenas e um marido que "salva" a esposa algumas vezes apenas para "falhar" ao tentar salvá-la depois – aparecem no romance. Ela também se lembra algumas vezes de "O Touro de Creta" em *Os Trabalhos de Hércules* e seu uso de alucinógenos:

> Pesquise envenenamento por datura como administrado por esposas indianas a seus maridos – e releia o Touro de Creta
>
> Livro sobre ideia com Touro de Creta – loucura induzida por doses de Beladona.
>
> Peça ou Livro – dependendo da ideia raiz de Assassinato Fácil ou o Touro de Creta – tudo vindo dar em torno de uma pessoa, aos poucos – arquitetado por outra pessoa
>
> A esposa de um homem se enforca – ele corta a corda a tempo de salvá-la. Na verdade o homem está preparando o caminho para o suicídio... Faz isso enquanto um médico ou outro funcionário público lembra de outro caso – o mesmo homem
>
> História sobre – mulher que se enforca – marido corta a corda a tempo – levada às pressas para hospital

Um fato altamente revelador constante dos Cadernos é como *Mistério do Caribe* poderia ter se tornado uma história totalmente diferente. Em esboços iniciais no Caderno 3, vemos o germe de uma ideia bizarra, não seguida, elaborada no Caderno 18. Note também a primeira possibilidade de incluir Hercule Poirot. Só se pode especular que Poirot foi substituído por Miss Marple porque Christie, então uma senhora de mais idade como a sua personagem, havia passado um período de férias felizes no Caribe:

> (Ideia feliz) Livro sobre as Índias Ocidentais – Miss M? Poirot
>
> Moça paralítica por pólio – desistiu de seu namorado – viaja para onde iriam passar a lua de mel – sua enfermeira a acompanha

– uma personalidade um pouco duvidosa – moça mata alguém que estava feliz

Índias Ocidentais

Miss Marple e possivelmente Jean Brent – Vítima de poliomielite e uma enfermeira de hospital Doran Watson (Miss? Mrs.?)

Poderia começar com a moça – Jean – paralítica – diz ao noivo que precisa romper com ele – ele protesta – todo mundo a aplaude – então ganha uma viagem porque ela gostaria de fugir para esquecer. Raymond deve talvez combinar com Mrs. Watson que está viajando com o velho Mr. Van Dieman (rico) – (para massageá-lo todos os dias?)...

Se a torturada Jean odeia ouvir falar da felicidade alheia é a assassina – como ela consegue fazer isso.

Veneno? Narcótico? Tranquilizantes? Troca de pílulas? Que veneno?

Combinar Jean paralítica – (ou acidente de carro) sacrifício com Major cara de sapo (Índias Ocidentais)

Três páginas consecutivas no Caderno 3 contêm três elementos importantes de *Mistério no Caribe*:

Livro sobre ideia com Touro de Creta – loucura induzida por doses de Beladona.

Dois casais marido e mulher – B e E aparentemente devotados – na verdade B e G (Georgina) tiveram um caso por muitos anos – Brian, o marido de G desconhece? Na verdade é outro casal – o marido é um matador de esposas. O velho Major "sapo" sabe – já o viu antes – ele é assassinado

E no Caderno 18 achamos a fonte principal do desvio (embora seja frequentemente mencionado) – a ideia do olho de vidro:

Uma história diferente contada por Major P – seu olho de vidro observa ? (1) ? (2) mas de fato observa Jean e Enfermeira Boscombe

É interessante notar que, no original datilografado no final do Capítulo 23 e depois da pista "Olho Mau... Olho... Olho", há uma frase a mais – "Miss Marple sobressaltou-se". Isso pode ter sido considerado ousado demais e não aparece na versão publicada. E no Caderno 23 encontramos um esboço, literalmente, da cena importante, do major olhando por cima do ombro de Miss Marple. Aqui Christie desenha, talvez para se elucidar, a disposição física de Miss Marple enquanto ouve a história do major e interpreta equivocadamente o seu olhar:

> Depois do almoço Miss Marple conversa com Maj –
>
> Escadaria da varanda

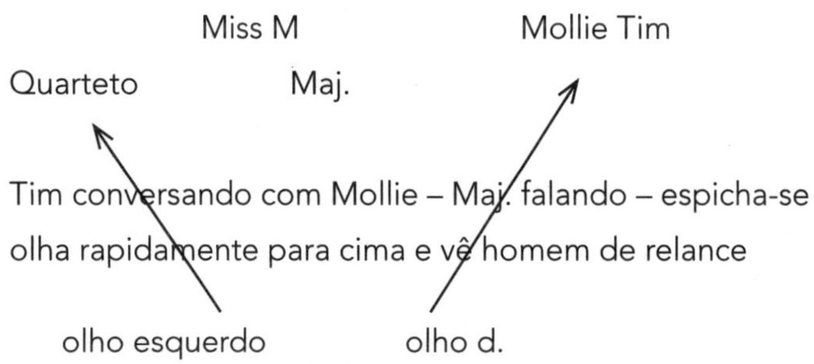

O Caderno 58 ainda está montando elementos muito básicos sobre os personagens e uma versão ligeiramente diferente da história é narrada pelo Major Palgrave. Aqui, o homem que investigou os crimes conta a história diretamente a Miss Marple. Nesse ponto do planejamento não há menção aos proprietários do hotel – apenas ao quarteto. Mas iria acontecer uma alteração típica de Agatha Christie, não adotada no romance, mesmo com uma gama limitada de suspeitos.

> Mistério no Carribe [sic]
>
> Um quarteto [de] amigos
> Mr. e Mrs. Rupert e Emily – ingleses – amigos há muitos anos – um casal par[ecia] muito devotado. Um dia – esposa confidencia que não conversam quando estão a sós – marido (da moça) diz que a vida conjugal é maravilhosa – quem está mentindo?

O homem do CID está no condado distrital na Inglaterra – telefone do homem quebrou – ele vem à cidade – (carro na garagem) procura por médico – eles voltam – esposa está morta – coração? – homem ficou arrasado – isso preocupa o homem do CID – ele se lembra do homem – vi-o antes – ele se lembra – na França – e sua mulher tinha morrido – o mesmo no Canadá – então se casa com americana – vem para Tobago – homem do CID encontrado morto

Mas de fato é a mulher – O cachorro que morreu
O homem errado ou a mulher errada morrem – de problema cardíaco para levantar suspeita sobre o casal errado – no fundo Mrs. Rupert sofre de achaques e doenças – ela e um jovem têm um caso

Por fim, vemos quanto ela elaborou o major e sua história, elementos que aparecem nos Cadernos:

Problema do Major P

Pontos Por que Major não reconheceu seu assassino antes?

A ilha não recebe novos visitantes – Edward, Greg, Van D. Jackson todos conhecidos para ele

Resposta através de Miss M? – Major não viu o homem propriamente dito – isto foi uma história que lhe contaram – ele apenas viu de relance – depois guardou a história como curiosidade – ele conta preparando para mostrar a ela ele olha – ele olha para cima e de repente vê o homem da fotografia – rapidamente guarda a foto

Possibilidades
(1) O major contou várias histórias de crimes que ele ouviu durante a viagem
(2) Poderiam Miss M – (ou Esther) ter entendido mal?
(3) (Não apoiado!) Esther mentiu – por quê?

A história do assassinato é diferente – poderia ter sido tanto um homem quanto uma mulher.

> Kelly conta para Miss M – como Palgrave lhe contou uma história – isto indica que foi uma mulher
>
> Miss M com Jenny nas Índias Ocidentais
> O major com cara de sapo – fofoca dele – olho de vidro – parece olhar em uma direção diferente da que ele vê – 3 maridos e esposas respectivamente – Chuck e Patty (romance?) – Greg e ~~Sarah~~ Evelyn

Uma vez mais, podemos constatar como a fertilidade da imaginação de Agatha Christie poderia ter criado um romance totalmente diferente do que escreveu.

9

O Vitral Escuro: Uma Agatha Christie Desconhecida

> Isso significa DES Owen. Ou é quase como dizer: DESCONHECIDO.
>
> *O Caso dos Dez Negrinhos*, Capítulo 3

À parte a imensa produção conhecida de Agatha Christie, também há várias obras que são inteiramente ignoradas, exceto pelos seus fãs mais ardorosos. Essas obras são roteiros, tanto para o rádio quanto para o teatro, e foram todos representados ou publicados. E todos aparecem nos Cadernos, alguns de forma bem expressiva.

Agatha Christie é ainda a única romancista policial que possui uma carreira de sucesso também como dramaturga. De fato, o maior trunfo do seu sucesso é a peça *A Ratoeira*. A maioria de suas peças é bastante conhecida, mas ainda há algumas surpresas.

Akhnaton é um roteiro não criminal, de 1937, baseado na vida do faraó egípcio Akhnaton. A pouco conhecida *Regra de Três* contém três peças diferentes e contrastantes encenadas em um ato, a única incursão de Christie nessa forma de teatro. E o título final deste capítulo é a última peça escrita por ela, *Terceto de Violinos* [*Fiddlers Three*]. Nenhuma recebeu críticas favoráveis, embora ambas tenham material interessante.

Para ser analisadas existem as peças para o rádio que são totalmente desconhecidas: *Ligação Pessoal*, *Prato Nobre Amanteigado** e *Chimneys*. Esta última é sua adaptação, com um novo vilão, do romance *O Segredo de Chimneys*; as duas primeiras peças originais foram escritas diretamente para o rádio. Nenhuma das três está publicada atualmente.

Regra de Três

20 de dezembro de 1962

Depois de quarenta anos de carreira, Christie ainda estava testando o teatro quando *Regra de Três* foi apresentada pela primeira vez no Teatro Duchess, em Londres. As críticas, no entanto, não foram boas e, exceto por *Terceto de Violinos*, que nunca foi encenada no West End, fez encerrar era de ouro no teatro para a autora. Hoje é uma obra de Agatha Christie praticamente desconhecida, pois raramente foi produzida desde então. Mas *Regra de Três* mostra que, mesmo depois de passar a vida enganando seu público, ela ainda tinha capacidade de surpreender e entreter. Cada uma das peças representa uma faceta diferente da autora e, além disso, traz aspectos inesperados e atípicos. Das três peças, *Tarde na Praia* é a mais inusitada de ter saído da pena de Agatha Christie; *Os Ratos* não é uma peça policial, mas um suspense policial claustrofóbico; enquanto *A Paciente* apresenta a pura essência de Christie.

Em 1955, sete anos antes de sua apresentação, no Caderno 3, Christie incluiu *Regra de Três* numa lista de "Projetos". A mesma lista também antecipa o que se tornaria *A Testemunha Ocular do Crime* ("Novo Livro de Miss M?") e o romance seguinte de Westmacott, que acabou se chamando *O Fardo*. Nesse momento, as três peças programadas deveriam ser adaptações

* Em inglês: Butter in a Lordly Dish. (N.T.)

de histórias existentes e contrastantes; "Acidente" e "A Esmeralda do Rajá" pertencem ao livro de contos *O Mistério de Listerdale* e "S.O.S." está incluído em *O Cão da Morte e Outras Histórias.* Vale a pena notar que "A Esmeralda do Rajá" tem uma conexão temática – o desaparecimento de joias numa praia – com a peça já escolhida, *Tarde na Praia*, e ambas têm um tom jovial. O conto soturno sobre um envenenamento, "Acidente", já havia sido adaptado, em 1939, por Margery Vosper como *Chá para Três.*

Projetos Gerais 1955

Ângulo de Ataque   Mary Westmacott

Um Hóspede Inesperado   Peça em 3 atos

Três Peças (Regra de Três?)

1. Acidente?
2. A Esmeralda do Rajá?
3. S.O.S.?

Novo Livro Miss M?   P? –

Pelo Caderno 24, dois dos títulos, C e B abaixo, foram incluídos na seguinte anotação, "S.O.S." (embora com um ponto de interrogação ao lado) ainda em terceiro lugar. Inexplicavelmente, estão listados na página em ordem alfabética invertida; quando foram apresentados, *Os Ratos* vem primeiro, seguido de *Tarde na Praia*, terminando com *A Paciente.*

Regra de Três   3 peças de 1 Ato para P.S.

C. A Paciente
B. Tarde na Praia – Gosto de estar à beira-mar
A. S.O.S.? [sic]
   O Armário
   Rosas de Natal
   Tinta Verde ou Telefonema –

"P.S." era Peter Saunders, seu produtor de longa data. Embora as referências remanescentes sejam elusivas, o "telefonema" na segunda lista é provavelmente a semente de *Os Ratos*, em que o telefone prepara a armadilha para a qual os ratos são atraídos; e "Tinta Verde" pode ser uma referência críptica à proposta inovadora que ela tinha em mente para o final de *A Paciente* (veja na p. 282).

Os Ratos

Os amantes adúlteros Sandra e David recebem um telefonema convidando-os para ir a um apartamento de um conhecido comum. Quando tentam ir embora, descobrem que estão trancados – e há um corpo no baú do Kuwait.

Os Ratos não é uma trama policial, embora haja mortes misteriosas, explicadas no final da peça. A semelhança mais óbvia ocorre com o conto "O Mistério do Baú de Bagdá" e sua versão posterior e mais elaborada, "O Mistério do Baú Espanhol". Nesse conto, um marido desconfiado se esconde dentro de um baú esperando flagrar a mulher e o amante em flagrante; em *Os Ratos*, por outro lado, quando Sandra e David descobrem que foram atraídos para aquele apartamento, suspeitam ser uma armadilha. Mas a peça se desenrola de modo mais macabro. Apresenta a pista do monte de serralho debaixo do baú que dá a Poirot "muito que pensar" durante o conto. O Caderno 24 tem quase cinco páginas de anotações:

Os Ratos

Apartamento pertence aos Torrance – quase sem móveis – um baú do Kuwait está no centro – no último andar na mansarda – armários embutidos – um divã escuro coberto com cortinas etc. – uma longa mesa de madeira entalhada – algumas cadeiras modernas – um ou dois vasos persas – um grande bule de café árabe

Corpo no ~~armário~~ – Baú de Bagdá – Oh, meu Deus! – É Robert! – Polícia foi chamada – moça e rapaz descobrem o corpo do marido dela – Alec chega – parecido com Mischa – ele diz que recebeu um telefonema

Embora tenha havido personagens homossexuais em outras obras de Agatha Christie (Mr. Pye, em *A Mão Misteriosa*, Murgatroyd e Hinchcliffe, em *Convite para um Homicídio*, e Horace Bundler, em "O Pateta de Greenshaw"), Alec, em *Os Ratos*, é o exemplo mais inequívoco e estereotipado, e muito mais sinistro do que, por exemplo, Christopher Wren, em *A Ratoeira*. Ele é descrito no roteiro como "o tipo afeminado, muito elegante, divertido, com tendência a ser vingativo", e seu amor pelo falecido marido de Sandra é discutido abertamente. A referência a Mischa, acima, é intrigante.

Tarde na Praia

Uma tarde em família na praia termina com a captura de um ladrão de joias e algumas revelações inesperadas – e a resolução de ir a outro lugar para passar as férias seguintes.

Das três peças de *Regra de Três*, *Tarde na Praia* é a que menos parece ter sido escrita por Agatha Christie. Foi comparada a um cartão-postal inglês atrevido, passado inteiramente na praia e envolvente, em determinado momento, em que uma personagem feminina veste o maiô em cena aberta. A trama, para ser de Christie, é fraca e o humor é por vezes forçado. É realmente uma obra automatizada – mas há uma surpresa, que representa uma nova variação de um velho tema de Christie. Ironicamente, as anotações são extensas, chegando quase a quarenta páginas, embora com inúmeras repetições. Há muita especulação sobre o nome atribuído a ambas as famílias (os devidamente denominados Mr. e Mrs. Sour [Amargo], descritos como "chorões", tornam-se Mr. e Mrs. Crum [sem significado]) e às casas de praia:

Sea View	[Mon Repos]	Wee Nook
Mrs. Montressor	Mr. Wills Mrs. Wills	Genevieve Batat

À Beira-Mar

Iniskillen	Bide a Wee	Mon Repos
Mr. Sour	Wilkinson	~~Arlette~~
Filho	~~Mr. Robbins~~	~~Desconhecida~~
Mrs. Sour	~~Mrs. Robbins~~	Yvonne
(Chorões)	Wilkinson	

Porém, mais adiante nas anotações, há vislumbres da Rainha do Crime no desmascaramento, não do vilão, mas do policial – ou, para ser mais preciso, *da* policial:

Notícia no jornal – roubo em Aga Khan – esmeraldas/safiras

Praia
Mon Désir
Policial Alice Jones age de forma sedutora

Discussão entre rapaz e namorada – outro rapaz e eles trazem as cadeiras para o deque –

Algumas ideias lembram a Agatha Christie dos velhos tempos, mesmo nessa peça curta e atípica. E, obviamente, a capacidade de criar variações em torno de um mesmo tema não a havia abandonado. A ideia da "troca de calças" tem uma clara correspondência com "A Esmeralda do Rajá", de *O Mistério de Listerdale*:

O detetive chega? – faz busca nos chalés? Encontra as esmeraldas?
Ou o velho Grubb as encontra no balde?
Ou criança chuta monte de areia – Grubb pega as esmeraldas
Graças a Deus!

Boas ideias possíveis
Ou troca de calças – Percy veste as calças erradas
Somers (débil e cavalheiresco – na verdade um gatuno)
Ou dinheiro falsificado
Ou colocado no chalé errado
Percy leva uma bolada na praia?
Ou chantagem

A Paciente

Mrs. Wingfield ficou paralisada após cair da varanda de casa. Sua médica descobriu um modo de se comunicar com ela e irá fazê-lo na presença da família. Mas alguém não quer que ela revele a verdade sobre aquela fatídica tarde.

É uma pena que tão poucos fãs de Agatha Christie conheçam *A Paciente*, por ser, de várias formas, a essência da autora – um ambiente fechado, um círculo familiar limitado de suspeitos, uma distribuição engenhosa de suspeitas; e tudo em quarenta minutos. Também contém uma de suas pistas mais bem dissimuladas. Diferentemente das outras duas peças da trilogia, é uma pura trama policial com um final surpreendente. Sim, parece forçada (uma paciente imobilizada comunicando-se por meio de um botão de luz, que ela acende uma vez para dizer sim e duas para dizer não), mas também o são muitos outros enredos policiais, incluindo alguns dos melhores livros da autora. As anotações da peça aparecem nos Cadernos 22 e 24:

A Paciente

Casa de Repouso – Médica e Enfermeira (Paciente já está ali? Ou é trazida numa cadeira de rodas depois)

A segunda é quem conseguiu estabelecer a comunicação? –

Conversa sobre vendas pelo Inspetor – desaparecimento das joias

Mrs. X gravemente ferida – tetraplégica – incapaz de se comunicar – enfermeira inteligente usou a pressão dos dedos – aparelho com lâmpada vermelha – Paciente trazida em cadeira de rodas

Paciente em cadeira de rodas – enfermeira ao seu lado (Ligação) ou médica-residente
Perguntas feitas Assassinato
  Espelho
  Banheiro
Viu alguém   Sim
Alguém conhecido   Sim
A pessoa está no quarto agora   Sim
Soletre o nome   A – B
B –   Sim
Colapso relatado pela enfermeira? Médica-residente? –

Tire a máscara – Eu sei muito bem quem você é
Fecha a cortina – Meu Deus – você!

Final alternativo – luvas – pintadas com tinta fosforescente – levantem as mãos – luzes se apagam – Mãos Culpadas!

Mesmo nesse final de sua carreira teatral, Christie estava ainda experimentando, como mostram as duas últimas anotações acima. Por incrível que pareça, ela queria que a cortina fechasse ou as luzes se apagassem *antes* de o assassino ser desmascarado. Se isso tivesse sido feito, seria a última virada de Agatha Christie – embora o choque fosse um pouco minimizado pela gravação da sua voz, perguntando aos espectadores quem eles acreditavam ser o assassino.

De modo não surpreendente, no entanto, a ideia acabou não prosperando. Foi abandonada depois de uma enxurrada de telegramas à autora, que não estava no país nas pré-estreias fora de Londres, em Aberdeen. Com um rastro de sucessos teatrais estrondosos, foi um conceito muito estranho para ser introduzido; seria como ler um de seus romances sem o último capítulo.

Terceto de Violinos *[Fiddlers Three]*

3 de agosto de 1972

É muito importante que o executivo Jonathan Panhacker viva até quarta-feira, dia 18, por ter feito um acordo financeiro com seu filho Henry para que herde £100 mil nessa data. Quando ele morre inesperadamente, o Terceto de Violinos conspira para garantir que ele seja mantido "vivo" por mais alguns dias.

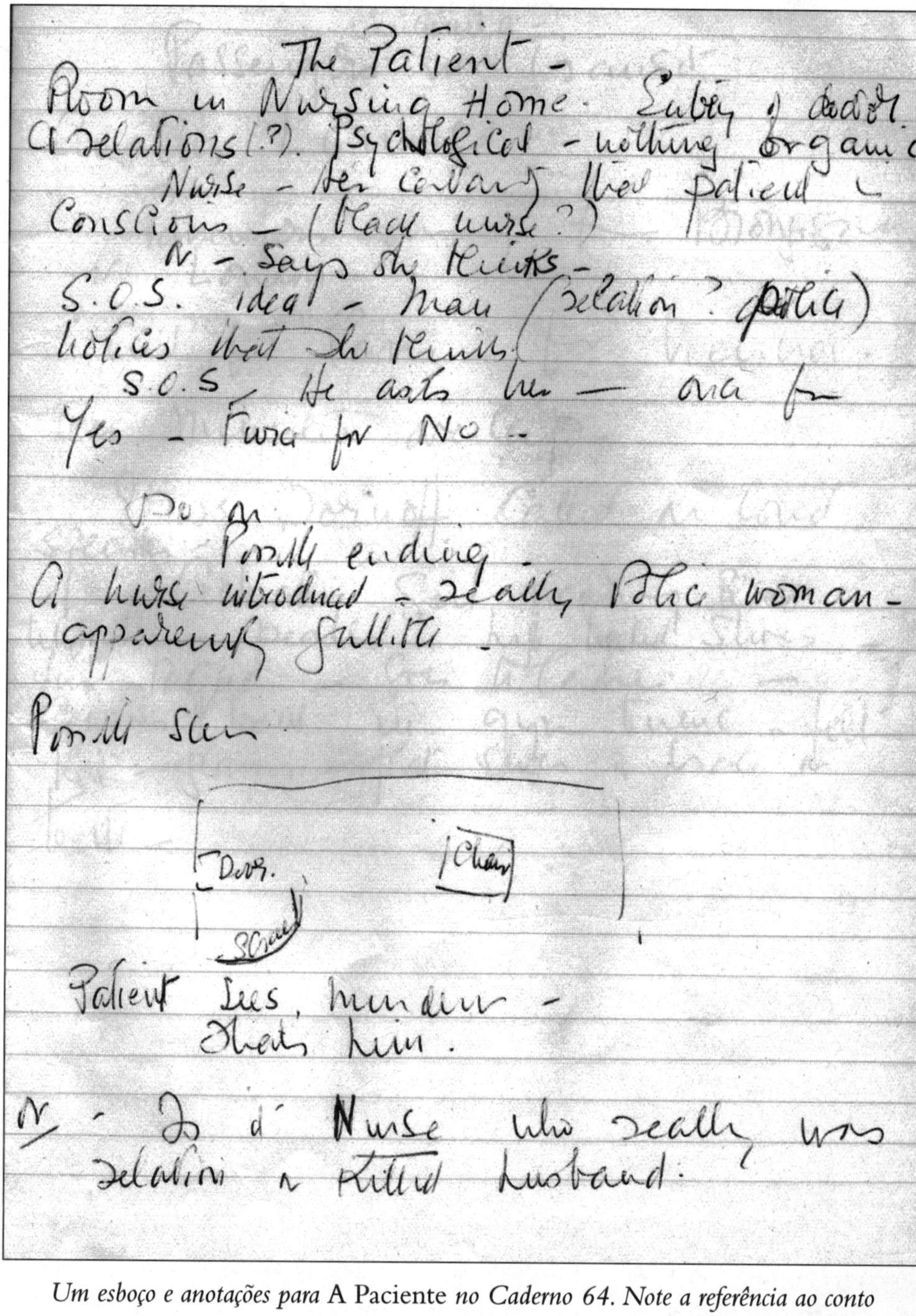

The Patient -
Room in Nursing Home. Entry of doctor
& relations (?). Psychological - nothing organic
Nurse - her contact [illegible] that patient is
conscious - (black nurse?)
N - says she thinks -
S.O.S. idea - man (relation? police)
notices that she thinks
S.O.S. He asks her — once for
Yes - twice for No -

[illegible]
Possible ending -
A nurse introduced - really Police woman -
apparently gullible -

Possible scene

Patient sees murderer -
[illegible] him.

N - Is it Nurse who really was
relation & killed husband.

Um esboço e anotações para A Paciente *no Caderno 64. Note a referência ao conto "S.O.S.", incluído em* O Cão da Morte, *que, como* A Paciente, *apresenta um método incomum de comunicação.*

Esta é a última peça teatral escrita por Agatha Christie, e a única que não foi montada no West End. Depois de uma carreira teatral gloriosa, esse último trabalho foi uma despedida triste. Sua peça anterior, *Regra de Três* (veja na p. 275), não foi especialmente bem recebida e passaram-se dez anos antes que ela voltasse a ter o impulso de escrever um novo roteiro. *Terceto de Violinos* é uma comédia-suspense em dois atos, mas, infelizmente, não possui elementos suficientes dos dois gêneros para ser um sucesso e oscila entre extremos irreconciliáveis. Tem uma história complicada. Em sua primeira encarnação, *Quinteto de Violinos* [*Fiddlers Five*] estreou em 7 de junho de 1971; no ano seguinte, em 3 de agosto, foi apresentada uma versão adaptada como *Terceto de Violinos*. No ano seguinte, Christie fundiu alguns personagens para reduzir o número de violinistas.

O enredo é relativamente direto. Se Jonathan Panhacker viver até quarta-feira, dia 18, o trato financeiro com o filho Henry para que ele herde 100 mil libras nessa data será efetivado. Por sua vez, Henry prometeu investir o dinheiro num esquema comercial com Sam Fletcher e Sam Bogosian. Quando Jonathan morre subitamente, Henry, Sam e a secretária Sally, os três violinistas do título, inventam um modo de mantê-lo "vivo" até o dia 18. Isso envolve uma dupla personificação, um atestado de óbito suspeito e uma revelação sobre uma morte anterior. As complicações aparecem no segundo ato, quando várias pessoas que conheciam Jonathan chegam ao hotel onde ele está e exigem vê-lo.

Como muitas das obras posteriores e mais fracas de Christie, essa contém boas ideias, mas a engenhosidade anterior da autora para explorá-las parecia tê-la abandonado; se ela tivesse escrito essa peça vinte anos antes, poderia ter desenvolvido o enredo de modo mais convincente. Há uma personificação pouco satisfatória e alguns negócios escusos com frascos de pílulas antes de a peça terminar com o desmascaramento de um assassino improvável. Não deve ser coincidência que muitas de suas últimas peças – *A Teia da Aranha, Um Hóspede Inesperado, Veredicto, Os Ratos* e *Terceto de Violinos* – apresentem esse tipo de situação dúbia, mesmo revelando um assassino no final.

Por motivos óbvios, seu produtor Peter Saunders não se interessou em apresentar a peça no West End, presumindo, de modo acertado, que receberia crítica desfavorável. De fato, a imprensa local foi implacável e frases como "bom entretenimento, divertido, mas uma peça deplorável", "veia fraca – praticamente uma farsa" e "a trama é previsível, tola e rasa" se espalharam por todas as resenhas.

Em outubro de 1958, as primeiras sementes foram lançadas no Caderno 15, embora se passassem mais de dez anos antes de ela começar a trabalhar seriamente na peça. Obviamente, mesmo já tendo uma longa carreira, ela relia seus fiéis Cadernos em busca de ideias que pudesse explorar:

> Out. 1958
>
> Projetos
>
> Uma Peça – alegre (como A Teia da Aranha) Onde? – colégio de moças?
>
> Ou festas Quase Mortais? Fingindo morrer? Ou ocultando uma morte natural – secretária gordinha dedicada? – um tipo tolo deliberadamente escolhido? Sala de reuniões – K. passa por esposa e cadáver – peruca etc. Grande confusão –

A ideia de um "colégio de moças" apareceu em *Um Gato entre os Pombos*, publicado no ano seguinte. E as "festas Quase Mortais" foram brevemente seguidas no Caderno 39 a seguir. "Ocultando uma morte natural" foi o que forneceu a base para *Terceto de Violinos*.

O Caderno 4 contém a maior parte do enredo, mas, como aconteceu com os últimos livros, as próprias anotações são vagas e desfocadas, embora a lista de personagens seja precisa. Um mistério menor sobre essa peça é a denominação dos dois personagens principais; Panhacker e Bogosian são os dois nomes mais inusitados de toda a produção de Agatha Christie.

> Cena – um escritório
> Mr. Willis Stanley um pouco deslocado – história
> Seu amigo Mr. Bogosian
> Nellie (M) dedicada um pouco falante e repulsiva

O dono da cobertura – Homem muito rico vive nas Índias Ocidentais
Seu filho ~~ou sobrinho?~~ Transfere todos os seus bens na Inglaterra
Irá financiar – daqui a apenas quinze dias
Então volta após almoço – ou o elevador está quebrado – então ele sobe ao apartamento – senta-se no outro quarto – é encontrado morto

M. diz que é seu marido ou irmão – Vá comprar uma cebola para mim [para fazê-la chorar]
Jeremy ~~Brooker~~ Brown

Está tudo bem – ele precisa estar vivo – Geraldine – Leve tudo para cima

Gina
Sally Lee
Sam Fletcher
Jan Bogosian
Henry Panhacker
Solomon Panhacker
Uma aeromoça
Inspetor Detetive Wylie
Mr. Moss

Foram pensados vários títulos e *Trama Mortal* [*This Mortal Coil*] aparece num roteiro anterior:

Trama Mortal
Operação Terminal
Seis Centavos
Terminal
Morte Arranjada

No Caderno 39, debaixo do misterioso cabeçalho "Peça de M e J", encontramos duas tentativas de uma peça teatral sobre "obrigações mortais". O primeiro esboço reflete "Jane Procura um Emprego", originalmente publicada em agosto de 1924 e incluída dez anos mais tarde na coletânea *O Mistério de Listerdale.*

> Obrigações mortais – moça está morta – receberá uma grande fortuna – ideia é fazer parecer que está viva por mais uma semana. Homem coloca anúncio procurando uma jovem – 1,74 m, cabelos claros – ligeiramente encaracolados, olhos azuis etc. Primeira cena moças bonitas bem arrumadas – uma é escolhida para personificar a jovem – J

A segunda está mais próxima do enredo final, mas não foi desenvolvida até chegar ao Caderno 4, onde acaba por assumir a forma que reconhecemos em *Terceto de Violinos*:

> Obrigações mortais – uma pessoa falecida por causas naturais precisa ser ocultada por uma semana – personificação por M ou J – com ajuda do agente funerário. Escritório – M e seus dois funcionários
>
> Mr. Leonard – grande, gordo, ordinário
>
> Mr. Arkwright – melancólico – sombrio
>
> Estão todos enrolados – o que fazer?
>
> Sally!

Akhnaton

Publicada em 14 de maio de 1973

Estendendo-se por um período de dezesseis anos, a peça mostra as tentativas do jovem faraó Akhnaton de introduzir uma nova religião. Sua falha determina a tragédia para ele, para a rainha e, por último, o próprio Egito.

Há quase cinquenta páginas de anotações para esse livro, principalmente no Caderno 61. Chamada pelo marido de Agatha Christie, Sir Max Mallowan, de "a mais bela peça teatral" escrita por ela, baseia-se na vida real do faraó Akhnaton do Egito, em 1375 a.C. Embora tenha sido escrita em 1937, somente foi publicada em 1973, com uma apresentação feita pela própria autora. Logo depois de terminá-la, Christie enviou-a ao ator (depois Sir) John Gielgud. Sua resposta, que ela guardou, expressava a sua admiração pela peça, ao mesmo tempo que declinava o convite para se envolver com a produção. De fato, *Akhnaton* nunca foi montada profissionalmente, mas foi encenada no Festival de Teatro de Agatha Christie, em Westcliff, em 2001; a única apresentação usou um cenário e adereços mínimos, e foi, na verdade, uma leitura dramatizada.

Embora não pareça, em nenhum aspecto, uma peça típica de Agatha Christie, contém alguns elementos de sua obra – há uma morte por envenenamento, engendrada por um vilão insuspeito que usa um grupo de pessoas inocentes.

Há quarenta páginas de anotações sobre essa peça. Inclui muito material de pesquisa, bem como esboços para a peça propriamente dita. A primeira página traz uma lista de personagens (na versão publicada, Mutnezmet, irmã de Nefertiti, chama-se Nezzemut) e é seguida por um esquema da cena de abertura:

Rainha Tyi
Horemheb
Preceptor
Nefertiti
Mutnezmet
Tutancâmon
Pai de Tyi
Mãe de Tyi
O Alto Sacerdote de Amon
O Alto Sacerdote de Rá
Um Sacerdote de Ptah

Ato I Cena I
Amenhotep, o Magnífico está à morte – o rei de Mitanni envia a imagem de Ishtar de Nínive ao Egito (segunda vez que isto acontece) na esperança de que a Deusa exorcize os maus espíritos que causam a enfermidade do Rei. A Deusa passa. ~~Horemheb conversa com~~ o pai e mãe de Tyi conversam. O Alto Sacerdote de Amon conversa com Horemheb – sobre os males do casamento com um estrangeiro – Rainha Tyi aparece com o filho. –

As primeiras páginas do Caderno 61 mostram sete cenas para o Ato I, quatro para o Ato II e dois para o Ato III. Uma reordenação dez páginas depois apresenta uma forma mais próxima da versão publicada, que tem três cenas para os dois primeiros atos e quatro para o terceiro ato, com um Epílogo. As anotações apresentam esse Epílogo como a última cena da peça.

Entre os rascunhos, há anotações sobre

Indulgências – Um veredicto de absolvição vendido pelos Escribas – nomes perdoados inseridos nas lacunas.

Escaravelho em forma de coração – "Ó meu coração, não levantes testemunho contra mim"

Colares de ouro como presentes –

O livro *Do Fetiche a Deus* [*From Fetish to God*], de Sir E. A. Wallis Budge,* também é mencionado na primeira página e há referências às suas páginas ao longo das anotações. Essa pesquisa é semelhante à que Christie fez para *E no final, a Morte*, a partir de livros emprestados por Stephen Glanville, a quem ela dedicou o romance (veja o Capítulo 7):

Visita de Tyin no 12º ano do reinado de A – descrição das roupas p. 155
Tributo? – Uma cena mostrando-o sendo trazido P. 151

* Ernest Alfred Thompson Wallis Budge, arqueólogo britânico, nascido na Cornualha em 27/7/1857 e falecido em 23/11/1934. Realizou escavações no Egito, Sudão e Mesopotâmia. (N. T.)

Descrição do Palácio para cena P. 138

Uma das primeiras citações, presumivelmente desse livro, é reproduzida com pequenas variações de forma quase nas últimas falas da peça. Os últimos traços de Akhnaton são apagados, para logo ser substituídos pelo "divino Amon, Rei dos Deuses":

> Que generosas são as posses daquele que conhece os dons deste Deus (Amon). Sábio é aquele que o conhece. Favorecido é aquele que o serve, há proteção para aquele que o segue.

PROVA F:
A CASA DOS SONHOS: IDEIAS DESCARTADAS

Se eu esboçar uma ideia, consigo desenvolvê-la.

A Morte da Sra. McGinty, Capítulo 24

SOLUÇÕES REVELADAS

***A Testemunha Ocular do Crime* • "O Roubo das Joias no Grand Metropolitan" • "Miss Marple Conta uma História"**

Há uma história, provavelmente apócrifa, de que o romancista policial Nicholas Blake (na vida real, o Poeta Laureado Cecil Day Lewis) quis comprar algumas ideias de enredo de Agatha Christie, mas ela respondeu que tinha intenção de usá-las todas ela mesma. Os Cadernos estão cheios de ideias, e o que segue são algumas das que nunca passaram da página em que foram lançadas. Algumas a perseguiam – as gêmeas não idênticas, a arrumadeira, as amigas trapaceiras –, pois vez por outra apareciam.

> Gêmeas – detalhe não idênticas – Gêmeas idênticas – uma morta num acidente de trem?
>
> Gêmeas idênticas – requerente assume identidade da irmã (morta em acidente de trem) viúva rica

Essas são apenas duas das dez versões para a ideia das "gêmeas" que enchem os Cadernos. O acidente de trem e a falsa identidade são detalhes menores em *Morte na Mesopotâmia*. Irmãs gêmeas também aparecem em

Os Elefantes Não Esquecem e, numa anotação mais bem-humorada, gêmeos são a solução em um dos casos de Tommy e Tuppence em *Sócios no Crime.*

Espelhos

Homem ou mulher – ela assume cargo ou divide com outra mulher – elas chegam juntas ao hotel.
Passado de uma é bom – catedral cidade etc. Trabalharam como R. P. juntas – elas dão álibi ao homem

O cabeçalho "Espelhos" confirma a história confusa de *Um Passe de Mágica.* A única conexão mais amena nesse romance é a ideia de fornecer um álibi a uma pessoa.

Nitro benzeno – questão é – precipita-se para o fundo do copo – mulher toma um pequeno gole do líquido – depois entrega ao marido para que beba

Cânfora em cápsulas

Assassinato com batom – lábio primeiro se queima – cigarro dado do lado errado primeiro

Estricnina ou droga absorvida pela pele

Vírus de depressão da influenza – Roubado? Ministro de Gabinete?

Veneno de lanolina? Estricnina? O veneno que amarela tudo (aplicado ao vestido – muito disfarçado pois a outra moça usava um vestido amarelo (1931)

Lanolina friccionada na pele

Mirrors

Man & woman —

She gets post or chums up
with another woman —
They come to Hotel together
Background of one is all right —
Cathedral Room etc —
Have been a R.P. together —

They give alibi to

Man —

Apesar do cabeçalho, esta página do Caderno 19 não tem conexão com nenhum livro de título "Espelhos". É a página aberta no colo de Agatha Christie nesta foto de 1946.

Essas são algumas ideias que empregam vários tipos de veneno, a forma de homicídio preferida de Agatha Christie de morte ao longo de sua carreira. "Assassinato com batom" é especialmente criativo.

Arrumadeira de hotel cúmplice de um homem – prova sempre aceita e encerra o caso

História da arrumadeira – um hotel – Torquay? Riviera? Espanha? Maiorca? Melhor na Inglaterra

A ideia da arrumadeira, de que citamos apenas dois exemplos acima, aparece dez vezes nos Cadernos. É evidente que a ideia de uma arrumadeira desonesta teria possibilidades para Christie, e ela a usou tanto em "O Roubo das Joias no Grand Metropolitan" quanto em "Miss Marple Conta uma História". Mas nenhum deles se encaixa nos enredos mencionados acima. O segundo é vago demais para se encaixar em qualquer coisa.

Homem sem perna – às vezes alto – às vezes baixo

O "homem sem perna" é outra ideia que aparece em dez Cadernos, embora nunca tenha sido usada. A ideia por trás do recurso era que esse tipo de pessoa pudesse alterar a aparência de tal forma que tornasse difícil a sua identificação. O romancista policial, amigo de Christie, John Dickson Carr, usou esse recurso em seu romance *A Dobradiça Empenada* [*The Crooked Hinge*], de 1938.

Ferido no olho com alfinete de chapéu

Essa ideia macabra é atípica de Christie, que deve tê-la atraído provavelmente pela dificuldade de se determinar a forma do crime. Também aparece em três outros Cadernos.

> Ideia do isótopo – Carbono 14 – injeção hipodérmica (para febre tifoide?) procedimento normal. Ele (?) vai viajar para o exterior – consulta marcada com médico da cidade – seu lugar é tomado por um impostor que lhe aplica a pretensa injeção tifoide.

Essa ideia, inspirada por visita a um laboratório durante uma viagem aos Estados Unidos na década de 1960, tem fortes repercussões em *Uma Dose Mortal*, na personificação de um médico para poder envenenar um paciente.

> Crime no comitê – Mr. Llewellyn – mulher tediosa – faz discurso – bebe copo d'água
>
> Copo d'água – Dr. Haydock... Suicídio devido a uma carta anônima? Em Harton Parva – a irmã do pastor – mulher irritadiça – a professora primária – na loja do vilarejo a irmã do pastor compra mantimentos – deixa as cartas sobre a mesa – moça coloca carta entre elas

Essas anotações aparecem no mesmo Caderno, a primeira numa lista de projetos de contos de Miss Marple. E se assemelha muito às ações de Miss Marple. As sementes de *A Mão Misteriosa* podem ser vistas no "suicídio devido a cartas anônimas" e a forma de colocar uma carta entre as outras aparece no Capítulo 13 desse romance.

> Desaparecimento da atriz – comportamento suspeito do jardineiro

Essa maravilhosa combinação enigmática de ideias aparece no Caderno 65 junto às anotações de *O Caso dos Dez Negrinhos*, embora date de uma época muito anterior da carreira de Agatha Christie. O jardineiro suspeito, um ambiente típico de Miss Marple, aparece rapidamente em "As Barras de Ouro", em *Os Treze Enigmas*.

> Loira filha de um milionário simula o próprio rapto para poder fugir e casar-se com rapaz

Isso aparece três vezes nos Cadernos, cada vez especificando uma loira diferente. Não tem aparência inteiramente criminosa e pode ter sido pensada como história bem-humorada, semelhante a uma das primeiras aventuras de Tommy e Tuppence – "Um Bule de Chá".

> Tom, Dick ou Harry vem a Bridge – questão – nenhum deles existia!

Tentador, embora se possa acreditar que seja uma referência a *Cartas na Mesa*, aparece numa lista chamada "Ideias 1940", quatro anos após a publicação desse livro. É difícil adivinhar o que Christie pensou ao escrever isso.

> Fotografia infravermelha

Essa ideia inusitada pode ter sido inspirada por seu interesse em fotografia durante o trabalho arqueológico com Sir Max Mallowan. Aparece numa lista de possíveis contos de Miss Marple, embora não pareça familiar aos temas de sua investigadora.

> Drogas perigosas roubadas de um carro – médico muito aborrecido – agitação no vilarejo

> Drogas perigosas roubadas do carro do médico – X sai dirigindo o carro – segue um médico numa cidade estranha – ou Médico é criminoso – depois casa-se com a mulher ou filha de um paciente que faleceu

Embora nunca apareça como enredo de uma forma direta, essa cena é mencionada em *Morte na Rua Hickory* como modo de obter o veneno. Nosso velho amigo, o médico (estatisticamente a profissão mais homicida para Christie), reaparece aqui e, embora a ideia tenha sido anotada no final da década de 1930, a segunda anotação pode ter inspirado o Dr. Quimper, em *A Testemunha Ocular do Crime*. Essa ideia aparece em cinco Cadernos.

> Um falso Hercule P. – está hospedado em um hotel almoçando deixando crescer um dos bigodes que se queimou – lugar longe e desabitado

O "lugar longe e desabitado" pode ser como "O Javali de Erimanto", o alto de uma montanha suíça coberta de neve, mas a ideia do bigode crescendo nunca foi explorada, apesar de aparecer em dois outros Cadernos.

10

Santuário: A Morte Tira Férias

– Bem, para ser direto, você viaja para algum lugar esperando tirar férias do crime e encontra, em vez disso, corpos amontoados?

– Isso já aconteceu, sim, mais de uma vez.

Encontro com a Morte, Parte II Capítulo 1

SOLUÇÕES REVELADAS

O Caso do Hotel Bertram* • *Morte na Praia* • *A Noite das Bruxas* • *O Natal de Poirot* • *A Casa do Penhasco* • *Cipreste Triste* • *Hora Zero

Férias e festividades forneceram o pano de fundo para um sem-número de histórias de Agatha Christie. Algumas delas – *A Casa do Penhasco*, *Morte na Praia* – interrompem as férias de verão de Poirot; outras acabam com seu Natal – *O Natal de Poirot* –, enquanto o Dia das Bruxas e de Guy Fawkes* também se provaram um fundo dramático adequado para assassi-

* Guy Fawkes (York, 13/4/1570 – Londres, 31/1/1606): soldado católico inglês que participou, com membros do Parlamento, de conspiração para matar o rei protestante Jaime I. Morreu na forca por traição e tentativa de homicídio. Sua captura é celebrada em 5 de novembro, na conhecida "Noite das Fogueiras".

natos. Algumas de suas viagens de férias mais exóticas em Petra – *Encontro com a Morte* – e no Egito – *Morte no Nilo* – podem ser encontradas nos capítulos 8 e 6, respectivamente, enquanto as férias de Miss Marple no Caribe são explanadas no Capítulo 8 deste livro. As outras férias de família inconfundíveis, *Tarde na Praia*, estão apresentadas no Capítulo 9.

A Casa do Penhasco

7 de fevereiro de 1932

Enquanto passava férias em St. Loo, Poirot e Hastings encontram Nick Buckley, a empobrecida dona da Casa do Penhasco. Quando ela lhes conta que quase morreu três vezes, Poirot decide investigar, mas é incapaz de impedir que aconteça uma tragédia.

A Casa do Penhasco foi publicado nos dois lados do Atlântico no início de fevereiro de 1932, com a serialização, tanto na Inglaterra quanto nos Estados Unidos, poucos meses antes. Isso, por sua vez, significaria que foi escrito, mais provavelmente, no final de 1930 ou no começo de 1931. A criação do enredo para o livro está em dois Cadernos, 59 e 68. O Caderno 68 é um pequeno diário de bolso e, além de uma detalhada lista de horários de partidas de trem entre Stockport e Torquay, é inteiramente dedicado a esse romance. O Caderno 59 também contém longas anotações para o conto de Mr. Quin, "O Pássaro de Asa Quebrada", publicado pela primeira vez na coletânea *O Misterioso Sr. Quin*, em abril de 1930, e "Manx Gold" (veja o Capítulo 5), o conto sobre a competição/caça ao tesouro que surgiu em maio de 1930.

A Casa do Penhasco é um exemplo magnífico da era de ouro dos romances policiais. É raramente mencionado em qualquer conversa sobre os melhores livros de Agatha Christie e, no entanto, incorpora todas as virtudes dos romances policiais em seu melhor momento: é narrado com clareza e concisão, altamente legível e com escrupuloso critério no fornecimento de pistas. Todos os fatos de que o leitor necessita para chegar à solução correta são oferecidos com soberba mestria. E, como os melhores romances policiais, o segredo da trama (uma troca de nomes) é simples – quando se sabe a resposta. Na página 3 do Caderno 59, Christie usa uma frase reveladora – "conversa sem assunto" – referindo-se à primeira conversa entre Poirot e Hastings no jardim do hotel. Nesse momento de sua carreira, todas as conversas em romances têm um "assunto" – a descrição

A Casa do Penhasco é um romance interessante não apenas graças às suas próprias virtudes, mas também pela quantidade de temas e ideias que Christie continuou a explorar em romances posteriores:

* O assassinato em *A Casa do Penhasco* ocorre durante uma queima de fogos de artifício, encobrindo o disparo do revólver; essa ideia seria um aspecto importante da trama para a novela "Assassinato no Beco", de 1936. De fato, é um dos refinamentos acrescentados à versão original dessa história, "O Mistério de Market Basing" (veja a seguir).
* O uso de nomes como recurso para enganar o leitor surge pela primeira vez nesse romance. Iria reaparecer em *Poirot Perde uma Cliente*, *A Morte da Sra. McGinty*, *Convite para um Homicídio* e, com um toque internacional, em *Assassinato no Expresso do Oriente*.
* O modo de homicídio que envolve a remessa de chocolates envenenados a uma paciente num hospital reaparece três anos

de uma característica relevante do personagem (o episódio das meias de seda em *Cartas na Mesa*), uma pista sobre o motivo do crime (o Major Burnaby impacientemente discutindo palavras cruzadas e acrósticos no Capítulo 1 de *O Mistério de Sittaford*), uma pista importante (a dificuldade estabelecida no Capítulo 2 de obter uma cabine para dormir no vagão praticamente vazio do trem do Expresso do Oriente), ou a confirmação de um fato suspeito anterior (o piquenique em *Morte na Praia*). E, embora ela se refira a uma conversa sem assunto, há uma menção ao aviador desaparecido (o motivo) na conversa a que as anotações se referem.

Como sempre, alguns dos nomes são alterados – Lucy Bartlett torna-se Maggie Buckley, enquanto Walter Buckhampton passa a ser Charles Vyse, e os Curtis mudam de nome para Croft –, mas grande parte das

depois em *Tragédia em Três Atos*, quando é usado para despachar a infeliz Mrs. de Rushbridger.

- Uma pista vital e mordaz a partir do conteúdo de uma carta postada pela vítima pouco antes de morrer e posteriormente enviada pelo destinatário a Poirot aparece novamente (e de uma forma muito mais inventiva) no ano seguinte em *Treze à Mesa*.
- O uso de cocaína pela *intelligentsia* da década de 1930 é revisitado em *Morte nas Nuvens*, quando se descobre que Lady Horbury carrega cocaína em sua frasqueira.
- À parte da pista da carta acima há outras fortes semelhanças com *Treze à Mesa* – uma mulher atraente e impiedosa atrai Poirot, em seu próprio interesse, para esse caso.
- Subterfúgios referentes a testamentos seriam também uma característica de *Cipreste Triste*, *Convite para um Homicídio*, *Seguindo a Correnteza* e *A Noite das Bruxas*.

anotações corresponde ao romance terminado, levando, mais uma vez, à suspeita de que anotações anteriores não tenham sobrevivido. É interessante notar que, no Caderno 59, o personagem de Nick Buckley é referido o tempo todo como Egg [Ovo] – o futuro apelido de Mary Lytton-Gore em *Tragédia em Três Atos*; embora seja estranho que o sobrenome Beresford – já usado para Tommy e Tuppence – tenha sido escolhido.

> Poirot e Hastings estão sentados no Hotel Imperial – H lê num jornal sobre uma expedição ao Polo – uma carta do Secretário do Interior pedindo a Poirot para fazer algo. H insiste que ele faça alguma coisa – P se recusa – não tem mais disposição para lidar com a fama. O jardim – moça – alguém grita "Egg" – Poirot desce – cai – moça ajuda-o a se levantar – ela e Hastings acompanham--no até a varanda – ele agradece e ela sugere um drinque. H vai buscá-los – quando volta descobre que eles haviam se tornado amigos
>
> Pessoas nesta história
>
> Egg Beresford – proprietária da Casa do Penhasco
>
> Prima Lucy – uma prima distante – 2º ou 3º grau – Lucy Bartlett
>
> Walter Buckhampton, primo de Egg – filho da irmã de sua mãe – ele trabalha numa firma de advocacia em St. Loo – ele ama Egg
>
> Mr. e Mrs. Curtis – velhos amigos vizinhos de porta – ele é um inválido que veio para cá há anos – parecem agradáveis e joviais
>
> Freddie – Frederica Rice – uma amiga – parasita que vive às custas de Egg e admite isso abertamente
>
> Lazarus – tem um carro grande – aparece com frequência – um sócio de um antiquário em Londres

O hotel onde Poirot e Hastings estão sentados realmente existe em Torquay, o Imperial, com uma varanda com vista para a Baía de Torquay; no livro ele é reimaginado como o Hotel Majestic em St. Loo. O restante dos personagens é reconhecível e a abertura do livro segue o plano acima com precisão.

O enredo é desenvolvido mais um pouco no Caderno 68; indiquei os capítulos em que as seguintes cenas acontecem:

Na Casa do Penhasco eles passam pelo Alojamento e o chalé – homem trabalhando no jardim – careca óculos antigos – ele olha – admissão na Casa do Penhasco – eles esperam por Nick – velhas fotografias – escuridão – umidade – decadência. Nick entra – levemente surpresa – Poirot fala com ela – mostra a bala [Capítulo 2]

Eles voltam ao Hotel – Freddie Rice conversa com Poirot – sugere que Nick está mentindo – gosta de inventar coisas. Poirot a pressiona – por exemplo – ela fala sobre os freios do carro [Capítulo 2]

P pergunta a ela se irá chamar uma amiga – ela sugere "Minha prima Maggie" – ela deveria vir me encontrar mês que vem – Eu poderia pedir a ela que viesse agora – na verdade prima de segundo grau – é uma grande família – Maggie é a segunda – é uma boa moça – mas talvez um pouco boba [Capítulo 3]

Convocação de Mr. Vyse – uma referência para um conselho jurídico – P diz que ele ligou ontem ao meio-dia – mas Mr. Vyse não estava – Mr. Vyse concorda [Capítulo 6]

Os fogos de artifício – eles examinam a Questão – Nick e Maggie irão em seguida – todos observam – ficam por bastante tempo. Poirot e H retornam – tropeçam em corpo num xale escarlate – então veem Nick se aproximando – é Maggie – Nick com cara de choro [Capítulo 7]

"Assassinato no Beco" / "O Mistério de Market Basing"

Dezembro de 1936 / Outubro de 1923

Uma caneta-tinteiro, uma frasqueira, um jogo de golfe e uma abotoadura combinam-se para fazer Hercule Poirot suspeitar de um suicídio no Dia de Guy Fawkes.

O artifício de um assassinato disfarçado de suicídio recebe um tratamento *à la* Agatha Christie na novela "Assassinato no Beco", uma primeira prova de sua inteligência ao criar mudanças em um enredo conhecido. Esse artifício apareceu pela primeira vez mais de dez anos antes no conto "O Mistério de Market Basing" e, quando passou a trabalhá-lo em meados da década de 1930, ela manteve a ideia original e acrescentou alguns refinamentos. Continua sendo um manual para a técnica de escrever romance policial com a pista principal sendo sempre trazida à atenção do leitor.

Como os Cadernos revelam, o cenário de fundo do dia 5 de novembro foi originalmente pensado para um enredo totalmente diferente. Entre uma lista de ideias para enredo no Caderno 20, que inclui *Cipreste Triste*, "Triângulo de Rodes" e "Problema a Bordo", encontramos o seguinte:

> Assassino deixa corpo pouco antes de encontrá-lo (oficialmente)!
> Está morto há duas horas assim ele tem um álibi
> 5 de nov. – fogos de artifício estourando. Livro?

Mas o único aspecto dessa anotação que ela usou a seguir foi em "Assassinato no Beco", em que utilizou a conexão com a festa de Guy Fawkes; reverberando *A Casa do Penhasco* quatro anos antes, é usado para disfarçar o barulho do disparo. Grande parte do enredo está no Caderno 30:

Adaptação de Mistério de Market Basing

Mrs. Allen – moça que vive em Mews – noiva com casamento marcado – sua amiga, Jane Petersham – jovem morena e tranquila

O Assassinato no Beco

P e Japp no dia de Guy Fawkes – menino – de volta ao quarto de Japp – uma ligação – moça morta a tiros – em Mayfair

Mrs. Allen – Miss Jane Plenderleith – ela chegou em casa naquela manhã – encontrou a amiga morta

Armário trancado (com tacos de golfe dentro) bolas de tênis – e duas malas vazias.

Pistola na mão muito frouxa – relógio no pulso direito – mata-borrão arrancado – duas pontas de cigarros diferentes

Como de costume, as páginas estão espalhadas por todo o Caderno e intercaladas com ideias para contos que se passavam no Museu Britânico e na Galeria Nacional, a morte de uma cartomante e grande parte do enredo de *Poirot Perde uma Cliente*. Não é surpresa constatar que, numa novela seis vezes mais longa que o original, grande parte do material acima seja novo; apenas a pista do relógio de pulso e dos cigarros é emprestada do conto anterior. E os personagens e o pano de fundo nas duas versões são inteiramente diversos.

O Natal de Poirot

19 de dezembro de 1938

Simeon Lee é um velho rico e medonho, que gosta
de atormentar a família. Quando os reúne para a ceia de Natal,
desencadeia-se uma série de acontecimentos que culminam
com seu próprio assassinato. Felizmente,
Hercule Poirot é hóspede do delegado de polícia
e está disponível para investigar.

Publicado originalmente durante a semana de Natal, com serialização tanto na Inglaterra quanto nos Estados Unidos no mês anterior, esse romance revela a mais pura engenhosidade de Agatha Christie. Erro de orientação bem engendrado, rastro de pistas bem-feito, um assassino inesperado se juntam para produzir um dos melhores romances clássicos de todos os tempos. Apesar de seu título e data de publicação, no entanto, não há um clima natalino, mesmo antes de ocorrer o homicídio. "A Aventura do Pudim de Natal", um conto de qualidade inferior em todos os aspectos, é muito mais festivo. Um caso anterior, *Tragédia em Três Atos*, é discutido na Parte III, "24 de Dezembro", e uma previsão de *Um Passe de Mágica* aparece na Parte VI, "27 de Dezembro", enquanto a referência bíblica a Jael,* duas páginas depois, é a base para *Prato Nobre Amanteigado*.

Há duas páginas no Caderno 61 que contêm um rascunho do que iria se tornar *O Natal de Poirot*. As páginas vêm imediatamente após as de *Encontro com a Morte*, publicado seis meses antes:

* Bendita seja entre as mulheres, Jael, mulher de Héber, o queneu; bendita seja entre as mulheres nas tendas (Juízes 5:24). (N. T.)

Banquete Sangrento

Inspetor Jones – vem visitar velho Silas ~~Faraday~~ Chamberlayne – rei do diamante na A. S. [África do Sul]

Personagens

Uma família assim
Arthur – visita ao lar
Lydia – esposa inteligente nervosa
Mervyn – filho que ainda mora em casa artista diletante
Hilda – sua jovem esposa – um tipo um tanto comum
David – muito mesquinho – suscetível
Dorothy – sua mulher bem articulada
Regina – mulher infeliz – separada do marido
Caroline – sua filha – fascinante – sabidamente má
Edward – seu dedicado marido – mau-caráter

Embora alguns nomes sejam exatos – Lydia, Hilda, David –, os traços de personalidade não estão refletidos nos personagens finais; e os últimos três nomes listados não possuem equivalentes. O nome do policial é alterado, embora Simeon Lee tenha feito sua fortuna na África do Sul.

Das 65 páginas de anotações remanescentes, no entanto, a maioria está no Caderno 21. Christie abre com o início de uma citação de *Macbeth*, de Shakespeare, que pode ter sido pensada para ser o título, e logo seguem os esboços sobre a família Lee. Ela interrompe para fazer breves anotações para o que se tornaria *Cai o Pano* e *Cipreste Triste* e depois volta para *O Natal de Poirot*. O primeiro esboço dos personagens é imediatamente reconhecível, exceto pela Enfermeira, que não aparece no romance:

A. Quem iria imaginar [que o velho iria sangrar tanto?]

Velho Simeon Lee – Um homem horrível

Alfred – o bom filho – (o pedante) aborrece seu pai
Lydia – esposa de Alfred inteligente bem nascida amarga – ela faz jardins

Harry? – o Filho Pródigo – ele volta para casa e o velho gosta dele
Stephen Fane – Um rapaz da A. Sul – filho do sócio de Simeon – (que o enganava!) – S. é na verdade filho de Simeon
Neta de Juanita Simeon [Pilar] – de volta da Espanha – sua filha fugiu com um espanhol e J. não é realmente sua neta – esta morreu na revolução – J era sua amiga
A Enfermeira – diz que o velho iria deixar todo o dinheiro para ela – queria se casar com ela. Ela já era casada – seu marido está na Nova Zelândia

O curso da história é delineado no trecho abaixo. O romance praticamente segue esta sinopse:

Possível desenvolvimento da história

1. Stephen no trem indo para Midcourt – pessoas monótonas – impaciente – o sol de onde ele vem – então vê Pilar pela primeira vez – exótica – diferente – ~~lê o rótulo~~
2. Pilar no trem – pensando – trancada à chave – nervosismo – homem bonito – conversa – sobre a Espanha – a guerra – finalmente ele lê o rótulo
3. Alfred e Lydia – conversa – ela é como um galgo – menciona os seus jardins – ligação telefônica – Patterson – Horbury – ela não gosta desse homem
4. George e Magdalene – ou David e Hilda mulher maternal forte Se G e M – imponência dele – e seriedade – a impaciência de sua mulher – sua imprecisão em determinado momento sobre uma carta (ela tem um amante) – ele diz estaremos melhor de vida quando meu pai morrer – eles devem ir para o Natal importante não ofender o velho – ele escreveu dizendo que gostaria de ter todos os filhos à sua volta no Natal – soa bastante sentimental
5. David e H

   Ele recebe carta – nervoso – neurótico apaixonado pela mãe – ele não irá até a casa – ela, inteligente e maternal, convence-o a ir – ele sai e toca piano com raiva

6. Harry Hugo chega – belas palavras ao velho Patterson – o filho pródigo – Eu gostaria de uma bebida – cumprimento de Lydia – ela gosta dele
7. O velho – Horbury – ele pergunta sobre a família dele – depois sai e pega diamantes – sua expressão mostra uma satisfação maliciosa

Entrevista com Alfred

Entrevista com Harry

Conversa sobre filho pródigo com Horbury

Havia ainda pistas importantes a ser inseridas, enquanto Christie também prestou atenção à descrição, dada por vários personagens, do "grito", estabelecendo a hora da morte – ou somos levados a pensar assim –, ouvido no quarto onde ocorre o homicídio:

Cenas a ser trabalhadas
(A) Retrato do velho Lee P olha para ele – encontrado por alguém
(B) Passaporte jogado pela janela
(C) Estátuas no recuo
(D) P. compra bigode
(E) Balão

Gritos
Alfred Um homem em agonia mortal
Lydia Como uma alma no inferno
Harry Como um porco sendo sacrificado
David Como uma alma no inferno

Embora a criação do enredo siga o desenvolvimento do romance quase sem desvio, Christie tentou introduzir algumas variantes, entre elas a presença de uma enfermeira cúmplice, ou um casal criminoso. Nesse ponto,

"Drew" é o precursor de Sugden, o investigador criminal, mas não há menção de que fosse policial:

> Quem é o assassino?
>
> ~~Enfermeira moça bonita de trinta anos~~
> ~~(de fato sua filha) com sede de vingança~~
>
> Drew é o homem – Por quê? Filho ilegítimo – então Enfermeira é sua irmã – os dois planejaram tudo
>
> Ou – como em Macbeth – um homem e a mulher armam tudo – filho de um casamento anterior?
>
> Possivelmente segundo casamento dele foi ilegal – ele faz um testamento tão específico que mesmo os filhos do segundo casamento herdam sem ser legítimos – esse testamento é destruído – um rascunho é produzido pela Enfermeira deixando tudo para ela.
>
> Uma ideia nova – a Enfermeira é casada com um dos filhos? – o filho pródigo? – ele consegue mexer os pauzinhos no momento certo

Como é sugerido pelo traço riscando essa ideia, Christie não usou a enfermeira nesse romance. Mas a enfermeira homicida reapareceria dois anos depois em *Cipreste Triste*.

Morte na Praia

9 de junho de 1941

A bela Arlena Marshall é assassinada durante a estada no mesmo glamouroso hotel na ilha, onde Hercule Poirot passa férias. Ele investiga o homicídio, que envolve

uma máquina de escrever, um frasco de bronzeador,
um xale de lã e um pacote de velas.

Morte na Praia foi escrito durante 1938, recebido e lido por Edmund Cork em 17 de fevereiro de 1939 e publicado pela primeira vez nos Estados Unidos como uma série no final de 1940. À primeira vista, *Morte na Praia* e "Triângulo de Rodes" (veja o Capítulo 8) parecem ter a mesma história. Ambas trazem Hercule Poirot, uma praia e dois casais como protagonistas. Em cada caso, um casal é formado por uma mulher sedutora e um marido circunspecto e o outro por um homem charmoso e uma "camundonga" (nas próprias palavras de Christie). E ambas as histórias exemplificam perfeitamente a fertilidade de Agatha Christie para tecer tramas, porque, apesar dessas semelhanças bastante relevantes, as soluções e os assassinos são completamente diferentes. Em cada um, o triângulo que o leitor é induzido a visualizar é exatamente o errado – e também totalmente diverso. Em ambos, o leitor é obrigado a olhar na direção errada, apesar, no caso do romance, de as pistas abundantes mostrarem a verdade.

Há sessenta páginas no Caderno apresentando a origem do romance e graças a elas podemos ver o trabalho detalhado por trás de um dos livros mais bem elaborados de Agatha Christie. O cenário realmente existe na Ilha Burgh, próximo à costa de Devon, um local bem conhecido para Christie, pois ela se hospedou nesse hotel algumas vezes. A ilha se isola do continente duas vezes por dia na maré cheia, e chega-se a ela por barca. A geografia local é usada para se adequar aos propósitos da autora e criar um álibi perfeito.

Um celeiro de boas ideias para enredos, *Os Treze Enigmas* forneceu, mais uma vez, a base para esse romance. "Tragédia de Natal" apresenta duas pessoas, o assassino e uma testemunha (nesse caso, a própria Miss Marple), "encontrando" uma pessoa antes de ela ser assassinada, dando assim ao assassino um álibi perfeito. No caso do conto, o corpo encontrado é de alguém que faleceu por causas naturais, convenientemente, duas horas antes, mas no romance trata-se do cúmplice do assassino, que está vivo. Ambos os enredos trazem um chapéu de aba larga (também um adereço em *A Extravagância do Morto*). Muitos refinamentos se tornaram possíveis no transcorrer do romance – um grupo maior de suspeitos, o complicador adicional com um triângulo amoroso, uma praia aquecida para confundir a hora da morte em vez de um quarto de hotel e um álibi mais elaborado para o assassino. Mas é essencialmente o mesmo argumento.

Desde a primeira página do Caderno 39, Christie parece ter o enredo, os personagens principais e o cenário já bem elaborados. Isso deve ter acontecido logo após a criação de outro conto. Os nomes iriam mudar, mas esta descrição constituiu a base do livro:

> Mistério na Praia
>
> H.P. está na praia – comentários sobre corpos por toda a parte – faz comentários conservadores. Ideia principal do crime – G um tipo ordinário um homem um tanto "simples" está aparentemente seduzido por uma sereia de meia-idade. Sua mulher sente-se infeliz por causa disso – clara demonstração de ciúmes. Ele possui um álibi durante toda a manhã (com H.P.) sai com uma mulher para dar uma volta e descobre o corpo da sereia – maiô inconfundível – "Chapéu" chinês – e cabelos vermelhos encaracolados. Sugere à mulher que fique junto ao corpo – ela se retrai – ele finalmente diz que ficará e ela irá chamar a polícia. Parte da "mulher morta" é representada pela (esposa?) ou (a mulher por quem ele realmente se importa?). Imediatamente após mulher sair para pedir ajuda – a sereia surge de outro lugar – ele a mata (estrangula?) e a coloca na mesma posição
>
> Portanto os personagens são:
> George Redfern – gerente de banco tranquilo etc.
> Mary Redfern – mulher branca / não escura (bronzeada)
> Gloria Tracy – Sereia muito rica – louca por homens
> Edward Tracy – Marido
> Rosemary Weston – apaixonada por Edward
>
> Cenário Hotel na ilha – Bigbury [Ilha Burgh]

Se os nomes não são exatamente os mesmos que estão no romance publicado – os primeiros nomes dos Redfern tornaram-se Patrick e Christine, enquanto Gloria e Edward Tracy tornaram-se Arlena e Kenneth Marshall, e Rosemary Weston passou a ser Rosamund Darnley –, as diferenças não são tão significativas a ponto de evitar a identificação.

Algumas páginas adiante, vários detalhes foram acertados:

Início

Casa – construída por capitão vendida a primeira vez quando banhos de mar tornaram-se moda

Hercule Poirot – com quem?

O americano em Encontro com a Morte [Jefferson Cope]

Major Blount [Barry] ou Miss Tough [Brewster] olhando para todos

Arlena King – ruiva adorável – marido – escritor e dramaturgo – Arlena deixou uma fortuna um ou dois anos antes

Jean [Linda] – sua filha – garota atlética – odeia a madrasta

Solteirona de meia-idade – irmã do marido de Arlena – diz que ela é mau-caráter

Pessoas?

Kenneth ~~Leslie~~ Marshall

Arlena ~~Leslie~~ Marshall

Linda ~~Leslie~~ Marshall

Patrick ~~Desmond Redfern~~

Cristina " ou McGrane

Mr. e Mrs. Gardiner (americanos)

Ou (Bev) (chegou com Desmond) [Possivelmente Irene, a enteada dos Gardiner]

Rosemary Darley

H.P.

Ou Mrs. Barrett [não usado]

Reverendo Stephen Mannerton [Lane]

Horace Blatt (magnata de faces vermelhas)

Miss Porter [Miss Brewster]

Mrs. Springfelt [não usado]

Major Barry

A referência a *Encontro com a Morte* é ligeiramente mística; não há referência a esse livro em *Morte na Praia* e nenhum personagem em comum, exceto por Poirot. Christie deve ter burilado a ideia de introduzir Jefferson Cope do romance anterior e talvez o abandonasse caso atrapalhasse a leitura de *Encontro com a Morte*. Os Gardener, os personagens americanos que ela criou, em vez disso, trazem um pequeno alívio ao longo do romance.

Ela também utiliza sua sequência alfabética aqui, ao trabalhar as cenas curtas de encontros em vez de desenvolver a trama. Embora não siga exatamente a mesma sequência, a única cena que não aparece é a E. A cena B é a mais importante, em que Poirot lembra, no Capítulo 11 ii, quando reflete sobre cinco comentários importantes feitos ali:

Começo

A. Casa construída por etc. [Capítulo 1 i]

B. H.P. observa corpos – Mrs. Gardiner – recitando Beverly etc. – seu marido diz Sim, querida – Mr. Barrett, Miss Porter e Miss Springer. Arlena – empurra-a do flutuador.

Major Barry – essas beldades ruivas – Eu lembro em Poonah [Capítulo 1 ii e iv]

C. Chegam os Marshall – Kenneth e Rosemary – um encontro

D. Linda pensa – seu rosto – café da manhã [Capítulo 2 ii]

E. Miss Porter e Miss Springer – esta conta à amiga o que entreouviu. Você estava com Desmond e Cristina e H.P e Mrs. Kane

F. Rosemary e H.P. – gosto para escolher esposas [Capítulo 2 i]

G. Christine Redfern e Desmond

H. Rosamund e Kenneth [Capítulo 3 i]

Um elemento especialmente intrigante em relação às anotações desse romance está ligado aos álibis intrincados que Agatha Christie tentou dar à maioria dos personagens. Isso a obrigou a riscar e rabiscar, reordenar e mudar detalhes várias vezes antes de chegar à versão que a agradasse. Duas de suas ideias favoritas não usadas, a da arrumadeira desonesta e a das duas amigas trapaceiras, aparecem rapidamente antes de ser descartadas e devolvidas à categoria de "não usadas", enquanto testava outras soluções antes de retomar o que havia pensado inicialmente:

Plano Alternativo

Arlena morre Christine desaparece

Desmond e Christine saem num flutuador – bem cedo – ou num barco – chapéu japonês. Você acredita em mim, querida, quando lhe digo que não há nada. Ninguém os vê quando voltam.

Alternativas

A. Desmond mata Christine

Primeiro ajeita o corpo – depois a afoga – se livra da outra mulher – coloca o corpo de C sobre as pedras como se tivesse caído do alto – lugar exato indicado pela pedra (marca feita com uma cor especial etc.) na noite anterior.

B. Desmond e Gladys Springett matam – (Christine é, talvez, apenas noiva?). Gladys e "amiga" estão na Baía da Gaivota – esta desenhando – sempre procurando flores (ou conchas?). Entra na gruta – finge ser "o corpo" e retorna

C. Christine e Desmond são um casal de trapaceiros. Dinheiro – depositado no nome dela – conta a história da chantagem quando é interrogada pela Polícia

D. A arrumadeira é a esposa de Desmond? TODAS as suas histórias são falsas – sobre a chantagem – sobre ver Christine etc. – ela altera a hora do relógio de pulso de Linda

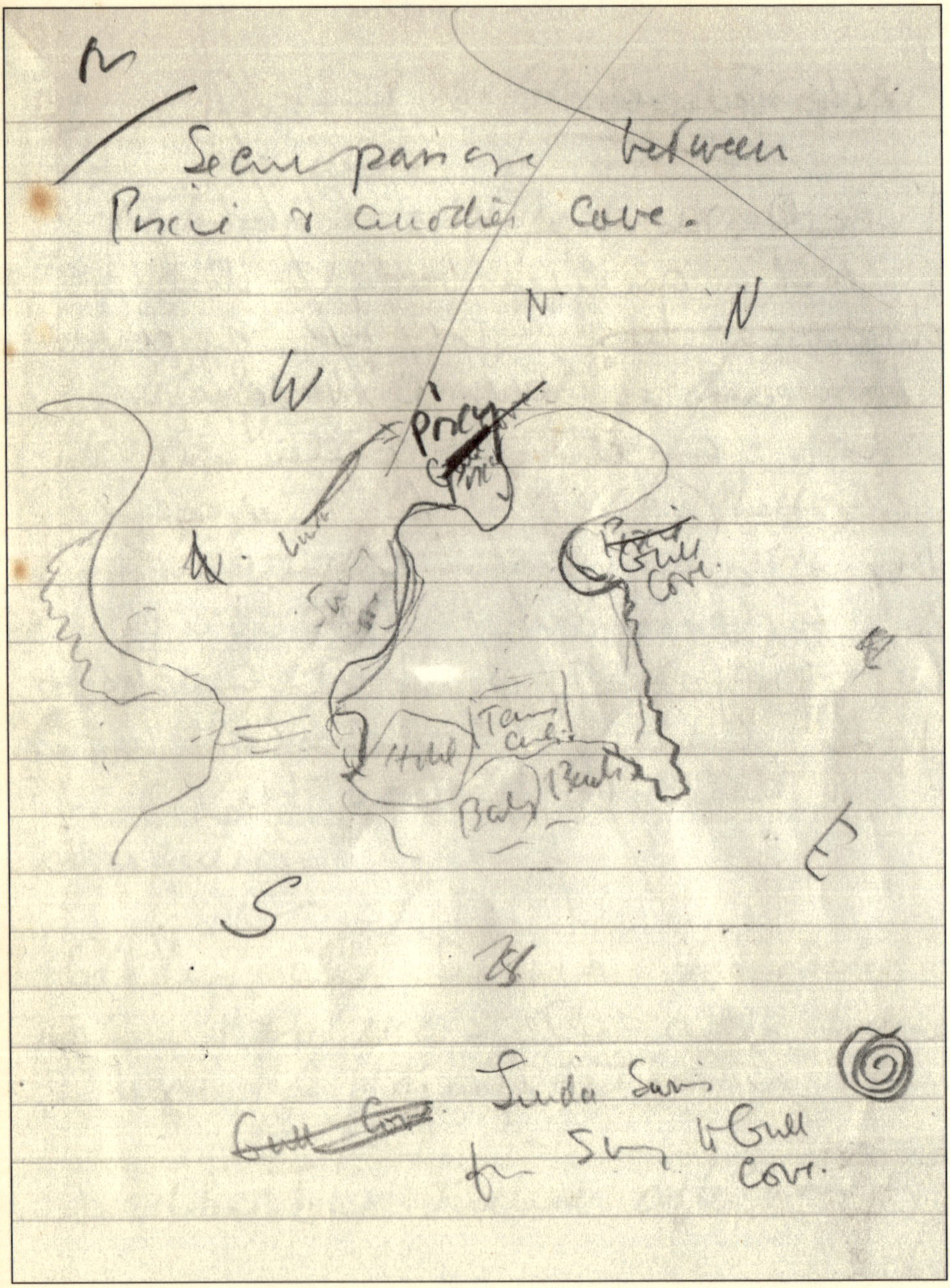

Este esboço do Caderno 39 mostra o continente e a ilha (completa com indicações de bússola) e a rota entre os dois. Também aparecem o Hotel e a Quadra de Tênis, a Praia, bem como a Baía Pixy e a da Gaivota. Note a alteração em relação às últimas duas locações.

Onde está todo mundo?

Blatt – saiu de barco – mais tarde as velas foram encontradas numa gruta

Major Barry – dirige até Lostwitch – a negócios – bolsa de valores – fechou cedo – várias pessoas na praia

Os Gardiner – na praia (ela sobe para pegar o xale de lã ou ele o pega para ela)

Babcock – vai à igreja – assina livro – mas poderia ter sido na véspera

Kenneth? Datilografando no quarto

Rosamund? Tomando banho? No flutuador

Tênis – Christine, Rosamund, Kenneth, Gardiner

E muitas das pistas que aparecem no romance (o banho que ninguém admitiu ter tomado, as velas, o frasco de bronzeador) estão nos Cadernos:

Sobre Linda – Pacote de velas – calendário – outras coisas de que ela se lembra – verde?

Banho?

Kenneth – datilografando no meio da mesa

Frasco atirado pela janela

Hora Zero

3 de julho de 1944

Antes de um assassinato interromper um fim de semana relaxante na casa de Lady Tressilian, na Ponta da Gaivota, encontramos um grupo de pessoas díspares. Todos os seus

destinos se conectam irremediavelmente, à medida que
a meia-noite se aproxima. O superintendente Battle
investiga um caso em que a solução parece óbvia.
Mas será tão óbvia assim?

Hora Zero é o melhor de Agatha Christie. O enredo assemelha-se a uma coleção de bonecas russas encaixadas uma dentro da outra. O leitor é apresentado a uma solução e dentro há outra, e, por trás desta, ainda outra. A motivação e a pista subjacentes são primorosas, pois a trama inteira é pontuada pelo surgimento da solução "equivocada", que depois se prova incorreta, e a seguinte é revelada. E ainda surge outra solução por trás dessa.

Nove meses antes da Hora Zero encontramos, por meio de uma série de vinhetas, um grupo de pessoas; primeiro, elas parecem não ter nada em comum. Depois percebemos que, por inúmeros razões, todas convergem para a casa de Lady Tressilian, em setembro.

Valendo-se de um argumento usado anos antes em *Assassinato na Casa do Pastor* e, mais recentemente, em "Assassinato no Beco", esse é um romance policial obscuro e emocional, bem como uma história de detetive muito inteligente com pistas sutis e caracterizações mais bem elaboradas do que de costume. Doze anos antes de sua publicação, o romance foi apresentado no palco, com um final ligeiramente alterado (embora seja o mesmo assassino), mas não foi um dos maiores sucessos teatrais de Agatha Christie.

A preparação do enredo desse romance está em dois Cadernos, grande parte no Caderno 32 e mais dez páginas no Caderno 63. Sua gênese parece ter sido escrita sem esforço e de forma nítida desde o início, pois as anotações praticamente seguem o livro terminado e muito pouco do enredo apontado nos Cadernos deixou de ser incluído. Como se vê a seguir, as anotações são bem detalhadas e precisas. Mesmo aqui, no entanto, Christie produz algumas ideias que deixaram de ser aproveitadas.

Na primeira página das anotações, a história que Mr. Treves conta está narrada claramente. Além da importância da tendência homicida de seu protagonista, inclui a pista da "característica física" (não especificada), comum a todos os suspeitos:

> História de 2 crianças – arcos e flechas – uma mata a outra – ou um tiro?
>
> Uma criança praticava – o narrador – homem mais velho – diz que ele reconheceria esta criança hoje devido a uma característica física
>
> Sim, então várias pessoas vindas de diversos lugares – todas se dirigem à Hora Zero

Há uma lista de cenas em ordem alfabética, embora não coincida exatamente com o romance. Parece que deveria haver um Sir Marcus e um Mr. Trevelyan; no romance, eles se fundem em Mr. Treves. Nenhuma das pessoas da casa está incluída. A menção da "Lavanderia" na lista é, num primeiro momento, intrigante, até lembrarmos que uma troca de ternos na lavanderia fornece uma das principais pistas para a solução do mistério. A omissão da lavanderia das cenas de abertura é uma pena, pois teria sido fascinante para o leitor tentar encaixar uma lavanderia no quebra-cabeça.

> A. MacWhirter – suicídio – salvamento – queda do precipício – salvo por uma árvore
>
> B. Sir Marcus – permanece no tribunal após a absolvição de seu cliente
>
> D. O assassino – sua mente – a data
>
> E. Superintendente Battle
>
> F. Mr. Trevelyan – olhando folhetos de hotéis
>
> G. A Lavanderia

A lista de personagens também é muito semelhante à do romance. Como de costume, no entanto, os nomes seriam alterados, embora não tanto quanto em outros livros (Nevil, Judy e Clare/Audrey Crane tornam-se Neville, Kay e Audrey Strange):

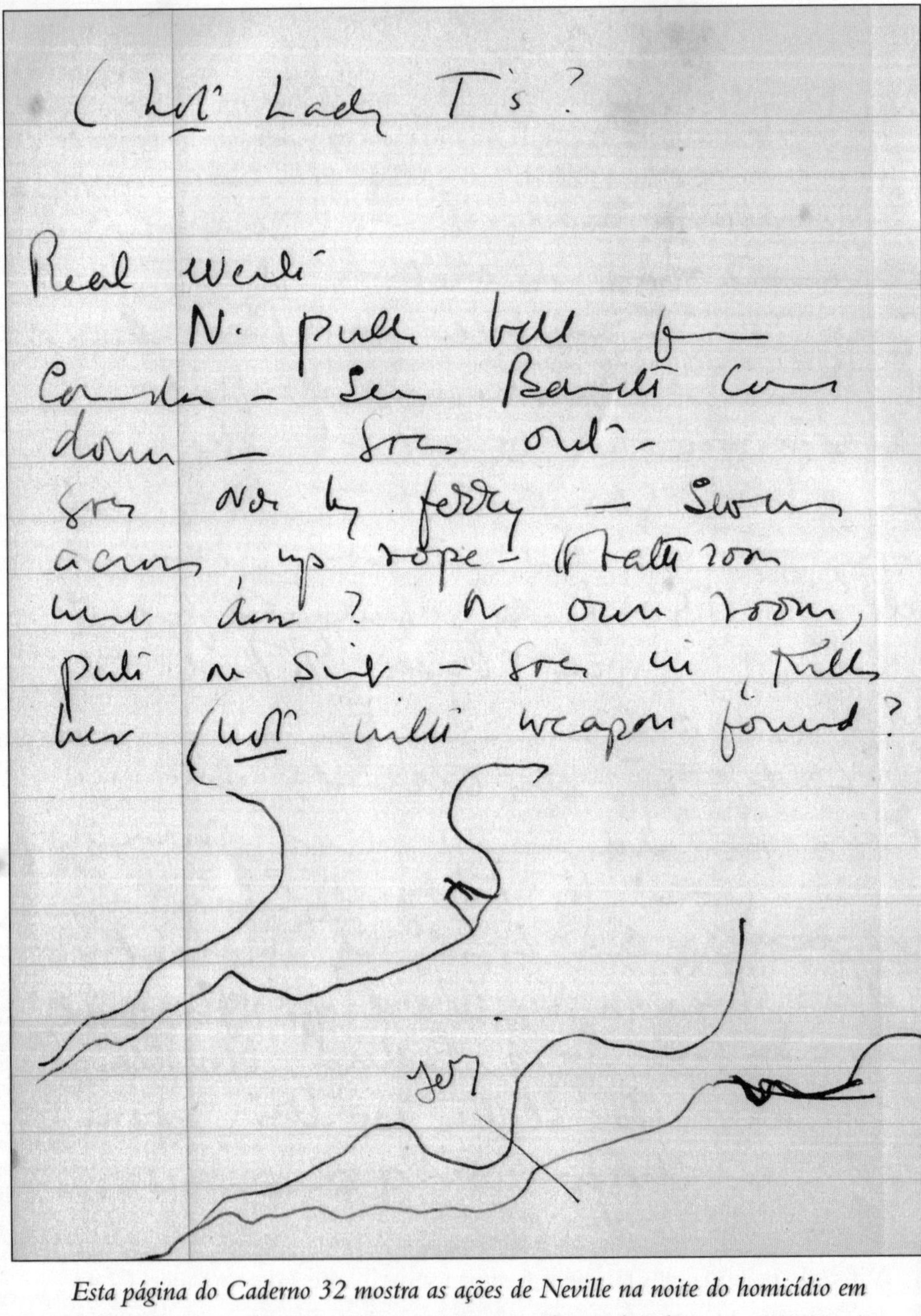

Esta página do Caderno 32 mostra as ações de Neville na noite do homicídio em Hora Zero *e um diagrama da localização geográfica, incluindo a cena em que saiu para nadar, quebrando o seu álibi.*

Pessoas

Lady Tressilian

Mary Aldin ou Kate Aldin

Barrett (dama de companhia)

Thomas Royde

Adrian Royde

Nevil Crane – famoso tenista e atleta

Judy Crane – Judy Rodgers quando solteira

Ted Latimer – pródigo – vive a esmo

Clare Crane ou Audrey Crane – Audrey Standish quando solteira

MacWhirter

Hora Zero

Nevill (ou Noel) Crane – tenista – esportista

Audrey sua primeira mulher "Branca de Neve" – gelada – fraturada – infância histérica etc.

Judy a segunda mulher – uma moça glamourosa – cheia de vitalidade – pagã – Rosa Vermelha

Os acontecimentos da noite fatal são desenvolvidos:

Noite da Tragédia

Neville e Lady T – discussão entreouvida pelo mordomo – depois ele sai – toca a campainha para chamar Barret (criada idosa). Ele também colocou entorpecente no leite – ela o vê sair – atende Lady T que nega ter tocado a campainha. B sente-se confusa e esquisita volta para a cama e desmaia. Lady T descoberta de manhã.

Algumas ideias interessantes que não foram aproveitadas no romance mostram que certos detalhes não eram muito evidentes. Deve-se lembrar, de fato, que a "vítima" da anotação a seguir não é a verdadeira, sendo apenas um meio para se chegar ao fim desse enredo labiríntico. Embora nenhum dos detalhes apareça da forma como foram delineados, a série de vinhetas datadas que abre o romance pode ser vista, em retrospecto, como esboços de testemunhas posteriores. A vítima não está relacionada com July/Kay e Audrey não se casou novamente, abrindo, assim, o caminho para um namoro no final do romance:

> Hora Zero
> Séries de vinhetas sobre várias pessoas – testemunhas de um julgamento por homicídio que ocorre no último capítulo?
>
> Quem é a vítima? A madrasta de Judy? O pai dela – homem muito rico – deixou o dinheiro para a 2ª mulher (corista ou vendedora) herança vitalícia – Judy quer o dinheiro
>
> Audrey rapidamente se casa novamente com seu médico, um homem tranquilo – um biólogo – ou arqueólogo – eles são felizes mas pobres – ela quer o dinheiro da madrasta para pesquisa

Mas uma das anotações mais perturbadoras do Caderno 63 refere-se a um "novo final" para *Hora Zero*. As referências às páginas são, provavelmente, das provas de impressão, e é interessante notar que, no romance, McWhirter pratica todas as ações aqui atribuídas a Thomas Royde. Infelizmente, nunca conheceremos o esboço original – o Caderno continua a listar os acontecimentos que aparecem no romance publicado logo antes da seção "Hora Zero":

> Novo fim para Zero começando P. 243
>
> Thomas e menina se conhecem – Cão e peixe – Vão à lavanderia – (perdeu o talão) discussão por causa do terno – Royde – mil desculpas – pensei que tivesse dito Boyd – Hotel Easthampton – pega o terno – leva-o para casa – cheiro no ombro – leva-o de volta – ou telefona. Vai ao Hotel Easthampton – não há nenhum Boyd hospedado ali – vai até o precipício – Audrey – medo de ser enforcada.
>
> P 255 a polícia chega – Battle conversa com os outros terminando com Royde – depois vai até a casa – Mary encontra-o no sótão – Ou Kay? Corda úmida

> 269? Royde conversa com B em particular – B sai – A levada embora – então B inspeciona a casa – encontra corda – Mary? Ou Kaye? Encontra-o lá – forte o suficiente para enforcar um homem!

Em setembro de 1956, uma versão teatral do romance estreou em Londres, dramatizada por Gerald Verner e Agatha Christie. Algumas das anotações para essa adaptação aparecem nos Cadernos, embora não sejam claras e consistam principalmente de uma lista de cenas sem nenhuma elaboração. Mas a cena de abertura no Caderno 17 corresponde praticamente à da peça:

> Ato I
> Royde sozinho no palco – olhando pela janela – pega foto de Audrey – olha para ela – coloca-a de volta – vai até a janela – Kay entra correndo (segurando raquete de tênis) nervosa – pega a foto de Audrey – joga-a contra a grade – Royde se vira – ela faz um ar de criança culpada.
> Oh! Quem é você? Eu sei quem você é – o homem de Malaya
> R. Sim, eu sou o homem de Malay

O Caso do Hotel Bertram

15 de novembro de 1965

O neto de Miss Marple dá-lhe de presente uma estada no Hotel Bertram, uma relíquia da época eduardiana em Londres. Enquanto desfruta o charme antiquado e ligeiramente suspeito do local, ela se envolve com um desaparecimento, um roubo e um assassinato.

O Caso do Hotel Bertram foi o segundo romance de Miss Marple depois de muitos anos. Como o anterior, *Mistério no Caribe*, a página inicial incluía o lembrete: "Apresentando Miss Marple, a personagem original criada por Agatha Christie". Isso surgiu como resultado das recentes encarnações da personagem na tela interpretada por Margaret Rutherford.

Enquanto o cenário desse romance é típico de Christie e Miss Marple, nossas expectativas são confundidas no fim, quando uma conspiração ainda mais avassaladora do que a de *Assassinato no Expresso do Oriente* é revelada. As anotações desse romance estão igualmente divididas em três Cadernos. O Caderno 27 tem duas páginas datadas, "30 de outubro" e "17 de novembro" (1964), e a primeira página do Caderno 36 está datada "Outubro de 64". As anotações do Caderno 23 parecem preceder as dos outros dois Cadernos, como demonstra o trecho seguinte:

> Hotel Bertram
>
> Descrição do local – Mayfair St. etc. – conforto da era eduardiana – lareiras – carregadores – Chá com bolinhos – "Coma apenas os bolinhos da Bertram". Pontos sobre o hotel – um lugar de "pessoas de bem" – velho estilo Miss Marple chama a atenção depois – restos "de bolso", realmente ninguém assim partiu – Não, o Hotel Bertram pertence a dois americanos – (nunca foram vistos!). Eles investem deliberadamente recriando o lugar (a preços baixos) para criar a atmosfera correta – então americanos e australianos etc. hospedam-se com tarifas mais altas.
>
> Meg Gresham [Bess Sedgwick] – tem uma carreira – bem nascida? Rica? Fugiu com o noivo irlandês. Depois se casou com Parker Whitworth – homem enorme – depois com o Duque de Nottingham – depois com o Conde Stanislaus Vronsky – Dirk Chester – astro de cinema – ou cantor de óp.
>
> Junte isto a um velho major com cara de sapo Ronnie Anstruther e Miss Marple – hospedada por uma semana em Londres. Sua conversa sobre assassinatos – o mesmo homem – viu-o novamente

– com outro nome – mesmo tipo de morte – os paramédicos pareceram satisfeitos – tudo muito bem – apenas novamente com outro nome – Olha para alguém que se aproxima

O cenário geral é o mesmo do romance, mas a menção do "major com cara de sapo" (possivelmente um precursor do Coronel Luscombe, o tutor da filha de Bess, Elvira, embora sem a descrição pouco elogiosa) e sua conversa sobre um homicídio anterior que aparecera em 1964, em *Mistério no Caribe*, talvez indiquem que essas anotações foram feitas antes desse romance. Ou pode ser essa a descrição genérica de Christie para militares aposentados! Apesar disso, muito do enredo é narrado com precisão; mas está esboçado ao menos três vezes ao longo das anotações, cada vez acrescentando um pouco ou praticamente nada à anterior, possivelmente uma indicação de que seus poderes para tecer variações de uma trama estivessem se esvaindo.

Ideias
Bertram é um QG – de uma organização criminosa – principalmente roubos a banco? Roubos a trem? Não há violência explícita – O dinheiro é trazido em malas discretas para o Bertram. Certas pessoas as trazem – previamente planejado – são normalmente atores – atores personificados e se fazem passar por outras pessoas – Canon Penneyfather, General Lynde, Fergus Mainwaring – garota do interior – Mr. e Mrs. Hamilton Clayton? – Condessa Vivary – Ralph Winston

Resumo da história
Bess Sedgwick – uma ricaça fora da lei ama o perigo – Resistência – carro de corrida apaixona-se por criminoso estrangeiro – bonito – atraente Stan Lasky. Ela se associa a ele e planejam roubos em alta escala – isso tem acontecido nos últimos (5 anos?) (mais tempo?) QG é o Hotel Bertram que muda de dono – tem muito dinheiro investido nele e os membros da gangue estão infiltrados. Henry é o mentor intelectual e Bess é sua parceira – os americanos são os titulares – mas na verdade é uma fachada para Henry – há um serviço de entrega – joias ou dinheiro passam pelo Bertram

pelas mãos de "clientes" conhecidos, senhoras idosas – padres – advogados – almirantes e coronéis – saem no dia seguinte – com americano rico para o continente

Enquanto há muito pouco em quaisquer dos Cadernos sobre a morte de Michael Gorman, o encarregado do Hotel Bertram e uma figura importante do passado de Bess Sedgwick, nossa velha amiga, a camareira, consegue aparecer mais uma vez. Embora o cenário de um hotel fosse perfeito para essa ideia, a falta de uma solução satisfatória frustrou-a, novamente:

Circunstâncias da morte?
Meg – bandeja do café da manhã junto à cama – Rins, cogumelos, bacon, chá – camareira – provas – quanto à conversa de Meg com o marido (Chester? Stanislaus?) Qual é o problema? Ela está abrindo a correspondência. "Não, nada" – Esta prova esclarece o marido – também a camareira retira a bandeja – não o garçom

Bertram – Pontos
Homicídio – mulher no leito – a prova da camareira – tomou café da manhã na cama – estava bem então (às 9h da manhã) o corpo somente foi encontrado às 12h – realmente assassinada – às 8h30. Homem (com roupa a rigor) como garçom retira a bandeja do café da manhã – ele a estrangula – ele a esfaqueia – atira? Depois desce e sai. Camareira e Richards são cúmplices

A Noite das Bruxas

10 de novembro de 1969

Uma brincadeira de caça à maçã não tem um final feliz na festa de aniversário de Lucilla Drake. Uma das convidadas, Mrs. Oliver, procura o amigo Hercule Poirot, que, por sua vez,

visita Woodleigh Common e, durante a investigação,
descobre um crime há muito esquecido,
bem como o assassino da festa de Halloween.

As anotações para *A Noite das Bruxas* são o melhor exemplo de todos os Cadernos para datas de começo e fim da criação de um livro. A primeira página do Caderno 16, com as anotações de *A Noite das Bruxas*, traz no cabeçalho "1º de janeiro de 1969", e, 45 páginas depois, lemos:

> 7 de julho A Noite das Bruxas terminado
>
> Capítulo 1 a 21 incl. final p. 280 a serem enviados ou levados para H[ughes] M[assie]. 3 ou 4 capítulos vão para Mrs. Jolly [a datilógrafa] nas fitas gravadas 1 a 9. Continuar as correções e revisões começando P. 281 e enviar para H. M.

Nessa época, Agatha Christie contava 78 anos de idade. Embora seis meses para terminar um romance não seja mau, está longe da época entre as décadas de 1930 e 1940, quando costumava finalizar dois ou três livros por ano. É perfeitamente possível que a ideia para esse romance tenha surgido durante a visita que ela fez aos Estados Unidos no final de 1966, onde a festa de Halloween costuma ser mais celebrada, quando acompanhou Sir Max Mallowan durante uma turnê de palestras. Ela teve a ideia de uma festa pré-adolescente entre 11 e 12 anos, em vez de uma comemoração do Dia das Bruxas para jovens mais velhos. Mas o argumento básico estava escolhido desde o início. Mais uma vez, Mrs. Oliver aparece, como fez em quatro dos doze últimos livros que Christie escreveu. Também reaparece o policial Spence, de *A Morte da Sra. McGinty* e *Seguindo a Correnteza*; e ele apareceria novamente, três anos depois, em *Os Elefantes Não Esquecem*.

Temas, ideias e enredos de livros anteriores sobejam. Há reflexos por todo o livro de *A Extravagância do Morto*. Em ambos, temos uma criança assassinada durante uma brincadeira, testemunhas de um crime anterior representando um perigo para um assassino até então incógnito, e a criação de algo belo como um túmulo – uma loucura em um romance e um jardim no outro. Como veremos, um conto escrito 35 anos antes, "Que Bonito é seu Jardim?", também estava em sua mente. *A Extravagância do Morto*, *A Morte da Sra. McGinty* e *Os Trabalhos de Hércules* são especificamente mencionados nos capítulos 4, 5 e 11, respectivamente; a inspiração para *Prato Nobre Amanteigado* é referida no Capítulo 11, Miss Bulstrode de *Um Gato entre os Pombos* é lembrada no Capítulo 10 e uma breve alusão no final do Capítulo 16 pode ter fornecido a base para *Nêmesis*, dois anos depois. Mrs. Drake olhando do alto da escada (Capítulo 10) tem semelhanças com Marina Gregg, em *A Maldição do Espelho*. E a frase de abertura do Capítulo 17 é quase idêntica à de "O Caso da Empregada Perfeita".

Como muitos dos seus últimos livros, tanto as anotações de *A Noite das Bruxas* quanto o livro propriamente dito são genéricos e vagos. Há algumas ideias novas, bem como outras de livros anteriores, mas também há muitos rodeios nos diálogos. A mistura heterogênea não cria um romance policial coeso e inteligente. Compare o cenário com livros parecidos de décadas anteriores – *Poirot Perde uma Cliente*, *Seguindo a Correnteza* e *A Morte da Sra. McGinty* –, em que Poirot chega a uma cidadezinha para investigar uma morte suspeita, e poderá avaliar a perda de qualidade dos livros depois de *Noite sem Fim*. Exceto *Passageiro para Frankfurt*, todos os demais escritos após 1967 são viagens de volta ao passado, cada um mais fraco que o anterior. Mas todos se fundam numa ideia básica convincente.

Exceto pelas alterações dos nomes, os trechos seguintes delineiam a situação inicial que coloca a trama em ação, embora se deva perguntar por que Miranda (Mifanwy nas anotações) não admite antes que ela, e não Joyce, fosse a testemunha original. E a revelação posterior de sua maternidade no romance carece de credibilidade.

> Jenny Butcher – amiga de Mrs. O num cruzeiro pelas ilhas gregas – viúva – marido morreu de (leucemia?) ou pólio – contraída no exterior – um erudito? Homem intelectual – filha Mifanwy tem 11 ou 12 anos – pai morreu em Éfeso? Derrame?

Foi Mifanwy que viu um homicídio? Do pai? Ou seu pai matar o amante de Jenny? Ou – seu pai – ou mãe – ou irmã da mãe ainda viva e morando em Woodlawn Common mata irmão (ou retardado mental). De qualquer forma Mifanwy viu um homicídio – conta à amiga mais velha Joyce. Joyce conta numa festa como se tivesse sido ela. Mifanwy não foi à festa – estava doente naquele dia – gripe?

Mrs. Oliver está na Festa – ajudando uma amiga – amiga é: Jean Buckley? Ou Gwenda Roberts?

Sua família é formada por: Filha de 14 anos – Dois filhos gêmeos Henry e Thomas de 12 – Um marido – Médico? G.P.

Caça à maçã? Espelho? (futuro marido) Boca-de-dragão* – conversa sobre as origens desses rituais – deveria ser no Natal

O próximo trecho do Caderno 16 aparece quase literalmente no Capítulo 1. Aqui vemos ecos de um livro anterior de Christie ao provocar e brincar com o leitor com dicas de um crime antigo:

Joyce: Eu já vi um homicídio.

Adulto: Não diga bobagens, Joyce.

Beatrice: Você já viu – viu <u>mesmo</u>, de verdade?

Joan: Claro que não – ela só está inventando isso.

Joyce: Eu <u>realmente</u> vi um homicídio – eu vi – eu vi.

Ann: E por que não procurou a polícia, na época?

Joyce: Porque eu não sabia que <u>era</u> um homicídio.

Com a troca costumeira de nomes – Mary Drake torna-se Rowena e Sonia Karova é Olga Seminoff – ela lista alguns personagens:

* Brincadeira inglesa comum entre os séculos 16 e 19, que consistia em comer passas flambadas em conhaque, com a bebida ainda em chamas, chamada "Snapdragon". (N. T.)

Possíveis personagens
Mary Drake – promove a festa (?)
Mãe ou madrasta de Joyce [Mrs. Reynolds]
Alistair Drake – loiro – bonito – aéreo
Sonia Karova – Au pair[*] veio para Barrets Green há 4 ou 5 anos
Família Drake – Miss ou Mrs. Kellway Tia idosa que vive com eles – morre de repente – deixou um testamento manuscrito, com dinheiro para Sonia – testamentos anteriores deixavam dinheiro para Alistair
Moça fugitiva – nunca encontrada – ou – encontrado corpo da moça – ou au pair desapareceu – fugiu com rapaz
Uma professora primária – Miss Emlyn – seu corpo é encontrado – vista com um homem

As anotações indicam que grande parte do enredo driblou Christie por bastante tempo, ao tentar várias vezes criar uma história coerente:

Um jardim plantado sobre a pedra por Mrs. Llewellyn Browne – velha senhora rica e excêntrica louca por jardins – jardins escavados – viu um na Irlanda do N. – investiu muito dinheiro.

David McArdle – jovem, paisagista – boatos sobre o envolvimento com mulheres mais velhas – aproveita para arrancar dinheiro delas.

Também au pair Alenka – cuidava da senhora idosa – ela se interessou por David – (referência a *O Mistério da Cornualha* – ela pensa que marido lhe ministra arsênico)

Moça au pair – cuidava da velha Mrs. Wiberforce – Tia morre – testamento encontrado depois – escondido dentro de vaso chinês – (sob o tapete?) – dinheiro deixado para Olga – ~~Um~~ supostamente escrito por ela – mas era falso

* Jovem que se hospeda em outro país para aprender a língua e prestar serviços. (N.T.)

> Mary Drake – ricaça dirige o lugar – marido – Julian – pólio – vítima? – fraco – trabalha na diretoria do hospital – desenha maravilhosamente bem – falsifica – ou – Mr. Drake é o segundo marido? – o primeiro morreu vítima de pólio – ela o matou? Para poder se casar com o Nº 2

Mas, por fim, ela escolheu o enredo que lhe agradava, e nas páginas encabeçadas pelas datas "20 de maio" e "31" (1969) encontramos o seguinte:

> Ideia – Sonia (Olga) (Katrina) era amiga de John Leslie Ferrier – ele havia sido condenado por falsificação. Michael induz Leslie a falsificar testamento – oferece-lhe dinheiro – Leslie então é morto (esfaqueado por Michael) – Ou – Atropelado por carro. Mary é cúmplice seu marido é morto (atropelado) Logo depois ele herda – homem no carro – carro foi empurrado por 25 km, Michael numa reunião em Londres
>
> Sequência –
>
> A. Mrs. L. B. faz testamento ou codicilo – Michael soube dele (por Olga)
>
> B. Faz Leslie falsificar codicilo – paga-lhe em dinheiro – esfaqueia-o depois de uma discussão entre moças por ciúmes.
>
> C. Morte de Mrs. L. B. (por overdose)
>
> D. Morte de sobrinho vítima de pólio – mulher dele o adorava – Mrs. Mary tinha convidados para jogar bridge.
>
> E. Mrs. L. B. fez rascunho de codicilo de seu testamento. Ela o escreveu – ou mostrou-o à moça – depois mudou a posição (elaborou alguns detalhes). Possivelmente na biblioteca.
>
> Ideias e Pontos 31 de maio
>
> A. Faxineira procura Mrs. Oliver e diz ter visto codicilo
>
> B. Poirot abre carta – amigo húngaro herzoslovaco – visitou a família – Olga Seminova – rapaz com quem Olga iria se casar
>
> C. Poirot e Michael Wright – na floresta – ele estava com Miranda.

D. Srta. Safada – Armário do médico – mudou a receita – pequeno frasco de comprimidos

E. Leonard ou Leopold estava próximo a Michael e Miranda – astuto – sabe de algo – intrometido – Leopold é a próxima vítima? Leopold – tendência científica – gosta de escutar a conversa dos outros – possível jovem chantagista – ou sua irmã Ann

Esse é, de fato, o enredo que ela adotou, embora o motivo por que Mrs. Llewellyn-Smythe escreveria um codicilo e depois o esconderia não seja completamente explicado no romance. E seria possível que Leopold, um menino de 11 anos, chantageasse um duplo homicida, tornando-se assim a outra vítima?

O conto "Que Bonito é seu Jardim?" é superior ao romance, como demonstra o trecho abaixo. Ambos apresentam uma senhora idosa que ignora a família e deixa a fortuna para uma dama de companhia estrangeira e, consequentemente, o legatário se torna o bode expiatório. "Conchas" é uma referência ao enredo da primeira história, em que a estricnina é escondida em uma ostra e as conchas depois são colocadas à vista, decorando o jardim:

O que Joyce viu? Mary Drake sai pela porta dos fundos – conchas – espeta-as ao longo do caminho

11

Poirot Investiga: Os Trabalhos de Hércules

... uma paixão pela verdade. No mundo não há nada que instigue mais a curiosidade e seja tão interessante e belo quanto a verdade...

Tragédia em Três Atos, Ato III Capítulo 5

SOLUÇÕES REVELADAS

"O Caso do Bangalô" • *Depois do Funeral* • *Encontro com a Morte* • *O Caso do Hotel Bertram* • "A Dama de Companhia" • *Morte nas Nuvens* • *Os Elefantes Não Esquecem* • *Assassinato no Expresso do Oriente* • "O Mistério de Hunter's Lodge" • *O Mistério do Trem Azul* • *Um Brinde de Cianureto* • *Seguindo a Correnteza* • *Tragédia em Três Atos* • *Detalhes dos enredos de grande parte de Os Trabalhos de Hércules também são revelados.*

Os Trabalhos de Hércules

8 de setembro de 1947

Os Trabalhos de Hércules não é apenas a maior coletânea de contos de Agatha Christie; é uma das maiores coletâneas de toda a ficção criminal.

É brilhante em termos de concepção, planejamento e execução. Planejando mais uma vez aposentar-se e passar a cultivar verduras e legumes, Poirot sente-se atraído por alguns casos escolhidos a dedo para ser seu canto do cisne. Ele decide aceitar apenas casos que se assemelhem aos resolvidos por seu homônimo mitológico, com a determinação de que os seus apresentarão equivalentes metafóricos.

Todos, com exceção de um dos contos, foram publicados originalmente na revista *The Strand* durante quase um ano. "O Leão da Nemeia" veio a lume em novembro de 1939 e os demais contos seguiram a mesma ordem do livro até "As Maçãs das Hespérides", em setembro de 1940. O último, "A Captura de Cérbero",* não saiu na *The Strand* e tem uma história mais complexa, debatida, com a versão original do conto, no Apêndice deste livro.

Em agosto de 1948, a Penguin Books fez história no mercado editorial ao publicar 1 milhão de livros de Agatha Christie num mesmo dia – 100 mil exemplares de dez títulos diferentes. O empreendimento foi um sucesso tão grande que se repetiu cinco anos mais tarde. Dessa vez, foram publicados livros escolhidos por ela e, para cada um, escreveu uma apresentação especial, trazendo alguma informação relevante. Um dos livros dessa segunda fornada foi *Os Trabalhos de Hércules* e, em sua Apresentação, Christie explica que o nome de batismo de Poirot serviu de inspiração para que ela escrevesse esses contos. Ela continua dizendo que algumas das histórias, "A Hidra de Lerna" e "O Touro de Creta", por exemplo, eram diretas e, de fato, são casos de crimes misteriosos, ocorridos em cidadezinhas e resolvidos por Poirot, muito típicos de Agatha Christie. "O Javali de Erimanto" e "O Cinto de Hipólita", ela revela, deram-lhe mais trabalho – e "A Captura de Cérbero" quase a venceu.

As metáforas em todos os contos são inspiradas – as línguas que se mexiam representam a víbora de nove cabeças de "A Hidra de Lerna", um jornal tabloide marrom representa as imundas Cavalariças de Áugias

* Traduzido em português como "As Profundezas de Hades". (N.T.)

e "As Maçãs das Hespérides" são as esculpidas no inestimável cálice de Cellini. Os contos vão desde o mistério doméstico em "A Hidra de Lerna" e a nostálgica história de amor, embora com um toque especial de Agatha Christie, em "A Corça da Arcádia", até o suspense brutal em "O Javali de Erimanto". Cenas divertidas – Poirot sofrendo num hotel no oeste da Irlanda – alternando com cenas aterrorizantes – Poirot sem saber o que fazer com a aproximação de um criminoso empunhando uma lâmina pontiaguda e afiada. E também Poirot convencendo uma bailarina já muito doente para voltar para o seu verdadeiro amor.

Em muitos dos contos, ela consegue trabalhar outro tipo de simbolismo à parte do principal. "O Javali de Erimanto" apresenta um criminoso perigoso em um lugar coberto de neve, espelhando o cenário físico, bem como o animal metafórico; "O Touro de Creta" mostra um homem com físico magnífico, bem como, literalmente, charcos de sangue; em "As Maçãs das Hespérides", Poirot é ajudado pelo informante Atlas que, como seu famoso homônimo, carrega Poirot em cima dos ombros; e as colegiais barulhentas no final de "O Cinto de Hipólita" são comparadas às amazonas da lenda. As castanholas de bronze de Hércules do original são substituídas pelo moderno telégrafo em "As Aves do Lago Estínfale"; os chifres dourados de "A Corça da Arcádia" aparecem como o cabelo dourado de Katrina e, na versão mítica, Hércules não mata a corça, mas devolve-a em segurança, como faz Hercule Poirot com o amor da vida de Ted Williamson.

Há inúmeras anotações para essa coletânea tão criativa. Isso por si só já é inusitado, por haver relativamente poucas anotações para a maioria dos contos de Christie. Provavelmente aconteceu assim porque criar essa coletânea envolveu pesquisa complementar dos textos originais e uma maior elaboração de detalhes do que costumava fazer para escrever contos. E, também, estes foram escritos para uma coletânea e não são, como antes, contos individuais para uma publicação esporádica. A maior parte dessas anotações está incluída no Caderno 44 com algumas anotações menores espalhadas em outros três Cadernos: 28, 39 e 62.

O Caderno 44 contém parte das informações sobre os mitos gregos que Christie usou como base para as histórias:

> Hidra de Lerna – 9 cabeças queimadas pelas chamas – última cabeça cortada e enterrada
>
> A Corça com pés de bronze – chifres de ouro – pés de bronze – dedicada a Ártemis – um ano para encontrá-la
>
> Javali de Erimanto – Combinado com centauros do Monte Foloi – encurralado num precipício de neve e capturado vivo
>
> As Cavalariças de Áugias – Rio atravessa uma fresta no muro
>
> As Aves do Lago Estínfale – Aves predadoras carnívoras. H as expulsa com as castanholas de bronze e atira nelas
>
> Touro de Creta – touro louco
>
> Os Cavalos de Diomedes (Éguas) – selvagens – acorrentadas às manjedouras – H adestra-as
>
> Cinto de Hipólita – Hera espalha um boato e as amazonas se revoltam
>
> Rebanho de Gerião – gigante com 3 corpos ou com 3 cabeças – guardado por cão de 2 cabeças Ortho e Erython
>
> Maçãs das Hespérides – H segura o céu enquanto A[tlas] colhe as maçãs – A quer uma mesa depois H pede uma almofada para o ombro – entrega de volta a A e parte. Maçãs de ouro dadas por Immo a Júpiter como presente de casamento – maçãs entregues – são devolvidas às Hespérides
>
> Cérbero – Descida ao submundo – sem armas – Cérbero retorna ao submundo

Ela cogitou algumas ideias antes de começar a trabalhar seriamente no enredo e muitas delas foram incorporadas ao livro final. Oito dos contos seguem, com poucas variações, essas anotações iniciais, embora Christie tenha feito mudanças em "Os Cavalos de Diomedes". Note, no entanto, como os dois contos que ela admitiu lhe terem dado mais trabalho, "O Javali de Erimanto" e "O Cinto de Hipólita", mudam consideravelmente e aquele que "quase a derrotou", "A Captura de Cérbero", é totalmente diferente na coletânea:

> Leão da Nemeia – Cachorro pequinês é raptado
>
> Hidra de Lerna – Caneta com Veneno – ou escândalo no interior – uma pessoa no fim de tudo
> Hidra de Lerna – Mulher suspeita de matar o marido – (o veredicto foi um acidente!)
>
> Corça da Arcádia – Dançarina que desaparece – rapaz – P conseguiria encontrá-la?
>
> Javali de Erimanto – Criminoso seguido e capturado – gangue de corridas?
>
> As Aves do Lago Estínfale – Jovem chantageado... por duas mulheres
>
> Cavalariças de Áugias – Escândalo político – HP distrai a atenção – consegue que estudante de Medicina consiga um corpo para o assassinato de Sham? Fundos do partido ou furto arqueológico?
>
> Touro de Creta – Assassino louco?
>
> Cavalos de Diomedes – adestramento de seus filhos – meninos? Apresentando-os ao trabalho da polícia
>
> Cinto de Hipólita – uma diretora? Um erudito de Oxford? Um manuscrito inestimável?
>
> Rebanho de Gerião – seita estrangeira – líder desmascarado – talvez o rebanho de um pastor – uma nova seita – entusiasta religioso
> Gerião do Oriente – Religião oriental

Maçãs das Hespérides – Tesouro num convento – desaparecido há muitos anos – roubado – dado pelo ladrão ao convento

Cérbero – Uma história sobre um cachorro? Ou alguém que morreu – ressuscitado – ou que foi assassinado?

"O Leão da Nemeia"

O rapto de um pequinês fornece a Poirot seu primeiro Trabalho.

Como se pode ver, as anotações de "O Leão da Nemeia" são longas e seguem praticamente a versão publicada. Talvez porque, pelo fato de ser o primeiro conto da série, Christie tenha se debruçado sobre ele. Também é o conto mais longo da coletânea. Há uma anotação isolada no Caderno 39 que prevê esse enredo; embora não se assemelhe inteiramente à versão publicada de "O Leão da Nemeia", o conto menciona o fato de Miss Carnaby ter herdado um pequinês de uma ex-patroa:

Dama de companhia deixou pequinês – ela se apresenta como governanta – dá nomes diferentes e outros lugares? Ela e uma amiga – esta recebe uma recompensa

O próximo trecho, do Caderno 44, é um resumo preciso do conto como ele foi publicado:

HP chamado por Joseph Hoggin – homem muito aborrecido – sua mulher perdeu seu pequinês – recebeu um pedido de resgate de £200, que ela pagou e cão foi devolvido. HP entrevistou Mrs. J e Miss Carnaby – a dama de companhia – mulher tola e falante. Fatos são os seguintes – Amy e Ching foram ao parque – A viu bebê num carrinho – estava apenas conversando com a Enfermeira mas Ching desapareceu – correia foi cortada – ela traz a correia – HP verifica que ela foi cortada – as mulheres olham para ele em suspense – então carta é entregue – o dinheiro deve ser enviado em notas de £1.

No final P instrui Georges para encontrar apartamento em determinado bairro – ele pergunta a Sir J – lembra-lhe do fabricante em Liège que envenenou a mulher para se casar com a secretária, que é loira. P visita o apartamento no dia de folga de Miss A – Augustus late e tenta impedi-lo de entrar. A irmã inválida – P sabe de tudo – sua defesa – sem pensão – idade avançada – sem lar e sem instrução – um sindicato. Ching deixado no apartamento – Augustus é levado – sempre consegue voltar para casa sozinho. Quantas vezes? Dez.

Há muito mais nessa história do que ela aparenta. Amy Carnaby é uma criação deliciosa, mas contundente. Sua situação – dama de companhia mais idosa sem instrução, diante de um futuro nada auspicioso ao se tornar mais velha – é semelhante à de Dora Bunner em *Convite para um Homicídio*, quando Miss Blacklock a salva. A mente criminosa de Miss Carnaby é, no entanto, um ponto relevante e Poirot, em "O Rebanho de Gerião", chama-a de "um dos maiores criminosos que já encontrei". O enredo, muito inteligente, também é especialmente rico para um conto de vinte páginas. Há o enredo principal que envolve o cachorro pequinês/o Leão da Nemeia, mas também há um subenredo envolvendo o envenenador, fabricante de sabonete na Bélgica, alguns anos antes. E não é fantasioso ver, na ideia da troca dos cães, o precursor de *Morte na Praia*, publicado dois anos depois. Poirot também menciona esse caso no Capítulo 14 de *Os Relógios*.

"A Hidra de Lerna"

Suspeitas e boatos trazem Poirot a uma cidadezinha para investigar a morte da esposa de um médico.

A trama desse conto está contida em grande parte em duas páginas do Caderno 44, sendo a única diferença a mudança do nome da enfermeira de Carpenter para Harrison:

> Médico vem falar com P – constrangido – não pode procurar a polícia – esposa morreu – boatos – consultório vai fechar – não sabe como enfrentar a situação. P pergunta – quem é a mulher? Médico fica zangado – sai – P diz que precisa saber a verdade. Moça atendente da farmácia – admite que se casará com ela – mulher uma inválida complicada – detalhes de sua morte confirmam o envenenamento por arsênico. P o previne – Vou descobrir a verdade. P vê a moça – honesta – franca – diz que a velha Miss L é pior. P. vê Miss L – etc. etc. Chega até a Enfermeira – Mulher de meia-idade bonita – Enfermeira Carpenter? – Ela é culpada. Ele encontra a enfermeira – seu rosto de madona – ele a pressiona – autópsia – ela nega – veementemente – ela foi assassinada – comprimidos de morfina

E dez páginas adiante...

> Cont. Hidra de Lerna
> P fala da Secretaria de Interior – ela diz sim – porque Mrs. O foi assassinada. P obriga-os a anunciar o noivado – Jean recebe uma carta ameaçadora. Os comprimidos de morfina – v – comprimidos de ópio – Médico é chamado – receita comprimidos de ópio – que Jean fornece

As páginas seguintes incluem anotações preliminares para os outros quatro Trabalhos, bem como duas páginas de fórmulas químicas, possivelmente de venenos em potencial. Esse esboço, de modo geral, acompanha o conto publicado; observe, no entanto, que as ideias, no segundo trecho, de anunciar o noivado e da carta ameaçadora não foram utilizadas. Por vários motivos, esse é o conto mais típico da autora de todos os Trabalhos – Poirot vai a uma cidadezinha para investigar uma morte misteriosa, nesse caso o possível envenenamento de uma mulher, cujo marido é o suspeito. Os contos "O Mistério da Cornualha" e "Que Bonito é seu Jardim?" e os romances *Poirot Perde uma Cliente* e *A Morte da Sra. McGinty*, assim como o romance de Miss Marple, *A Mão Misteriosa*, todos possuem cenários parecidos. E esse conto tem paralelos nítidos com o conto anterior "O Gerânio Azul", de *Os Treze Enigmas*.

"A Corça da Arcádia"

Poirot representa um personagem num esforço de
reunir dois amantes antes que seja tarde demais.

"A Corça da Arcádia" é uma história idílica, por se encaixar na Arcádia, e não apresenta um crime. Há, no entanto, uma adaptação à moda de Christie nas últimas palavras do primeiro trecho – e uma que ela usa algumas vezes em outro lugar de sua obra, embora em geral com um final sinistro. A personificação de um subordinado (criado, mordomo, garçom, camareiro) é usada aqui por motivos não criminosos, ao contrário de *Morte nas Nuvens*, *Encontro com a Morte*, *Tragédia em Três Atos*, *Um Brinde de Cianureto*, *Os Elefantes Não Esquecem* e *O Caso do Hotel Bertram*. E seu reverso (a personificação de uma "pessoa de verdade" por um criado) é apresentado em *Seguindo a Correnteza, O Mistério do Trem Azul, Depois do Funeral* e *Assassinato no Expresso do Oriente*. Os contos "O Caso do Bangalô" e "A Dama de Companhia", de *Os Treze Enigmas*, e "O Mistério de Hunter's Lodge", de *Poirot Investiga*, também apresentam esse recurso.

Há dois esboços para a cena de abertura desse conto, sendo a segunda mais detalhada. Ambas as versões são precisas, embora a amada de Ted, Mary Brown, no primeiro rascunho, tenha se tornado no segundo a mais romântica Marie e, por fim, "Nita – Incógnita – Juanita":

> Rapaz em cidadezinha do interior – carro quebra – isto vem bem a calhar – encontrar a amada Mary Brown – foi para Londres e desapareceu – se estiver com problemas irá ajudá-la. MB estaria lá acompanhando uma senhora rica – MB era uma criada – na verdade uma dançarina (mantida por Lord Masterfield?) ou esposa de um jovem e rico jogador de polo americano. P a vê – uma jovem de expressão endurecida – ela lhe diz que não tem o endereço da criada. A criada – uma moça mal-encarada. P sabe que ela é a própria moça.
>
> Perdoe-me, Senhor – o rapaz – simples – belo como um deus – persistente. Reconhecido por HP pela foto em Tatler – não haveria outro bigode como aquele – P aquiesce. P janta na Estalagem – rapaz chega – encontra sua garota – Marie – não a conhece por outro nome. Suíça – a moça – ele mal se lembra dela – tão mudada – sua criada – Sim – lembra-se dela – da outra – você quer dizer Juanita? – substituí a criada quando estava fora – P diz Sim – o que aconteceu a ela – ela morreu jovem – Arcádia. P explica – mistério sobre a criada – Sir George chantageado – sua mulher – Nita – Incógnita – Juanita

"O Javali de Erimanto"

Um criminoso violento e um local isolado se combinam para transformar este quarto Trabalho em uma investigação muito perigosa.

Como determinam as origens, este é o mais sanguinário dos Trabalhos e é, por vários motivos, um conto atípico de Agatha Christie. Um gângster que marca um encontro amoroso nos Alpes suíços não é uma apresentação normal em sua produção literária. A imagem de Hercule Poirot saltando da cama para tirar os revólveres de três bandidos, enquanto alguém os mantém sob a mira de uma arma, é um momento que não cai bem para o grande detetive dos ovos quadrados e creme de cassis. Dito isso, é um enredo tortuoso com múltiplas personificações comprimidas em apenas vinte páginas. Também é o uso da ideia do cirurgião plástico, mencionado algumas vezes nos Cadernos, incluindo as primeiras anotações não utilizadas para *Um Crime Adormecido*, bem como as de *A Casa Torta*, e a tentativa de dramatização de *Morte na Mesopotâmia*.

As anotações seguintes refletem com precisão, senão de um modo um tanto críptico, o andamento de uma história bem intrincada:

> Suíça – HP deixa World's End – vai para Zermatt e de lá para um hotel no topo – algo acontece com o teleférico H recebeu primeiro o telegrama – ou bilhete – de M. Belex que o viu – o famoso Marascaud – que se acredita estar lá em cima – Inspetor Drouet – certas pessoas subiram no teleférico com ele.
>
> Schwab – americano solitário
> Dr. Karl Lutz (~~médico nervoso~~) ou judeu australiano
> Médico – cirurgião plástico
> 3 cavalões – jogadores profissionais
> Médico inglês nervoso

Já estão lá?

O garçom – Gustave – apresenta-se a HP como Inspetor Drouet

Gerente – muito nervoso – foi subornado por Gust[ave]

Paciente misterioso

Apostador de Marascaud – apropriou-se do dinheiro – dividem-no nesse lugar solitário. Gustave disse "É um deles" – G é "atacado" à noite – médico o atende – fala com P. P o vê – seu rosto envolto em bandagens. Quem o atacou – 3 homens – ficaram bêbados – atacaram P – Schwab – salva-o com uma pistola

As primeiras anotações de Agatha Christie para esse conto são parcialmente utilizadas, pois o criminoso Marrascaud é "procurado e preso" vivo – um ponto importante, como Poirot destaca na última fala do conto; o elemento "de gangue de corridas", no entanto, não foi usado.

"As Cavalariças de Áugias"

O quinto Trabalho apresenta a Poirot um dos casos mais inusitados de toda a sua carreira.

O enredo desse conto – envolvendo alguns elementos das anotações preliminares de Christie, embora não tendo sido usado o "cadáver" – é resumido no Caderno 62:

Hercule Poirot e Primeiro-Ministro – P olha para ele – como velho Professor de química escocês disse ele é um bom homem. P explica por que Dagmar sempre odiou o pai – limpar as cavalariças de Áugias – P vê Mrs. NP – ainda uma mulher bonita – a reação dela – P diz coisas enigmáticas para ela.

P e Dashett (jovem jornalista) – diz você precisa entornar o [rio] Tâmisa e lavar as Câmaras do Parlamento. Sydney Cox – editor de

> This Week's Garbage – homenzinho enjoado – HP vem encontrá-los – suplica – ameaça – finalmente implora. Parágrafo – A Abelha – em Little Bedchester – no Metrô – Mrs. NP vai de Londres à Escócia. Julgamento por difamação – Miss Greta Handersohn – uma garçonete em um café em Copenhague – procurada por um jornalista. P diz uma ideia muito velha – o Colar da Rainha – para desacreditar Maria Antonieta.

Esse conto praticamente segue as anotações, mas há um aspecto intrigante – o uso das iniciais "NP" referindo-se ao Primeiro-Ministro. Não há correspondência no conto, em que o Primeiro-Ministro se chama Edward Ferrier. Embora seja agradável, com um simbolismo inspirado, é um conto pouco factível tanto em relação à mecânica da história quanto ao seu desfecho. Não se pode deixar de imaginar se as experiências pouco agradáveis após seu desaparecimento em 1926 foram, de certa forma, responsáveis por esse ataque aos jornais tabloides. Esse caso é mencionado em "Moças na Cozinha", capítulo de *Uma Dose Mortal*, quando Poirot se refere aos jornais como "inventivos".

"As Aves do Lago Estínfale"

Uma boa ação tem consequências terríveis
para uma pessoa inocente em outro país.

A primeira tentativa desse conto, com seu cenário doméstico, não aparece na versão publicada, embora seja possível discernir o germe da ideia posterior – duas mulheres, um marido violento, um rapaz emocionalmente chantageado para ajudá-las:

> Mrs. Garland e Mrs. Richardson – esta casada – tem medo do marido – esta consegue um revólver – moça hospeda-se no

apartamento de Gary – ele é jovem, casado, advogado. Marido chega e o intimida – ameaça divorciar-se – um mulherengo – Ou – mãe também pede – uma pessoa idosa

Um segundo esboço, no entanto, é seguido quase com precisão, com Poirot fazendo uma aparição bem tardia apenas nas últimas quatro páginas do conto. A mudança de cenário para um país estrangeiro fictício, Herzoslováquia (cena de *O Segredo de Chimneys*), mantém coerência com os demais Trabalhos:

> Harold – amigo de Nora Raymond – duas mulheres – Postes – parecem pássaros. Seu marido estuda arquitetura – sua mãe – preocupada – ansiosa. Ela entra no quarto dele – para pedir ajuda – marido entra apressado – atira algo sobre ela – ela se esquiva – sai correndo – homem a persegue – entra no quarto dela – ela dispara – ele cai – ela o arrasta para fora do quarto – alguém pode chegar. A mãe se aproxima – diz ele está morto. Consulta HP – eles conversam – ou – gerente do hotel – mantém silêncio – ele sai e solicita transferência de dinheiro – entrega o dinheiro a eles – polícia chega – ninguém diz nada – então mãe entra em agonia novamente – as mulheres no quarto ao lado ouviram tudo

Até mesmo aqui, no entanto, há diferenças. Na versão publicada, não há menção a Nora Raymond e um peso de papel provoca a "morte", não o revólver sugerido nas anotações ("ela dispara – ele cai"). Essa mudança faz sentido; a história se passa num hotel e um tiro de revólver num lugar desses teria atraído a atenção e tornado o enredo inviável.

"O Touro de Creta"

O sétimo Trabalho de Poirot é apenas um caso de
má hereditariedade ou seria algo mais sinistro?

Há poucas anotações sobre o sétimo Trabalho, "O Touro de Creta". O problema principal parece ter sido a escolha do veneno – Christie finalmente escolheu a atropina (também o veneno escolhido em "A Marca do Polegar de São Pedro", em *Os Treze Enigmas*). O conto apresenta a mesma ênfase atípica em relação ao sangue – a ideia do "assassino louco" – de "O Javali de Erimanto". Mas, como em outros livros de Christie – *O Natal de Poirot* e "A Importância da Perna de Carneiro", de *Os Quatro Grandes*, por exemplo –, esta é uma parte relevante do enredo:

> P chamado embaixo – juiz do interior e velho amigo temem que o filho do juiz esteja louco – loucura na família – rapaz esteve na Marinha – (já saiu de lá) – juiz nunca se refez da morte da mulher – acidente de barco ou de carro –
> (HP pergunta sobre isso embora pense que o carro foi sabotado por um conhecido? Esposa apenas com ele em pensamento diz marido – perguntado, amigo vocifera – diz que primeiro ouviu falar disso – faz com que se torne suspeito. Rapaz é muito bonito – há uma moça apaixonada por ele – ele mesmo acredita que esteja louco. Droga – olhos? Escopolamina – hiosciamina – atropina – ou acônito – óleo colocado sobre a pele – alucinações. Última tentativa de matar a moça

Esse conto tem o mesmo enredo de *Mistério no Caribe* e é, de fato, referido na criação da trama desse romance. As palavras mais interessantes do trecho acima são, sem dúvida, "faz com que se torne suspeito". Essa foi a estratégia que Christie utilizou para construir a carreira literária – narrar uma história de modo que os inocentes pareçam culpados e vice-versa. Poucos que lessem esse conto deixariam de destacar George Frobisher como o vilão da história, o que é exatamente o que Christie queria.

"Os Cavalos de Diomedes"

Poirot combate traficantes de drogas.

Há dois grupos de anotações separados para esse oitavo Trabalho. Embora o Caderno 44 contenha as anotações "corretas" para a maioria dos demais Trabalhos, as anotações relevantes para esse conto estão no Caderno 62:

> P na trilha de uma festa movida a drogas – Lugar no condado – (não o condado) – fabricantes ricos etc. –
>
> Velho general Boynton – Gota – colérico – perna inchada. Filhas – garotas selvagens – uma se mete em encrenca – não é sua filha?
>
> Gangue – Rapaz mais velho líder da festa – Garotas o entregam
>
> Stillingfleet – visita Poirot – festa movida a drogas – transforma pessoas decentes em selvagens – você me disse para ficar de olhos bem abertos – moça numa lareira – beco – haxixe – ele tirou a moça disso. A outra irmã – costumavam ser filhas comportadas – pai um velho General. P as vê – moça insociável – endurecida – diz Stillingfleet é confiável. P diz que vai sondar o pai – expressão alarmada da moça – P diz que será discreto.
>
> S[tillingfleet] e P – diz muito jovem – 18 – que vergonha elas não são bem cuidadas – P vai até Norfolk – o General – Gota – mau humor – preocupado com as filhas. P diz: Quem são os amigos delas?
>
> Dalloway – homem parece um cavalo – devagar etc. – Mrs. Larkin – na casa P vê os demais – alvo de dardos etc. –
>
> Hylda – moça aérea – Cummings – jovem médico – assistente do senhor idoso – sanduicheira (pertence a Dalloway) no saguão – P recebe bilhete (olhe na sanduicheira) – ele olha

Há pequenas alterações – o Dr. Stillingfleet (possivelmente de "O Sonho" e *A Terceira Moça*) passa a ser Dr. Stoddart, a sanduicheira torna-se um cantil e não há menção a um alvo de dardos.

Algumas anotações no Caderno 44 se relacionam com esse conto, mas apresentam especulações diferentes e, em um dos casos, um tanto estranhas:

> As Éguas de Diomedes
>
> Velho corredor – suas "meninas" muito loucas – o que P pode fazer? – Bloomsbury – uma delas mata alguém – (Mrs. Barney?) – ideia das gêmeas improváveis – criada é uma delas – NÃO!!
>
> OU
>
> P paga a um rapaz para ser "morto" por uma delas – Ou – Serviço Secreto – Jacinta?

A ideia "o velho general e suas garotas selvagens", do primeiro trecho, é mantida (observe a mudança de "rapazes", nas anotações preliminares, para "garotas" aqui), mas a ideia um tanto bizarra de Poirot pagar alguém para ser morto, possivelmente como um ardil, foi abandonada. A indicação de Mrs. Barney refere-se a um infame caso de homicídio ocorrido em Londres, quando a glamourosa Elvira Barney foi julgada e depois absolvida de matar o amante Michael Scott Stephen a tiros, em maio de 1932.

O forte simbolismo dos cavalos míticos que se alimentam de carne humana transmutados em traficantes de drogas, que também desempenham um comércio repulsivo, é inegável. Mas há um elemento moralizante no enredo que tende a depreciar o conto. Mais uma vez, Christie aproveita nosso erro de percepção, agora com o estereótipo do militar aposentado, um personagem frequente em sua ficção – coronel Protheroe, em *Assassinato na Casa do Pastor*, major Porter, em *Seguindo a Correnteza*, major Palgrave, em *Mistério no Caribe*, general MacArthur, em *O Caso dos Dez Negrinhos*, e major Burnaby, em *O Mistério de Sittaford*. E há muitos outros exemplos, mas nem sempre se pode confiar neles...

A alusão às gêmeas diferentes refere-se a uma ideia que surge vez por outra ao longo dos Cadernos (veja "A Casa dos Sonhos", Prova F,

Capítulo 9). Como foi demonstrado pela constante reaparição, Christie nunca conseguiu usar essa ideia e aqui não foi exceção. Certo desespero é perceptível na exclamação "Não!!", que escreveu para si mesma.

"O Cinto de Hipólita"

Dois casos aparentemente díspares, o roubo de um quadro e o desaparecimento de uma estudante, são reunidos no nono Trabalho.

Esse é outro conto bastante alterado a partir do primeiro esboço feito por Christie, embora haja sinais da ideia em relação a uma "diretora". Como podemos ver, com esse conto Christie deu asas à sua imaginação fértil. Há vários esboços tanto para o desenvolvimento do conto quanto para a interpretação do mito original – um manuscrito, uma descoberta arqueológica e uma pintura foram todos considerados. E, mesmo depois de o quadro ter sido adotado, ela cogitou outros enredos:

> P em Oganis ou Lestranges – excelente aluna termina colégio – a assustadora Miss Beddingfeld
>
> A jovem é realmente uma trapaceira? Ou é a filha desaparecida de um milionário, procurada por toda a parte?
>
> Um manuscrito valioso? Uma pintura? Uma descoberta arqueológica? Um quadro roubado? Repintado por uma das moças (trapaceira) e presenteado à Diretora – esta assim levou-o para o país certo – passa pela alfândega – etc.
>
> Aluna raptada – ela é nova – entregue a Miss Nortress – sem graça de tranças – aparelho nos dentes – feiosa e magricela – vão para

Paris – garota desaparece no trem – na verdade sai do banheiro e encontra um homem – tudo armado – dramatizado – com casaco de pele de marta. De volta do almoço – escorrega no banheiro – homem saı – chapéu encontrado na linha do trem. Garota encontrada um dia depois em Amiens – ilesa – aturdida.

Roubo de quadro famoso (G de H). Deve ser contrabandeado para a França – para um comerciante de lá? – trapaceiro? Atriz assume emprego com "irmã mais velha" – encontra filha – e a leva para Victoria – falsa atriz transmuta-se em garota – ao chegar na França muda de roupa no banheiro – chega com um homem – muito esperta.

Quadros em uma exposição com obras de outras moças – P como prestidigitador – limpa-o com terebintina – revela o Cinto de Hipólita

Este é outro Trabalho que que apresenta um enredo rico, com duas ideias aparentemente díspares, o desaparecimento de uma estudante e o roubo de um quadro, perfeitamente ajustados. Há certa semelhança com o livro que ela escreveria vinte anos depois – *Um Gato entre os Pombos* – quanto ao contrabando de algo valioso na bagagem de uma estudante. O disfarce de uma mulher fazendo-se passar por uma garota também é um aspecto do enredo deste livro, bem como do conto "O Mistério da Regata".

"O Rebanho de Gerião"

Um protagonista de "O Leão da Nemeia" volta para ajudar Poirot a investigar uma série de mortes bizarras.

"O Rebanho de Gerião" é o conto menos elaborado da série, e isso se reflete na escassez de anotações; as que foram feitas são tão vagas que poderiam ser desenvolvidas em qualquer direção. O texto seguinte está no Caderno 44 e o trecho sugerido nas anotações preliminares é um dos pontos de partida:

> P é visitado por Miss? (Amelia) – pequena pensão – adestra cães – está lendo um livro alemão – impulsos criminosos – sublimação. Ela poderia trabalhar para P? Um caso – seu amigo – seita estranha – em Devon. Filho de jovem milionário – lá? Ou filha de meia-idade de um homem muito rico? Ou a viúva de um ricaço?

Não há uma criatividade especial na história, nem no simbolismo. É salvo apenas pela presença da ativa e divertida Amy Carnaby, de "O Leão da Nemeia". Estranhamente, as anotações não mencionam o nome de Carnaby. "Miss? (Amelia)" pode ser a abreviação de Christie (embora não seja tão abreviada assim!) ou talvez simplesmente ela não tivesse um exemplar da *The Strand* à mão para checar o nome dado antes. Há uma breve referência a Hitler nesse conto (veja também "A Captura de Cérbero" no Apêndice).

"As Maçãs das Hespérides"

Um cenário distante fornece a Poirot a pista final de um caso iniciado há vários séculos.

Há menos anotações para "As Maçãs das Hespérides" do que para qualquer outro Trabalho. O enredo não está mencionado e foi necessário pouco para planejá-lo, assim que a pista principal da freira foi determinada. A descrição básica reflete a versão final:

Milionário – cálice de ouro roubado de sua casa – sem deixar pistas. P conversa com detetive americano – Pat Ryan – um cara excêntrico – uma mulher decente – mas não o faz comportar-se – ela voltou para a Irlanda – ou filha – uma freira. Irlanda – o convento – P chega lá – mendigo com garrafa de conhaque – o mundo em minhas mãos

Informante em bar na Irlanda – "Atlas" é seu pseudônimo – HP diz não parece (cavalo a galope – "O Mundo" pelo herói grego tirado da Geografia). Não precisa sustentar o Mundo – apenas Hercule Poirot

Alguns pequenos detalhes são diferentes – o cavalo a galope é Hércules, uma das anotações mais complicadas; e não há mendigo.

Como em "O Javali de Erimanto", esse caso leva Poirot a um lugar belo e remoto, desta vez na costa oeste da Irlanda. Exceto pela menção a um passeio de carruagem pelos jardins irlandeses no Capítulo 11 de *A Noite das Bruxas*, essa é sua única visita à Irlanda e se torna inesquecível para ele por todas as razões erradas.

Como Sir Joseph Hoggin em "O Leão da Nemeia", Emery Power sofre uma perda financeira como consequência da investigação de Poirot, embora, no seu caso, haja um benefício espiritual. (Há um erro de pouca importância quando Poirot lhe promete que "as freiras rezarão missas por sua alma". Freiras não rezam missas e uma missa pela alma somente é celebrada após a morte.) A cena final no convento isolado, à beira do Atlântico, é bastante evocativa, com uma conversa sensata e proveitosa.

"A Captura de Cérbero"

A boate da Condessa Vera é um lugar
mais do que de pura diversão?

Os trechos seguintes referem-se à versão do conto publicado em *Os Trabalhos de Hércules*, em 1948 (para a versão recém-descoberta, veja o Apêndice). É mais uma prova da fertilidade de Christie para enredos por ser capaz de imaginar uma segunda interpretação alegórica para o último Trabalho de Hércules. No mito grego original, Hércules precisa descer ao Inferno, vencendo o cão feroz que guarda os portões; para Poirot, o Inferno é uma casa noturna com um enorme cão no saguão de entrada. Nos degraus que descem em direção à boate estão escritas frases como: "Eu quis seu bem" e "Posso parar quando quiser", uma visão divertida do velho ditado: "O caminho para o Inferno está cheio de boas intenções". E o cão, originalmente concebido para ser uma "peça" da boate, assume um papel relevante na trama.

Como sempre acontece, os nomes foram trocados, mas o esboço a seguir é exatamente o que está na versão publicada:

Cérbero

Ataque – apagão de 2 minutos – aconteceu algo? E J conta a P? O lugar é virado do avesso – joias – não, drogas – não há joias mas 5 ou 6 pessoas vistas não estavam ali –

Saída secreta – a tela pode ser totalmente removida – casa ao lado – Gabinete do Ministro etc.

Estávamos a descoberto – Jimmy Mullins – procurado – Assassino de Battersea – pôs ordem no lugar –

Mas desta vez temos de conseguir –

P conversa com guardião do cão –

A noite fatal – P está lá? – Ou ele ouviu?

Ele sobe um muro – luzes apagadas etc. – quantas pessoas saíram?

Mr. Vitamian Crusoe –

Miss Sylvia Elkins

~~Giuseppe~~ Martacendi – assistente do cozinheiro

Paul Varesco

Dois pacotes – as esmeraldas – o outro – cocaína

Essa é uma interpretação mais espirituosa do mito do que a versão original inédita, dando nome à casa noturna e com as frases divertidas escritas nos degraus. E também podemos ter uma visão dos instintos femininos até então encobertos de Miss Lemon nas últimas declarações. Na "noite fatal", Poirot está na boate, mas sai cedo, e Christie adota a ideia de Japp descrever os detalhes para ele ("ou ele ouviu?"). O início da história, em que Poirot encontra a Condessa no Metrô de Londres e sua visita posterior à casa noturna, não está nos Cadernos.

PROVA G:

É FÁCIL MATAR: SEMENTES DE INSPIRAÇÃO

Nunca me atrapalho para criar uma trama.

Cartas na Mesa, Capítulo 4

SOLUÇÕES REVELADAS

"O Caso da Empregada Perfeita" • *O Mistério de Sittaford*

Estas curtas anotações são exemplos perfeitos de como Agatha Christie cultivava mesmo as menores sementes de ideias até finalmente brotarem – e frequentemente, com seu bom senso habitual, ela usava a mesma ideia várias vezes. Estas, em geral, aparecem em uma lista de ideias parecidas, mas, por vezes, numa página em meio a anotações de outro livro, como um lance de inspiração. E todas elas aparecem separadamente do desenvolvimento do enredo da história em que finalmente foram utilizadas.

* Pobre menina rica – casa sobre o monte – objetos de luxo etc. – proprietário original

Isso aparece numa lista com dezenas de ideias para possíveis contos de Miss Marple. Provavelmente data do princípio da Segunda Guerra Mundial, pois está cercado de anotações para *M ou N?* e *Cai o Pano*. Essa ideia está incorporada em "O Episódio da Caseira", publicado pela primeira vez em janeiro de 1942. Passados 25 anos, grande parte desse conto foi retrabalhada para criar o romance *Noite sem Fim*, de 1967.

> ✻ Caso Hargreaves – rapaz e moça – ela suspeita – jura para ele que é inocente – ele a adverte – sua inocência é comprovada – ela então admite a culpa

Essa ideia, que tem um forte reflexo de um dos contos (e depois peça teatral) de maior sucesso, "Testemunha de Acusação", aparece duas páginas depois de uma página datada de junho de 1944. Foi incluída enquanto ela esboçava ideias para uma "peça sobre questões morais envolvendo marido e mulher".

> ✻ Testemunha de um homicídio – quase sem importância – recebe oferta de cargo no exterior – ouve indiretamente que a oferta é falsa – ou criada – cozinheira?

Numa lista de "Ideias A-U", datada do início da década de 1940, esse artifício já havia sido utilizado no conto de Mr. Quin, "O Sinal no Céu", publicado pela primeira vez em julho de 1924, e brevemente no Capítulo 6 de *Por que não Pediram a Evans?*. E, nas primeiras fases de *Os Quatro Grandes*, foi usado pelo próprio Poirot.

> ✻ Tinta invisível – escrita (testamento?) Ou impresso num documento diferente

"O Móvel do Crime", em *Os Treze Enigmas*, e "O Caso do Testamento Desaparecido", em *Poirot Investiga*, ambos trazem essa ideia. Mas, como estes dois contos surgiram na década de 1920, a anotação, do final da década de 1930, não pode ser o ponto de partida. Aparece numa longa lista, algumas páginas antes das anotações, para os contos que se tornariam *Os Trabalhos de Hércules*.

* Gêmeas não idênticas – uma irmã finge ser 2 – uma mulher completamente diferente – (inválida) finge ser a empregada – na verdade são 2

A ideia de gêmeas diferentes aparece a toda hora nos Cadernos – surgindo tanto junto a ideias usadas quanto as não usadas – e essa variação aparece quatro vezes, duas vezes no mesmo Caderno. Como foi esboçado antes, este artifício é o principal em "O Caso da Empregada Perfeita".

* Falso mordomo

Esta ideia é difícil de ser datada, mas parece ter sido uma possibilidade que Christie cogitou para uma das aventuras de Tommy e Tuppence, em *Sócios no Crime*, embora o restante do Caderno 65, em que ela surge, esteja tomado com *O Caso dos Dez Negrinhos*. O conto "O Mistério de Listerdale", publicado em dezembro de 1925, envolve um "falso mordomo", mas a anotação não deve se referir a este conto tão antigo. É mais provável que tenha sido usado em *Tragédia em Três Atos*, em que o mordomo é um dos artifícios principais do enredo deste romance brilhante.

* Ou Japp – infeliz com D.P.P. Um caso – sim – infeliz – pergunta a Poirot se ele poderá investigar. Rapaz – amargo – difícil

Essa anotação, que aparece logo após uma página datada de setembro de 1947, tornou-se, por fim, *A Morte da Sra. McGinty*, mas não com Japp (que há tempos desaparecera) e sim com o superintendente Spence, de *Seguindo a Correnteza*. O jovem amargo é o já condenado James Bentley.

* Contos de Miss Marple A. Caneta com Veneno – é da garota gorda e amável?

Isso aparece numa longa lista de ideias crípticas semelhantes para contos de Miss Marple, espremidas entre a criação do enredo de *Um Brinde de*

Cianureto e *M ou N?*. É obviamente o germe de *A Mão Misteriosa*, embora uma "garota gorda e amável" não seja desmascarada no final do romance.

> * ... os dentes para fora, descoloridos ou brancos e até mesmo (melhor para um conto)

Os dentes da vítima são uma das primeiras imperfeições notadas por Miss Marple quando ela vê *O Corpo na Biblioteca*.

> * A ideia do selo – homem ganha uma fortuna – coloca-a numa carta velha – um selo de Trinidad numa carta das Ilhas Fiji

A "ideia do selo" aparece com frequência – pelo menos oito vezes com pequenas variações. É usada no conto de Miss Marple, "Estranha Charada", e também no enredo de *A Teia da Aranha*.

> * Se encontrar um alfinete, pegue-o e terá sorte o resto do dia (ela já foi costureira – ela retorna – mulher está morta)

Essa é a base para "Assassinato no Vilarejo" / "Assassinato com Fita Métrica" e um artifício para Poirot em "Poirot Sempre Espera". A ideia de um assassino voltando e "descobrindo" o corpo também apareceu em *O Mistério de Sittaford*.

> * Senhora de idade num trem – diz à moça (ou homem) que vai à Scotland Yard – um assassino está à solta – ela sabe que a próxima vítima será o pastor – Moça consegue emprego no vilarejo etc.

Essa anotação, que aparece numa lista datada de janeiro de 1935, é a base de *É Fácil Matar*, embora sem um pastor assassinado ou uma moça conseguindo um emprego no vilarejo. Esse romance é um dos poucos para os quais não há nenhuma anotação.

12

Um Corpo na Biblioteca: Morte por Citação

Houve um longo suspiro e um estremecimento e, então, ouviram-se duas vozes, uma de cada vez. Estranhamente, as palavras que proferiram eram, ambas, citações.

David Lee disse:

– Os Moinhos do Senhor giram lentamente...

A voz de Lydia soou com um sussurro estarrecido:

– Quem iria imaginar que o velho sangraria tanto?

O Natal de Poirot, Livro III

SOLUÇÕES REVELADAS

Morte no Nilo, Noite sem Fim* • *A Mansão Hollow* • *O Homem do Terno Marrom* • *A Maldição do Espelho* • *O Assassinato de Roger Ackroyd* • *O Misterioso Caso de Styles* • *O Cavalo Amarelo* • *Cipreste Triste* • *Seguindo a Correnteza

Por toda a vida, Agatha Christie foi uma leitora voraz. Sua infância foi recheada de livros e *Portal do Destino* debate-os longamente – *O Relógio*

Cuco, A Fazenda dos Quatro Ventos, O Ursinho Pooh, A Pequena Galinha Cinza, O Pica-Pau, O Prisioneiro de Zenda [*The Cuckoo Clock, Four Winds Farm, Winnie the Pooh, Little Grey Hen, The Red Cockade, The Prisoner of Zenda*]. Os Cadernos estão coalhados de listas de livros, além de muitos romances policiais, incluindo os de Graham Greene, Alan Sillitoe, Muriel Spark, Rumer Godden, John Steinbeck e Nevil Shute. Então, não surpreende que alguns de seus títulos, incluindo os de Mary Westmacott, derivem de citações de várias fontes – Shakespeare, Flecker, Tennyson, Blake, Eliot. Além dos títulos, citações aparecem em todos os seus livros, e alguns romances (*A Maldição do Espelho* e *Encontro com a Morte*) terminam com citações pertinentes.

Cipreste Triste

4 de março de 1940

Vinde, vinde, morte!
E neste cipreste triste deixai-me jazer.
Expirai, expirai, alento!
Mata-me uma bela e cruel mulher.*
Shakespeare, Noite de Reis

Elinor Carlisle está sendo julgada pela morte de Mary Gerard. O processo contra ela parece óbvio, pois somente ela teve meio, motivo e oportunidade para colocar veneno no almoço

* Come away, come away, death/ And in sad cypress let me be laid/ Fly away, fly away breath!/ I am slain by a fair, cruel maid.

fatal. Dr. Lord imagina que há algo por trás dessas aparências e resolve procurar Hercule Poirot.

Embora tenha sido publicado em março de 1940, *Cipreste Triste* apareceu serializado nos Estados Unidos no final do ano anterior. É outro exemplo de romance com personagens mais cuidadosamente planejados do que muitos outros, e, embora haja um enredo inteligente no fundo, há menos ênfase a pistas e horários e detalhes da investigação. Como outros críticos apontaram, no entanto, há uma falha na trama; e também um segundo problema.

O Caderno 20 traz uma versão do enredo para *Cipreste Triste,* e está escrito e datado, de forma inequívoca, no Caderno 66. Como indica essa anotação de 1935, observe que a autora havia escolhido uma assassina:

> Rosa sem espinhos – uma rosa branca sem espinhos mencionada à porta de entrada – depois apomorfina injetada pela assassina em si mesma
>
> Janeiro 1935
>
> A. Rosa sem espinhos mencionada à porta de entrada – depois assassina injeta apomorfina em si mesma – chama a atenção para a picada como se tivesse sido causada por um espinho

Quatro páginas adiante no mesmo Caderno, encontramos uma segunda referência a isso, mostrando que, mais de dois anos depois, ainda estava em processo de planejamento:

> Fev 1937
>
> A (como antes)
>
> A. filha ilegítima – Começa como enfermeira de hospital atendendo ~~velha~~ senhora rica – (ela descobre sobre filha supostamente f[ilha] do jardineiro) depois mata a paciente com doces enviados pela sobrinha – mais tarde sobrinha e Mary brigam por um rapaz – enfermeira envenena Mary – Evelyn (sobrinha) suspeita de ter envenenado.

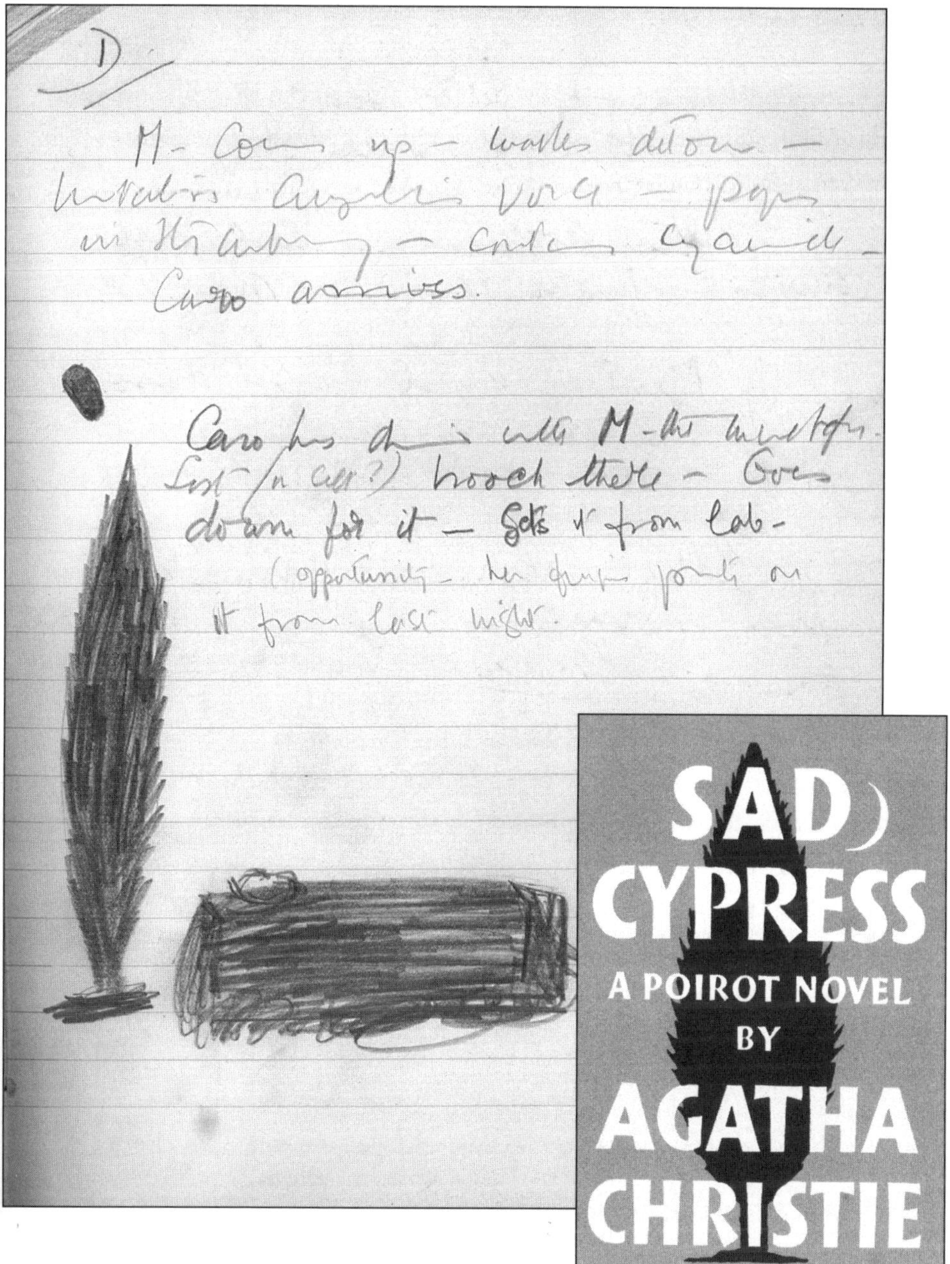

Este esboço aparece, inexplicavelmente, no Caderno 35, durante a preparação de Os Cinco Porquinhos *(1943), mas é, sem dúvida, o desenho para a capa de* Cipreste Triste *(1940). Ao lado da árvore está, possivelmente, um caixão – de madeira de cipreste talvez, como diz a citação?*

O Caderno 21 acrescenta alguns detalhes, enquanto o item G, numa lista em ordem alfabética no Caderno 66, inclui um enredo semelhante – mas num ambiente totalmente diverso:

> Enfermeira de hospital aposentada – façanha com apomorfina – Evelyn Dane – herda da Tia – Mary é realmente filha – na verdade dama de companhia – Jeremy é sobrinho que fora apaixonado por Evelyn e agora ama Mary – Enfermeira finge estar surpresa ao ver o retrato de Mrs. D – ela a assistiu quando deu à luz etc.
>
> Veneno – homem injeta apomorfina depois de dividir um prato de comida – pequeno tubo com morfina encontrado depois – na verdade apomorfina. Reunião familiar – pai idoso assassinado – quem matou? – ele bebe whisky com soda na hora do chá – outros bebem chá – ~~infusão feita na hora~~

A reunião familiar mencionada no último trecho foi alterada, mas a ideia de misturar o veneno ao chá recém-feito foi mantida.

Como em outros livros, os Cadernos contêm pouca coisa diferente do romance terminado, levantando a suspeita de que houve anotações descartadas que não existem mais. Além de algumas alterações de nomes – Roger se torna Roddy, Mrs. Dacres é trocada por Mrs. Welman e a primeira Enfermeira passa a se chamar O'Brien – as anotações seguem o andamento e os detalhes do romance praticamente de forma idêntica:

> Início
> Elinor em Londres – carta anônima – acusação indevida influência – Elinor está a ponto de destruí-la – então liga para Roger
>
> Velha Mrs. Dacres muito doente – enfermeiras tomam conta – fofoca – Mrs. Enfermeira Chaplin – uma enfermeira da cidade – Enfermeira Hopkins – elas conversam – Uma fotografia de Mrs. D – pede para vê-la – assinada Lewis – o nome do marido era ~~Roger~~ Henry
>
> Morte inesperada da velha senhora – ausência suspeita de morfina? – Enfermeiras não têm certeza – ela morre sem deixar testamento

Os personagens também foram estabelecidos desde o princípio e, exceto pelos nomes, não mudaram. O eterno triângulo também foi definido desde o começo:

> Os relacionamentos – na casa
>
> Mary Dane [Gerrard] – filha do jardineiro – trabalhava como dama de companhia
>
> Evelyn sua sobrinha chega – e Roger Dacres – sobrinho por parte do marido
>
> Ela é um personagem real – endurecida – fascinante – disputa entre ela e Mary
>
> Roger se apaixona por Mary – Eve lhe dá um valor em dinheiro – Mary volta à vida – Enfermeira Chaplin lhe aconselha a escrever um testamento
>
> Dr. Lord – rapaz bem-apessoado – apaixona-se por Elinor?
>
> As enfermeiras – Moira O'Brien mora na casa – Enfermeira Hopkins do vilarejo – vem toda manhã para ajudar. Quando Enfermeira C sai – Mary lhe faz companhia – diz que sua Tia na Austrália é uma Enfermeira de hospital
>
> Morte de Mary? Ela está no chalé – Elinor pede-lhe que venha almoçar em casa – um almoço de comida fria – Sanduíches – Enfermeira se oferece para lhes preparar uma boa xícara de chá – (apomorfina está na cozinha) – os sanduíches – Mary comerá os de salmão por ser católica – ela se sente ansiosa e depois sonolenta – Enfermeira Hopkins não gosta do seu aspecto – manda chamar o médico – difícil encontrá-lo – envenenamento por morfina

Uma das falhas no enredo de *Cipreste Triste* ocorre durante o almoço fatal em que a assassina não tem como saber se Elinor Carlisle não irá beber o chá envenenado como Mary. A breve anotação no Caderno 21 que diz que "Mary comerá os de salmão por ser católica" pode ter sido uma solução anterior para o problema de assegurar que apenas a vítima pretendida ingerisse o veneno, tentando garantir que Mary estaria limitada ao tipo de sanduíche (presumido erroneamente como modo de envenenamento) que ela poderia comer. No entanto, como o homicídio ocorre numa quinta-feira (Capítulo 7), Mary não estaria, de fato, limitada em suas escolhas; a restrição de comer carne aplicava-se somente às sextas-feiras. E, no caso, a assassina não preparou os supostos sanduíches envenenados; então, não poderia ter controlado esse aspecto da cena. Este parece ser um problema bem visível.

Mas há outro problema, também de natureza prática – como a enfermeira Hopkins poderia saber que Elinor viria com Mary do Alojamento até a casa para o almoço fatal? E como poderia ter uma agulha hipodérmica e a apomorfina? Seu plano original de envenenar Mary no chalé (de Hopkins), presumido por Poirot no capítulo final, também não responde a essa pergunta, assim como o enredo, mesmo incluindo Elinor, seria tão improvável quanto suspeito. Infelizmente, os Cadernos não indicam se Christie considerou essa dificuldade.

O dia seguinte ao assassinato também está precisamente explicado no Caderno 21, com pouca variação em relação ao romance terminado:

> Morte da velha senhora – sem testamento – sua fortuna vai para Elinor como parente mais próxima
>
> E. e Roger – um pouco de rigidez – ela diz não importa quem de nós herderá – ele novamente sente que há uma frieza entre eles.
>
> R. e Mary – romance incipiente – ela está satisfeita – Edmund jovem namorado de Mary está zangado – eles discutem
>
> Elinor os vê juntos – R. telefona para ela
>
> Elinor dá a Mary £ 1.000 – ela aceita

E por fim...

> Dr. Lord procura Poirot – insiste que não foi ela – não pode ser Hopkins não teve nada a ver com os sanduíches – apenas preparou o chá que ambas beberam – papelote com morfina debaixo do fogão – a cozinha – estava aberta – alguém poderia ter entrado ali enquanto os demais estavam no Alojamento

A Mão Misteriosa

14 de junho de 1943

A Mão Misteriosa escreve; e, depois de escrever, segue em frente.*

Omar Khayyam, *Rubaiyat*

Logo depois que Jerry Burton e a irmã se mudaram para o idílico vilarejo de Lymstock, uma série de cartas anônimas passa a horrorizar os moradores e culmina na morte da mulher do advogado da cidade. A mulher do pastor decide chamar uma especialista em crueldades: Miss Marple.

Esse é outro exemplo de um romance que apresenta um narrador masculino. Além dos romances de Hastings, sete outros livros (*O Assassinato de Roger Ackroyd*, *Assassinato na Casa do Pastor*, *A Mão Misteriosa*, *A Casa Torta*, *Noite sem Fim*, e *O Cavalo Amarelo* e *Os Relógios*, ambos parcialmente, têm um narrador masculino) têm narradores, enquanto apenas dois (*Morte na Mesopotâmia* e, em sua grande parte, *O Homem do Terno Marrom*) possuem narradores femininos. Embora não seja excepcional que uma escritora escreva na voz de homem, isso deve ter sido determinado desde o início da carreira de Christie, quando, tendo criado Hastings como o cronista de Poirot, ela tenha se habituado à ideia de narrar a história como autor masculino. Seria inconcebível para Poirot ter uma amiga íntima com quem vivesse e compartilhasse os casos. E igualmente inconcebível, mas por motivos diversos, seria a possibilidade de que fossem narrados pela esposa! Em *A Mão Misteriosa*, é também estranho que Jerry Burton narre toda a história sem nada nos contar de seu passado ou de sua irmã. Além

* The Moving Finger writes; and, having writ moves on.

do fato de ele ser piloto e de Joanna ter uma vida social agitada, não sabemos mais nada sobre eles.

Miss Marple, indicada como detetive desde o começo da história, não aparece senão no Capítulo 10 (da edição britânica), o que torna o romance ainda mais peculiar. É quase uma aparição simbólica, em menos de dez páginas. O cenário, no entanto, é bem o território de Miss Marple, e Lymstock é a típica cidadezinha inglesa associada a Agatha Christie. Além de St. Mary Mead, o número de vilarejos parecidos nos romances de Christie é surpreendentemente pequeno, apesar da percepção comum de que todos se passem em lugares como esses.

A Mão Misteriosa também possui o final mais inusitado de todos os romances da autora. Descobrimos quem é o assassino antes da explicação de Miss Marple. O artifício para pegar o assassino é revelado ao leitor ao vê-lo tentar um novo homicídio. Isso é uma variação de ardis semelhantes em, por exemplo, *Um Corpo na Biblioteca*, *Cartas na Mesa* e *Hora Zero*, em que o leitor desconhece a identidade da vítima da armadilha.

Há apenas quinze páginas dos Cadernos dedicados a *A Mão Misteriosa* e, exceto por algumas referências passageiras em algum outro lugar, a maioria dessas páginas está no Caderno 62. Não parece ter apresentado muitos problemas técnicos e o enredo se desenvolve harmoniosamente. E ela segue o padrão que usava, na época, de atribuir letras a cada cena.

A primeira indicação possui uma data, não muito precisa, de 1940:

> Ideias (1940)
> Caneta com veneno – cartas num vilarejo – "solteirona reprimida" suspeita – na verdade plano de alguém para desacreditá-la – (uma mãe dedicada?) Miss Marple

Embora a "solteirona reprimida" como fonte das cartas anônimas seja muito debatida em Lymstock, como, de fato, o assassino pretendia, a ideia de "descrédito" foi abandonada; talvez tivesse semelhança com o recente *É Fácil Matar*, em que o assassino esperava que os homicídios desacreditassem o verdadeiro alvo, uma pessoa com fortes motivos para ter eliminado todas as vítimas.

Não apenas *A Mão Misteriosa* (1942) foi publicado quase um ano antes nos Estados Unidos, como a edição americana e a britânica são livros diferentes, embora isso não tenha sido notado senão em meados da década de 1950. Quando a Penguin Books publicou o romance em 1953, uma enxurrada de cartas chamou a atenção de Edmund Cork para essas discrepâncias. Ele entregara à Penguin a edição americana para ser reimpressa, pois o exemplar de arquivo do agente da edição inglesa havia se perdido durante a guerra. Quando entrou em contato com o agente de Agatha Christie nos Estados Unidos, em julho de 1953, pedindo uma explicação para as inconsistências, foi difícil, mesmo então, dizer como aquele erro havia ocorrido. A explicação mais plausível, de acordo com o agente, foi que os editores americanos haviam usado o material publicado pelos editores da serialização, a *Colliers Magazine*, que havia "copidescado" o manuscrito. O erro permanecera desde então. Enquanto a história básica do romance é a mesma, muitos personagens menores desapareceram da edição americana e alguns trechos, incluindo a cena de abertura, são diferentes. Além das referências enigmáticas a personagens que (aparentemente) não existem, no geral a edição americana é menor em extensão.

A mesma situação e a provável explicação se repetem em *É Fácil Matar* (1939).

Christie começou a trabalhar nesse romance no ano seguinte, como mostra a anotação a seguir, e o cenário geral acompanha o Caderno 62. Num trecho escrito especialmente para desviar a atenção, Christie usa o crime menor das cartas anônimas para disfarçar o assassinato. É o mesmo princípio de disfarce adotado pelo assassino em *Os Crimes ABC*, embora, neste romance, a série de assassinatos seja usada para esconder um homicídio em especial. A cidadezinha, as pessoas, os nomes, os fatos e o primeiro assassinato aparecem todos no livro como estão no Caderno:

Cartas anônimas – deliberadas – finalmente mulher comete suicídio em consequência das cartas – na verdade foi morta (pelo marido?)

Livros 1941 Miss M? ou narrado na 1ª pessoa

Caneta com veneno – em torno do vilarejo – infelicidade etc. – esposa do advogado (?) recebe uma – se mata – na verdade ela é morta pelo marido – e então ele põe a carta no bolso dela – o conteúdo da carta é inverídico

Suspeita de escrever as cartas – ~~Irmã~~ mulher do Pastor? – diretora de escola – ~~mulher~~ irmã do médico? – Solteirona gorda – criada – criada é a próxima vítima porque viu algo ou sabia de alguma coisa

Descrição do vilarejo – cidade comercial viveu dias melhores – eles alugam um chalé – as cartas chegam – não a irmã – imagina se esse tipo de coisa acontece com frequência – e se um tiro no escuro acertar o alvo?

Resumo das pessoas que eles encontram

Dr. Thomas – a irmã dele – mulher obscura, cruel e "masculinizada" – o pequeno Mr. Pye – o Pastor – sua esposa – vai para casa e encontra Mrs. Symmington lá

Nas anotações desse romance vemos novamente o modo de atribuir letras para cada cena, embora, nesse caso, ela não tenha indicado nenhuma mudança de ordem no Caderno:

Andamento A Mão Misteriosa Pontos

A. J[erry] encontra um livro de sermões com páginas arrancadas [Capítulo 9 v]

B. Megan vai para casa [Capítulo 7 ii]

C. Criada sabe de algo – discussão entre ela e Elsie H[olland] – Joanna entreouve volta e conta a J? Ela voltou aquela tarde? Ela volta e pede conselhos a Partridge? Ela é assassinada –

deliberadamente [Capítulo 7, mas não exatamente como descrito aqui]

D. Chá com Miss Emily – grande dragão esquálido cuida dela [Capítulo 7 iv]

E. Pastor? Sua mulher – aérea – ligeira pancada? Prego atinge a cabeça – pobre Aimee mulher muito infeliz [Capítulo 5 i]

F. Instituto? Alguém está batendo à máquina – J entra – encontra Aimee que "ouviu" alguém sair [Capítulo 10 ii]

G. J recolhe-se para ir dormir "Onde há F[umaça] H[á] F[ogo]" – fumaça – cortina de fumaça – Guerra – "pedaço de papel" Enfermeira lhe disse quando era menino – etc. [Capítulo 8 i]

H. Boato maldoso – Elsie diz ser a Nº 2 [Capítulo 9 ii]

I. As cartas enviadas – Aimee as escreveu no Instituto – uma delas é a TAL – trocada – (ela as enviou e pegou-as na Rua High? – S[ymmington] está lá) (E[mily] B[arton] está no Instituto também) [Capítulo 13 ii]

Como se vê, a ordem mudou bastante – o livro de sermões com as páginas arrancadas (cena A) não é descoberto senão no Capítulo 9 – e as cenas estão distribuídas por todo o livro. A cena C é uma sacada de mestre em relação à pessoa que "sabe de algo" e depois se torna a vítima seguinte. Aqui, em vez de saber ou ter visto algo perigoso para o assassino, a criada "sabe de algo", porque ela não viu nada. É o fato de não ter visto *nada* quando deveria ter visto *algo* que sela o seu destino.

A Mão Misteriosa é outro livro que Christie pensou em transformar em peça teatral. O Caderno 45 contém rascunhos incluindo uma lista de personagens do romance e a tentativa de montar algumas cenas. Mas o romance é bem "movimentado", com muitas cenas na rua e em várias casas de Lymstock. Os múltiplos cenários, como demonstra a anotação abaixo, criaram problemas imediatos para se conceber uma dramatização bem-feita para este livro:

Cena?

Mansão ou casa dividida?

Jardim comum usado por ambos
Sala na delegacia de polícia
A casa de Symmington

A Mansão Hollow

25 de novembro de 1946

Odeio a terrível caverna por trás da pequena floresta
Seus lábios nos campos acima estão cobertos de terra encarnada,
As rubras encostas gotejam silenciosamente o seu sangue e horror
E Eco ali, não importa o que lhe perguntem, responde: "Morte".*

Tennyson, *Maud*

Poirot não se diverte com a cena a que assistiu na piscina
– o homem caído e a mulher com um revólver de pé
ao lado dele. Ele imagina ser uma encenação, até perceber
que é real e que o homem está, de fato, morrendo...

Poirot cita o poema de Tennyson no Capítulo 18 e, embora seja mais sanguinário do que o romance, Henrietta percebe o simbolismo implícito. Curiosamente, o último verso do poema também aparece no Caderno 3 em uma anotação datada de outubro de 1972, quando Christie estava planejando escrever aquele que seria o seu último romance.

* I hate the dreadful hollow behind the little wood/ Its lips in the field above are dabbled with blood red heath,/ The red ribb'd ledges drip with a silent horror of blood/ And Echo there, whatever is ask'd her, answers "Death".

Um primeiro sinal do enredo de *A Mansão Hollow* pode ser visto numa linha escrita no Caderno 13 – "Poirot pede para ir para o interior – encontra uma casa e vários detalhes fantásticos" –, escondida em uma lista de outras ideias que vão de A a Z. O próprio fato de Poirot ir para "o interior" é a primeira pista, mas os detalhes fantásticos são os elementos da cena que o recebe quando ele chega à Mansão Hollow – o moribundo estendido no chão, o sangue pingando na piscina, a mulher de pé ao lado dele com o revólver, e os demais observadores, um com uma cesta de ovos e outro com uma de dálias.

Descrito com palavras pouco emocionantes na sinopse original, como "uma história humana sobre seres humanos", *A Mansão Hollow* é quase um livro de Mary Westmacott. Lembra mais um romance "tradicional" do que um policial e, de fato, tem menos pistas e investigação do que qualquer outro livro de Poirot. Num artigo para o Ministério da Informação, de 1945, Christie escreveu: "Naturalmente, os modos de trabalho se alteram. Tenho me interessado mais, com o passar dos anos, pelo que antecede um crime. O jogo entre os personagens, os ressentimentos latentes e profundos e as insatisfações que nem sempre vêm à tona, mas que podem subitamente provocar um ato de violência". Esse é o modelo de *A Mansão Hollow* – um fim de semana de emoções latentes e confusas que irrompem num homicídio. O personagem que ela cria para o romance é o mais profundo de todos os seus livros. *Os Cinco Porquinhos* e *Cipreste Triste* abriram o caminho, mas, em *A Mansão Hollow*, seus poderes de caracterização atingiram o ápice – em detrimento, infelizmente, da trama policial. *Os Cinco Porquinhos* é o exemplo mais perfeito da junção dos dois, *Cipreste Triste* ainda tem um claro enredo policial com pistas e álibis; mas, em *A Mansão Hollow*, a investigação é mínima e Poirot quase sobra na narrativa.

Quando, alguns anos mais tarde, Christie adaptou *A Mansão Hollow* para o teatro, deixou Hercule Poirot de fora. E é difícil não concordar com a decisão. De todos os casos de que participou, neste ele não cabe. É inconcebível que tivesse comprado uma casa de campo sem que em nenhum momento fosse mencionada. E, como esse caso envolve poucas pistas físicas, Poirot depende praticamente dos personagens. Quando Christie diz em sua *Autobiografia* que ele não se encaixava, está coberta de razão. Provavelmente, a pressão dos editores fez com que ela o introduzisse na história; ele não aparecia num romance desde *Os Cinco Porquinhos*, publicado três anos antes. Poirot não entra no romance senão na centésima página e, mais curioso ainda, as expressões em francês são praticamente inexistentes. Também fora da versão teatral está o personagem David Angkatell, totalmente supérfluo, cuja ausência do romance não faria a menor falta.

As anotações no Caderno 13 são precedidas por *E no Final, a Morte* e sucedidas por *Seguindo a Correnteza*, uma sequência que se refletiu na ordem de publicação. O primeiro ponto de interesse no Caderno 13 é o fato de haver dois títulos alternativos para *A Mansão Hollow*. Ambos refletem elementos do romance terminado. Os fatos que se sucedem realmente provam ser um fim de semana trágico, e as fortes lembranças de dias mais amenos – um tema que percorre o livro –, dominam a vida de vários personagens:

Fim de Semana Trágico

Viagem de Volta

Elizabeth Savarnake [Henrietta]
Lucy Angkatell
Gwenda – sua sobrinha [Midge]
John Christow/Ridgeway
Gerda Ridgeway
Veronica Cray
Edward
Henry Angkatell

Lady Angkatell cedo pela manhã – Gwenda – pobre Gerda etc. [Capítulo I]

H.P. vizinho de porta

> A *Mansão Hollow* apresenta fortes reflexos de Greenway nas descrições de Ainswick, a casa da família Angkatell, que dominam tanto o livro quanto as vidas de vários personagens. É descrita no Capítulo 18 como "a graciosa mansão branca, o grande pé de magnólia sobre ela, em um semicírculo de montanhas recobertas de floresta"; e no Capítulo 6: "a última curva atravessava o portão e subia por entre a mata, até chegar a uma clareira, e ali ficava a casa – grande e branca, a dar as boas-vindas".

Note que o nome da sobrinha, Gwenda, foi descartado (talvez por se parecer com Gerda) em favor de Midge. Mas também é possível que haja uma conexão com Gwenda de *Um Crime Adormecido*, tendo em vista a nova sequência cronológica para escrever o romance (veja o Capítulo 7). E a alternativa que foi cogitada para o nome do (Dr.) John Christow, Ridgeway, iria se tornar a denominação da doença que ele estava pesquisando.

Os elementos relevantes do enredo estão sucintamente resumidos em meia dúzia de páginas no Caderno 13:

> John na mesa do consultório – mudança de câmbio – aborrecimento com G. – E. e seu maravilhoso gosto por carros
>
> E. no estúdio
>
> Edward – nervosismo – astuto, pessoa esperta
>
> Pontos
>
> Gerda de modo direto ao descobrir a ligação de John
>
> Lady A – completamente aérea
>
> Edward – apaixonado por Eliz.
>
> Eliz. [Henrietta] – muito esperta tenta proteger G
>
> Bloco de argila apontado para ela
>
> Termina com Gerda tentando matar Eliz.

Detalhes mais práticos são tentados no Caderno 13:

> Agora questões estritamente mecânicas
>
> G. pega revólveres – atira em John – coloca revólver em bolsa de tricô – ou coloca revólver em estola de pele de raposa e bolsa sob o canapé. Henrietta o encontra – coloca de volta junto à coleção Inspetor procura Sir Henry – pergunta sobre o revólver. Há outro faltando?
>
> Sir H. hesita – finalmente diz que sim
>
> Estava num coldre?
>
> Sim
>
> Coldre encontrado na estrada próximo ao chalé de V – num arbusto?
>
> Gerda pega 2 revólveres – ~~atira nele com um~~ coloca coldre no casaco de pele de V depois atira nele – coloca dentro da bolsa de tricô e outro junto ao corpo de John ou segue John até o chalé – deixa cair o coldre – volta para procurá-lo na piscina – atira nele – volta para casa e esconde o revólver?
>
> Recupera-o durante o inquérito? Gudgeon retira o revólver do meio dos ovos – coloca-o no estúdio

Henrietta tenta, de fato, proteger Gerda, embora não lance mão do artifício do bloco de argila. Nem há uma tentativa de incriminar Veronica Cray colocando o revólver dentro da estola de pele, embora na adaptação teatral o revólver seja encontrado na bolsa de Veronica. Com sua habitual criatividade, Christie esboça alguns possíveis cenários para colocar o revólver e o coldre incriminadores, elementos de cada um – os dois revólveres, o revólver desaparecido de Sir Henry, Gudgeon e os ovos – que ela reúne no romance.

Christie introduz, no Caderno 32, uma sequência alfabética já refeita (mas sem, por alguma razão, as letras F, G ou I), embora não seja exatamente seguida no romance. Repare que aqui ela se refere à história como "Eco", como no último verso do poema de Tennyson:

Fim de Eco

H.P. numa cadeira à beira da piscina – os agentes do inspetor estão por toda a parte – Grant vem falar com ele – estão fazendo-o de palhaço

A. Deve encontrar a pistola recém-usada – Mrs. C não teve tempo de escondê-la – deve tê-la escondido perto [Capítulo 26]
B. Todos tinham motivo – Lady A e David – Edmund e Henrietta. P. revela a solução – para longe e não para perto – de e não para. G[rant] diz às vezes penso que todos sabem – P responde Todos sabem. [Capítulo 26]
C. Lady A – sobre a verdade – se sentiria satisfeita [Capítulo 27]
H. Midge rompe o noivado [Capítulo 27]
D. P. em casa – Inspetor – encontram a pistola [Capítulo 26]
E. Midge e Edward e gasolina [Capítulo 28]
J. P. e Henrietta encontram coldre de couro [Capítulo 29]

Seguindo a Correnteza

12 de novembro de 1948

Há uma vaga na vida dos homens,
Que, seguindo a correnteza, leva à fortuna...*

Shakespeare, *Júlio Cesar*

Gordon Cloade é morto durante um ataque aéreo e sua jovem esposa Rosaleen, com quem acabara de se casar, herda

* There is a tide in the affairs of men, / Which, taken at the flood, leads on to fortune...

uma fortuna. Quando uma morte misteriosa traz Hercule
Poirot a Warmsley Vale, ele percebe que a família Cloade,
empobrecida, tem bons motivos para matá-la.
Então, por que não foi Rosaleen quem morreu?

Seguindo a Correnteza foi outro romance (como *A Testemunha Ocular do Crime* e *Punição para a Inocência*) cujo título deu problema. As sugestões originais eram *Maré Cheia* [*The Incoming Tide*] ou *Há uma Vaga* [*There is a Tide*], até se descobrir que o novo romance de Taylor Caldwell se chamava *Há um Tempo* [*There is a Time*]. Isso provavelmente explica por que nenhuma vez, ao longo das trinta páginas de anotações espalhadas por treze Cadernos, o título *Seguindo a Correnteza* (ou seu equivalente americano, *Há uma Vaga*) é mencionado. No romance, a citação aparece no Livro II, Capítulo 16. De fato, a gênese do título e, também, do próprio livro é muito mais complicada. Em carta datada de setembro de 1947, o agente de Christie se refere a uma versão "revisada" de *Seguindo a Correnteza* e o "trabalho maravilhoso ao alterá-lo". Essa referência perturbadora continuará a ser um mistério, pois não há nada em nenhum dos Cadernos ou na correspondência remanescente que esclareça isso.

O enredo de *Seguindo a Correnteza* é um dos mais intricados criados pela autora. Para começar, nenhuma das mortes é o que parece ser logo de início. A primeira morte, presumidamente um homicídio, é um acidente; a segunda, um suicídio presumido, é de fato um suicídio (embora leitores tarimbados de Agatha Christie suspeitassem de um homicídio); e a terceira, outro suicídio presumido, é um assassinato. Essa combinação de explicações é única na produção literária da autora.

Além disso, tanto Frances quanto Rowley Cloade, cada um por si só, complicam o plano do verdadeiro assassino com subenredos próprios, cada qual terminando com a morte violenta de seus cúmplices. Então, há confusão sobre a identidade do primeiro corpo. É Enoch Arden? Robert Underhay ainda está vivo? Ele é o homem encontrado no Javali

Azul? E se não for, de quem é o corpo? Esse enredo é brilhantemente compartilhado em *Uma Dose Mortal*, porém menos bem realizado em *A Testemunha Ocular do Crime*.

Parte dessa complexidade está espelhada nas anotações, devido, principalmente, ao fato de estarem interligadas às de *Um Passe de Mágica* e de *Um Crime Adormecido*. Nas anotações, o título temporário para *Seguindo a Correnteza* variou entre "Cubra o Rosto Dela", que foi título de *Um Crime Adormecido*, e "Espelhos", abreviação para o título em inglês *They Do It with Mirrors* [*Jogo de Espelhos,* usado na tradução do romance em Portugal]. Cada um é usado três vezes, mas, em todos os casos, com os nomes dos personagens e enredo de *Seguindo a Correnteza.* Vale a pena lembrar que nenhum dos três títulos é específico; todos poderiam, com pequenos ajustes, se aplicar a qualquer livro de Christie, enquanto títulos como *Assassinato no Expresso do Oriente* ou *Treze à Mesa* são precisos e não poderiam ser trocados.

Nas páginas de abertura dos Cadernos 19 e 30, encontramos a origem da situação da família Cloade:

Cubra o Rosto dela

Personagens

A Família Cloade

Nathaniel – advogado – apropria-se do dinheiro [Jeremy]
Frances – Sua esposa filha de – Lord Edward Hatherly pai de Lady Angarethick – diz que sua família são todos escroques
Jeremy – ex-piloto – ilegal – ousado [provavelmente a origem de David Hunter]
Jane Brown – moça de caráter noiva de Jeremy? [Lynn]
Susan Cloade – (ou uma viúva?) Fria – calculista [Adela ou Katherine]

Rosaleen Hunter
Nathaniel Clode
Frances Clode – (esposa aristocrática)

Susan Ridgeway
Uma Cloade – viúva de guerra – criadora de cães

Como sempre, no entanto, os nomes seriam alterados. O exemplo acima, do Caderno 30, é o único em que surge o nome "Rosaleen" em todas as anotações, e é colocado ao lado do sobrenome Hunter, em vez de Cloade. Em todos os Cadernos, ela é referida como Lena, um diminutivo de Rosaleen. A "viúva de guerra" da família Cloade, que é criadora de cães, pode ter sido inspirada na própria filha de Christie, Rosalind, uma amante e criadora de cães, cujo primeiro marido, Hubert Prichard, faleceu na guerra.

O Caderno 13 ilustra o sistema de ordem alfabética adotado com frequência por Christie:

A. Mrs. Marchmont pede dinheiro a Lena – (ela consegue?) [Livro I Capítulo 5]

B. Frances pede – David a interrompe – ela reage – no momento ele sente medo

David e Lena olham pela janela – veem Lynn. Lena também vê?

Ele sai – conversa com Lynn – depois ele e Lena novamente [Livro I Capítulo 6]

C. Hercule Poirot – Tia Kathie – ajuda espiritual [Prólogo]

D. A fazenda – Lena e Rowley – ele olha para a fazenda e olha para ela – (planejando sua morte?) ela vai embora – um estranho chega – pergunta como chegar a (?) Furrowtown – passa – rosto familiar para Rowley [Livro I Capítulo 8]

E. Rowley vai a White Hart – Beatrice é atendente do bar foto de L. e Edmund – Frances e Jeremy – fotografia – para conseguir endereço de H.P. [Livro I Capítulos 11 e 12]

F. David lê carta – faça as malas – vá para Londres – fique por lá – Eu vou cuidar disso [Livro I Capítulo 10]

G. David e E.A. – chantagem dissimulada – D. diz saia daqui [Livro I Capítulo 9]

H. Onde está o dinheiro para o pagamento? Londres? Metrô? Poirot – assento? etc. – Bessie entreouve (David vai a Londres – para ver Lena Metrô – Rowley entre a multidão) [não usado]

I. Rowley visita Poirot – pede-lhe que venha a Warmsley Heath [Livro II Capítulo 1]

J. Morte de E.A. – David é suspeito – preso? – botão na mão do morto [Livro II Capítulo 6]

K. Lena e a Igreja [Livro II Capítulo 6]

L. Poirot e Lynn – as pessoas são iguais – elas não mudam [Livro II Capítulo 12]

Embora muitas dessas anotações, ligeiramente alteradas, apareçam no romance publicado, há algumas pequenas diferenças: a cena H não aparece no livro; Furrowtown na cena D torna-se Furrowbank; não é encontrado um botão (cena J) no quarto, mas um isqueiro com as iniciais DH; e a cena C, no romance, precede grande parte da ação.

A religião de Rosaleen, além de ser fator preponderante de sua personalidade, é um elemento importante do enredo. A religião católica e sua permanente culpa assombram todas as conversas com David. Releia as cenas deles tendo em vista a solução e muitos dos diálogos passam a ter outro significado. E é a cena na igreja que fornece a Poirot uma das pistas:

Lena – deprimida – diz – tenho estado muito preocupada – quer falar com o padre – pergunta por ele – não vai ao confessionário

Padre – Lena – (ou clérigo) No confessionário – Cometi um pecado mortal

Lena cai em si – sua carta – ~~plano de morte~~ – maldade – Quero compensar como for possível

Moça e Igreja C[atólica] A[postólica] R[omana] – P a vê

Seguindo a Correnteza é outro romance que teve muitas ideias intrigantes rejeitadas:

Lena em Londres – D. liga para ela – vai à estação – vê chefe da estação – Salta do trem expresso na hora da partida – volta a White Hart pela janela – Esfaqueia E.A. – deixa como pista algo que ele já havia perdido (isqueiro?) – vai até um telefone público
L. telefona para Anne às 9h18
D. " " " (Londres quer você)

Aqui vemos a armação do falso telefonema que determinou o álibi de Hunter. Mas ele não esfaqueia "E.A." (Enoch Arden), pois já o encontra morto com uma pancada na cabeça. Em boa parte das anotações, por enquanto, Rowley é o vilão:

Rowley arma o suicídio de L (em Londres) tem de sair para ver um touro etc.

Rowley finge ser Underhay em Londres – com Lena?

Ao mesmo tempo em que não é indiciado no final do romance, Rowley tem duas mortes em sua consciência. Mas ele fingir ser Underhay em Londres poderia ser visto como uma complicação muito grande. Outra sugestão era que Rowley e Frances fossem cúmplices:

Rowley – tem ciúmes de David – tem planos – ele e Frances concordam em chantagear – mas a ideia de Rowley é herdar – então Lena precisa morrer

De fato, Rowley e Frances agem de forma independente no romance, embora sem pensar em matar Rosaleen.

Possivelmente botão do vestido de Lena encontrado junto ao corpo de E.A. – ou Rowley leva-o embora? Tiro ouvido pois Anne e R e D aproximam-se da casa. Sugerido que R poderia ter colocado um detonador no cartucho

Um detonador para fingir um disparo, assim confundindo a hora da morte, é um artifício usado em *Assassinato na Casa do Pastor*, mas raramente Christie dependia de meios mecânicos para produzir seus efeitos

(*O Assassinato de Roger Ackroyd* é uma honrosa exceção) e, felizmente, não começou aqui.

Embora seja precedido por muitas ideias rejeitadas – Nathaniel/Jeremy não consegue chantagear e matar –, a última linha da próxima anotação reflete a realidade do romance. O major Porter, um retrato pungente, concorda, através da pobreza, em mentir para si mesmo, mas depois, numa tentativa final e inútil para restaurar a sua honra, se suicida:

> Cubra o Rosto dela
>
> Nathaniel que se apropriou de vários fundos fiduciários – a esposa é Rosa – "condado" – perspicaz – gosta dele mas conhece sua fraqueza – galante e permanece no barco afundando. Diz finalmente "Claro que eu sempre soube que ele era um trapaceiro"... Todos são meio trapaceiros na família – mas Rose é correta – (bom!). Enoch é uma personalidade constante que ele encontrou – conversa no clube inspira-o a contratar Enoch para investigar Lena e cobrar o valor da chantagem. Enoch se nega – ele mata Enoch – (a) tenta imputar o crime a Lena – ou (b) suicídio – depois procura Porter – faz com que identifique o morto como Underhay – Porter por precisar do dinheiro concorda.

O trecho seguinte, apesar de ser uma reviravolta interessante no enredo, teria sido difícil levar a termo:

> U. está vivo – diz o inquérito – chega em Doon – vê – Lena – apaixona-se por ela?

Significaria que Underhay se apaixonaria pela mulher que se faz passar pela esposa morta e, de fato, rouba sua fortuna.

Mas a mais intrigante das ideias que Christie rejeitou refere-se a um possível título para o romance:

> Cubra seu~~s olhos~~ rosto – meus olhos estão extasiados – ela morreu jovem – num ataque de David. Por quê?

Exatamente – por quê? Por que David Hunter teria exclamado essas palavras? A citação "Cubra o rosto dela – meus olhos estão extasiados – ela morreu jovem" é de *A Duquesa de Malfi* e refere-se ao assassinato de uma moça cometido pelo seu irmão. Possivelmente, David a usaria na morte de Rosaleen – sua "irmã"? Agora compreendemos por que *Cubra o Rosto Dela* foi considerado um título possível. Ou talvez tenha sido o contrário – Christie considerou-o um bom título, o que realmente é, e queria desenvolvê-lo? Seja qual for o caso, refletindo a cena crítica do Capítulo 3 de *Um Crime Adormecido* (veja o Capítulo 7), pode ser visto como mais uma confirmação de que *Um Crime Adormecido* foi escrito depois e não antes, como se presumia.

O Cavalo Amarelo

6 de novembro de 1961

E olhei, e eis que vi um Cavalo Amarelo,
E quem o montava chamava-se Morte

Livro do Apocalipse, 6:8

Uma lista de nomes é encontrada sobre o corpo de um padre assassinado, mas o que eles têm em comum? Existe morte por sugestão? As senhoras de Much Deeping realmente praticam magia negra?

Embora tenha sido escrito em 1960 e publicado no ano seguinte, *O Cavalo Amarelo* foi inspirado muitos anos antes. Mr. P era um farmacêutico que, quase cinquenta anos antes, instruiu Agatha Christie na preparação e armazenamento de remédios. Um dia, ele lhe mostrou uma barra escura que retirou do bolso, explicando se tratar de curare* e que o carregava consigo, por lhe dar uma sensação de poder. Ela diz em sua *Autobiografia*: "Ele me assustou, apesar de suas feições angelicais, como um homem potencialmente perigoso. Lembrei-me dele por tanto tempo que ele ainda estava lá à minha espera quando tive a ideia de escrever *O Cavalo Amarelo*".

Um dos livros mais fortes dos últimos quinze anos de sua carreira, *O Cavalo Amarelo* tem uma trama terrivelmente plausível, um veneno muito raro e uma ameaça autêntica acima do elemento policial comum. A princípio, parece como se Agatha Christie tivesse mudado de linha literária e estivesse escrevendo sobre magia negra, mas, como ocorre em muitos de seus livros, nada é como parece ser.

O Caderno 58 tem duas páginas de anotações sobre "Vodu" logo antes das anotações de *O Cavalo Amarelo*. Frases como "Pacto de Sangue – o sacrifício de um porco – vértebras de uma cobra misturadas – o chocalho sagrado – Legba, a deusa que remove as barreiras – Abobo, uma exclamação ritual" estão todas anotadas. A aplicação dessas pesquisas pode ser vista no Capítulo 6 do romance.

Embora as anotações estejam espalhadas em cinco Cadernos, o enredo básico foi estabelecido desde o início, assim como alguns dos personagens. O Caderno 38 contém um esboço das páginas de abertura, com a mulher não sendo encontrada morta, mas morrendo logo depois de receber a extrema-unção do Padre Gorman. Parece que desde o início o tálio seria o veneno a ser usado no homicídio. E a cena no café, com o incidente do puxão de cabelo, aparece no romance exatamente como no trecho a seguir:

* Curare – nome comum de vários compostos orgânicos venenosos conhecidos como "venenos de flecha", extraídos de plantas da América do Sul. Possuem ação paralisante intensa e letal, embora sejam utilizados medicinalmente como relaxante muscular ou anestésico. Seus principais representantes são plantas dos gêneros Chondrodendron e Strychnos, das quais um dos subprodutos é a estricnina. (N.T.)

Apesar de o tálio* – a forma de homicídio usada em *O Cavalo Amarelo* – ter sido utilizado muitos anos antes por seu grande contemporâneo Ngaio Marsh no romance *Final Curtain* [*Desce o Pano*], foi o romance de Christie que ganhou fama na Inglaterra em junho de 1972, quando Graham Young foi condenado pelo assassinato de dois colegas de trabalho e por tentativa de homicídio de outros dois usando o mesmo veneno. Tanto o romance quanto Agatha Christie foram mencionados durante o julgamento. Embora Young negasse ter lido *O Cavalo Amarelo*, um repórter entrou em contato com Christie para ouvir sua opinião. Ela explicou que usou este veneno no livro por ser incomum e, ao mesmo tempo, interessante para uma autora de romances policiais, além de ser insípido e inodoro, bem como difícil de ser detectado.

* Tálio – altamente tóxico, usado como produto para matar ratos e insetos. Pode causar câncer em seres humanos. Atualmente, é usado em detectores de radiação infravermelha, radiação gama, e em medicina nuclear. É encontrado e obtido a partir da pirita e, também, obtido como subproduto de minérios de chumbo e zinco. Foi descoberto por Sir William Crookes, em 1861, na Inglaterra, por análise espectroscópica. (N. T.)

O Mistério do Tálio

Comece com uma lista de nomes p.e.

Sarah Montfort

Anthony West

Mrs. Evershed

Lilian Beckett –

Jaspar Handingly – Todos mortos

Uma mulher – enfermeira de hospital – encontrada morta – o local foi saqueado – ela diz a lista – todos mortos

Eles estão todos mortos

Começa – bar café – as moças brigam – uma arranca um punhado de cabelo da outra

Polícia? A moça é de boa índole – diz que realmente não doeu

A fórmula – agentes pagos – mulheres fazem inspeção – relatório sobre frascos de remédio etc. – visitam várias casas na vizinhança – fazem relatório para o serviço de N.H.

Ela, então, pesquisou o trabalho do "agente da morte" – uma boa descrição –, bem como alguns de seus "clientes" em potencial. Não desenvolveu a ideia de usar Poirot, mas escolheu a segunda possibilidade – "simples", em outras palavras, queria dizer que não faria parte de uma série:

Livro

Tálio? Série de envenenamentos ocorridos nos últimos anos? Queda de cabelo único sintoma em comum

Poirot?

Simples?

A "Agente da Morte" – ele é pago – a pessoa em questão se vai – por uma série de causas naturais

Ideia como matar um júri (ou *O Caso dos Dez Negrinhos*?)

Sem conexão aparente – Mas há uma. Qual?

A ideia do Sindicato do Crime arranjado por (?) Osborne – um sujeito com dupla personalidade – uma família respeitável – não um mau sujeito – abandona o lar, selvagem, a volta do Filho Pródigo – mas a dignidade da classe média não é suficiente para ele – quando o Pai morre – fica bem de vida – abre filiais em 3 bairros administrados por seus assistentes – ele sempre está nas outras – na verdade tem outra vida no exterior?

Não fica inteiramente claro se o Dr. Corrigan, mencionado no texto seguinte como possível coautor do crime, teria tido um relacionamento com Ginger, mas Osborne era o vilão do romance desde o início.

E o esboço abaixo está precisamente reproduzido no livro publicado, embora não apresente todos os elementos – Dr. C não é um "cúmplice" (é um cirurgião da Força Policial) e o nome de Venable não está na lista original. Os elementos foram incorporados e os nomes das três "bruxas" seriam alterados:

Ideias
(1) Ginger é Ginger Corrigan – Herdeira do dinheiro?
 (a) Seu assassino em potencial está na festa – esposa do homem
 (b) Dr. C[orrigan] é cúmplice – ele e Osborne? Objetivo – abrir uma grande unidade de pesquisa no exterior
(2) Osborne – tem vida dupla – pai era um antigo respeitável e próspero farmacêutico antiquado – outro O. fugiu quando era jovem – entrou para o teatro – ator

Esboço de <u>como</u> a armação é feita – A organização?
Vida dupla – um químico (loja)

Um homem rico – aleijado – coleciona prata – seu nome estará "na lista" (falsa) – sua sobrinha ou sobrinho serão indiciados como réus.

Outros 1º Homem de negócios – escritório – ou encontro no parque

2º irmãs estranhas – ritual

3º pessoa contratada para fazer pesquisas sobre remédios etc. pelas vítimas – Pesquisa de consumidor – substituindo alguns medicamentos por tálio

Chefe Dr. C? Osbourn

Cabeça falsa pomo de adão – Mr. Vuillaumy [Venables] Excêntrico rico

Seguinte:

Samuel advogado com licença cassada

3 I[rmãs] E[stranhas]

Thelma French – Sybil White (ou um nome grego) – Alison Wilde – cozinheira – bruxa do vilarejo

Osborne vem para a Festa de Bournemouth – ~~cumprimenta~~ – fala com Mark – telefona para o Dr. Corrigan

ou polícia? Viu o homem – descreve-o – cena na farmácia em Bournemouth

Uma possibilidade intrigante para o romance era a introdução de Miss Marple. Isso não é de todo improvável como a princípio pode parecer. O romance apresenta várias mulheres mais velhas que vivem num vilarejo, bem como sua velha amiga de *A Mão Misteriosa*, Mrs. Dane Calthrop; então, Miss Marple teria se sentido à vontade. Christie cogitou duas ideias para poder envolvê-la, ambas bastante factíveis – como vizinha de uma das vítimas ou tia-avó de Mark Easterbrook:

Anotações extras para O Cavalo Amarelo

Próximo a Miss Marple vive um dos "Nomes" da lista

"Mark" é sobrinho-neto de Miss M? (filho de Raymond)

Três irmãs "estranhas" – vivem no "Cavalo Amarelo" que antes era uma estalagem – dentro há uma foto numa moldura – antes a Estalagem Sinal no fim Mark (?) limpa o local – o esqueleto do cavaleiro aparece – Miss M cita o Apocalipse

Thelma Grey é a dona do Cavalo Amarelo – sua família veio da Irlanda – bruxaria – sua tata-tatara-tia-avó queimou na fogueira como bruxa (provavelmente tudo mentira que alguém contou!). Ela fala sobre bruxaria – e o que isso quer dizer

Finalmente, o Caderno 6 tem uma anotação inesperada:

O Cavalo Amarelo peça teatral?

Expresso 2 moças – Andrew surpreso

Isso é tudo – não existe mais nada. É difícil imaginar como o romance teria sido transposto para o palco. Talvez o debate sobre *Macbeth* e as Três Bruxas tivesse encorajado Christie a pensar numa adaptação; fora as dificuldades de ordem prática, não seria um caso adequado para dramatização.

A Maldição do Espelho

12 de novembro de 1962

A teia desceu e flutuou;
O espelho partiu-se ao meio
"A maldição caiu sobre mim", gritou
A Senhora de Shallot.*

Tennyson, *A Senhora de Shallot*

O que foi que a atriz de cinema Marina Gregg viu em casa, em Gossington Hall, em St. Mary Mead, que a fez "congelar" pouco antes de um crime ser cometido ali? Outros atentados à vida de Marina e mais três mortes se seguem antes que Miss Marple possa explicar a visão da morte.

A Maldição do Espelho é o último dos crimes misteriosos em vilarejos. Christie começou a trabalhar nesse romance no final de 1961 e em janeiro do ano seguinte já estava bem avançado. Mas, quando o manuscrito foi submetido à editora em abril de 1962, houve uma abundan-

* Out flew the web and floated wide;/ The mirror crack'd from side to side/ "The curse has come upon me", cried/ The Lady of Shalott.

te troca de cartas que mostrava certa preocupação entre seu agente e os editores e, em determinado momento, duvidaram se o livro estaria pronto para ser lançado no Natal. A menção inicial da rubéola no primeiro rascunho foi considerada uma deixa muito grande, porém omiti-la inteiramente seria injusto, assim, pediram que fosse reescrito. O primeiro parecerista a ler o original na Collins, quando chegou o manuscrito, não só previu o assassino, como também o motivo, muito antes de o primeiro homicídio ser cometido. E depois de sua publicação o problema persistiu, ao receberem a carta de um leitor americano muito zangado reclamando do motivo e da falta de sensibilidade em relação à tragédia na vida da famosa atriz Gene Tierney. Apesar de Edmund Cork ter respondido que Agatha Christie só soube do assunto muito tempo depois de ter escrito o romance, a acusação volta a ser feita vez por outra.

As primeiras seis páginas do Caderno 39 contêm uma variedade de assuntos em forma de ideias para enredo. A primeira página vem encabeçada com o título "Livro de Miss M" e ao longo das páginas seguintes estão esboçados os enredos de *Os Relógios*, *Mistério no Caribe* e *A Maldição do Espelho*, junto com reminiscências de "O Episódio da Caseira" (em que o Dr. Haydock a encoraja a deslindar um "ótimo" homicídio), bem como uma breve ideia – a moça e um tombo desagradável – que aparece como uma cena perdida no Capítulo 2 de *A Maldição do Espelho*:

> Dr. Haydock – está envelhecendo – Miss M diz que não consegue tricotar – Dr. H sugere que ela descubra – você sempre teve interesse em assassinatos para dizer o mínimo sobre suas atividades. Continua para lhe contar uma história.
>
> No Andamento – uma moça olha uma casa e leva um tombo – o homem que estava com ela a empurrou?
>
> A história do Dr. H – É a história de Os Relógios – datilógrafa – mulher cega – homem morto

Miss M com Jenny nas Ilhas Ocidentais – o Major com cara de sapo – boato contado por ele – olho de vidro – parece estar olhando em uma direção diferente da que ele vê

No fim, ela escolhe o "Assassinato em Andamento" (como é referido o tempo todo) como seu próximo romance e começa a montar a trama. Agatha Christie está com 71 anos e continua trabalhando com a criatividade a pleno vapor numa idade em que a grande maioria já se aposentou:

Jessica Knight – M pede a ela que vá à farmácia? Então ela se levanta, põe o casaco e sai para caminhar. O Andamento – entrando em um país estranho – pedaços de conversa – quase acidente? Homem e mulher – olham um chalé – ela cai – Heather Badcock

O Caderno 4 tem o germe da ideia que é o enredo principal do romance:

A ideia da rubéola – Motivo do crime – a criança nasceu defeituosa devido à infecção de nascença – enquanto a "fã" está determinada a não deixar de encontrar seu ídolo

E o Caderno 8 desenvolve isso um pouco mais, com um esboço dos primeiros capítulos:

Assassinato em Andamento
Capítulo I Miss Marple e o Andamento – saiu para caminhar – quando o velho lugar era Protheroes – os Bantry – moças que a fazem lembrar várias pessoas – então surge uma Hilda Glazebrook – uma dessas mulheres maçantes e bobinhas. Patience Considine – Atriz e Estrela de cinema – heroína adorada por Hilda – um pouco sobre rubéola – sem efeitos colaterais – visão de P – como se estivessem congelados

As quatro palavras problemáticas ("um pouco sobre rubéola") aparecem muito próximas do começo das anotações, indicando a intenção de Christie de jogar limpo com o leitor. No caso, ela reescreveu essa parte e outras referências semelhantes e somente mencionou a rubéola um pouco antes do final do romance.

O grosso do enredo do livro está no Caderno 52, embora pela sequência escrita ela pareça saber como acabaria. Com o cenário de Gossington Hall e sua nova moradora escolhidos e a ideia da rubéola estabelecida, o livro foi facilmente rascunhado:

> Miss M desvendando – Marina Gregg compra a velha casa dos Bantry – Mrs. B no alojamento
>
> Seu marido Arthur Rossiter (?) homem calmo e inteligente – cavalo negro?
>
> Heather Beasly (?) numa casa em "andamento" – Miss M – saiu para caminhar – leva um tombo – Heather ajuda-a a se levantar – xícara de chá – conversam etc. sobre Marina Gregg? História de H. com rubéola etc. – Mr. Beasly caixa de banco? Corretor de seguros? Corretor de imóveis? Professor de escola?
>
> Encontro de M[arina] e H[eather] – marido ali (Mrs. B conta tudo isso depois para Miss M?)
>
> Alguma bobagem que H disse (primeira menção à rubéola?) – Bem M lhe respondeu – porém passou-se algum tempo – e ela respondeu distraída como se estivesse pensando em outra coisa – mecanicamente – respondeu tantas vezes antes – mas os olhos estavam arregalados – olhando por cima da cabeça de Heather – como se tivesse visto alguma coisa – algo terrível – o quê?
>
> Bem – escada
> Quem estava subindo?

A ideia de olhar por cima do ombro e ver algo inacreditável / assustador / intrigante aparece em alguns romances de Agatha Christie e, em cada um, ela apresenta uma situação factível e totalmente diferente. O primeiro exemplo é *O Misterioso Caso de Styles*, seguido alguns anos depois por outro exemplo em *O Homem do Terno Marrom*. Outros casos significativos em questão são incluídos em *Encontro com a Morte* e *E no Final, a Morte*. Dois anos depois de *A Maldição do Espelho*, ela nos apresenta, e a Miss

Marple, um quebra-cabeça semelhante, quando o Major Palgrave vê algo perturbador por cima do ombro de Miss Marple em *Mistério no Caribe*. A resposta para esse enigma é a sua solução mais ousada e original para a situação de olhar por cima do ombro e pode, de fato, ter sido inspirada pela referência a[o almirante] Nelson no trecho a seguir.

Um ponto menor sobre *A Maldição do Espelho* é o fato de Mrs. Bantry relacionar todos os fatos dramáticos da recepção a Miss Marple. Por que Christie não deu um jeito, sob qualquer pretexto, para que Miss Marple também fosse à festa? Isso poderia ter sido facilmente arranjado e teria superado a necessidade de interpretar as atitudes de Marina através de uma terceira ou quarta pessoa. Mas talvez esta seja a razão por que ela não o fez. Miss Marple veria coisas demais e assim seria muito fácil para ela. Dessa forma, o jogo de braço e a queda da pílula de dormir dentro do copo são explicados, embora, na verdade, fosse difícil manipulá-los. É também um dos poucos exemplos do uso de um veneno fictício em um remédio conhecido.

Em grande parte, as pessoas que Christie listou originalmente (ou versões subsequentes) aparecem no livro terminado:

Pessoas Atuais

Kathleen Leila Carlyn [Margot Bence] – filha adotiva de uma família pobre – mãe escreveu uma carta – então sua [de Marina] própria filha chega – ela faz um acordo em relação às crianças adotadas – uma menina e 2 meninos –

Lara vem morar com Cherry – (uma companheira que sua irmã trouxe) ou trabalhando em algum lugar como cabeleireira ou como fotógrafa (melhor?)

Ella Schwarz [Zeilinsky] – secretária social – apaixonada por Jason

Arthur marido de Heather

Mary Bates – uma viúva – marido morto de modo estranho (acidente de carro?)

Carlton Burrowes – hóspede-surpresa – conhecia Marina

Quem estava subindo ou parado nas escadas?

Ms. Sage – logo acima de sua cabeça – olhar congelado – para o quê – ou ~~quem~~?

A. Foto na parede – assunto? Morte de Nelson!!

B. Carlton Burrowes – Alfred Klein – um amigo

C. O outro trazido por ele

D. Uma fotógrafa de Casa & Jardim

E. Ella Schwarz

F. Arthur Badcock

G. Mary Baine

H. Senhor muito idoso

Outra infeliz e inacreditável coincidência é apresentada nesse romance. Mesmo o fã mais fiel de Agatha Christie não pode aceitar que Arthur Badcock, tido como um homem desinteressante e insignificante, tenha sido o marido da famosa e glamourosa Marina. No Capítulo 8 iii, ele é descrito como "um pedaço de barbante mastigado. Em bom estado, porém úmido". Verdade seja dita, o primeiro casamento de Marina, "um muito precoce, que não contava", é mencionado no Capítulo 3, mas aceitar que ele esteja vivendo no vilarejo onde ela acaba de comprar uma casa, que nenhum dos dois mencione e que ninguém mais saiba, é esperar demais da paciência do leitor. Por que essa complicação foi introduzida, é difícil explicar. Christie conhecia bem os seus leitores para lhes pedir que aceitassem que essa revelação implausível fizesse parte da solução do caso e, assim, como Arthur é considerado apenas rapidamente, porém, nunca de um modo convincente como o possível assassino, isso pareceria uma complicação excessiva. Por incrível que pareça, a coincidência se equipara à revelação da maternidade de Miranda, em *A Noite das Bruxas*, à identidade do primeiro marido de Louise Leidner, em *Morte na Mesopotâmia*, e à da mãe de Stodart-West, em *A Testemunha Ocular do Crime*.

Ela se recupera – charme habitual com Heather – Dormil – dá a ela – H. pousa o copo (para falar) M. pousa o seu – para esticar as mãos e virá-las – derruba o drinque de H – beba o meu – suco de tomate em vez da outra bebida

A fotógrafa da revista *Casa & Jardim*, Margot Bence, lembra as crianças adotadas de *Punição para a Inocência* de quatro anos antes. E a viúva Mary Bates (depois listada como Baine) não aparece na história; Carlton Burrowes deve ser uma versão anterior de Ardwyck Fenn.

A maior surpresa é a inclusão na lista acima de a "Morte de Nelson" (por extenso e com dois pontos de exclamação) como o importante assunto do quadro acima da escada. No romance, um quadro de Nossa Senhora e do Menino Jesus causa o "congelamento" de Marina e prova que a teoria de Miss Marple está correta. É possível que, a essa altura do planejamento, Christie ainda não tivesse decidido o motivo da visão da morte? Por incrível que pareça, pode ter sido o caso, pois algumas das outras opções para o olhar "congelado" estão enumeradas e, por fim, foram incluídas no romance.

E, por último, Miss Marple explica...

Miss M diz – Como fui estúpida – livro médico – ela o fecha

O Encontro – Miss M vai até a escada – a luz – "Compreendo melhor agora"

Ela sofreu uma overdose? Muito fácil de ser feito – ou talvez alguém lhe ministrou

Para Dermot – Muito simples A Morte está sobre mim gritou Heather – a morte caiu sobre ela como resultado direto do que ela fez um dia – há muitos anos – não queria fazer mal, mas agiu sem consideração – agindo apenas em interesse próprio. Foi a um Programa para poder ver e encontrar Marina Gregg mesmo ainda com rubéola

Noite sem Fim

30 de outubro de 1967

Toda Noite e toda Manhã
Alguns nascem para a Miséria
Toda Manhã e toda Noite
Alguns nascem para o Deleite,
Alguns nascem para o Deleite,
Alguns para a Noite sem Fim.*

William Blake, "Augúrios da Inocência"

O pobretão Michael Rogers seduz e casa-se com Ellie, uma herdeira americana muito rica. Eles constroem uma casa de campo dos sonhos, mas a sua vida feliz é arruinada por uma enxurrada de incidentes desagradáveis. Ocorre um acidente fatal e uma trama monstruosa é aos poucos desvendada.

O parecerista da Collins, num relatório de 23 de maio de 1967, achou que *Noite sem Fim* era "excepcionalmente bom de se ler. A atmosfera é soturna desde o início e todos os menores truques e arabescos são usados para aumentar esse efeito". Frases como "impressionante maestria", "manipulado com extrema segurança" e "a Sra. Christie conseguiu, como sempre, ser muito inteligente" estão ao longo de toda a avaliação.

Numa entrevista para a revista *The Times*, no mês seguinte ao lançamento, Agatha Christie admitiu que "é muito diferente de tudo o que

* Every Night and every Morn/ Some to Misery are born/ Every Morn and every Night/ Some are born to Sweet Delight,/ Some are born to Sweet Delight,/ Some are born to Endless Night.

fiz até hoje – mais sério, realmente uma tragédia. Em algumas famílias há crianças que nascem para o mal... Em geral, gasto três ou quatro meses para fazer um livro, mas escrevi *Noite sem Fim* em seis semanas. Se conseguimos escrever rapidamente, o resultado é mais espontâneo. Ser Mike não foi difícil". Ela começou o esboço nos Estados Unidos no final de 1966, quando acompanhou Sir Max em uma turnê de palestras.

Noite sem Fim é o último triunfo de Agatha Christie. Foi seu último grande romance e é a maior conquista conquista dos seus últimos vinte anos como escritora. É também um livro surpreendente para ter sido escrito por uma senhora de 75 anos de idade, no final de uma longa carreira cheia de sucessos. É surpreendente por algumas razões: foi escrito por uma senhora idosa de classe média alta que dá voz a um rapaz de classe operária; reutiliza seu truque mais famoso quarenta anos depois de tê-lo inventado; é totalmente diferente de tudo o que já havia escrito; e, finalmente, é um retorno à série de assassinatos de *O Caso dos Dez Negrinhos* e *E no Final, a Morte*. Ao término do romance, todos os personagens principais estão mortos – Ellie, Greta, Mrs. Lee, Santonix, Claudia Hardcastle; e Michael está na cadeia, condenado, no mínimo, à prisão perpétua.

O enredo é o amálgama de, pelo menos, quatro tramas anteriores.

Primeiro, com um narrador – Michael Rogers – como o vilão da história, as comparações com *O Assassinato de Roger Ackroyd* são inevitáveis. Devemos lembrar que, mesmo antes deste, Agatha Christie experimentou o narrador-assassino em 1924, em *O Homem do Terno Marrom*. Ali, Sir Eustace Pedlar narra parte do romance por meio de trechos de seu diário, antes de ser finalmente desmascarado como vilão. O artifício foi usado em 1926, em *O Assassinato de Roger Ackroyd*, um assassinato misterioso ocorrido num vilarejo, narrado pelo médico local, que é desmascarado por Poirot como chantagista e homicida. Quarenta anos depois, ela acrescentou outra variação à fórmula com *Noite sem Fim*.

Enquanto *O Assassinato de Roger Ackroyd* é um policial, *Noite sem Fim* não o é. Em grande parte parece um romance sombrio e apenas no final se percebe que se trata de um romance policial cuidadosamente articulado. É totalmente oposto a tudo o que Agatha Christie havia escrito e, por isso, a repetição do truque de Ackroyd não foi considerada por ninguém. Isso tornou seu impacto ainda mais impressionante. Ninguém esperava que ela repetisse o truque de quarenta anos antes. Mas deve-se lembrar que Agatha Christie construiu uma carreira fazendo exatamente o que ninguém esperava.

Segundo, a trama de *Noite sem Fim* é idêntica à de *Morte no Nilo*. Dois amantes conspiram para colocar um charmoso vilão na vida de uma herdeira muito rica; o plano é fazê-lo casar-se com ela e depois matá-la. Os amantes simulam uma briga e aparentemente se separam. Embora o modo do crime, em cada caso, seja totalmente diverso, as semelhanças são óbvias demais para ser ignoradas ou consideradas meras coincidências. Em *Noite sem Fim,* há também um desenvolvimento bizarro quando Michael inesperadamente se apaixona pela desafortunada Ellie.

Terceiro, sua grande e mais óbvia semelhança com o conto de Miss Marple "O Episódio da Caseira", publicado pela primeira vez em janeiro de 1942. Ali temos uma herdeira rica, Louise Laxton, que se casa com o joão-ninguém da cidade e é assassinada exatamente do mesmo modo que Ellie Rogers. (Há duas versões desse conto – a segunda versão inédita é ligeiramente mais elaborada.) De vários modos, *Noite sem Fim* é uma forma expandida de "O Episódio da Caseira", mas narrado de modo a transformá-lo em uma história nova.

> Embora em seu relatório o parecerista da Collins se mostrasse entusiasmado, dizendo de *Noite sem Fim* que "todas as dificuldades são tratadas de modo justo" e "o crime é bastante inteligente", ele temia que os críticos arrasassem o livro. Essa crítica poderia vir por seus elementos inesperados. Nesse caso, ele estava totalmente equivocado, pois o livro recebeu as melhores resenhas de todos os livros de Agatha Christie até então: "um dos melhores romances que Mrs. Christie já escreveu" (*Sunday Times*); "Christie no auge de sua forma" (*Evening Standard*); "Crime e mistério maldosamente geniais" (*Scotsman*); "a [surpresa] mais devastadora que esta surpreendente autora já concebeu" (*Guardian*).

Quarto, *O Misterioso Caso de Styles* também apresenta o complô de um casal que simula uma discussão em público, convencendo os espectadores e leitores de que eles realmente se odiavam. Estes, como suas contrapartidas em *Noite sem Fim*, controlam os medicamentos da vítima, permitindo que ambos estejam ausentes no momento do crime.

A primeira anotação abaixo data de 1961 e aparece numa lista de ideias que inclui *Mistério no Caribe*, *A Maldição do Espelho* e *Os Relógios*:

> Marido – quer casar com esposa rica – e livrar-se dela – usa alguém para ameaçá-la – rancor – ele intercepta doces – etc. salva a vida dela várias vezes – a morte dela no final acontece devido ao medo – fugindo de um "fantasma" – ela cai

Embora haja fortes indícios de *Mistério no Caribe* nessas alterações ("salva a vida dela várias vezes"), a ideia de casar com uma mulher rica e empregar alguém para ameaçá-la é a base de *Noite sem Fim*.

No ano seguinte, Christie apresenta a lista de títulos propostos para 1963 e 1964, depois de entregar *A Maldição do Espelho* para a Collins. Não há menção ainda do título final e as referências a ele ao longo das anotações são sempre "Terra Cigana",* o cenário da lenda que parece, a partir da dedicatória, ter trazido o germe do livro. Nem há qualquer indicação, nesse momento inicial, do modo da narrativa – uma das principais características do romance. Note também que "Terra Cigana" está listado como o item X – uma indicação, talvez, de que ela pretendesse trabalhar este livro antes dos outros dois, que aparecem como itens Y e Z.

> 1962
>
> Anotações de 3 livros
>
> Y. Os Relógios (?)
>
> Z. Mistério no Carribe [sic]
>
> X. Terra Cigana

* Em inglês: "Gypsy's Acre". (N.T.)

X Terra Cigana

Trecho de terra e estrada – chá no pub – história sobre acidentes – marido planeja matar esposa – simula falha do motor?

Dois anos antes da publicação encontramos um desenvolvimento do enredo. E, de fato, grande parte dessa anotação inicial acaba entrando no romance. A cigana, a história, o cavalo, o "acidente" e a morte são todos utilizados em *Noite sem Fim*.

1º de outubro de 1965

A. Terra Cigana

Lugar onde ocorrem acidentes – etc. – Uma mulher (cigana) é vista pelo marido – pergunta a pessoas – realmente já ouviu falar da história – mas finge ser a primeira vez – um pouco decepcionado – um jovem cético – mas portanto mais facilmente decepcionado. Mulher interessada – não nervosa – então um dia mulher vê cigana – e daí – tira conclusões. A cigana segura rédeas do cavalo? – (enfia um alfinete). Marido no acidente – alguém assiste pela janela – ela fica muito ferida – em choque – morre – na verdade morfina

Noite sem Fim é dedicado "A Nora Prichard, de quem ouvi, pela primeira vez, a lenda de Terra Cigana". Nora Prichard era a outra avó de Mathew Prichard – pelo lado paterno. Ela vivia na localidade de Gypsy's Acre, perto de Pentre-Meyrich, no Vale de Glamorgan, País de Gales, onde, muitos anos antes, um acampamento cigano próximo foi removido e o chefe dos ciganos amaldiçoou a terra. Depois de inúmeros acidentes de carro ocorridos na vizinhança, essa lenda provavelmente apócrifa ganhou força.

Uma clara omissão no romance é a referência ao marido como "um jovem cético"; essa descrição não se aplica de modo nenhum a Michael Rogers. É evidente que ele não está presente no "acidente" de Ellie. Repare também que nesse momento ainda não há menção ao marido como o articulador da morte da esposa, muito menos como narrador da história.

O Caderno 28 acrescenta um enredo importante ou, para ser mais preciso, toma emprestado de "O Episódio da Caseira":

> O Crime de Cianeto – cápsulas – o tranquilizante. Alguém morre (W) – cai da escada – trombose? – coração? – uma janela aberta. Corpo encontrado 2 ou 3 horas após a morte. Y – dá à amiga uma de suas cápsulas; Z – morta – uma ligação é aparente entre Z e W – isso afasta todos

Originalmente, a ideia era construir um tipo diferente de livro, mas, como se vê abaixo, a cápsula de cianeto foi introduzida em *Noite sem Fim*. A anotação também observa o fato clínico relevante de que o corpo deve estar ao ar livre ou não ser visto por um médico até algum tempo depois da morte, para que a fumaça do cianeto de potássio já tenha se dissipado.

Em outubro de 1966, o romance estava tomando forma como o conhecemos. Antes de escolher Greta, no entanto, Christie testou várias outras personagens femininas, embora seja difícil ver qualquer uma delas como Ellie Rogers, a herdeira de uma fortuna de milhões de libras:

> 1966 – out. – (nos Estados Unidos) Projetos – Terra Cigana
> Aventureiro – Jason – bonito – australiano? Americano?
> Encontra-se com a velha Mrs. Lee – a história – Milha do Acidente <u>ou</u> Claire Holloway – leciona num colégio de moças ou faculdade – sua velha amiga Anne – Marie – Claire – primo – Jason – ou uma au pair Sidonie – seu irmão ou Hildegarde – questão é Hildegarde e J – são cúmplices – acidente armado. H é uma Valquíria. Usar ideia do cianeto de potássio – cápsula

A ideia de Jason, o estrangeiro bem-apessoado, é trocada por Michael Rogers, um desocupado oriundo da classe operária. Só posso imaginar que Christie, aos 75 anos de idade, se sentiu mais à vontade para criar a narrativa na voz de um conterrâneo do que de um "estrangeiro aventureiro". E, assim que ela adota a alteração do nome de Hildegarde para Greta, chegamos à dupla mortal que está no âmago do romance. De fato, Greta é comparada a uma valquíria algumas vezes em *Noite sem Fim*.

Mas algumas ideias foram descartadas e nunca saíram dos Cadernos:

> Terra Cigana – colocada à venda – leilão – conversa no pub onde o leilão é realizado. Leiloeiro de fora da cidade – os lances são feitos – sai por um valor muito baixo – leiloeiro fica intrigado. Senhor lhe diz Você é de fora – acidentes – há uma maldição no local – Velha Mrs. Lee
>
> "Seja quem você represente, fez um mau negócio – não há vantagem – ele morrerá em um ano – (Eles receberam dinheiro de alguém que queria pagar um valor baixo)
>
> O leiloeiro sofre acidente ao voltar para casa? – jovem com pince-nez como Ed(ward) Bolan – inteligente – Quer construir hotel? Ou edifício – com serviço de quarto ou lar de idosos – ? Ou velha casa usada para isso – Mansão Fleet – moça na casa (tipo maternal) enfermeira de hospital – encontra a senhora idosa morta – dentro de casa

No fim, chegamos à ideia principal que distinguiria *Noite sem Fim* de tudo o mais que Agatha Christie escrevera. Note que originalmente ela queria que o narrador fosse o arquiteto contratado para projetar a casa, mas no romance o papel do arquiteto de Ellie foi dado ao enigmático Santonix:

> Ideia? Narrado na primeira pessoa – por um arquiteto
>
> "Ouvi falar de Terra Cigana a primeira vez através do velho Simon Barlow" etc. visita o local. A casa perfeita – encontra a moça
>
> Quanto você quer?
>
> Quero trinta mil libras
>
> Para quê?
>
> Para construir uma casa

Há alguns problemas com os detalhes do enredo de *Noite sem Fim*, principalmente em relação aos personagens Claudia Hardcastle e a cigana Mrs. Lee. Primeiro, espera-se que acreditemos que Claudia visita A Festa na Terra Cigana, sem motivo conhecido, e pega uma cápsula de veneno ao acaso deixada por Michael e Greta, enquanto eles preparavam os comprimidos de Ellie (quantos prepararam?); ela engole o comprimido e morre em seguida. Ao mesmo tempo, Claudia deixa cair um isqueiro muito característico e facilmente identificável. Até para o fã mais compreensivo de Agatha Christie, isso é inteiramente inverossímil. Se Christie tivesse mantido a ideia inicial, de Ellie oferecer um comprimido a uma amiga (veja p. 402), teria tornado a situação mais plausível.

Então, no dia da morte de Ellie, Greta planejou encontrar Claudia para elas passarem o dia fazendo compras (Capítulo 17). Descobrimos mais tarde, quase por acaso, que isso nunca aconteceu, porque alguns parentes de Claudia chegaram sem avisar. Na biografia de Janet Morgan, de 1984, ela menciona que a Collins pediu a Christie para esticar o romance, aumentando o papel de um dos depositários de Ellie. Isso pode justificar a improvável coincidência da chegada de Cora no dia da morte de Ellie. Mas também significa que o paradeiro de Greta é desconhecido na hora da morte, embora isso não seja mencionado em nenhum momento.

Também, quando Mrs. Lee é assassinada exatamente? E por que Michael chama a atenção para seu desaparecimento? Sabemos que ele a matou (no final do Capítulo 23), então ele não tem interesse em manter segredo sobre o fato? Na realidade, quando ele a matou? Quatro dias depois de chegar a Nova York, ele recebe uma carta do Major Phillpot informando que o corpo de Mrs. Lee fora encontrado na pedreira e que ela estaria "morta há alguns dias". Se a carta de Phillpot foi entregue quatro dias depois de ele ter chegado, isso sugeriria que teria sido enviada no dia em que Michael atracou nos Estados Unidos, que, por sua vez, sugere que tenha matado Mrs. Lee pouco antes de partir. Então, onde ela estava entre esse momento e seu desaparecimento (Capítulo 21)?

Qual a explicação da pedra embrulhada no bilhete que dizia: "Sua esposa foi assassinada por uma mulher" (Capítulo 20)? A suposição é que essa seja a outra parte da trama (senão, para que mencioná-la?) e mesmo assim parece não fazer sentido, pois não é referida mais tarde. E se, de fato, for genuína, significa que Greta é, afinal, a mulher de casaco vermelho citada pela senhora de faces rosadas no Capítulo 18 e no inquérito no Capítulo 19? Mas já sabíamos (Capítulo 16) que ela tinha um casaco vermelho.

A resposta para a maioria dessas dificuldades reside provavelmente na insistência da Collins em aumentar o tamanho do romance. Um manuscrito datilografado, anterior e bastante diferente, mostra que todos esses andamentos foram acrescentados, com letra da própria autora, algum tempo depois. Nesse rascunho anterior, Mrs. Lee não morre, mas volta a Market Chadwell após passar algum tempo com outro grupo de ciganos em algum lugar do interior; Ellie, sem saber, dá a Claudia, que sofre de febre do feno, uma cápsula (a ideia original de Christie) envenenada antes de Greta e Michael trocarem novamente os remédios; e todas as referências ao casaco vermelho são também acréscimos feitos à mão. Quatro parágrafos, de "Quatro dias depois da minha chegada a Nova York" até "Parecia uma coincidência impossível", foram acrescentados, numa folha manuscrita, no Capítulo 22. Também aparece como inserção feita à mão a frase "Quero fazer mais do que empurrar uma velha de uma pedreira", no final do Capítulo 23. Não tenho dúvida de que todas essas emendas foram feitas para acomodar o preconceito do editor de que esse livro deveria ser um romance policial. Em vez disso, introduziram pontas soltas num enredo que já estava inteiramente amarrado. A Rainha do Crime deveria ter sido "literalmente" respeitada em seu próprio enredo.

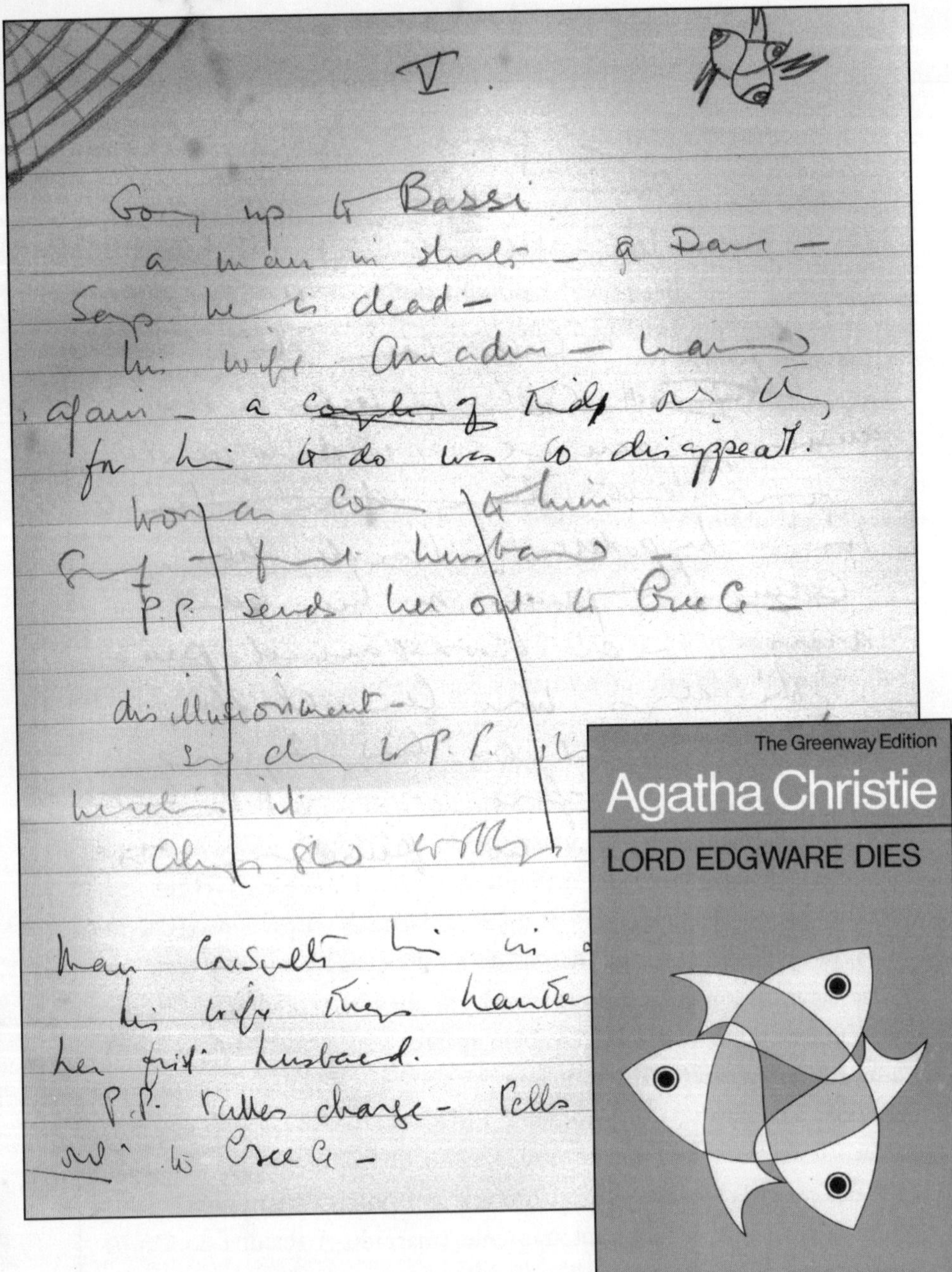

Esta página do Caderno 66 é um dos muitos exemplos nos Cadernos de Agatha rabiscando a interseção dos três peixes, como esboçado por Lois Hargreaves para "Morte à Espreita" (Sócios no Crime). *O símbolo foi depois usado como o desenho de capa para a Edição Reunida Greenway dos livros de Agatha, iniciada no fim da década de 1960 e publicada ao longo dos anos 1970.*

Sem seu narrador pouco confiável, teria sido um romance diferente e possivelmente indiferente. Afinal, a ideia do eterno triângulo e de dois dos lados desse triângulo conspirarem para matar o terceiro não é nova para a literatura em geral, nem para a ficção criminal em particular, muito menos para Agatha Christie. A originalidade está no truque a mais que a autora conseguiu criar a partir disso. E justamente no final de sua carreira, quando pensavam que Christie havia esgotado seus truques, ela surpreendeu a todos – mais uma vez. Se *Noite sem Fim* tivesse sido narrado na terceira pessoa, muito do impacto devastador do romance teria se perdido completamente.

APÊNDICE:

O Canto do Cisne – Os Dois Últimos Contos

A CAPTURA DE CÉRBERO*

Sempre foi um mistério para os estudiosos de Christie por que "A Captura de Cérbero" não foi publicado na revista *The Strand* depois dos outros onze Trabalhos, por parecer uma omissão inexplicável. A descoberta de uma versão do conto até hoje inédita e desconhecida, com um cenário e enredo totalmente diferentes, permite-nos agora resolver esse quebra-cabeça.

Em "A Captura de Cérbero", Poirot, mais uma vez, procura uma pessoa desaparecida e, nesse aspecto, seu décimo segundo Trabalho lembra missões parecidas em "A Hidra de Lerna" e "O Cinto de Hipólita". Mas cessam aí as semelhanças, pois esse último trabalho possui uma faceta incomparável – a pessoa que ele busca está morta.

Embora o Clube do Crime da Collins tenha publicado *Os Trabalhos de Hércules* em 8 de setembro de 1947, com uma Introdução assinada por Christie para explicar o porquê de Poirot ter aceitado essas missões (veja o Capítulo 11), o fato de a décima segunda história não ter sido publicada na *The Strand* continuava a ser um mistério sem solução. A revista sempre fornecera um mercado imediato para os contos de Christie durante a década de 1930 e de 1940, com seu nome estampado na capa para atrair vendas. A própria Agatha Christie menciona especificamente esse conto

* Também chamado "As Profundezas de Hades". Na mitologia grega, Cérbero ou Cerberus (em grego, Kerberos = "demônio do poço") era um cão monstruoso, com múltiplas cabeças e cobras em volta do pescoço, que guardava o Portão do Hades, o reino subterrâneo dos mortos; ele deixava as almas entrarem, mas nunca saírem, e despedaçava os mortais que se aventurassem a ir até ali. (N.T.)

na Introdução à edição de *Os Trabalhos de Hércules,* publicado pela Penguin em 1953; ela aí explica que, quando estava escrevendo os contos, "ao chegar à 'Captura de Cérbero', fiquei totalmente desesperada". Ela o pôs de lado por seis meses e, "então, de repente, um dia, subindo as escadas rolantes do metrô, me veio a ideia. Pensando nela, subi e desci as escadas umas oito vezes". Mas, como veremos, embora isso seja verdadeiro, a verdade não é bem essa...

Quando foi escrito?

Pista Nº1

Os Trabalhos de um a onze foram publicados pela primeira vez na Inglaterra na revista *The Strand*, começando em novembro de 1939 ("O Leão da Nemeia") e terminando em setembro de 1940 ("As Maçãs das Hespérides"). Em 12 de janeiro de 1940, Edmund Cork escreveu para Christie sobre o décimo segundo conto, explicando que achava que a *The Strand* não iria publicá-lo (nessa época, eles já haviam publicado três dos contos) e sugeriu que ela considerasse escrever outro para uma provável publicação em livro. *The Strand* já pagara £1.200 pelos contos que estavam prontos e se decidissem não publicar um deles, como devem ter deixado transparecer a Edmund Cork, não teriam o direito de pedir uma substituição. Em 12 de novembro de 1940 (depois que a *The Strand* havia publicado a série sem o "Cérbero"), ela lhes escreveu para pedir a devolução do "conto de Cérbero" para poder "escrever um novo". Mas somente em 23 de janeiro de 1947 (i.e., no começo do ano da publicação do livro) a segunda versão foi finalmente entregue.

Pista Nº2

O Caderno 44 contém a maioria das anotações para os doze contos. A princípio, parece que foram todos criados e finalizados ao mesmo tempo, pois grande parte das anotações confere com os Trabalhos terminados como são conhecidos. Mas um exame mais atento, tendo em vista a descoberta da outra versão e dessa correspondência, mostra um conto bastante diferente. Todas as anotações iniciais para os últimos seis contos começam e, em alguns casos, terminam numa página à direita no Caderno 44 com a página esquerda em branco, e acompanham a sequência do livro. As anotações para a primeira versão e para a até hoje inédita de "Cérbero" seguem esse padrão. Mas as anotações para a versão da coletânea estão inseridas com outra tinta e caligrafia ligeiramente diferente, numa página à esquerda, espremida, fora de ordem, entre as anotações de "Os Cavalos de Diomedes" e "O Rebanho de Gerião". É possível supor que, quando batia a inspiração para reescrever o conto, Christie voltava ao Caderno e inseria uma nova ideia o mais próximo possível das anotações originais. Também as anotações posteriores foram feitas à tinta, enquanto as primeiras anotações, como as dos demais Trabalhos, aparecem a lápis.

Por que nunca foi publicado?

Não há dúvida de que a situação política da época e a figura mal disfarçada de Adolf Hitler na parte iii foi o motivo principal (e provavelmente o único) para a rejeição do conto. Demonstrando um traço incomum, o conto é nitidamente político desde a primeira página, mencionando não apenas a iminência da guerra, mas também a guerra anterior: "O mundo vivia um momento de grande perturbação – todas as nações estavam tensas e em alerta. A qualquer minuto, o golpe poderia ser desferido – e a Europa, mais uma vez, entraria em guerra". Mais adiante no conto descobrimos "August Hertzlein... [que] era o maior de todos os ditadores. Seus discursos de guerra haviam conclamado a juventude de seu país e dos países aliados. Ele inflamara a Europa Central...". E, no caso de ainda restar alguma dúvida, ele é, mais à frente, descrito como tendo "um crânio em forma de bala e um pequeno bigode escuro".

Isso teria sido considerado muito próximo da situação do mundo em 1939 para ser entendido como leitura de entretenimento. Por que Christie decidiu escrever esse conto, nunca saberemos, por existir pouquíssima comprovação em qualquer parte de sua obra de que fosse uma pessoa politizada. E a rejeição por parte da *The Strand* pode tê-la incomodado

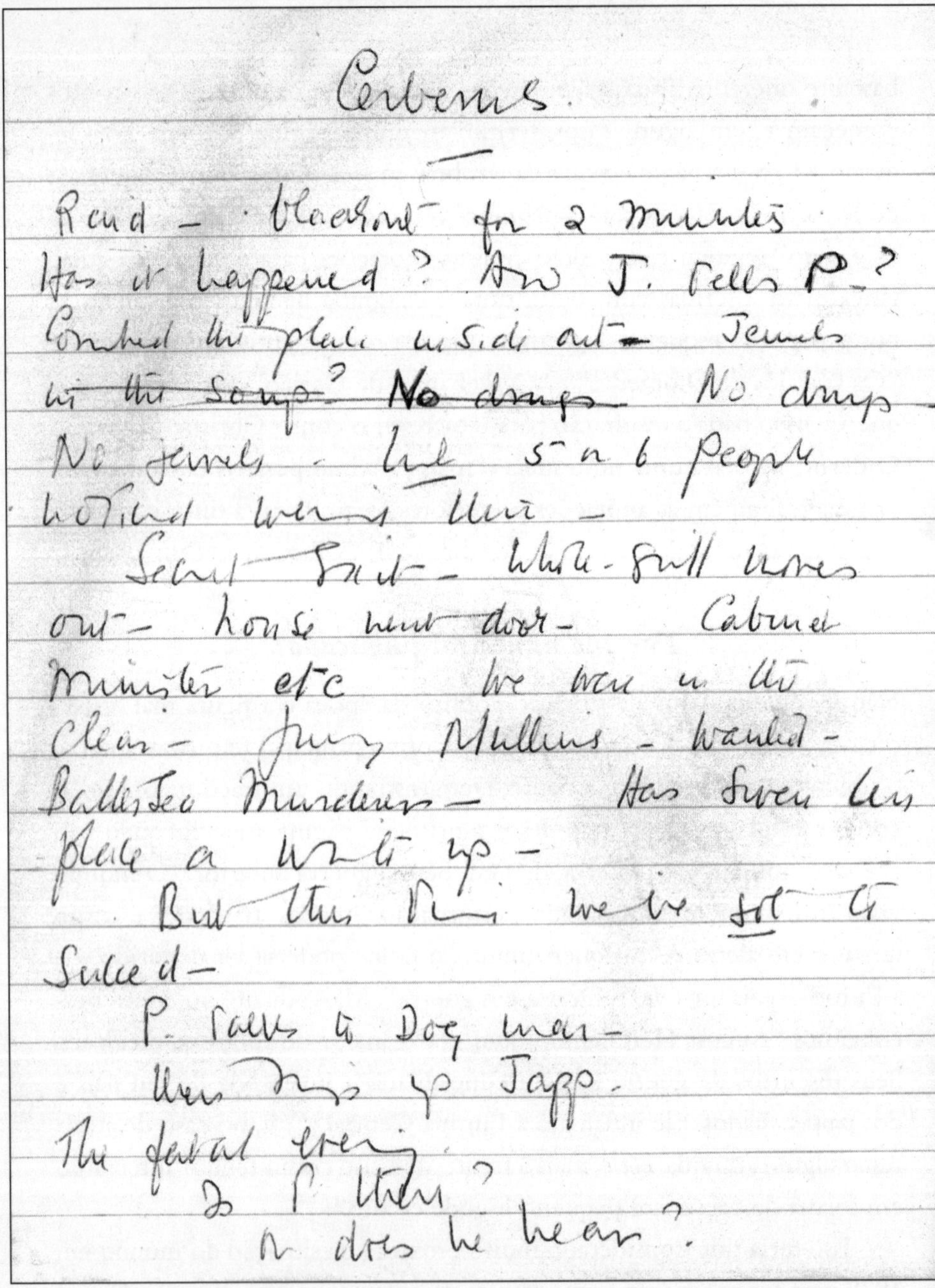

Cerberus.

Raid — blackout for 2 minutes
Has it happened? Or J. tells P.?
Combed the place inside out — Jewels
~~in the soup? No drugs~~ No drugs —
No jewels — but 5 or 6 people
noticed were there —
Secret Exit — Whole gull moves
out — house next door — Cabinet
Minister etc were in the
clear — Jimmy Mullins — wanted —
Battersea murderer — Has given his
place a write up —
But this time we've got to
succeed —
P. talks to Dog man —
then rings up Japp.
The fatal evening
Is P. there?
or does he hear?

As duas páginas mostrando os dois conjuntos de anotações de "A Captura de Cérbero". A página à esquerda (Caderno 44) se refere à versão publicada em Os Trabalhos de Hércules, *e na página à direita (Caderno 62)…*

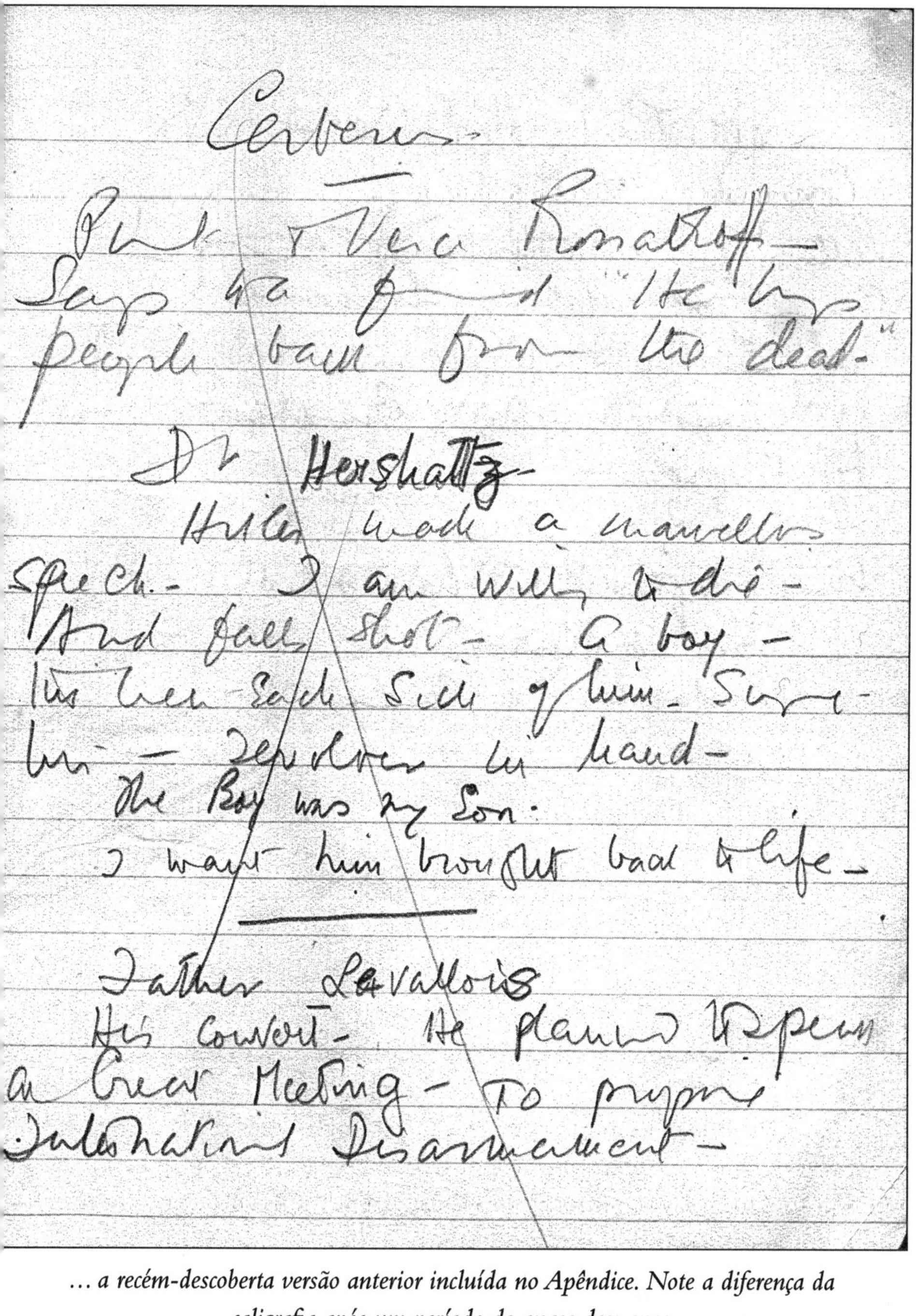
Cerberus –
Poirot & Vera Rossakoff –
Says he is good "He brings people back from the dead."
Dr Hershatz –
Hitler made a marvellous speech – I am willing to die –
And falls shot – a boy –
his men each side of him – Surround him – revolver in hand –
The Boy was my Son:
I want him brought back to life –
Father Lavallois
His convert – He planned to speak a Great Meeting – To propose International Disarmament –

... a recém-descoberta versão anterior incluída no Apêndice. Note a diferença da caligrafia após um período de quase dez anos.

mais do que ela gostaria de admitir, pois esse mesmo cenário de homicídio é usado no capítulo "Grande e Gorda Galinha", de *Uma Dose Mortal*, publicado no ano seguinte, enquanto a Condessa Vera é carinhosamente citada por Poirot no capítulo "Moças a Cortejar" desse mesmo romance. O romance e o conto teriam sido contemporâneos.

Numa entrevista para os editores italianos, Mondadori, feita logo após a publicação de *Passageiro para Frankfurt*, em 1970, ela escreve: "Nunca me interessei por política". Então, por que não alterou a descrição e trocou o nome? Ironicamente, o Capítulo 17 desse romance contém mais do que uma referência passageira à ideia principal do conto. Seria possível que, trinta anos depois de o conto ter sido rejeitado, Agatha Christie desenterrou a ideia e a inseriu num livro totalmente diferente? E, muito depois da *The Strand* ter encerrado as publicações, ela riu por último?

"A Captura de Cérbero" (versão inédita) nos Cadernos

Há anotações para a versão inédita do conto nos Cadernos 44 e 62:

Cérbero
Poirot procura por 2 amigos supostamente mortos?
~~Lênin Trotsky Stálin~~
~~George II Rainha Anne~~
Deve ir desarmado (como Max Carrados no conto do quarto)

Poirot e Vera Rossakoff – diz a um amigo – "ele ressuscita pessoas"
Dr. Hershaltz

Hitler fez um discurso maravilhoso – Estou disposto a morrer – e cai com um tiro – um rapaz. Dois homens um de cada lado – agarram-no – revólver na mão. O rapaz era meu filho – Quero que ele volte a viver.

Padre Lavallois – convertido por ele – ele pretendia falar – um grande comício – para propor Desarmamento Internacional. Dr. Karl Hansberg – reúne estatísticas – carta de apresentação de... autoridades médicas em Berlim – médico responsável atraído

pela religião – enfermeira tenta preveni-lo. Herr Hitler – entrega-
-lhe seu cartão.

Enquanto as semelhanças com Hitler nesse conto são claríssimas, não há menção ao nome verdadeiro – até lermos o Caderno 62. Mas a frase "entrega-lhe seu cartão" no final é obscura; e algumas das outras referências são igualmente misteriosas. Se, como parece, isso foi escrito em 1939, por que estão listados Lênin, Trotsky e Stálin? Lênin morreu em 1924, mas Trotsky viveu até 1940 e Stálin até 1953; e as outras duas figuras históricas já haviam falecido havia muito tempo. Além disso, eles não poderiam ser considerados amigos. Todos os nomes estão riscados no Caderno 44, mas a citação a eles é inexplicável. Max Carrados refere-se ao detetive criado por Ernest Bramah e ao conto "Jogo no Escuro" ["The Game Played in the Dark"]; esse personagem e conto já tinham sido copiados na coletânea *Sócios no Crime*, de Tommy e Tuppence, em que Tommy imita o detetive cego no conto "O Jogo de Cabra-Cega".

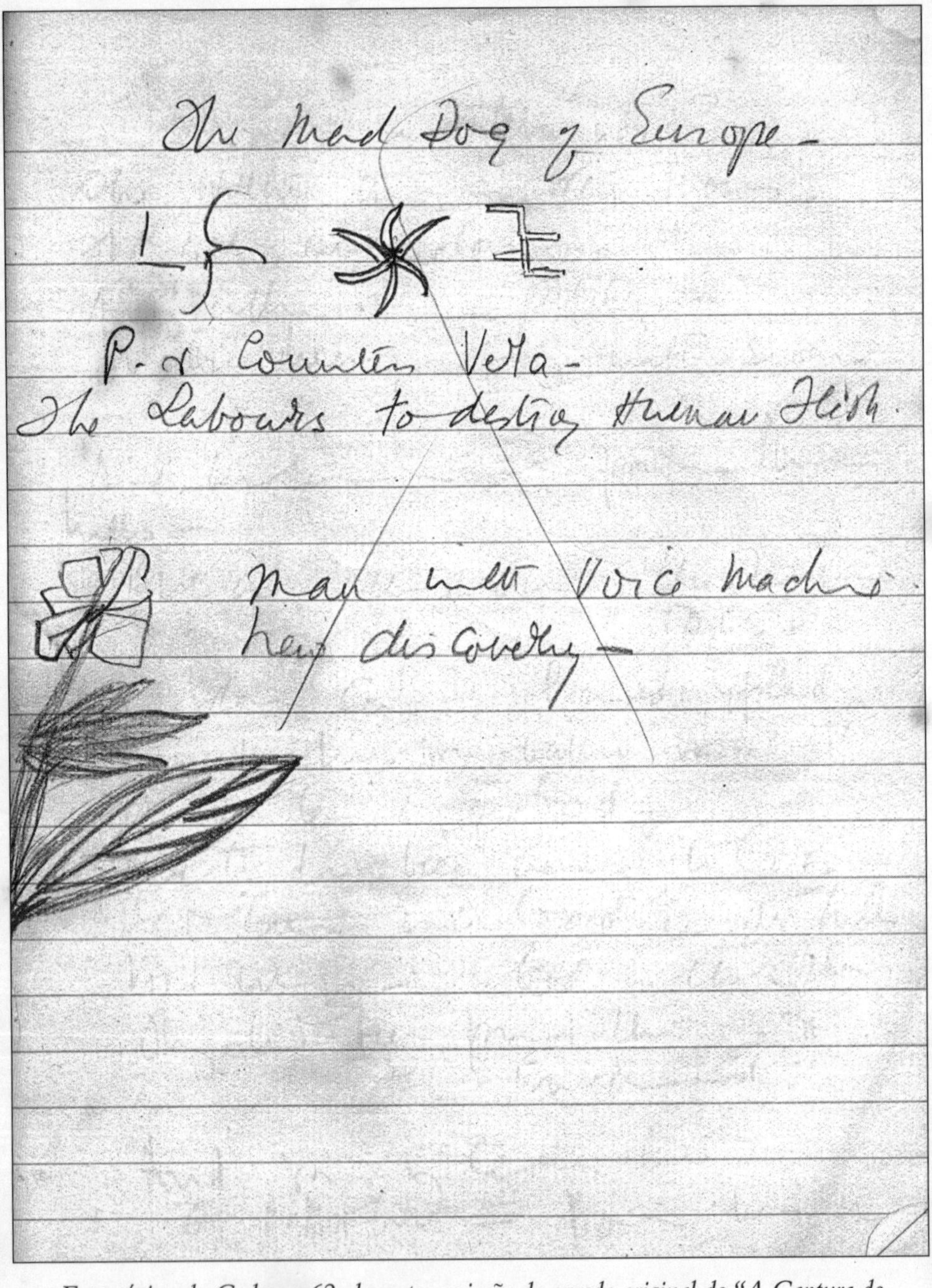

Esta página do Caderno 62, durante a criação do enredo original de "A Captura de Cérbero" (apesar da referência a "destruir a carne humana" e seu reflexo de "Os Cavalos de Diomedes"), parece representar os rabiscos de Christie para uma variação da suástica.

A Captura de Cérbero

(O 12º Trabalho de Hércules)

i

Hercule Poirot bebericou seu *apéritif* e lançou o olhar sobre o Lago de Genebra.[1]

Suspirou.

Ele havia passado a manhã conversando com algumas personalidades diplomáticas, todas muito agitadas, e estava se sentindo cansado, pois não conseguira lhes oferecer nenhuma saída para as suas dificuldades.

O mundo vivia um momento de grande perturbação – todas as nações estavam tensas e em alerta. A qualquer minuto, o golpe poderia ser desferido – e a Europa, mais uma vez, entraria em guerra.

Hercule Poirot tornou a suspirar. Ele recordava 1914 muito bem. Não tinha ilusões quanto à guerra. Não servia para resolver nada. A paz que sobrevinha ao final era normalmente a paz da exaustão – não uma paz construtiva.

Ele pensou tristemente: "Se ao menos se elevasse um homem que pudesse lançar o entusiasmo pela paz, disseminando-a pelo mundo, como os homens incitavam o entusiasmo pela vitória e a conquista pela força".

Então, refletiu, com o bom senso latino, que essas suas ideias de nada serviam. Não levavam a nada. Ele não tinha o dom de incitar o entusiasmo e jamais tivera. O cérebro, ele pensou com sua costumeira falta de modéstia, era a sua especialidade. E homens com um grande cérebro raramente eram grandes líderes ou grandes oradores. Possivelmente, porque eram espertos demais para se deixar levar por suas próprias ideias.

– Bem, alguém precisa filosofar – disse Hercule Poirot para si mesmo. – O dilúvio ainda não aconteceu. Enquanto isso, este *apéritif* está excelente, o sol, resplandecente, o lago, azul, e a orquestra, tocando muito bem. Isso não basta?

Mas sentiu que não. Pensou, sorrindo, de repente:

– Falta uma coisa para completar a harmonia deste momento. Uma mulher. *Une femme du monde – chic*, bem-vestida, compreensiva, *spirituelle*![2]

Havia várias mulheres belas e bem-vestidas à sua volta, mas, para Hercule Poirot, elas eram intimamente insuficientes. Ele buscava curvas mais amplas, um aspecto mais opulento e extravagante.

E, enquanto seus olhos vagavam insatisfeitos pelo terraço, ele viu aquilo que esperava encontrar. Uma mulher, numa mesa próxima, de formas tão cheias, cabelos ruivos luxuriantes, coroada por um pequeno chapéu redondo, com um adereço de passarinhos de plumas reluzentes.

A mulher virou a cabeça, pousou ao acaso os olhos em Poirot, e então eles se abriram – os lábios de um vermelho vivo abriram-se também. Ela se levantou, ignorando o acompanhante sentado à mesa e, com toda a impulsividade de sua natureza russa, aproximou-se de Hercule Poirot – como uma caravela com todas as velas enfunadas. Estendeu as mãos em sua direção, soltando a linda voz:

– Ah, mas é ele! É ele! *Mon cher Hercule Poirot*! Depois de quantos anos... Quantos anos!... Não diremos quantos anos se passaram! Isso dá azar.

Poirot se levantou, inclinou a cabeça galantemente sobre a mão da Condessa Vera Rossakoff. É a desventura de alguns homens de baixa estatura suspirar por mulheres altas e extravagantes. Poirot nunca conseguira se livrar da fascinação que a condessa sentia por ele. A bem da verdade, a condessa havia muito deixara de ser jovem. A maquiagem parecia o pôr do sol, os cílios recobertos de rímel. A mulher real por baixo da maquiagem havia muito desaparecera de vista. Mesmo assim, para Hercule Poirot, ela ainda representava a suntuosidade, a atração. O burguês dentro dele exultava com a aristocracia. A antiga fascinação o traiu. Ele se lembrou do modo sagaz com que ela roubara as joias quando se conheceram, e a calma magnífica com que admitira o fato quando teve de pagar o imposto sobre elas.[3]

Ele disse:

– *Madame, enchanté...* – e soou como se estivesse dizendo algo maior do que uma expressão comum de polidez.

A condessa sentou-se à mesa. Exclamou:

– Você está em Genebra? Por quê? Veio caçar algum criminoso infeliz? Ah! Se for isso, ele não tem chance contra você... Nenhuma chance. Você é o homem que sempre vence! Não há ninguém como você... Ninguém em todo o mundo!

Se Hercule Poirot fosse um gato, teria ronronado. Ao ouvir isso, cofiou os bigodes.

– E a senhora, madame? O que está fazendo aqui?

Ela riu e disse:

– Não tenho medo de você. Pelo menos, desta vez, estou do lado dos anjos! Levo aqui a mais virtuosa das existências. Busco me divertir, mas todos são muito enfadonhos. Nichevo?

O homem que estava sentado com a condessa na outra mesa se aproximou e ficou de pé, hesitante, ao lado deles.

A condessa olhou para cima:

– *Bon Dieu*! – ela exclamou. – Eu me esqueci de você. Deixe-me apresentá-lo. Herr Doktor Keiserbach. E este... este é o homem mais maravilhoso do mundo... M. Hercule Poirot.

O homem alto de barba castanha e olhos azuis penetrantes bateu os calcanhares e se curvou. Disse:

– Ouvi falar do senhor, M. Poirot.

A Condessa Vera impediu a resposta educada de Poirot. Exclamou:

– Mas você não faz ideia de quão maravilhoso ele é! Ele sabe tudo! Ele *faz* qualquer coisa! Os assassinos se enforcam para economizar tempo quando sabem que ele está em seu encalço. Ele é um gênio, eu lhe garanto. Ele nunca falha.

– Não, não, madame, não diga isso...

– Mas é *verdade*! Não seja modesto. É uma estupidez ser modesto.

Ela se virou para o outro cavalheiro:

– Eu lhe digo, ele consegue fazer milagres. Ele consegue até ressuscitar os mortos.[4]

Por trás dos óculos, seus olhos azuis se acenderam. Herr Keiserbach perguntou:

– É mesmo?

Hercule Poirot disse:

– Ah, a propósito, madame, como vai seu filho?

– Meu anjo adorado! Está tão grande agora, ombros largos, tão bonito! Ele está nos Estados Unidos. É construtor... constrói pontes, bancos, hotéis, lojas de departamentos, estradas de ferro... qualquer coisa que os americanos queiram.

Poirot sentiu-se um tanto intrigado. Murmurou:

– É engenheiro ou arquiteto?

– O que importa? – perguntou a Condessa Rossakoff. – Ele é adorável. Está sempre envolvido com vigas de ferro e coisas chamadas estresses. O tipo de coisa que nunca entendi, nem jamais me importei. Mas nós nos adoramos.[5]

Herr Keiserbach pediu licença para se retirar.

Ele perguntou a Poirot:

– Está hospedado aqui, M. Poirot? Muito bom. Então, provavelmente, voltaremos a nos encontrar.

Poirot perguntou à senhora:

– Aceita tomar um *apéritif* comigo?

– Sim, sim. Beberemos vodca juntos e ficaremos bem alegres.

A ideia pareceu excelente para Hercule Poirot.[6]

ii

Na noite seguinte, o Dr. Keiserbach convidou Hercule Poirot a ir até seus aposentos.

Eles beberam um excelente conhaque e começaram a jogar um pouco de conversa fora.

Então, Keiserbach disse:

– Eu estava interessado, M. Poirot, em algo que nossa charmosa amiga disse a seu respeito ontem.

– Sim?

– Ela usou estas palavras: *Ele consegue até ressuscitar os mortos.*

Hercule Poirot soergueu-se na cadeira. Levantou as sobrancelhas e perguntou:

– Isso lhe interessa?

– Muito.

– Por quê?

– Porque sinto que essas palavras foram um presságio.

Hercule Poirot disse secamente:

– Você está me pedindo para ressuscitar alguém?

– Talvez. O que me diria se eu lhe pedisse isso?

Hercule Poirot encolheu os ombros. Ele respondeu:

– Afinal, a morte é a morte, Monsieur.

– Nem sempre.

O olhar de Hercule Poirot tornou-se intenso e esverdeado. Disse:

– Você quer que eu ressuscite alguém que morreu. Um homem ou uma mulher?

– Um homem.

– Quem?

– Não está surpreso com o pedido?

Poirot abriu um leve sorriso. Disse:

– Você não é louco. É um homem são e sensato. Ressuscitar alguém é uma frase suscetível de muitas interpretações. Pode ser interpretado de modo figurativo ou simbólico.

O outro respondeu:

– Em um minuto você compreenderá. Para começar, meu nome não é Keiserbach. Adotei esse nome para passar despercebido. Meu nome verdadeiro é muito famoso. Ou seja, tornou-se famoso demais no último mês: Lutzmann.

Ele o pronunciou com ênfase. Seus olhos perscrutaram a expressão de Poirot. Poirot perguntou de imediato:

– Lutzmann?

Fez uma pausa e acrescentou em outro tom:

– Hans Lutzmann?

O outro cavalheiro respondeu num tom seco:

– Hans Lutzmann era meu filho...

iii

Se, um mês antes, se perguntasse a qualquer cidadão inglês quem era o responsável pela intranquilidade na Europa, a resposta seria, inevitavelmente: "Hertzlein".

Havia, verdade seja dita, também Bondolini,[7] mas era em August Hertzlein que a imaginação popular se concentrava. Ele era o maior de todos os ditadores. Seus discursos de guerra haviam incitado a juventude de seu país e dos países aliados. Ele inflamara a Europa Central e mantinha-a em chamas.

Quando falava em público, seus discursos faziam as multidões se agitarem de entusiasmo. Sua voz estranhamente aguda tinha um poder todo peculiar.

Especialistas explicavam que Hertzlein não era de fato o poder supremo do Império Central. Citavam outros nomes – Golstamm, Von Emmen. Estes, diziam, eram as mentes executivas. Hertzlein era apenas o testa de ferro. Mesmo assim, Hertzlein continuava a assomar diante das multidões.

Rumores esperançosos grassavam por toda a parte. Hertzlein teria um câncer incurável. Não viveria mais do que seis meses. Hertzlein teria uma doença numa das válvulas coronárias. Poderia cair morto qualquer dia. Hertzlein já tivera um infarto e poderia ter outro a qualquer momento. Hertzlein, depois de perseguir violentamente a Igreja Católica, fora convertido pelo famoso monge bávaro Padre Ludwig. Logo entraria em um mosteiro. Hertzlein se apaixonara por uma judia de origem russa, casada com um médico. Ele iria deixar o Império Central e passaria a viver com ela na Suécia.

E, apesar de todos os rumores, Hertzlein não tivera um infarto, nem morrera de câncer, nem entrara para um mosteiro, nem fugira com uma judia russa. Ele continuava a fazer discursos inflamados provocando cenas de grande entusiasmo e, a intervalos regulares, anexava vários territórios ao Império Central. E, a cada dia, a sombra da guerra crescia ainda mais sobre a Europa.

Desesperadas, as pessoas repetiam todos os rumores esperançosos cada vez com mais fé. Ou exigiam, ferozes:

– Por que ninguém o mata? Se ele pudesse ser afastado...

Houve uma semana de paz quando Hertzlein não discursou em público e as esperanças dos rumores aumentaram dez vezes de tamanho.

E, então, numa fatídica quinta-feira, Herr Hertzlein falou perante um grande comício da Irmandade da Juventude.

Disseram, depois, que seu rosto tinha uma expressão cansada, que estava falando até mesmo em outro tom, que parecia pressentir o que iria acontecer – mas sempre aparecem pessoas para dizer essas coisas depois.

O discurso começou como de costume. A salvação viria do sacrifício e de empregar a força das armas. Os homens devem morrer pelo seu país – senão seriam indignos de viver por ele. As nações democráticas temiam a guerra – covardemente –, indignas de sobreviver. Deixem que elas se vão – que sejam eliminadas – pela força gloriosa da Juventude. Lutem – lutem e continuem a lutar – pela Vitória e para herdarem a terra.

Hertzlein, em seu entusiasmo, saiu de trás da proteção à prova de bala. Imediatamente, ouviu-se um tiro – e o grande ditador caiu, com uma bala atravessada na cabeça.

Na terceira fileira da plateia, um jovem foi linchado pela multidão enfurecida, com a pistola fumegante ainda agarrada à mão. O jovem era um estudante chamado Hans Lutzmann.

Por alguns dias, as esperanças do mundo democrático se elevaram. O Ditador estava morto. Agora, talvez, pudesse vir o reino da paz. Essa esperança morreu quase em seguida, pois o homem que morreu se tornara um símbolo, um mártir, um Santo. Os moderados, que ele não conseguira eliminar em vida, eliminou-os após a morte. Uma grande onda de furor bélico atravessou o Império Central. Seu Líder fora assassinado – mas seu espírito iria conduzi-los. O Império Central dominaria o mundo – e varreria a democracia.

Com desânimo, os amantes da paz perceberam que a morte de Hertzlein não adiantara de nada. Em vez disso, acelerara o dia final. O ato de Lutzmann havia sido em vão.

iv

O cavalheiro de meia-idade respondeu num tom seco:

– *Hans Lutzmann era meu filho.*

Poirot disse:

– Ainda não compreendi. Seu filho matou Hertzlein...

Ele se interrompeu. O outro movia lenta e negativamente a cabeça. E explicou:

– Meu filho *não* matou Hertzlein. Ele e eu não compartilhávamos as mesmas ideias. Digo-lhe que ele amava aquele homem. Ele o venerava. Acreditava nele. Jamais teria atirado nele. Era um nazista[8] íntegro – com todo o entusiasmo juvenil.

– Então, se não foi ele, quem foi?

O velho Lutzmann respondeu:

– É isso que eu quero que descubra.

Hercule Poirot disse:

– Você tem algo em mente...

Lutzmann respondeu numa voz rouca:

– Eu posso estar enganado.

Hercule Poirot insistiu:

– Conte-me o que tem em mente.

Keiserbach se aproximou.

v

Dr. Otto Schultz ajustou os óculos de aro de tartaruga. O rosto magro sorria com prazer científico. Ele disse com sonoro sotaque nasal:

– Creio, Mr. Poirot, que, com o que me contou, poderei seguir em frente.

– Já tem as instruções?

– Claro que sim, irei segui-las passo a passo. Entendo que a precisão seja essencial para o sucesso de seu plano.

Hercule Poirot olhou-o com ar de aprovação. Ele disse:

– Ordem e método. Esse é o prazer de lidar com a mente científica.

Dr. Schultz replicou:

– Pode contar comigo.

E, após apertar-lhe firme a mão, saiu.

vi

Georges, o inestimável mordomo de Poirot, entrou sem fazer barulho.

Perguntou num tom suave e respeitoso:

– Virá mais algum cavalheiro, senhor?

– Não, Georges, esse foi o último.

Hercule Poirot tinha a expressão cansada. Esteve muito ocupado desde que voltara da Baviera na semana anterior. Recostou-se na cadeira e cobriu os olhos com a mão. Disse:

– Quando tudo isto acabar, pretendo viajar para um longo descanso.

– Sim, senhor. Acho que seria o melhor a fazer, senhor.

Poirot murmurou:

– *O Último Trabalho de Hércules*. Você sabe o que isso significa, Georges?

– Não saberia dizer, senhor. Não voto no Partido Trabalhista.

Poirot respondeu:

– Esses jovens que viu aqui hoje, enviei-os numa missão especial. Foram onde estão os espíritos que partiram. Neste Trabalho, não há emprego de força. Tudo deve ser feito por meio de artifícios.

– Eles me pareceram rapazes bastante competentes, se me permite dizê-lo, senhor.

Hercule Poirot disse:

– Eu os escolhi a dedo.

Suspirou, meneou a cabeça e acrescentou:

– O mundo está muito doente.

Georges respondeu:

– Parece que a guerra está por toda a parte. Todos estão muito deprimidos, senhor. E isso para o comércio é terrível. Não podemos continuar a viver assim.

Hercule Poirot murmurou:

– Estamos diante do Crepúsculo dos Deuses.

vii

Dr. Schultz parou diante de uma propriedade cercada por um muro alto. Estava situada a quase 13 km de Estrasburgo.

Tocou a campainha do portão. A distância, ouviu o latido forte de um cão e o som de uma corrente.

O porteiro apareceu e o Dr. Otto Schultz apresentou seu cartão.

– Gostaria de falar com Herr Doktor Weingartner.

– Que pena, Monsieur, o doutor foi chamado há cerca de uma hora por telegrama.

Schultz franziu a testa.

– Posso falar com o assistente?

– Dr. Neumann? Certamente.

Dr. Neumann era um jovem bem-apessoado, com uma expressão inteligente.

Dr. Schultz exibiu as credenciais – uma carta de apresentação de um dos médicos psiquiatras mais renomados de Berlim. Ele mesmo, explicou, era autor de uma publicação que tratava de certos aspectos de loucura e de degeneração mental.

O rosto do rapaz se iluminou e ele respondeu que conhecia as publicações do Dr. Schultz e estava muito interessado em suas teorias. Que pena que o Dr. Weingartner não estivesse presente!

Os dois começaram a conversar, comparando as condições nos Estados Unidos e na Europa, e finalmente passaram a falar sobre questões técnicas. Discutiram pacientes pessoais. Schultz contou alguns resultados recentes de um novo tratamento de paranoia.

Comentou, rindo:

– Com esse método, curamos três Hertzleins, quatro Bondolinis, cinco presidentes Roosevelts e sete Divindades Supremas.

Neumann gargalhou.

Os dois médicos subiram ao segundo andar e visitaram as alas. Era uma pequena clínica de tratamento mental para pacientes particulares. Havia apenas doze internados.

Schultz disse:

– O senhor compreende que estou principalmente interessado em seus casos de paranoia. Acredito que tenha um caso admitido recentemente, que apresenta certos aspectos curiosos.

viii

Poirot desviou o olhar do telegrama sobre a escrivaninha e encarou o visitante.

O telegrama continha apenas um endereço: "Villa Eugenie, Estrasburgo". Em seguida, estava escrito: "Cuidado com o Cão".

O visitante era um senhor cheiroso de meia-idade, com um nariz vermelho e inchado, um queixo não escanhoado e uma voz rouca que parecia sair de dentro de suas botas desalinhadas.[9]

Ele disse, num tom áspero:

– Pode confiar em mim, senhor. Faço qualquer coisa com cães.

– Assim eu soube. Terá de viajar até a França, até a Alsácia.

Mr. Higgs pareceu interessar-se.

– É de onde eles vêm, os cães alsacianos? Nunca saí da Inglaterra, não. A Inglaterra é um bom lugar para mim, é isso que eu digo.

Poirot respondeu:

– Irá precisar de um passaporte.

Ele puxou um formulário.

– Agora preencha isto. Eu o ajudarei.

Eles o preencheram com cuidado. Mr. Higgs disse:

– Tirei uma foto, como me pediu. Não que a ideia me agradasse muito, pode ser perigoso para minha profissão.

Mr. Higgs roubava cães, mas esse fato foi deixado de lado na conversa.

– Sua foto – disse Poirot – será assinada no verso por um juiz, um padre ou um funcionário público, que irá atestá-lo como pessoa digna de ter um passaporte.

Um sorriso se abriu no rosto de Mr. Higgs.

– Isso é algo raro, isso sim – ele respondeu. – Isso é raro. Um comissário dizer que eu sou digno de ter um passaporte.

Hercule Poirot disse:

– Em tempos de desespero, é preciso aplicar meios desesperados!

– Quer dizer eu? – respondeu Mr. Higgs.

– Você e seu colega.

Eles partiram para a França dois dias depois. Poirot, Mr. Higgs e um jovem magricela, num terno xadrez e camisa rosa claro, um bem-sucedido ladrão de gatos.

ix

Não era hábito de Hercule Poirot ser negligente em relação à sua pessoa, mas, pela primeira vez, quebrou essa regra. Passava da uma da manhã quando, tremendo um pouco de frio, apesar de seu sobretudo, foi erguido sobre um muro com a ajuda de seus dois assistentes.

Mr. Higgs preparou-se para pular do muro para dentro da propriedade. Ouviu-se um latido violento de cão e, de repente, uma enorme criatura saiu de baixo das árvores.[10]

Hercule Poirot exclamou:

– *Mon Dieu*, mas é um monstro! Você tem certeza...?

Mr. Higgs tocou em seu bolso com completa segurança.

– Não se preocupe, senhor. O que tenho comigo é do que ele precisa. Qualquer cão me seguiria até o inferno atrás disso.

– Nesse caso – murmurou Hercule Poirot –, ele terá de segui-lo para sair do inferno.

– É a mesma coisa – respondeu Mr. Higgs, e saltou do muro para o jardim.

Eles o ouviram dizer:

– Aqui, Fido. Dê uma cheirada nisto... Isso mesmo. Venha comigo...

Sua voz desapareceu dentro da noite. O jardim estava escuro e silencioso. O jovem magricela ajudou Poirot a descer do muro.[11] Eles se aproximaram da casa. Poirot disse:

– Aquela é a janela, a segunda da esquerda.

O jovem assentiu. Primeiro, examinou a parede, sorriu satisfeito ao ver um cano que vinha bem a calhar e, então, de modo fácil e praticamente sem esforço, desapareceu depois de galgar a parede. Em seguida, ao longe, Poirot ouviu o som de uma lima sendo friccionada contra a grade da janela.

Passou algum tempo. Então, algo caiu aos pés de Poirot. Era a ponta de uma escada de seda. Alguém descia a escada. Um homem baixo com o crânio em forma de bala e um pequeno bigode preto.

Ele descia lentamente, um pouco desajeitado. Finalmente, tocou o chão. Hercule Poirot deu um passo à frente, sob a luz do luar.

E disse, num tom polido:

– *Herr Hertzlein, eu presumo.*

x

Hertzlein perguntou:

– Como me encontrou?

Eles estavam na cabine de um vagão-leito de segunda classe indo para Paris.

Poirot, como de costume, respondeu à pergunta meticulosamente. Disse:

– Em Genebra, conheci um cavalheiro chamado Lutzmann. Supõe-se que o filho dele tenha sido o autor do disparo que o matou e, como resultado, o jovem Lutzmann foi linchado pela multidão. O pai, no entanto, estava convencido de que seu filho jamais havia disparado aquele tiro. Parecia, então, que Herr Hertzlein fora assassinado por um dos homens ao lado de Lutzmann, e que colocou a pistola em sua mão e, em seguida, atiraram-se sobre ele, gritando ser ele o assassino. Mas havia outro ponto. Lutzmann pai me assegurou que nesses comícios as primeiras fileiras sempre reuniam os seguidores mais fervorosos, ou seja, pessoas de extrema confiança. Agora, a administração do Império Central é excelente. A organização é tão perfeita que parecia impensável que tal desastre pudesse ter acontecido. Além disso, havia duas questões pequenas, porém significativas. Hertzlein, pouco antes do disparo, saiu de trás da proteção à prova de bala e sua voz soava diferente naquela noite. A aparência não quer dizer nada. É fácil simular alguém num palanque, mas a sutileza do tom de voz é algo mais difícil de ser imitado. Naquela noite, a voz de Herr Hertzlein não tinha o costumeiro tom inebriante. Isso mal foi percebido, pois ele foi atingido poucos minutos depois de começar a falar. Suponha, então, que *não* fosse Herr Hertzlein quem estivesse falando e, consequentemente, não fosse Herr Hertzlein o homem que foi assassinado? Haveria uma teoria que pudesse explicar esses acontecimentos extraordinários? Supus que isso fosse possível. Entre os diversos rumores que circulam numa época de tensão, há, em geral, um fundo de verdade em pelo menos um deles. Suponha que fosse verdade o rumor que dizia que Hertzlein estaria sob a influência desse orador fervoroso, o Padre Ludwig.

Poirot continuou falando devagar:

– Eu supus que fosse possível, Excelência, que o senhor, um homem de ideais, um visionário, tivesse, de repente, percebido que uma nova visão, uma visão de paz e fraternidade, se abria para a humanidade, e que o senhor fosse o homem que deveria colocá-la nesse caminho.

Hertzlein assentiu com veemência. Respondeu com sua voz rouca, tênue e arrebatadora:

– Você está certo. Despi as vendas que cobriam os meus olhos. Padre Ludwig me apontou meu verdadeiro destino. A paz! A paz é o que o mundo quer. Devemos conduzir a juventude adiante para vivermos em fraternidade. A juventude do mundo deve unir-se, para planejar uma grande campanha, uma campanha pela paz. E *eu* os guiarei! *Eu* sou o caminho indicado por Deus para trazer a paz ao mundo!

A voz enternecedora se calou. Hercule Poirot compreendeu, observando com interesse sua própria emoção exaltada.

Poirot continuou, secamente:

– Infelizmente, Excelência, este seu grande projeto não agradou algumas autoridades executivas do Império Central. Pelo contrário, causou-lhes inquietação.

– Porque sabiam que o povo me seguiria aonde eu o conduzisse.

– Exatamente. Então, mandaram sequestrá-lo sem mais demora. Mas viram-se, então, num dilema. Se anunciassem a sua morte, as dúvidas espocariam. Pessoas demais conheceriam esse segredo. E também, se estivesse morto, a comoção de guerra que havia insuflado neles poderia arrefecer. Preferiram, em vez disso, criar um fim espetacular. Um homem foi colocado em seu lugar para representar seu papel no supercomício.

– Talvez Schwartz. Ele tomou meu lugar algumas vezes em desfiles públicos.

– É possível. Ele mesmo não tinha ideia do desfecho planejado para si. Pensou que teria apenas de ler um discurso, por você estar adoentado. Foi instruído, em determinado momento, a sair de trás da proteção à prova de bala – para demonstrar total confiança em seu povo. Ele jamais suspeitou que estivesse correndo algum risco. Mas os dois atiradores haviam recebido ordens. Um deles atirou e os dois agarraram o jovem que estava entre eles e gritaram que aquele fora o autor do disparo. Eles conheciam a psicologia das massas. O resultado foi aquilo que esperavam. Um frenesi de patriotismo nacionalista e uma fidelidade rígida ao programa da força pelas armas!

Hertzlein perguntou:

– Mas o senhor ainda não me esclareceu como me encontrou.

Hercule Poirot sorriu.

– Isso foi fácil, para uma pessoa que possui a minha capacidade mental! Sabendo que eles não o mataram (e eu não acreditava que pudessem matá-lo. Algum dia, poderia ser útil para eles vivo, especialmente se pudessem usá-lo para tornar a adotar suas antigas visões). Aonde poderiam levá-lo? Fora do Império Central, mas não longe demais, e havia somente um lugar onde poderia ficar escondido em segurança, num asilo ou numa clínica para doentes mentais, um lugar onde um homem poderia declarar incessantemente dia e noite ser Herr Hertzlein, e essa declaração ser aceita com naturalidade. Paranoicos sempre acreditam ser grandes personalidades. Em todas as instituições mentais há Napoleões, Hertzleins, Júlios Césares e, frequentemente, muitos que se acreditam *le bon Dieu* em pessoa! Presumi que estaria mais provavelmente numa pequena instituição na Alsácia ou na Lorena, onde pacientes de língua alemã seriam mais comuns; e, possivelmente, só uma pessoa conheceria esse segredo: o próprio médico diretor do local. Para descobrir onde estava, contratei o serviço de cinco ou seis médicos de confiança. Esses homens obtiveram cartas de apresentação de um psiquiatra proeminente de Berlim. Em cada instituição que visitaram, o diretor era, por curiosa coincidência, chamado por telegrama cerca de uma hora antes da chegada do visitante. Um dos meus agentes, um jovem e inteligente médico americano, estava designado para ir à Villa Eugenie e, ao visitar os pacientes paranoicos, facilmente o reconheceu assim que o viu. Quanto ao resto, o senhor já sabe.

Hertzlein ficou em silêncio por algum tempo.

Então, disse, e sua voz mais uma vez tinha o mesmo tom comovente:

– O senhor fez algo maior do que pode conceber. Este é o começo da paz, da paz na Europa, da paz em todo o mundo! É meu destino conduzir a humanidade à Paz e à Fraternidade.

Hercule Poirot respondeu, em voz baixa:

– Eu digo amém...

xi

Hercule Poirot sentou-se no terraço do hotel em Genebra. Uma pilha de jornais amontoava-se ao seu lado. As manchetes estavam impressas em letras garrafais.

As notícias assombrosas alastraram-se como rastilho de pólvora por todo o mundo: HERTZLEIN NÃO MORREU.

Houve rumores, ditos, desditos – negações violentas anunciadas pelo governo do Império Central.

E então, na grande praça pública da capital, Hertzlein falou diante de uma imensa multidão – assim, não restavam mais dúvidas. A voz, o magnetismo, o poder... Ele falou até que gritassem em histeria.

Voltaram para casa exclamando as novas palavras de ordem:

– *Paz... Amor... Fraternidade... Os Jovens salvarão o Mundo.*

Poirot ouviu um ruído e sentiu o aroma de um exótico perfume.

A Condessa Vera Rossakoff estava em carne e osso diante dele. Ela disse:

– Isso é tudo verdade? Isso dará certo?

– Por que não?

– É possível haver algo como fraternidade no coração dos homens?

– Pode haver a crença na fraternidade.

Ela assentiu, pensativa. E disse:

– Sim, compreendo.

E, com um rápido gesto, completou:

– Mas eles não o deixarão ir muito longe. Eles o matarão. Eles o matarão de verdade, desta vez.

Poirot retrucou:

– Mas sua lenda, essa nova lenda, sobreviverá a ele. A morte nunca é um fim.

Vera Rossakoff replicou:

– Pobre Hans Lutzmann!

– Sua morte também não foi em vão.

Vera Rossakoff disse:

– Você não tem medo da morte, eu posso ver isso. Eu tenho! Não quero falar disso. Vamos nos alegrar e ficar sentados ao sol bebendo vodca.

– Com todo o prazer, Madame. Mais ainda agora, pois temos a esperança em nossos corações.

Ele acrescentou:

– Tenho um presente para a senhora, se me conceder a honra de aceitá-lo.

– Um presente para mim? Mas que encantador!

– Desculpe-me por um momento.

Hercule Poirot entrou no hotel. Voltou poucos segundos depois. Trouxe um cão enorme de aparência nem um pouco atraente.

A condessa bateu palmas.

– Que monstruoso! Que adorável! Gosto de tudo que é grande, imenso! Nunca vi um cão tão gigantesco! E ele é para mim?

– Se tiver a bondade de aceitá-lo.

– Eu vou adorá-lo!

Ela estalou os dedos. O canzarrão colocou, confiante, o focinho sobre a mão da condessa.

– Veja, ele é meigo como um cordeiro comigo! Ele me lembra os grandes cães ferozes que tínhamos na Rússia na casa de meu pai.

Poirot deu um passo atrás. Inclinou a cabeça de lado. Pessoalmente, ele se sentia satisfeito. O cão selvagem, a mulher extravagante – sim, o quadro estava perfeito.

A condessa perguntou:

– Qual o nome dele?

Hercule Poirot respondeu com um suspiro, vendo o trabalho realizado:

– Chame-o de Cérbero.

Notas

1. Diferente da versão da coletânea, que se passa sem dúvida em Londres, a versão inédita anterior tem, como muitos outros Trabalhos, um sabor internacional. Desde a primeira frase estamos no "exterior" e, pela terceira vez nos Trabalhos, na Suíça (talvez por ser um país neutro). Poirot já visitou o país durante "A Corça da Arcádia" e "O Javali de Erimanto".
2. Um pensamento inusitado e praticamente único de Poirot!
3. Esta é uma referência ao primeiro encontro de Vera Rossakoff e Poirot em "O Duplo Indício", publicado em dezembro de 1923, quando ele a desmascarou como ladra de joias. Eles se encontraram quatro anos depois em *Os Quatro Grandes*.
4. Esta é uma referência a *Os Quatro Grandes*, quando Poirot consegue que seja devolvido à condessa o filho pequeno que ela pensava estar morto havia muito tempo.
5. O trecho sobre o filho da condessa é quase exatamente o mesmo da versão do conto publicado na coletânea.
6. Parece estranho que Poirot se sinta impelido a beber vodca.
7. Embora pareça um personagem de opereta, é difícil não associá-lo a Mussolini.
8. Apesar da alegoria inevitável por todo o conto, esta é a única referência inequívoca aos nazistas.
9. O adestrador de cães é chamado Mr. Higgs e descrito como "cheiroso" em ambas as versões do conto.
10. Como o aspecto político, o cão epônimo é quase esquecido e representa um papel muito menor do que seu correspondente no conto da coletânea.
11. Ao longo deste conto, vemos um Poirot diferente, que anseia pela companhia de uma mulher, bebe vodca e agora sobe num muro, embora esse fosse um feito já realizado no décimo primeiro Trabalho, "As Maçãs das Hespérides". De fato, a busca e a descoberta de August Hertzlein lembram um procedimento semelhante que envolve o cálice de Cellini naquele conto.

O INCIDENTE DA BOLA DE CACHORRO

Neste conto, temos um ambiente conhecido e, de várias maneiras, típico de Agatha Christie – uma cidadezinha, uma senhora rica e seus parentes avarentos. É imediatamente visível que há fortes laços com o romance de 1937, *Poirot Perde uma Cliente*. A autora mantém a situação básica e é possível ver os germes das ideias que ela expandiu – a breve menção das espíritas Misses Pym, o importante acidente na escada – em partes mais longas no romance. Mas, à diferença das ocasiões em que reutilizou uma ideia ou conto anterior ("O Mistério do Baú de Bagdá", por exemplo), aqui ela nos fornece outro assassino e outra explicação.

O argumento de Poirot receber um pedido de ajuda de alguém que morre antes de ele conseguir falar com a pessoa tinha sido usado por Christie algumas vezes. Desde *Assassinato no Campo de Golfe* (1923), seu correspondente já está morto quando Poirot chega à França. Depois é usado em "Que Bonito é seu Jardim?" e "O Mistério da Cornualha".

Quando foi escrito?

Dentre os contos de Poirot e Hastings, todos, com exceção de "O Duplo Delito" (setembro de 1928) e "O Mistério do Baú de Bagdá" (janeiro de 1932), foram publicados entre 1923 e 1924. Em todos os contos de Poirot após 1932, ele aparece sozinho. Não há anotações para nenhum desses primeiros contos e, onde Christie se refere a eles nos Cadernos, é apenas como um lembrete para si mesma sobre a possibilidade de expandi-los ou reutilizá-los. De vários modos, "O Incidente da Bola de Cachorro" assemelha-se em estilo, cenário e tom a muitos outros que datam do início da década de 1920 e que foram publicados em *Poirot Investiga* e *Os Primeiros Casos de Poirot*. Mas, se ele foi escrito no início da carreira de Agatha Christie, levanta, por sua vez, a pergunta: por que ficou esquecido por quase vinte anos sem ser publicado? Ele não aparece nos registros de seu agente dos textos recebidos e postos à venda. Espero provar que ele corresponda a uma época posterior em sua carreira.

Existe uma lista (no Caderno 30) que poderá nos ajudar a estabelecer mais precisamente a data de composição:

<u>Ideias</u>

A. Bola de Cachorro
B. Morte no Nilo
C. Estricnina absorvida pela pele?
D. Duplo Álibi ex. A e B matam C mas – A é acusado de tentar matar B ao mesmo tempo.
E. Mulher importante. Homem retorna da África
F. Segundo Gongo elaborado
G. Mescalina
H. Filha ilegítima – apomorfina?

Ideias a ser incorporadas

Ideia com câmera Brownie
Broche com AO ou OA inscritos AM. MA

Se aplicarmos alguns dos métodos do próprio Poirot, podemos traçar uma linha do tempo.

Pista Nº 1

Há uma quantidade de histórias imediatamente reconhecíveis aqui: *Poirot Perde uma Cliente* ou "O Incidente da Bola de Cachorro" (A), *Morte no Nilo* (B), *Um Passe de Mágica* (D) e *Cipreste Triste* (H). "O Segundo Gongo" (F) foi publicado pela primeira vez em junho de 1932 e tanto

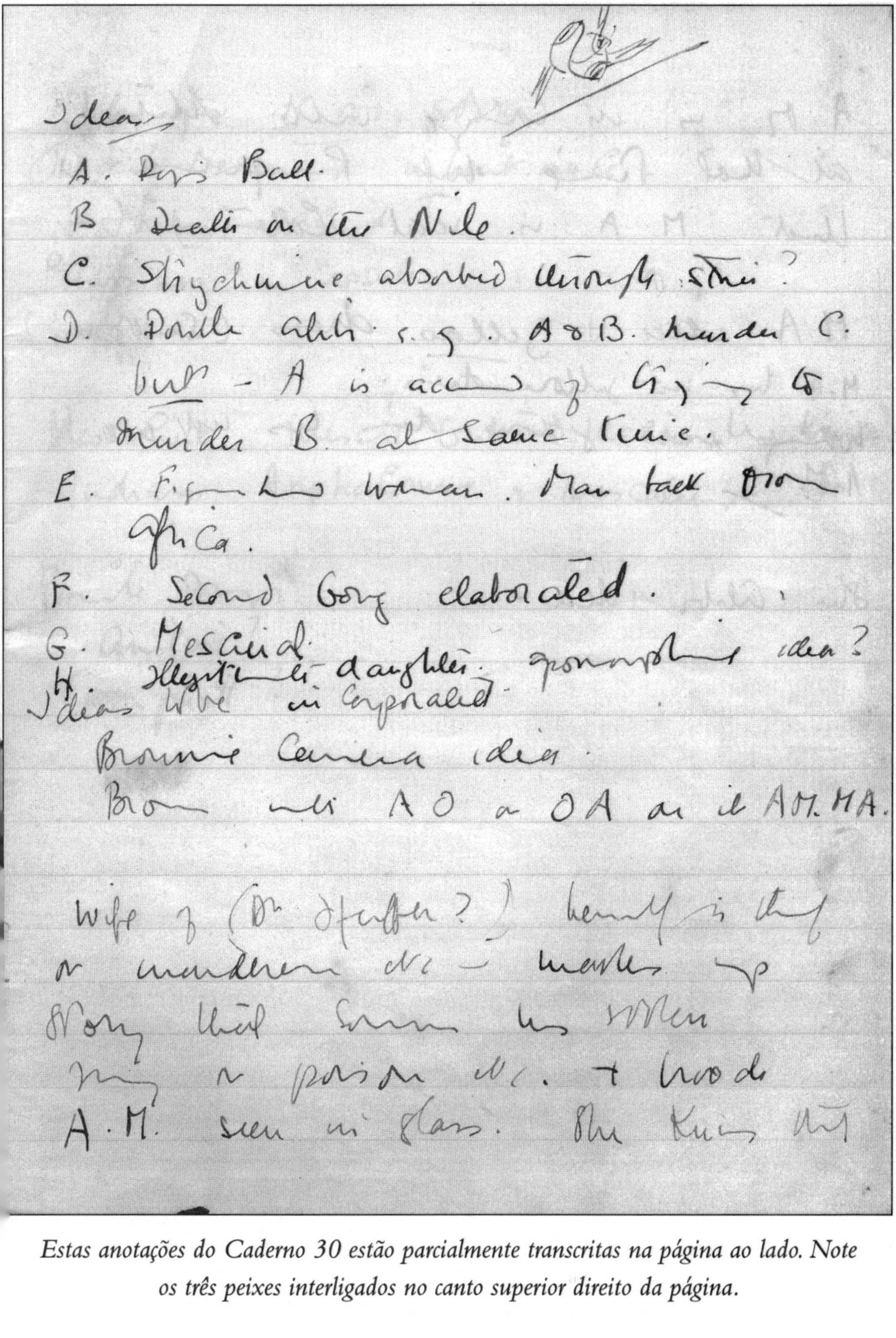

Estas anotações do Caderno 30 estão parcialmente transcritas na página ao lado. Note os três peixes interligados no canto superior direito da página.

Poirot Perde uma Cliente quanto *Morte no Nilo*, em 1937, o primeiro em julho e o segundo em novembro daquele ano. Então, é lógico presumir que a lista tenha sido escrita entre essas datas, i.e., depois de "O Segundo Gongo", em junho de 1932, e antes de *Poirot Perde uma Cliente*, em julho de 1937.

Pista Nº2

Diferentemente do Item F da lista, "Segundo Gongo elaborado", não há menção de elaboração em relação à "Bola de Cachorro", apoiando a teoria de que ainda não existia nessa época como um conto.

Pista Nº3

Nos Arquivos de Agatha Christie há duas cartas de seu agente Edmund Cork. Uma, datada de 26 de junho de 1936, acusa recebimento de uma versão revisada de *Poirot Perde uma Cliente*; outra, datada de 29 de abril de 1936, expressa satisfação ao receber a notícia de que *Morte no Nilo* estava concluído. Agora temos dois novos limites – após junho de 1932 e antes de abril de 1936. Dá para refinar mais? Acho que sim.

Pista Nº4

Não é ilógico supor que escrever *Morte no Nilo* e *Poirot Perde uma Cliente*, ambos entre seus livros mais longos, levou quase um ano, o que estenderia nossa última data até abril de 1935. Nossas novas datas são agora junho de 1932 e abril de 1935. E se acrescentarmos duas conjecturas à equação...

Pista Nº5

Ao mudar de "O Incidente da Bola de Cachorro" para *Poirot Perde uma Cliente*, o cenário sai de Little Hemel, no condado de Kent, e passa para Market Basing, em Berkshire:

> Plano Geral P. recebe carta – ele e H – ele responde – depois rasga a carta – Não, nós iremos – Market Basing – The Lamb

Market Basing é entendido como um lugar que significa mais que uma mera semelhança com Wallingford, onde Agatha Christie viveu. Ela comprou sua casa ali em 1934 e isso pode estar refletido na mudança de cenário no romance. Há prova disso na referência a The Lamb, um *pub* de Wallingford, no Caderno 63. Isto é, na verdade, uma conjectura, mas, como diria Poirot: "Isso dá muito o que pensar, não é?".

Pista Nº6

Miss Matilda Wheeler escreve a Poirot no dia 12 de abril, uma quarta-feira, de acordo com a explicação deste: "Pense nas datas, Hastings" (parte v). O dia 12 de abril caiu numa quarta-feira em 1933.

Conclusão?

Então, podemos concluir que "O Incidente da Bola de Cachorro" foi escrito, com toda a certeza, em 1933.

Por que nunca foi publicado?

Agatha Christie agora era uma autora famosa. Em meados da década de 1930, com *Tragédia em Três Atos*, ela vendia 10 mil exemplares de capa dura no primeiro ano de lançamento de qualquer título novo; foi uma das primeiras autoras a ser publicadas em brochura; seus livros foram encenados e filmados. Por que uma revista deixaria de pular de alegria diante da chance de publicar uma pequena joia como um novo conto de Poirot, com a garantia de aumentar suas vendas? Se lhe tivesse sido oferecido... Novamente, estamos no reino da especulação, mas creio que a razão por que o conto nunca foi publicado é ridiculamente trivial: nunca foi publicado porque ela não o entregou a seu agente, e porque, por outro lado, decidiu transformá-lo em um romance. Vejam as provas:

Pista Nº1

Sua produção de contos havia decrescido desde o início de sua carreira – 27 em 1923 e 24 em 1924 – para uma simples meia dúzia em 1933 e sete no ano seguinte. Como ela explicou quando recusou colaborar nos romances coletivos do Clube de Investigação: "A energia gasta para produzir uma série é muito mais bem empregada para escrever alguns livros". Ela deve ter pensado o mesmo sobre esse conto e decidiu transformá-lo num novo romance de Poirot.

Pista Nº2

A carta de Edmund Cork referida anteriormente, datada de 26 de junho de 1936, acusa o recebimento de uma versão revisada de *Poirot Perde uma Cliente*. Isso parece se referir aos primeiros quatro capítulos, num cenário de cidadezinha inglesa, que foram acrescentados para ajudar a garantir a venda de uma serialização nos Estados Unidos (foi publicada em capítulos no *Saturday Evening Post* entre novembro e dezembro de 1936) e daria suporte à ideia de que seria uma expansão de "O Incidente da Bola de Cachorro". No romance, Hastings começa a narrar na primeira pessoa apenas no Capítulo 5; até ali, a história é contada na terceira pessoa onisciente, com a certificação de Hastings, quando ele começa a narração, de que não testemunhara os primeiros acontecimentos pessoalmente, mas que "os descreveu com precisão". E as cenas de abertura tanto do conto quanto do Capítulo 5, exceto pelo mês, são idênticas.

Pista Nº3

Essa teoria de que o conto não foi oferecido para venda também explica a inconsistência das datas dentro da história. Na parte i, Poirot diz: "Não, 12 de abril é a data [em que a carta foi escrita] com certeza", mas na parte iv ele se refere a agosto como o mês em que Miss Wheeler havia escrito a carta. Um agente e/ou um editor teriam certamente percebido um erro dessa dimensão, e de um dado tão intrínseco à história.

Conclusão

Em conclusão, é inteiramente possível que "O Incidente da Bola de Cachorro" tenha sido escrito em 1933 e nunca tenha sido oferecido para publicação, mas, em vez disso, transformado, em 1935/1936, no romance *Poirot Perde uma Cliente*.

"O Incidente da Bola de Cachorro" nos Cadernos

A história é referida em dois Cadernos, mas, no Caderno 30, é mencionada apenas de passagem como "Ideia A" na lista já citada. No Caderno 66 encontram-se detalhes que remetem mais ao conto do que ao romance:

Bola de Cachorro Pessoas

Mrs. Grant – típica senhora idosa

Miss Lawson – dama de companhia repressora

Mollie Davidson – Sobrinha – trabalha em salão de beleza

Seu jovem namorado – vive de bico

Jornalista – Ted Weedon – foi preso por falsificação – falsificou a assinatura do tio na Prefeitura –

deve à moça que o pressiona para conseguir dinheiro – atriz barata

James Grant – empertigado... cavalheiro respeitado –

Noivo de enfermeira de hospital – Miss O'Gorman

Ellen

Cozinheira

O nome da sobrinha – Mollie Davidson – é o mesmo, bem como sua ocupação; e esse nome não aparece em nenhum lugar nas anotações de *Poirot Perde uma Cliente*. O nome do sobrinho é alterado ligeiramente para Graham, embora o da vítima mude completamente de Mrs. Grant para Miss Wheeler. Nem o namorado de Mollie, nem a noiva de James Grant aparecem no conto, embora a tendência de Ted Weedon para falsificação seja transferida para Charles Arundell, o sobrinho rebatizado no romance.

O Incidente da Bola de Cachorro[1]

(A partir das notas do capitão Arthur Hastings, OBE)

i

Sempre me lembro do caso de Miss Matilda Wheeler com especial interesse, principalmente pelo modo curioso como ele se resolveu – por si só!

Lembro que era um dia muito quente e abafado de agosto. Eu estava sentado na saleta de meu amigo Poirot, desejando, pela centésima vez, estarmos no interior e não em Londres. A correspondência acabara de chegar. Lembro do barulho de cada envelope sendo aberto, meticulosamente, como Poirot costumava fazer tudo, usando um pequeno abridor de cartas. Depois murmurava um comentário e a carta em questão era colocada na pilha correspondente. Era uma tarefa ordenada e monótona.

Mas, de repente, algo diferente aconteceu. Uma pausa mais longa, uma carta lida não uma, mas duas vezes. Uma carta que não foi guardada do modo costumeiro, mas que permaneceu na mão do destinatário. Olhei para meu amigo do outro lado da sala. A carta agora estava sobre o joelho. Ele ficou pensativo, olhando para o nada.

– Algo interessante, Poirot? – perguntei.

– *Cela dépend*. Possivelmente, você não concordaria. É uma carta de uma velha senhora, Hastings, e ela não diz nada, nada mesmo!

– Muito útil – comentei num tom de sarcasmo.

– *N'est ce pas?* Esse é o modo das velhas senhoras. Ficar dando voltas em torno de um assunto! Mas veja por você mesmo. Adoraria saber o que devo concluir disso.

Ele me passou a carta. Eu a desdobrei e olhei-a com um esgar. Havia quatro páginas escritas com uma caligrafia tremida e espigada, com inúmeras alterações, riscos e palavras sublinhadas.

– Realmente preciso ler isto? – perguntei, choroso. – De que se trata?

– É, como lhe falei há pouco, sobre coisa nenhuma.

Mal encorajado pelo seu comentário, comecei a lê-la, contrariado. Devo confessar que não a li com cuidado. A caligrafia era ilegível e me satisfiz em adivinhar as palavras pelo contexto.

A remetente parecia ser Miss Matilda Wheeler, de The Laburnums, Little Hemel. Depois de muita dúvida e indecisão, ela decidiu escrever, sentindo urgência em falar com M. Poirot. Em algum momento, começou a contar exatamente como e onde ouvira falar de M. Poirot. A questão era tal, ela disse, que considerava extremamente difícil consultar qualquer pessoa em Little Hemel – e, claro, havia a possibilidade de estar totalmente enganada –, de acrescentar acrescentando um significado totalmente ridículo a circunstâncias perfeitamente naturais. De fato, ela havia se censurado várias vezes por fantasiar, mas, desde o incidente da bola de cachorro, sentia-se muito intranquila. Somente esperaria receber uma resposta de M. Poirot, caso ele não acreditasse que tudo aquilo seria uma imensa bobagem. Também, talvez ele fizesse a gentileza de lhe dizer quanto seriam seus honorários. A questão, ela sabia, era muito comum e desimportante, mas tinha a saúde fraca e seus nervos estavam abalados, e uma preocupação desse tipo era muito ruim para ela, e, quanto mais ela pensava no assunto, mais se *convencia* de que estava certa, embora, é claro, nem *sonhasse* em dizer qualquer coisa.[2]

Essa era mais ou menos a essência da mensagem. Baixei a carta e suspirei em desespero.

– Por que a mulher não diz do que ela está falando? Que carta mais absurda!

– *N'est ce pas?* Uma falha lamentável de empregar ordem e método ao processo mental.

– O que imagina que ela queira dizer? Não que seja importante. Algo aborreceu seu cão de estimação, eu suponho. De qualquer modo, não vale a pena levar isso a sério.

– Imagina que não, meu amigo?

– Meu caro Poirot, eu não entendo por que ficou tão intrigado com esta carta.

– Não, você não entende. A questão mais interessante desta carta, você passou por ela sem perceber.

– Qual é a questão interessante?

– A data, *mon ami.*

Olhei para o cabeçalho da carta novamente.

– Doze de abril – eu disse, lentamente.

– *C'est curieux, n'est ce pas?* Há quase três meses.[3]

– Não creio que isto tenha algum significado. Ela provavelmente deve ter desejado escrever 12 de agosto.

– Não, não, Hastings. Olhe para a cor da tinta. Esta carta foi escrita há algum tempo. Não, 12 de abril é a data, com certeza. Mas por que não foi postada? E se a remetente mudou de ideia sobre remetê-la, por que a guardou e enviou-a agora?

Ele se levantou.

– *Mon ami*, o dia está quente. Em Londres, sentimo-nos sufocados, não é mesmo? Então, o que me diz de fazermos uma pequena expedição ao campo? Para ser mais exato, a Little Hemel, que fica, que eu saiba, no Condado de Kent.

Eu estava mais que disposto e, naquele mesmo momento, partimos em nossa visita de exploração.

ii

Little Hemel é uma cidadezinha encantadora, intocada da forma miraculosa com que os vilarejos conseguem se manter quando estão a pouco mais de três quilômetros da estrada principal. Havia um albergue chamado The George e almoçamos ali – um almoço ruim, lamento dizer, como sempre acontece em albergues do interior.

Um garçom idoso nos atendeu, um homem corpulento e ofegante, e, ao nos trazer duas xícaras de um líquido duvidoso que chamou de café, Poirot pôs-se em ação.

– Uma casa chamada The Laburnums – ele disse. – Você a conhece? A casa que pertence a uma Miss Wheeler.

– Exatamente, senhor. Fica logo depois da igreja. É fácil encontrar. Havia três Misses Wheeler, senhoras bem tradicionais, nascidas e criadas ali. Ah, bem, todas já se foram, e a casa foi colocada à venda.

Ele meneou a cabeça tristemente.

– Então, as Misses Wheeler estão todas mortas? – perguntou Poirot.

– Sim, senhor. Miss Amelia e Miss Caroline há doze anos, e Miss Matilda há apenas um ou dois meses. Está pensando em comprar a casa, senhor, se não se importa em dizer?

– A ideia me ocorreu – respondeu Poirot, fingindo interesse. – Mas acredito que esteja em péssimas condições.

– É uma casa mais antiga, senhor. Nunca foi reformada, como se diz por aí. Mas está em boas condições, o teto e os canos e tudo o mais. Nunca economizou dinheiro para consertá-la, a Miss Wheeler, de jeito nenhum, e o jardim era sempre um primor.

– Ela tinha dinheiro?

– Oh! Muito dinheiro, senhor. Uma família muito bem de vida.

– Suponho que a casa tenha sido deixada para alguém que não tenha a intenção de usá-la. Uma sobrinha ou sobrinho, ou um parente distante?

– Não, senhor, ela a deixou para sua dama de companhia, Miss Lawson. Mas Miss Lawson não gosta de viver ali e, por isso, foi posta à venda. Mas não é um bom momento para vender casas, é o que dizem.

– Toda vez que alguém precisa vender alguma coisa nunca é um bom momento – retrucou Poirot, sorrindo, ao pagar a conta e deixando uma boa gorjeta. – Quando foi exatamente que disse que Miss Matilda Wheeler morreu?

– Logo no início de maio, senhor. Obrigado, senhor. Ou será que foi no final de abril? Ela tinha problemas de saúde havia muito tempo.

– Existe um bom médico na cidade?

– Sim, senhor, o Dr. Lawrence. Ele está indo bem agora e gostam muito dele por aqui. Sempre tem uma conversa agradável e é muito cuidadoso.

Poirot assentiu e saímos em seguida para o sol quente de agosto, e caminhamos pela rua em direção à igreja.

Antes de chegar lá, no entanto, passamos por uma casa antiga, um pouco recuada, com uma placa de metal no portão, onde se lia o nome do Dr. Lawrence.

– Excelente! – exclamou Poirot. – Vamos fazer uma consulta. A esta hora, temos certeza de encontrar o médico em casa.

– Meu caro Poirot! Mas o que dirá a ele? E, de qualquer forma, onde pretende chegar?

– Para sua primeira pergunta, *mon ami*, a resposta é simples: terei de inventar. Felizmente, tenho uma imaginação fértil. Para a segunda pergunta, *eh, bien*, depois de conversar com o médico, pode ser que eu descubra que não vou chegar a lugar nenhum.

iii

Dr. Lawrence era um homem em torno dos sessenta anos. Percebi ser um sujeito gentil e pouco ambicioso, não exatamente brilhante, mas bastante saudável.

Poirot é um mestre na arte de mentir. Em cinco minutos, estávamos todos conversando da forma mais amigável – sendo de algum modo presumido que fôssemos antigos e queridos amigos de Miss Matilda Wheeler.

– A morte dela foi um grande choque para mim. Muito triste – disse Poirot. – Ela sofreu um derrame? Não?

– Oh, não, meu caro amigo. Atrofia amarela do fígado. Uma doença que se instalara havia muito tempo. Ela teve um surto de icterícia há um ano. Passou bem o inverno, exceto por seu problema digestivo.

Então, teve icterícia novamente no final de abril e morreu devido a isso. Uma grande perda para nós, uma senhora de família muito tradicional do vilarejo.

– Ah, sim, realmente – suspirou Poirot. – E a dama de companhia, Miss Lawson...?

O médico fez uma pausa e, para nossa surpresa, respondeu de pronto:

– Posso adivinhar o que os senhores pretendem, e não me importo em lhes dizer que têm minha inteira compaixão. Mas, se vieram me procurar na esperança de que eu exerça algum tipo de "indução", de nada adiantará. Miss Wheeler era perfeitamente capaz de fazer um testamento, não somente quando o fez, mesmo na véspera de sua morte. Não adianta esperar que eu diga algo diferente disso, porque não direi.

– Mas a sua compaixão...?

– Minha compaixão está com James Graham e Miss Mollie. Sempre acreditei piamente que o dinheiro não deve ser tirado da família para ser dado a um estranho. Ouso dizer que tenha havido algum tipo de influência de Miss Lawson sobre Miss Wheeler devido a truques de espiritismo, mas duvido que haja algo que possam provar num tribunal. Iriam gastar todo o seu dinheiro inutilmente. Evite a justiça, sempre que possível, esse é o meu lema. E é certo que clinicamente não posso ajudá-los. A mente de Miss Wheeler era perfeitamente sã.

Ele apertou nossas mãos e novamente nos vimos sob a luz do sol.

– Bem – eu disse. – Isso foi um bocado inesperado!

– É verdade. Começamos a descobrir um pouco sobre minha correspondente. Ela tem pelo menos dois parentes, James Graham e uma moça chamada Mollie. Eles deveriam ter herdado o dinheiro, mas não conseguiram. Devido certamente a um testamento recém-feito, todo o dinheiro foi entregue à dama de companhia, Miss Lawson. Há também a menção bastante significativa de espiritismo.

– Acha que isso é significativo?

– Com certeza. Uma velha senhora crédula, os espíritos lhe dizem para deixar seu dinheiro para determinada pessoa; ela obedece. Uma coisa desse tipo pode parecer verossímil a algumas pessoas, não é mesmo?

iv

Chegamos a The Laburnums. Era uma casa grande em estilo georgiano, um pouco recuada, com um grande jardim na parte de trás. Havia um anúncio de "Vende-se" junto à entrada.

Poirot tocou a campainha. Sua expectativa foi respondida por um latido forte que veio de dentro. A porta foi aberta por uma mulher de meia-idade bem vestida, que segurava pela coleira um *terrier* de pelo eriçado, que continuava a latir.

– Boa tarde – disse Poirot. – A casa está à venda, pelo que eu saiba, assim Mr. James Graham me informou.

– Oh, sim, senhor. Gostaria de vê-la?

– Sim, por favor.

– Não precisa ter medo de Bob, senhor. Ele late toda vez que alguém chega à porta, mas é gentil como um carneirinho, na verdade.

Verdade seja dita, assim que entramos, o *terrier* pulou e lambeu nossas mãos. Ela nos mostrou a casa – patética como toda casa vazia, com marcas dos quadros nas paredes e o assoalho sem tapete. Notamos que a senhora estava pronta e propensa demais para conversar com amigos da família como supôs que fôssemos. Ao mencionar James Graham, Poirot deixou bem clara essa impressão.

Ellen, como se chamava a nossa guia, tinha sido muito ligada à falecida patroa. Ela começou a descrever, no seu modo peculiar, a sua doença e morte.

– Ela ficou doente de repente. E como sofreu! Coitadinha! Chegava a delirar no final. Dizia todo tipo de coisas absurdas. Quanto tempo durou? Bem, devem ter sido três dias desde que ela piorou. Mas, coitada, sofreu por muitos anos, sempre melhorando e piorando. Teve icterícia no ano passado e a comida nunca lhe caía bem. Tomava comprimidos para facilitar a digestão quase sempre após as refeições. Oh, sim, ela sofreu um bocado, de um modo ou de outro. Sofria de insônia também. Costumava se levantar e andar pela casa à noite, sim, a vista já fraca de tanto ler.

Foi nesse momento que Poirot tirou a carta do bolso. Mostrou-a para ela.

– Por acaso, reconhece isto? – perguntou.

Poirot observou-a com atenção. Ela soltou uma exclamação de surpresa.

– Ora, vejam só! E o senhor é o cavalheiro a quem a carta foi endereçada?

Poirot assentiu.

– Explique-me, por que me a enviou? – ele perguntou.

– Bem, senhor, eu não sabia o que fazer, e essa é a verdade. Quando a mobília foi toda retirada, Miss Lawson me entregou alguns pertences da senhora. E entre estes estava um mata-borrão de madrepérola que sempre admirei. Coloquei-o numa gaveta, e somente ontem peguei-o novamente, e estava colocando um novo papel mata-borrão quando encontrei esta carta enfiada dentro. Era a caligrafia da senhora e vi que pretendia enviá-la, colocou-a ali e se esqueceu, coisa que ela costumava fazer, coitadinha. Como se diz, muito distraída. Bem, eu não sabia o que fazer. Não quis queimá-la e não poderia me responsabilizar em abri-la, e não achei que tivesse a ver com Miss Lawson; então, simplesmente colei um selo nela e corri até a caixa dos correios para postá-la.

Ellen parou para tomar fôlego e o *terrier* começou a latir de modo estridente em *staccato*. O som era tão imperioso que a atenção de Poirot foi momentaneamente desviada. Ele olhou para baixo, para o cachorro sentado com o focinho erguido e suplicante na direção da cornija vazia sobre a lareira na sala de visitas onde estávamos naquele momento.

– Mas para o que ele está olhando com tanta atenção? – perguntou Poirot.

Ellen riu.

– É a bola dele, senhor. Costumava ficar numa jarra sobre a lareira e ele pensa que, de alguma forma, ainda deveria estar ali.

– Entendo – respondeu Poirot. – A bola dele...

Ele ficou pensativo por alguns instantes.

– Diga-me – ele continuou. – Alguma vez a senhora mencionou a você algo sobre o cachorro e a bola? Algo que a incomodava muito?

– Veja, é estranho que mencione isso, senhor. Ela nunca disse nada sobre a bola, mas acredito que havia algo em relação a Bob, que estava em sua mente, pois tentou dizer alguma coisa antes de morrer. "O cachorro", ela disse. "O cachorro..." e, então, mencionou algo sobre um quadro entreaberto, nada que fizesse muito sentido, mas, nessa hora, pobre alma, ela delirava e não sabia o que estava dizendo.

– A senhora compreende – atalhou Poirot – que esta carta, por não ter chegado às minhas mãos quando deveria, deixa-me intrigado em relação a muitas coisas e sem saber o que pensar. Há várias perguntas que eu gostaria de fazer.

Nesse momento Ellen não compreendeu o que Poirot queria dizer. Retiramo-nos para uma sala de estar cheia de móveis e, depois de tranquilizar Bob dando-lhe a desejada bola, que ele levou para debaixo de uma mesa para poder mordê-la, Poirot começou o interrogatório.

– Primeiro – ele disse –, entendo que os parentes mais próximos de Miss Wheeler sejam apenas dois.

– Isso mesmo, senhor. Mr. James... Mr. James Graham, que o senhor mencionou há pouco, e Miss Davidson. Eles são primos em primeiro grau e sobrinhos de Miss Wheeler. Havia cinco Misses Wheeler, sabe, e apenas duas se casaram.

– E Miss Lawson não era parente de nenhuma forma?

– Não, de jeito nenhum, apenas uma dama de companhia contratada.

O tom de voz de Ellen demonstrou desdém.

–Você gostava de Miss Lawson, Ellen?

– Bem, senhor, ela não era uma pessoa desagradável, vamos dizer assim. Não era nem uma coisa nem outra; não era, não. Uma criatura comum, cheia de bobagens sobre espíritos. Costumavam se sentar no escuro, sim, ela e Miss Wheeler, e as duas Misses Pym. Uma sessão, era como chamavam aquilo. Elas estavam numa dessas na mesma noite em que a senhora ficou doente. E, se me perguntar, foi essa bobagem maligna que fez Miss Wheeler não dar seu dinheiro a quem era do seu próprio sangue.

– Quando foi exatamente que ela fez o novo testamento? Mas, talvez, você não saiba.

– Oh, sim, eu sei. Mandou chamar o advogado quando ainda estava de cama.

– De cama?

– Sim, senhor, do tombo que levou. Na escada. Bob havia deixado a bola no alto da escada e ela pisou na bola e caiu. Foi de noite. Como lhe disse, ela costumava se levantar e andar pela casa.

– Quem estava na casa na ocasião?

– Mr. James e Miss Mollie estavam passando aqui o fim de semana. Era Páscoa, e era a véspera do feriado bancário. Estavam a cozinheira, eu, Miss Lawson, Mr. James e Miss Mollie, e depois da queda e do grito saímos todos para acudi-la. Ela sofreu um corte na cabeça e machucou as costas. Precisou ficar deitada quase uma semana. Sim, ela ainda estava de cama, foi na sexta-feira seguinte, quando mandou chamar Mr. Halliday. E o jardineiro teve de entrar para servir de testemunha, porque, por alguma razão, eu não podia, por ela ter me beneficiado no testamento, e a cozinheira apenas não era o suficiente.

– O feriado bancário foi dia 10 de agosto[4] – disse Poirot.

Ele olhou para mim de modo significativo.

– Sexta-feira foi dia 14. E depois? Miss Wheeler voltou a se levantar?

– Oh, sim, senhor. Ela se levantou no sábado, e Miss Mollie e Mr. James voltaram, ansiosos para ver como ela estava, sabe? Mr. James voltou até no outro fim de semana.

– No fim de semana do dia 22?

– Sim, senhor.

– E quando Miss Wheeler ficou novamente doente?

– Foi no dia 25, senhor. Mr. James tinha ido embora na véspera. E Miss Wheeler parecia muito bem, exceto por sua indigestão, é claro, mas isso era crônico. Ficou mal de repente depois da sessão, foi sim. Elas fizeram uma sessão depois do jantar, sabe, então as Misses Pym foram para casa, e Miss Lawson e eu a pusemos na cama e mandamos chamar o Dr. Lawrence.

Poirot franziu a testa por um instante; então, pediu a Ellen o endereço de Miss Davidson, Mr. Graham e também de Miss Lawson.

Os três moravam em Londres. James Graham era sócio de uma fábrica de tintas,[5] Miss Davidson trabalhava num salão de beleza em Dover Street. Miss Lawson alugara um apartamento perto de High Street, Kensington.

Ao sairmos, Bob, o cachorro, correu para o alto da escada, deitou-se e empurrou cuidadosamente a bola com o focinho, que rolou até o chão. Ele ficou parado, balançando o rabo, até que fosse arremessada de volta para ele.

– O incidente da bola de cachorro – murmurou Poirot.

v

Um minuto ou dois depois, estávamos novamente sob a luz do sol.

– Bem... – eu disse, com uma risada. – O incidente da bola de cachorro acabou não resultando em nada. Agora sabemos exatamente o que aconteceu. O cachorro deixou a bola no alto da escada e a senhora idosa pisou nela e caiu. Isso é tudo!

– Sim, Hastings, como você diz, o incidente é muito simples. O que não sabemos, e o que eu gostaria de saber, e o que eu *quero* descobrir, é por que a senhora se sentia tão incomodada com ele.

– Acredita que haja algo por trás disso?

– Pense nas datas, Hastings. Na segunda-feira à noite, houve a queda. Na quarta-feira, ela me escreveu a carta. Na sexta-feira, o testamento foi alterado. Há algo curioso aí. Algo que eu gostaria de saber o que é. E, dez dias depois, Miss Wheeler morre. Se tivesse sido uma morte repentina, uma dessas mortes misteriosas devido a uma "falha coronária", confesso que eu suspeitaria. Mas a morte dela parece ter sido totalmente natural e devido a uma doença crônica. *Tout de même...*

Poirot começou a meditar profundamente sobre o assunto. De repente, ele disse:

– Se você realmente quisesse matar alguém, Hastings, como o faria?

– Bem, eu não sei. Não consigo me imaginar...

– Sempre se pode imaginar. Pense, por exemplo, num agiota repulsivo, em uma moça inocente presa em suas garras.

– Sim... – eu respondi, lentamente. – Suponho que sempre alguém possa se tornar violento e tentar eliminar outra pessoa.

Poirot suspirou.

– *Mais oui*, essa seria a sua reação! Mas estou tentando imaginar com a mente de alguém que pensa de um modo muito diferente. Um homicida que age a sangue-frio, mas que é muito cauteloso e suficientemente inteligente. O que ele tentaria fazer em primeiro lugar? Bem, acidentes acontecem. Um acidente muito bem planejado; é muito difícil para a polícia determinar o agente. Mas tem suas desvantagens; pode aleijar, mas não matar. E, então, possivelmente, a vítima pode começar a suspeitar. Um acidente não poderá ser tentado outra vez. Suicídio? A menos que uma carta com sentido dúbio seja obtida da vítima, o suicídio seria incerto. Então, um assassinato, sem disfarce. Para isso, precisa-se de um bode expiatório ou de um álibi.

– Mas Miss Wheeler não foi assassinada. Realmente, Poirot...

– Eu sei, eu sei. *Mas ela morreu*, Hastings. Não se esqueça disso: *ela morreu*. Ela faz um testamento e, dez dias depois, morre. E as duas únicas pessoas que estão na casa com ela (exceto a cozinheira), se beneficiam com a morte.

– Acho – respondi – que você está com uma pulga atrás da orelha.

– Muito possivelmente. Coincidências acontecem. Mas ela me escreveu uma carta, *mon ami*, me escreveu uma carta e, até eu descobrir por que ela me escreveu, não terei sossego.

vi

Cerca de uma semana depois, tivemos três entrevistas.

Exatamente o que Poirot escreveu a eles, eu não sei, mas Mollie Davidson e James Graham vieram juntos à hora marcada e, de fato, não demonstraram nenhum ressentimento. A carta escrita por Miss Wheeler estava em cima da mesa numa posição de destaque. Pela conversa que se seguiu, entendi que Poirot tomou várias liberdades por conta própria em relação ao assunto em questão.

– Viemos até aqui atendendo a seu pedido, mas sinto dizer que não compreendo de modo algum o que o senhor pretende, M. Poirot – disse Graham, num tom ligeiramente irritado, ao pôr de lado o chapéu e a bengala.

Era um homem alto e magro, aparentando mais do que sua idade, com lábios crispados e olhos cinzentos e profundos. Miss Davidson era uma moça bonita e loira de vinte e nove anos ou mais. Ela parecia intrigada, mas não havia rancor.

– Eu quero ajudá-los – disse Poirot. – Esta herança foi arrancada de vocês! Foi parar nas mãos de uma estranha!

– Bem, isso já está feito e terminado – disse Graham. – Consultei meus advogados e parece que não há nada que se possa fazer. E eu realmente não compreendo onde isso interessa ao *senhor*, M. Poirot.

– Acho, James, que você não está sendo muito justo com M. Poirot – disse Mollie Davidson. – Ele é um homem ocupado, mas está pondo seus interesses de lado para nos ajudar. Gostaria que ele realmente pudesse nos ajudar. Ao mesmo tempo, temo que nada possa ser feito. Simplesmente não temos dinheiro para entrar com uma ação.

– Não temos dinheiro, não temos dinheiro! Não temos sequer uma ação! – respondeu o primo, irritadíssimo.

– É justamente aí que eu entro – acrescentou Poirot. – Esta carta... – ele tocou-a com a unha – sugeriu-me uma ideia factível. Sua tia, que eu saiba, havia feito originalmente um testamento em que deixava seus bens para ser divididos entre vocês. De repente, no dia 14 de abril, ela fez outro testamento. A propósito, vocês tinham conhecimento desse testamento?

Ele fez a pergunta olhando para Graham.

Graham corou e hesitou por um momento.

– Sim – respondeu. – Eu tinha conhecimento dele. Minha tia havia me falado do testamento.

– O quê!??

A moça soltou uma exclamação de perplexidade.

Poirot virou-se para ela.

– Não sabia do testamento, Mademoiselle?

– Não, isso foi um choque para mim. Pensei que tivesse sido para meu primo também. Quando titia lhe contou, James?

– No fim de semana seguinte, depois da Páscoa.

– E eu estive lá e você não me contou nada?

– Não... Eu... Bem, pensei que fosse melhor não contar.

– Que fantástico o que você fez!

– O que foi exatamente que sua tia lhe disse, Mr. Graham? – perguntou Poirot num tom absolutamente sedoso.

Graham mostrou contrariedade para responder a essa pergunta. Falou, hirto de cólera:

– Ela disse que pensava que seria justo que eu soubesse que ela havia feito um novo testamento deixando tudo para Miss Lawson.

– Ela lhe deu alguma explicação?

– Nenhuma.

– Eu acho que você tinha de ter me contado – atalhou Miss Davidson.

– Achei melhor não dizer nada – disse-lhe o primo, impassível.

– *Eh, bien* – disse Poirot. – Tudo isso é muito curioso. Não posso lhes revelar o que foi escrito para mim nesta carta, mas lhes darei um conselho. Se eu fosse vocês, faria um pedido de exumação.

Ambos olharam espantados para ele sem dizer nada por alguns instantes.

– Oh, não! – gritou Mollie Davidson.

– Isso é uma afronta! – exclamou Graham. – Não farei nada disso. A sugestão é absurda!

– Você se recusa?

– Com certeza.

Poirot virou-se para a moça.

– E a senhorita, Mademoiselle? Também se recusa?

– Eu... Não, eu não recusaria, mas não gosto da ideia.

– Bem, eu me recuso – respondeu Graham, bastante zangado. – Vamos embora, Mollie. Já ouvimos demais deste impostor.

Graham virou-se para sair e começou a procurar a porta. Poirot apressou-se em ajudá-lo. Ao fazer isso, uma bola de borracha caiu do bolso de Poirot e quicou no chão.

– Ah! – exclamou Poirot. – A bola!

Ele corou e ficou constrangido. Achei que não tivesse a intenção de que vissem a bola.

– Vamos, Mollie! – gritou Graham, agora num tom imperioso.

A moça pegou a bola do chão e entregou-a a Poirot.

– Não sabia que o senhor tinha um cão, M. Poirot – ela comentou.

– Não tenho, Mademoiselle – respondeu Poirot.

A moça seguiu o primo para fora da sala. Poirot virou-se para mim.

– Rápido, *mon ami* – ele disse. – Vamos visitar a dama de companhia, a hoje rica Miss Lawson. Quero vê-la antes que ela possa, de qualquer forma, se colocar na defensiva.

– Se não fosse pelo fato de James Graham saber do novo testamento, eu estaria inclinado a suspeitar que ele teve alguma participação neste caso. Ele estava lá no último fim de semana. No entanto, como sabia que a morte da velha senhora não o beneficiaria... bem, isso o coloca fora de suspeita.

– Porque ele sabia... – murmurou Poirot, pensativo.

– Sim, claro, ele admitiu isso – eu disse, impaciente.

– Mademoiselle ficou totalmente surpresa de ele saber. Estranho ele não ter contado a ela na época. Uma infelicidade, sim, uma infelicidade.

Exatamente o que Poirot estava inferindo, não consegui atinar, mas eu sabia, pelo tom de sua voz, que havia algo ali. No entanto, logo depois, chegamos à Mansão Clanroyden.

vii

Miss Lawson era exatamente como eu a imaginara. Uma mulher de meia-idade, um tanto robusta, com expressão vívida, mas um pouco tola. Tinha o cabelo desalinhado e usava um *pince-nez*. Falava usando exclamações espasmódicas.

– Que bom que o senhor veio! – ela disse. – Sente-se aqui, sim? Uma almofada. Oh, meu Deus, creio que esta cadeira não seja confortável. Esta mesinha está na sua frente. Temos móveis demais aqui.

(Isso era inegável. Havia duas vezes mais mobília do que cabia na sala e as paredes estavam atulhadas com quadros e fotografias.)

– Este apartamento é realmente muito pequeno. Mas é bem central. Sempre quis ter um apartamentinho. Mas, então, nunca imaginei que conseguiria. Que bondade da querida Miss Wheeler. Não que me sinta completamente confortável em relação a esse assunto. Não, de jeito nenhum. Tenho minha consciência, M. Poirot. *Isto está certo?*, eu me pergunto. E realmente não sei o que dizer. Às vezes, penso que Miss Wheeler queria que eu ficasse com o dinheiro e então isto deve estar bem certo. E outras vezes... Bem, os parentes são sangue do seu sangue... Eu me sinto muito mal quando penso em Mollie Davidson. Realmente muito mal!

– E quando pensa em Mr. James Graham?

Miss Lawson enrubesceu e se conteve.

– Aí é diferente. Mr. Graham foi muito rude, realmente muito desaforado. Eu lhe asseguro, M. Poirot, não houve nenhuma indução da minha parte. Eu não tinha ideia de nada disso. Foi um completo choque para mim.

– Miss Wheeler não lhe contou sobre suas intenções?

– Não, de jeito nenhum. Foi um completo choque.

– A senhora não achou, de qualquer modo, necessário... como dizer... abrir os olhos de Miss Wheeler em relação às más qualidades de seu sobrinho?

– Que ideia, M. Poirot! Claro que não. Quem colocou essa ideia em sua cabeça, poderia me dizer?

– Mademoiselle, eu tenho muitas ideias curiosas na minha cabeça.

Miss Lawson olhou-o indecisa. Seu rosto, ponderei, tinha um ar inteiramente tolo. O modo como deixava a boca entreaberta, por exemplo. E, apesar disso, os olhos por trás das lentes pareciam mais inteligentes do que se poderia imaginar.

Poirot tirou algo do bolso.

– Reconhece isto, Mademoiselle?

– Ora, é a bola de Bob!

– Não – respondeu Poirot. – É uma bola que comprei na Woolworth's.

– Bem, claro, é de onde vêm todas as bolas de Bob. Querido Bob!

– Gosta dele?

– Oh, sim, claro, querido cãozinho! Ele sempre dormia no meu quarto. Adoraria tê-lo em Londres, mas os cães não se sentem muito felizes na cidade, não é, M. Poirot?

– Já vi cães muito felizes no Parque – respondeu meu amigo num tom grave.

– Oh, sim, claro, o Parque – respondeu Miss Lawson vagamente. – Mas é muito difícil exercitá-lo de maneira adequada. Ele se sente muito mais feliz com Ellen, tenho certeza, em Laburnums. Ah, que tragédia foi tudo aquilo!

– Importa-se em me contar, Mademoiselle, o que aconteceu na noite quando Miss Wheeler ficou doente?

– Nada de mais. Pelo menos... Oh, claro, fizemos uma sessão e houve um fenômeno específico, um fenômeno muito específico. O senhor rirá, M. Poirot. Sinto que o senhor é cético. Mas, oh, a alegria de ouvir as vozes daqueles que já se foram...

– Não, eu não rio – respondeu Poirot, gentilmente.

Ele observava a sua expressão corada de agitação.

– Sabe, foi um fato muito curioso, realmente *muito* curioso. Havia um tipo de halo, uma névoa luminosa, em torno da cabeça da querida Miss Wheeler. Nós a vimos claramente.

– Uma névoa luminosa? – perguntou Poirot, bruscamente.

– Sim. Realmente impressionante. Tendo em vista o que aconteceu, eu senti, M. Poirot, que ela já estivesse *marcada*, vamos dizer assim, para seguir para o outro mundo.

– Sim – disse Poirot. – Eu creio que estivesse... marcada para seguir para o outro mundo.

Em seguida, ele acrescentou, de modo totalmente incongruente para mim:

– Dr. Lawrence tem o olfato apurado?

– Bem, é muito curioso que o senhor me pergunte isso. "Sinta este cheiro, doutor", eu disse, e segurei um maço de lírios-do-vale para que ele aspirasse. E acredita que ele não conseguiu sentir nada? Desde uma gripe que teve há três anos, foi o que ele disse. Ah, meu Deus, "médico, cura-te a ti mesmo" é a mais pura verdade, não é?

Poirot havia se levantado e começado a vagar pela sala. Ele parou e olhou para uma moldura na parede. Eu me juntei a ele.

A moldura guardava um bordado malfeito, com restos de fios de lã, e mostrava o desenho de um buldogue sentado nos degraus na frente de uma casa. Embaixo, em letras retorcidas, lia-se: "Passei a noite toda fora sem a chave!".[6]

Poirot respirou fundo.

– Este quadro vem de The Laburnums?

– Sim. Ficava pendurado acima da lareira na sala de estar. A querida Miss Wheeler bordou-o quando era menina.

– Ah! – exclamou Poirot.

Sua voz mudou completamente. Soou num tom que eu conhecia muito bem.

Ele se dirigiu a Miss Lawson.

– Lembra-se do feriado bancário? Na segunda-feira após a Páscoa? A noite em que Miss Wheeler rolou as escadas? *Eh, bien*, o pequeno Bob, ele passou a noite fora, não foi? Ele não entrou em casa.

– Sim, claro, M. Poirot, no entanto, o senhor sabia disso? Sim, Bob estava muito agitado. Deixamos que saísse às nove horas como sempre, mas ele não voltou. Eu não disse nada a Miss Wheeler; ela teria ficado ansiosa. Quer dizer, eu contei a ela no dia seguinte, é claro. Depois que já estava de volta em segurança. Isso foi às cinco da manhã. Ele veio e latiu debaixo da minha janela e desci para deixá-lo entrar.

– Então, foi isso! *Enfin*!

Ele estendeu a mão para ela.

– Adeus, Mademoiselle. Ah! Só mais um detalhe. Miss Wheeler sempre tomava comprimidos digestivos após as refeições, não é? Qual a marca deles?

– Comprimidos Digestivos do Dr. Carlton. Muito eficazes, M. Poirot.

– Eficazes! *Mon Dieu*! – murmurou Poirot assim que saímos. – Não, não me pergunte nada, Hastings. Não ainda. Há uma ou duas pequenas questões pendentes que tenho de resolver.

Ele entrou numa farmácia e ressurgiu trazendo um frasco num pacote branco.

vii

Poirot abriu o pacote assim que chegamos em casa. Era um frasco de Comprimidos Digestivos do Dr. Carlton.

– Como vê, Hastings, há pelo menos cinquenta comprimidos neste frasco, talvez mais.

Ele foi até a estante e puxou um livro volumoso. Por dez minutos, não disse nada, depois desviou os olhos do livro e cerrou-o com um estampido.

– Mas, sim, meu amigo, agora você pode perguntar. Agora eu sei... tudo!

– Ela foi envenenada?

– Sim, meu amigo. Envenenamento por fósforo.

– Fósforo?

– Ah, *mais oui*! Foi aí que entrou a inteligência diabólica! *Miss Wheeler já havia sofrido de icterícia. Os sintomas de envenenamento por fósforo apenas pareceriam outro ataque da mesma doença.* Agora, escute, muitas vezes os sintomas de envenenamento por fósforo são retardados de uma a seis horas. Diz aqui – ele abriu o livro novamente. – *"O hálito do paciente poderá parecer fosforescente antes de ele se sentir de todo afetado"*. Foi isso o que Miss Lawson viu na escuridão: o hálito fosforescente de Miss Wheeler, "uma névoa fosforescente". E aqui volto a ler para você: *"A icterícia tendo se manifestado plenamente, o organismo poderá ser considerado não apenas sob a influência da ação tóxica do fósforo, mas sofrendo adicionalmente de todas as ocorrências incidentais à retenção da secreção biliar no sangue, nem haverá, a partir desse ponto, qualquer diferença essencial entre o envenenamento por fósforo e certas doenças do fígado, como, por exemplo, a atrofia amarela"*.[7] Oh! Foi tudo muito bem planejado, Hastings! Fósforos importados, pasta vermicida. O fósforo não é difícil de conseguir, e uma dose muito pequena é o suficiente para matar. A dose medicinal é de 1/100 a 1/30 grama. Mesmo 0,116 de um grama já seria suficiente para matar. Para fazer um comprimido parecido com esses do frasco, também não seria de todo difícil. Pode-se comprar uma máquina de prensar comprimidos, e Miss Wheeler não perceberia a diferença. Um comprimido colocado no fundo deste frasco, um dia, mais cedo ou mais tarde, Miss Wheeler iria ingeri-lo, e quem o colocou ali teria o álibi perfeito, pois ela não estaria na casa nos dez dias anteriores.

– Ela?

– Mollie Davidson. Ah, *mon ami*! Você não viu a expressão nos olhos dela quando aquela bola caiu do meu bolso. Para o furioso M. Graham, não significava nada, mas, para ela, sim. "Não sabia que o senhor tinha um cão, M. Poirot." Por que um *cão*? Por que não uma criança? Uma criança também brinca com bolas. Mas isso, você diria, não é uma prova. É apenas uma impressão de Hercule Poirot. Sim, mas tudo se encaixa. M. Graham ficou furioso com a ideia de uma exumação, ele demonstra isso. Mas ela é mais cautelosa. Ela teme parecer relutante. Mas não consegue esconder a surpresa e a indignação quando descobre que o primo sabia sobre o testamento o tempo todo! Ele sabia e não contara nada a ela. Seu crime foi em vão. Lembra-se quando eu disse que fora uma infelicidade ele não ter contado nada a ela? Infelicidade para a pobre Miss Wheeler. Foi sua sentença de morte, e todas as precauções que tomou, como o testamento, foram em vão.

– Você quer dizer o testamento... Não, eu não entendi.

– Por que ela fez esse testamento? O incidente da bola de cachorro, *mon ami*. Imagine, Hastings, que você queira provocar a morte de uma senhora idosa. Você inventa um simples acidente. A velha senhora, até agora, escorregou numa bola de cachorro. Ela anda à noite pela casa. *Bien*, você coloca a bola de cachorro no alto da escada e, talvez, também estique uma linha de lã ou um barbante fino de um lado a outro da escada. A velha senhora tropeça, rola escada abaixo e grita. Todos correm para ajudá-la. Você retira o barbante partido, enquanto os outros estão em volta da senhora. Quando tentam descobrir o motivo da queda, encontram a bola de cachorro onde ele costumava deixá-la. Mas, Hastings, agora nos deparamos com outro elemento. Suponha que a velha senhora, um pouco mais cedo naquele dia, depois de brincar com o cachorro, guarde a bola no lugar de sempre, e o cachorro saia; *e fique fora*. Foi isso o que ela soube por Miss Lawson no dia seguinte. Ela percebe que *não poderia ter sido o cão que deixara a bola no alto da escada*. Ela suspeita do que está acontecendo, mas suspeita da pessoa errada. Suspeita de seu sobrinho, James Graham, cuja personalidade não é das mais simpáticas. O que ela faz? Primeiro, me escreve uma carta para que eu investigue o caso. Então, muda o testamento *e conta a James Graham o que ela fez*. Espera que ele conte a Mollie, embora ela suspeite de James. Eles saberão que sua morte não os beneficiará! *C'est bien imaginé* para uma senhora idosa. E este, *mon ami*, é o significado de suas palavras antes de morrer. Conheço bem a língua inglesa para saber que uma *porta* fica entreaberta e não um *quadro*. A velha senhora está tentando revelar a Ellen sua suspeita. O cão – o quadro acima do jarro sobre a lareira, com sua frase escrita: "Passei a noite toda fora", e a bola guardada na jarra. Essa é a única base de suspeita que ela tem. Provavelmente, ela pensa que está doente devido a causas naturais, mas, no último instante, intui que talvez não esteja.

Poirot ficou em silêncio por alguns segundos.

– Ah! Se ela tivesse conseguido postar aquela carta! Eu poderia tê-la salvo. Agora...

Ele pegou uma caneta e uma folha de papel.

– O que vai fazer?

– Vou escrever um relato completo e detalhado de tudo o que aconteceu e enviar a Miss Mollie Davidson com uma observação de que será pedida uma exumação.

– E depois?

– Se ela for inocente, nada – disse Poirot num tom grave. – Se não for inocente... Depois veremos...

viii

Dois dias depois, o jornal trazia a notícia de que Miss Mollie Davidson havia morrido por ingestão excessiva de pílulas para dormir. Fiquei horrorizado.[8] Poirot mostrou-se bastante tranquilo.

– Pelo contrário, tudo se resolveu muito bem. Não houve escândalo, nem julgamento por homicídio. Miss Wheeler não aprovaria isso. Ela teria preferido a privacidade. Por outro lado, não se deve deixar uma assassina... como se diz... à solta. Mais cedo ou mais tarde, haverá outro assassinato. O assassino sempre repete seu crime. Não – ele continuou divagando, – tudo se resolveu realmente muito bem. Resta apenas apaziguar os sentimentos de Miss Lawson, uma tarefa que Miss Davidson estava executando com toda a maestria, até ela chegar à decisão de entregar a metade da fortuna a Mr. James Graham, que é, afinal, o herdeiro legítimo, uma vez que ele foi privado da herança por um erro de julgamento.

Poirot tirou do bolso a bola de borracha colorida.

– Devemos mandá-la para nosso amigo Bob? Ou devemos guardá-la sobre a lareira? É um lembrete, *n'est ce pas?*, *mon ami*, de que nada é tão simples para ser negligenciado. Numa das pontas, a "Morte"; na outra, apenas... "o incidente da bola de cachorro"...

Notas

1. As palavras exatas do título aparecem, mais de uma vez, no Capítulo 9 de *Poirot Perde uma Cliente*, e também na carta de Miss Arundell no Capítulo 5.
2. Essa carta é muito semelhante à enviada por Miss Amelia Barrowby, outra senhora idosa que mora numa cidadezinha e é pouco depois envenenada, em "Que Bonito é seu Jardim?".
3. Se a carta foi escrita no dia 12 de abril e recebida por Poirot no início de agosto, a frase correta deveria ser "há quase quatro meses".
4. Leia-se "abril".
5. Estranhamente, essa ocupação específica, suspeita no contexto de um mistério de envenenamento, não é mencionada depois.
6. Esse quadro (muda para um jarro com palavras semelhantes no Capítulo 8 do romance) pode ser visto na mansão Greenway e pode ter inspirado Agatha Christie. Ela adorava cães e teve cachorros a vida inteira.
7. Essa explicação científica aparece de forma idêntica no Capítulo 23 de *Poirot Perde uma Cliente.*
8. Esse procedimento um tanto questionável, em que Poirot faz justiça com as próprias mãos, também é adotado no romance.

Bibliografia Selecionada

Entre os vários livros escritos sobre Agatha Christie, os seguintes foram bastante úteis:

Barnard, Robert, *A Talent to Deceive* (1980).

Campbell, Mark, *The Pocket Essentials Guide to Agatha Christie* (2006).

Morgan, Janet, *Agatha Christie* (1984).

Osborne, Charles, *The Life and Crimes of Agatha Christie* (1982).

Sanders, Dennis e Lovallo, Len, *The Agatha Christie Companion* (1984).

Sova, Dawn B., *Agatha Christie A to Z* (1996).

Thompson, Laura, *Agatha Christie, An English Mystery* (2007).

Toye, Randall, *The Agatha Christie Who's Who* (1980).

Índice de Títulos

Este livro foi composto em Bembo Std
para Texto Editores Ltda.
em dezembro de 2010.